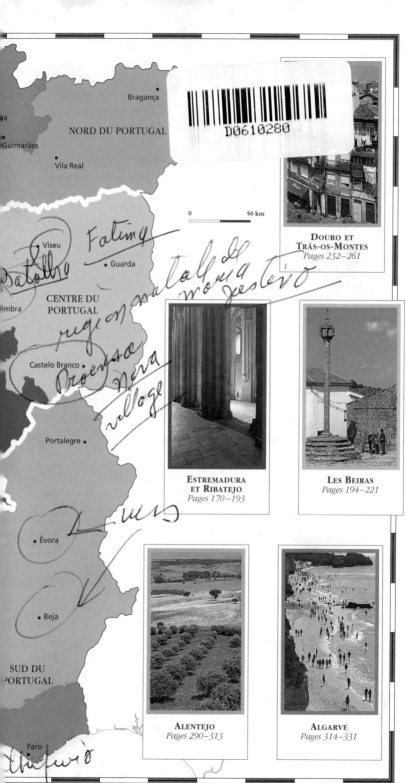

Bragança

NORD DU PORTUGAL

Guimarães

Vila Real

0   50 km

**DOURO ET
TRÁS-OS-MONTES**
Pages 232–261

Viseu

Guarda

CENTRE DU
PORTUGAL

Castelo Branco

Portalegre

**ESTREMADURA
ET RIBATEJO**
Pages 170–193

LES BEIRAS
Pages 194–221

Évora

Beja

SUD DU
PORTUGAL

Faro

ALENTEJO
Pages 290–313

ALGARVE
Pages 314–331

GUIDES ❖ VOIR

PORTUGAL

GUIDES ◉ VOIR

PORTUGAL

Joyeux ... Noël 2006

Libre Expression

QUEBECOR MEDIA

Libre Expression
QUEBECOR MEDIA

CE GUIDE VOIR A ÉTÉ ÉTABLI PAR
Susie Boulton, Christopher Catling, Clive Gilbert, Marion Kaplan,
Sarah McAlister, Alice Peebles, Carol Rankin, Norman Renouf,
Joe Staines, Robert Strauss, Nigel Tisdall, Edite Vieira

DIRECTION
Cécile Boyer-Runge

DIRECTION ÉDITORIALE
Catherine Marquet

ÉDITION
Catherine Laussucq

TRADUIT ET ADAPTÉ DE L'ANGLAIS PAR
Tina Calogirou, Véronique Dumont et Martine Desbureaux

MIS À JOUR PAR
Michèle Fernandez

MISE EN PAGES (P.A.O.)
Maogani

DK

Publié pour la première fois en Grande-Bretagne
en 1997 sous le titre : *Eyewitness Travel Guides :
Portugal with Madeira and the Azores*
© Dorling Kindersley Limited, London 2000
© Hachette Livre (Hachette Tourisme)
2004 pour la traduction et l'édition française
Cartographie © Dorling Kindersley 2004

Aussi soigneusement qu'il ait été établi, ce guide
n'est pas à l'abri des changements de dernière heure.
Faites-nous part de vos remarques, informez-nous
de vos découvertes personnelles : nous accordons
la plus grande attention au courrier de nos lecteurs.

Imprimé et relié en Chine par South China Printing

Éditions Libre Expression
division de Éditions Quebecor Média inc.
7, chemin Bates
Outremont (Québec) H2V 4V7

DÉPÔT LÉGAL : 1ᵉʳ trimestre 2004
ISBN : 2-7648-0116-5

◁ **Palácio da Pena dépassant des arbres du parque da Pena, Sintra**

**L'Alfama, le plus vieux quartier
de Lisbonne**

Maison aux décorations bleues typiques près de Beja, Alentejo

Entrée de la salle capitulaire du monastère d'Alcobaça, Estremadura

Azulejos du XVIIe siècle du palácio Fronteira, Lisbonne

Le superbe monastère gothique de Batalha

COMMENT UTILISER CE GUIDE

Ce guide vous aidera à profiter au mieux de votre séjour au Portugal. L'introduction, *Présentation du Portugal,* situe la région dans son contexte géographique, historique et culturel. Dans les neuf chapitres sur les régions et celui sur *Lisbonne,* plans, textes et illustrations présentent les principaux sites et monuments. *Une image du Portugal* renseigne sur l'architecture, les festivals, les plages et la gastronomie. *Les bonnes adresses* informent sur les hôtels et les restaurants, et les *Renseignements pratiques* conseillent dans tous les domaines de la vie quotidienne.

LISBONNE

Le centre de Lisbonne est divisé ici en cinq quartiers. Chaque chapitre débute par un portrait du quartier et une liste des monuments présentés. Des numéros les situent clairement sur le *Plan du quartier.* Ils correspondent à l'ordre dans lequel ces monuments sont présentés dans le corps du texte.

Le quartier d'un coup d'œil classe les centres d'intérêt : églises, musées, bâtiments historiques, parcs et jardins, etc.

1 Plan général du quartier
Un numéro y situe chaque monument du quartier, qui apparaît également dans l'Atlas des rues de Lisbonne, p. 126-139.

La carte de situation indique où se trouve le quartier dans la ville.

Un repère rouge signale toutes les pages concernant Lisbonne.

2 Plan du quartier pas à pas
Il offre une vue aérienne du cœur d'un quartier.

Un itinéraire de promenade emprunte les rues intéressantes.

Des étoiles signalent les sites à ne pas manquer.

3 Renseignements détaillés
Les sites et les monuments de Lisbonne sont décrits un par un. Chaque chapitre donne également les adresses et les informations pratiques. La légende des symboles figure sur le dernier rabat de couverture.

1 Introduction
Une description des paysages, de l'histoire et du caractère de chaque région présente son évolution au cours des siècles et ce qu'elle offre aujourd'hui au visiteur.

LE PORTUGAL RÉGION PAR RÉGION
Nous avons divisé le Portugal en neuf régions, qui font chacune l'objet d'un chapitre séparé. Sur la *Carte touristique*, un numéro indique les villes, les localités et les sites les plus intéressants.

2 La carte touristique
Elle offre une vue d'ensemble de la région et de son réseau routier. Les sites sont numérotés. Des indications sont fournies pour se déplacer dans la région.

Un repère de couleur correspond à chaque région. Le premier rabat de couverture en donne la clé.

3 Renseignements détaillés
Les localités et les sites sont décrits un par un, dans l'ordre de la numérotation de la Carte touristique. *Texte, plans et illustrations présentent en détail ce qu'il y a d'intéressant à visiter.*

Des encadrés sont consacrés à des sujets particuliers.

Pour tous les principaux monuments, le Mode d'emploi vous aide à organiser votre visite.

4 Les principaux monuments
Deux pages, ou plus, leur sont dédiées. La représentation en coupe des édifices en dévoile l'intérieur. Les plans des musées, par étage, aident à s'y reconnaître.

Présentation du Portugal

Le Portugal dans son environnement

Situé à l'extrême sud-ouest de l'Europe, le Portugal occupe environ un sixième de la péninsule Ibérique, avec une population dépassant les 10 millions d'habitants. Au nord et à l'est, 1 300 km de frontière séparent le Portugal de l'Espagne. Au sud et à l'ouest, 830 km de littoral sont baignés par l'océan Atlantique. Les archipels de Madère et des Açores, éparpillés dans l'Atlantique, font partie du territoire portugais.

LES AÇORES

Corvo
Flores
Graciosa
São Jorge
Terceira
Faial
Pico
São Miguel
Ponta Delgada
Santa Maria

0   200 km

Les Açores

Situées à 1 300 km à l'ouest de Lisbonne, les Açores, îles d'origine volcanique, s'étendent sur 650 km.

MADÈRE

Porto Santo
Ilha do Porto Santo
Madeira
R101
R104
R101
R101 Funchal

0   20 km

Madère

Sis à 965 km au sud-ouest de Lisbonne, l'archipel de Madère compte deux îles habitées, Madère et Porto Santo.

LÉGENDE

✈	Aéroport international
⛴	Embarcadère de ferry
═	Autoroute
─	Route principale
═	Route secondaire
─	Voie ferrée
─·─	Frontière espagnole

Pontevedra
Vigo
Ourense
N525
A9 (E1)
N120
Minho
N13
N103
Braga
Guimarães
Oporto (Porto)
A4 (E82)
Douro
A1 (E1)
IP5 (E80)
Viseu
IP3 (E80)
A1 (E1)
N109
N1
Figueira da Foz
Coimbra
N109
PORT
Zêzere
IP6 (E806)
N8
Tejo
Santarém
A1 (E1)
N10
LISBON (Lisboa)
A6
Évora
Setúbal
A2 (E1)
Sado
Beja
IP
Sines
N2
N120
A2 (E1)
Portimão
N125
A22 (E1)
Faro

OCÉAN

ATLANTIQUE

0   100 km

◁ **Paysage près de Lagos dans l'Algarve par Sir Cedric Morris (1889-1982)**

EUROPE

NORVÈGE · ESTONIE · SUÈDE · LETTONIE · LITUANIE · DANEMARK · ROYAUME-UNI · POLOGNE · RÉP. D'IRLANDE · DANEMARK · ALLEMAGNE · BELGIQUE · LUXEMBOURG · RÉP. TCHÈQUE · SLOVAQUIE · HONGRIE · AUTRICHE · SLOVÉNIE · SUISSE · FRANCE · ITALIE · ESPAGNE · PORTUGAL · Lisbonne · Azores · TUNISIE · ALGÉRIE · LIBYE · MAROC · Madeira

ESPAGNE

MADRID

LE GRAND LISBONNE

Odivelas · Sacavém · Queluz · Amadora · Belém · Cacilhas · Trafaria · Almada · Barreiro · Moita · Montijo · Seixal · Costa da Caparica · Coina · Tejo

0   10 km

Le grand Lisbonne

La capitale du Portugal est sise dans l'estuaire du Tage (Tejo). Principal port et centre d'affaires du pays, l'agglomération a plus de 1 million d'habitants.

Chaves · Bragança · la Real · Guarda · Castelo Branco · Portalegre · Plasencia · Cáceres · Mérida · Badajoz · Huelva · Sevilla · Jerez de la Frontera · Granada · Málaga

UNE IMAGE DU PORTUGAL

L a plupart des visiteurs sont attirés par les plages, les villages de pêcheurs et les terrains de golf de l'Algarve. Mais derrière les stations balnéaires de la côte sud se cachent les confins sans doute les moins touristiques de l'Europe occidentale : un pays aux paysages escarpés, aux villes superbes et aux traditions vivaces.

Quoique rien ne prédestinât, géographiquement, le Portugal à devenir un État-nation, ce pays installé à l'ouest de la péninsule Ibérique a vu ses frontières quasiment inchangées au cours des huit derniers siècles. Les dix millions de Portugais s'enorgueillissent d'une histoire qui a marqué le monde depuis les Grandes Découvertes.

Cavalier, fête de Vila Franca de Xira, Ribatejo

Les régions de ce petit pays sont d'une incroyable diversité : le Minho et le Trás-os-Montes, au nord, sont les plus rurales et traditionnelles. C'est d'ici d'ailleurs que sont partis quantité de Portugais, contraints d'émigrer, pour des raisons économiques, au cours des quarante dernières années. Le sud du pays, quant à lui, est très différent. Avec ses

superbes plages de sable et son climat méditerranéen, agréable toute l'année, l'Algarve est une destination touristique européenne très prisée.

Deux grands fleuves baignent le pays. Le Tage et le Douro naissent en Espagne, puis se dirigent vers l'ouest, traversant le Portugal avant de se jeter dans l'Atlantique. La vallée du Douro est surtout connue par son fameux vin de Porto. Installés sur des terrasses escarpées, les vignobles sont blottis sur les flancs des montagnes. Par contraste, le Tage est un large fleuve paisible, dont les crues débordent régulièrement sur la plaine du Ribatejo, plane et fertile, où paissent de superbes chevaux et des taureaux de combat.

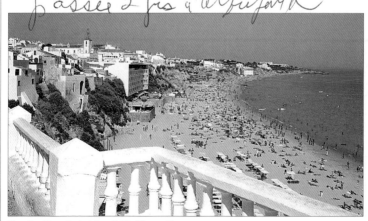

Plage bondée en haute saison, à Albufeira, en Algarve

◁ L'agriculture traditionnelle est pratiquée dans de petites exploitations, près de Ponte de Lima, dans le Minho

Prairie de l'Alentejo, avec le village et le château médiéval de Terena à l'arrière-plan

Les deux principales villes du pays, Lisbonne et Porto, sont établies respectivement à l'embouchure du Tage et du Douro. La capitale, Lisbonne, est une métropole cosmopolite aux nombreux musées, très riche au plan culturel. Porto lui fait une concurrence sérieuse, surtout au plan commercial et industriel. Villages de pêcheurs de l'Atlantique, petites cités médiévales des plaines caniculaires de l'Alentejo ou régions montagneuses

Femme ôtant l'écorce de rameaux d'osier, Madère

des Beiras, les autres zones de peuplement du pays sont nettement moins importantes que Porto et Lisbonne.

Loin dans l'Atlantique s'étendent deux archipels, qui sont devenus des régions autonomes : Madère, chaud et luxuriant, s'étend au large des côtes du Maroc, tandis que les Açores comptent neuf îles volcaniques et verdoyantes, à peu près au tiers du trajet de Lisbonne à New York.

POLITIQUE ET ÉCONOMIE

Un nouveau chapitre de l'histoire du Portugal s'est ouvert au milieu des années 70. En effet, soumis au régime d'António Salazar depuis 1928, le Portugal était quasiment coupé du reste du monde. Sa politique étrangère avait alors pour priorité la conservation des colonies africaines et asiatiques, en vain. L'industrie et le commerce étaient aux mains de quelques familles richissimes, dans un contexte économique marqué par une extrême rigueur budgétaire.

Il fallut donc attendre la Révolution des Œillets, le 25 avril 1974, pour que sonnât le glas de cette dictature, enlisée dans des guerres coloniales à l'évidence sans issue. L'œillet rouge devint le symbole de cette révolution sans effusion de sang. Dans un premier temps, le retour à la démocratie fut douloureux et

Le quartier du Barredo, à Porto

chaotique. Le pays dut faire face à des problèmes délicats, notamment le retour des colons. Mais les années 80 marquent la fin de cette longue hésitation démocratique. Le Portugal réussit enfin à s'affirmer en tant que membre à part entière de l'Europe occidentale. Ce changement se concrétisa, en 1986, par l'entrée dans l'Union européenne. Celle-ci, saluée unanimement malgré quelques craintes, permit au Portugal de combler, en partie, son retard économique. Aux exportations traditionnelles (liège, résine, textile, sardines en boîte et vin) sont venues s'ajouter des industries plus modernes, telles que le ciment ou la construction automobile. Pour ce faire, les aides et les prêts accordés par l'Union européenne ont été les bienvenus. Ils ont permis la construction, entre autres, de routes, de ponts et d'hôpitaux et ont amené des progrès notables dans l'agriculture. Le Portugal fait confiance à l'Europe. En 2001, Porto était capitale européenne de la culture, et depuis juillet 2002, l'escudo a laissé la place à l'euro.

Yachts luxueux dans le port de Vilamoura, en Algarve

Récolte d'algues pour la production d'engrais, Ria d'Aveiro

L'ART DE VIVRE

Un certain souci des formes est de mise dans les relations sociales. Par exemple, on s'adressera aux nouvelles connaissances en faisant précéder le prénom par Senhor, Senhora ou Dona. Cependant, la convivialité domine la vie sociale ; les Portugais adorent se retrouver, notamment à l'occasion d'une *festa*. Dans ce pays où l'enfant est considéré comme un

Vue du village de Monsanto, perché dans les montagnes, à la frontière espagnole

Paysans se restaurant dans les champs de l'Alentejo

Portugais, garçons ou filles, restent chez leurs parents jusqu'au mariage, voire après tant qu'ils n'ont pas de situation stable. En revanche, la démographie a connu un changement notable. Il y a une génération à peine, les familles nombreuses, de dix enfants ou plus, étaient fréquentes, en particulier dans les régions rurales. La conception de la famille a suivi la même évolution que dans le reste de l'Europe : les couples ont aujourd'hui en moyenne un ou deux enfants. Ces derniers sont souvent gardés par une grand-mère, lorsque les deux parents travaillent.

tamment à l'occasion d'une *festa.* Dans ce pays où l'enfant est considéré comme un don du ciel, les plus petits sont bien accueillis. Mais derrière le sourire et la gaieté se cache la *saudade,* un sentiment difficile à définir, qui tient à la fois de la mélancolie et de la nostalgie de quelque chose d'irrémédiablement perdu.

La famille occupe également une place primordiale dans la société. Quoique les modes de vie changent, surtout dans les villes, il n'est pas rare de voir trois générations cohabiter sous le même toit. Et les jeunes

Pour ce qui est de la religion, le catholicisme est omniprésent, en particulier dans le nord du pays. Les mariages et les communions restent des cérémonies familiales

Façade ornée d'*azulejos* à Alcochete

très pieuses. Le culte de la Vierge de Fátima, par exemple, demeure vivace, à l'instar des fêtes *(romarias)* célébrées en l'honneur des saints locaux, une tradition qui perdure surtout dans le Nord.

LANGUE ET CULTURE

Les Portugais sont fiers de leur langue et de leur littérature ; ainsi, *Os Lusíadas (Les Lusiades),* épopée en vers de Camões, le plus grand poète portugais du XVIe siècle, continuent d'être étudiées, tout comme les portraits ironiques de la société brossés par l'écrivain Eça de Queirós dans ses romans, au XIXe siècle.

Le *fado,* musique traditionnelle qui chante la *saudade,* est toujours très

Porte de la ville d'Óbidos, avec le sanctuaire de Nossa Senhora da Piedade, orné d'*azulejos*

Procession religieuse dans le village de Vidigueira, dans l'Alentejo

apprécié. Et dans les régions rurales, notamment dans le Minho, les danses folkloriques comptent toujours beaucoup d'amateurs.

Le pays possède de nombreux journaux de qualité. Toutefois, le quotidien qui connaît le plus fort tirage est *A Bola,* consacré aux sports. La tauromachie possède ses aficionados, mais ce phénomène est sans aucune commune mesure avec l'Espagne.

Les Portugais, depuis toujours des téléspectateurs passionnés, produisent aujourd'hui films, documentaires et « sit coms ». Une manière de se libérer de l'influence américaine en ce domaine.

Transport local dans la Beira Alta

La société subit un changement notable. Depuis 1975, en effet, le pays a connu une renaissance artistique et s'est résolument tourné vers l'an 2000. Cette volonté se retrouve dans le choix du thème de la mer, qui a dominé l'Expo'98 (mai-septembre) — le meilleur lien entre l'avenir, qui passe par la défense des océans, et l'époque des Découvertes, qui façonna son histoire. Le style architectural le plus apprécié reste le style manuélin, qui date de ce temps. Nombre de peintures d'*azulejos* s'inspirent de son glorieux passé.

Lors de l'entrée du Portugal dans l'Union européenne, Jacques Delors, alors président de la Commission, enjoignit aux Portugais de se voir d'abord comme des Portugais, puis comme des Européens. Conseil inutile. Qui aurait pu croire, en effet, que ce pays si fier de son histoire allait abandonner des siècles de culture et d'indépendance !

Café en plein air sur la praça da Figueira, dans la Baixa, à Lisbonne

L'architecture vernaculaire

Fenêtre de Marvão (p. 294)

L'architecture rurale variait autrefois en fonction du climat et des matériaux disponibles. Ainsi, au nord, d'épais murs de granit protègent des hivers pluvieux. Les Beiras jouissent d'un climat plus doux, mais les maisons, en briques ou en calcaire, tournent généralement le dos au vent du nord. Dans l'Alentejo et le Ribatejo, les maisons, longues et basses, abritent du soleil de l'été et du froid de l'hiver. En Algarve, au contraire, les constructions d'argile ou de pierre sont conçues pour profiter du climat méditerranéen.

Maisons soulignées de jaune sous les murs d'Óbidos (p. 174-175)

Les cheminées sont petites, voire inexistantes ; la fumée s'échappe alors par les ouvertures du toit.

Les toits sont d'ardoises ou de tuiles de schiste, plus rarement de chaume.

Les maisons villageoises du Minho (p. 263) et du Trás-os-Montes (p. 233) comportent deux niveaux, et les escaliers sont en général situés à l'extérieur. La véranda constitue un espace supplémentaire.

Le granit local donne des murs rustiques.

Le rez-de-chaussée abrite les bêtes et sert au stockage.

Les maisons de pêcheurs, de la Costa Nova, au sud d'Aveiro (p. 201), sont peintes de bandes de couleurs vives. Le bois provient des forêts plantées pour empêcher les dunes de sable de gagner sur la terre.

Des plates-formes protègent des inondations.

Les maisons modernes sont ornées de carreaux de faïence ou de rayures peintes.

Les bandes de couleur, peintes sur le bois, permettent aux pêcheurs de reconnaître leur maison dans le brouillard.

TOITS DE TUILES

Les tuiles d'argile rouge, au charme inouï, sont omniprésentes. La plus répandue est la *telha de canudo,* ou tuile tubulaire. Introduites par les Maures, ces tuiles semi-cylindriques sont disposées en deux épaisseurs : une première couche de tuiles (côté convexe tourné vers le bas) est couverte de *telhas* qui chevauchent les bords des deux tuiles du dessous.

Toits de Castelo de Vide, dans l'Alentejo (p. 295)

Les telbados de quatro águas, toits de tuiles typiques de Tavira, en Algarve (p. 330)

Les telhas de canudo couvrent les toits.

Les vérandas, qui sont vitrées, sont utilisées toute l'année.

Le calcaire des murs est couvert de stuc et blanchi à la chaux.

Les maisons des Beiras (p. 194-221) ont souvent des vérandas, généralement au premier étage. Elles sont construites face au soleil et protègent aussi des vents froids du nord.

Les maisons en chaume de l'estuaire du Sado (p. 169) sont construites avec des matériaux locaux. Les murs ont une structure en bois, soutenant des parties tressées en paille et en roseau.

Poutres en bois

LES MOULINS À VENT

On pense que les moulins à vent sont en usage au Portugal depuis le XIᵉ siècle. Certains, typiques, parsèment encore les collines, surtout dans les régions côtières.

Nombre de moulins, en particulier en Estremadura (p. 170-193), ont une base cylindrique en brique ou en pierre. La partie supérieure pivote pour prendre le vent.

Les moulins à vent des Açores, comme celui-ci à Faial (p. 370-371), sont assez proches du modèle portugais, mais leurs ailes révèlent une influence hollandaise et flamande.

Certaines tuiles sont retirées en été, pour laisser entrer la lumière.

Les fenêtres en bois sont entourées d'une bordure peinte.

Ces vastes cheminées permettent de fumer jambons et saucisses.

Les maisons de l'Alentejo et du Ribatejo, rehaussées de couleurs, sont essentiellement en argile. Longues et étroites, elles ont peu d'ouvertures, pour garder la fraîcheur en été et la chaleur en hiver.

La chaux protège les murs, réverbère le soleil estival et repousse les insectes et animaux nuisibles. Beaucoup d'habitations sont blanchies tous les ans.

LES CHEMINÉES DE L'ALGARVE

Les cheminées sont un élément décoratif important des maisons de l'Algarve (p. 314-331). L'influence mauresque apparaît dans les formes cylindriques ou prismatiques, ainsi que dans les ouvertures géométriques. Elles sont également blanchies à la chaux. Les détails sont souvent soulignés de couleurs.

L'architecture manuéline

Ce style architectural, qui s'est épanoui sous Manuel Iᵉʳ *(p. 46-49)* et qui a perduré, est essentiellement une variante portugaise du gothique tardif. Il se caractérise par des motifs marins, inspirés des Découvertes, et par la profusion de décorations sophistiquées. Les grands noms de ce style sont João de Castilho, Diogo Boytac — à qui l'on doit notamment le cloître du Mosteiro dos Jerónimos *(p. 106-107)* —, ainsi que Francisco et Diogo de Arruda, architectes de la Torre de Belém *(p. 110)*.

Pilori manuélin à colonnes torses, Chaves *(p. 256-257)*

Le portail *de l'église de la Conceição Velha à Lisbonne* (p. 87) *a été commandé au début du XVIᵉ siècle par le roi Manuel, qui est représenté dans le relief sculpté du tympan.*

Gil Vicente *a réalisé l'ostensoir de Belém (1506), avec l'or rapporté des Indes. Conçu pour l'église Santa Maria de Belém* (p. 107), *il rappelle par sa forme le portail sud.*

Croix de l'ordre du Christ *(p. 185)*

Sphère armillaire

Armoiries de Dom Manuel Iᵉʳ

Câble marin

Algues nouées

Mât incrusté de corail

Chaîne d'ancre

Cordage

La fenêtre *du Convento de Cristo à Tomar* (p. 186-187), *commandée par Dom Manuel Iᵉʳ, a été conçue par Diogo de Arruda vers 1510. C'est un fleuron de l'architecture manuéline, dont elle illustre le naturalisme exotique et l'utilisation de détails maritimes.*

Buste, sans doute celui du créateur, Diogo de Arruda

DÉTAILS DÉCORATIFS

Les principaux motifs de l'architecture manuéline sont la sphère armillaire, la croix de l'ordre du Christ et le cordage. Les formes naturalistes et fantastiques sont très utilisées, de même que des motifs finement ouvragés moins exubérants. Les motifs manuélins plus tardifs intègrent parfois des ornements de la Renaissance italienne.

La sphère armillaire, instrument de navigation, devint l'emblème de Dom Manuel Iᵉʳ.

La croix de l'ordre du Christ était l'emblème d'un ordre militaire influent. Elle figurait aussi sur les voiles et les drapeaux.

LE PORTAIL MANUÉLIN DE MADRE DE DEUS

Le portail manuélin de l'église de Madre de Deus à Lisbonne *(p. 123)* fut détruit par le séisme de 1755. Ce n'est qu'en 1872 que João Maria Nepomuceno fut chargé de sa reconstruction. Pour ce faire, il s'aida d'un tableau du début du XVIᵉ siècle, l'*Arrivée des reliques de Santa Auta à l'église de Madre de Deus*. L'œuvre, due à un artiste inconnu, se trouve au Museu Nacional de Arte Antiga *(p. 96-99)*. Elle représente une procession se dirigeant vers le portail manuélin de l'église. Comme d'autres portails contemporains, il se détache du bâtiment et domine la façade. Le style manuélin préférait les arcs ronds aux arcs brisés. Celui-ci présente une forme trilobée intéressante.

Portail de la Madre de Deus aujourd'hui

L'Arrivée des reliques **représente le portail d'origine du XVIᵉ siècle**

Les branches et les feuilles exotiques rappellent les motifs sculpturaux indiens.

Croix de l'ordre du Christ

Dans le cloître royal de Batalha (p. 182-183), *les arcs brisés gothiques, du début du XVᵉ siècle, sont ornés de remplages manuélins soutenus par des colonnettes, sans doute dus à Diogo Boytac.*

Le marbre tendre a permis de sculpter une véritable dentelle.

Sphère armillaire

Les colonnettes sont ornées de motifs de perles, d'écailles et de torsades qui se répètent.

Des piliers en colonnettes torses ont été utilisés par Boytac dans l'igreja de Jesus à Setúbal *(p. 169)*.

Les cordages ornant voûtes, colonnes et arcs, ceignent l'intérieur et l'extérieur des bâtiments.

Le palais de Buçaco, *qui abrite aujourd'hui un palace renommé* (p. 210), *était à l'origine un pavillon de chasse royal. Construit à la fin du XIXᵉ siècle, le palais intègre tous les éléments architecturaux caractéristiques du style manuélin, qui a perduré au fil des siècles dans l'architecture monumentale portugaise.*

Les azulejos

Ce sont les Maures qui ont introduit au Portugal et en Espagne des carreaux couvrant les murs, les sols et même les plafonds. À compter du XVIe siècle, le Portugal commença à produire ses propres *azulejos* décoratifs. Au XVIIIe siècle, c'était le pays d'Europe fabriquant le plus grand nombre de carreaux, aux utilisations et aux motifs extrêmement variés. Les carreaux bleu et blanc de l'époque baroque sont les plus recherchés. Les *azulejos* ont été un apport majeur à la décoration intérieure et extérieure des bâtiments portugais.

1716 *Détail du panneau du Christ prêchant au temple*
Vers 1690, on commença à produire des *azulejos* bleu et blanc racontant une histoire. Ces personnages proviennent d'une composition du maître António de Oliveira Bernardes (v. 1660-1732). Les panneaux centraux sont entourés d'une bordure complexe *(Igreja Da Misericórdia, Évora, p. 303)*.

v. 1520 *Frise d'azulejos espagnols*
Ces carreaux étaient réalisés avec différentes techniques isolant les émaux les uns des autres (arêtes, cordons) pour empêcher les couleurs de couler *(Palácio Nacional de Sintra, p. 158-159)*.

v. 1680 *Chat qui chasse*
Ces panneaux naturalistes étaient souvent naïfs, mais peints dans une vaste palette de couleurs *(Museu Nacional do Azulejo, p. 122-123)*.

1500	1600	1700
RENAISSANCE	**MANIÉRISME**	**BAROQUE**
1500	1600	1700

v. 1650 *Le style « tapete »*
Ces carreaux, qui doivent leur nom aux tapis orientaux, ont été réalisés en bleu, jaune et blanc. Ils couvraient souvent des murs entiers *(Museu Nacional do Azulejo, p. 122-123)*.

1565 *Suzanne et les vieillards*
Au XVIe siècle, on vit apparaître la technique de la majolique, qui permit de peindre directement sur des carreaux lisses, couverts d'émail blanc sur lequel les couleurs ne coulaient pas à la cuisson. Ce panneau est l'un des plus anciens produits au Portugal. Les détails décoratifs sont caractéristiques de la Renaissance *(Quinta da Bacalhoa, p. 167)*.

1736 *Capela de São Filipe*
La chapelle du château de Setúbal est un exemple parfait de composition décorative jouant sur les tons de bleu et de blanc. Les panneaux, qui illustrent la vie de saint Philippe, sont signés par Policarpo de Oliveira, fils d'António *(Castelo de São Filipe, p. 168)*.

v. 1670 *Devant d'autel carrelé*
Cette composition exubérante intègre des motifs hindous et d'autres thèmes exotiques inspirés du chintz et du calicot imprimés rapportés des Indes *(Museu Nacional do Azulejo, p. 122-123)*.

**1865 *Usine d'*azulejos
*Viúva Lamego, Lisbonne***
Au cours de la première moitié du XIXᵉ
siècle, peu d'*azulejos* furent produits. Puis
ils revinrent à la mode. Des motifs stylisés
simples servaient à orner les devantures
de magasins et les maisons. Ce
personnage naïf fait partie d'une
composition de 1865 qui couvre toute
la façade de l'usine.

v. 1910 *Motif*
Ce motif original
composant un
panneau très moderne,
dû à l'architecte Raúl
Lino, date de 1910
environ. Beaucoup
d'artistes ont recouru
aux *azulejos* (*Museu
Nacional do Azulejo,
p. 122-123*).

**v. 1770-1784 *Corredor das
Mangas***
La période rococo vit réapparaître
les *azulejos* polychromes. Cette
antichambre du palais de Queluz
est ornée de panneaux illustrant
des scènes de chasse, les saisons
et les continents (*p. 164-165*).

1927 *Bataille d'Ourique*
Le début du XXᵉ siècle vit
la réapparition des grandes
fresques historiques, dans
les bleus et blancs
traditionnels. Ce panneau
est l'œuvre de Jorge
Calaço (*pavillon Carlos
Lopes, parque Eduardo VII,
Lisbonne, p. 115*).

1800	1900
NÉO-CLASSICISME	**ART NOUVEAU** **ART MODERNE**
1800	1900

**v. 1800 *L'histoire du chapelier
António Joaquim Carneiro***
De superbes ornements néo-
classiques entourent le sujet central
bleu et blanc de l'histoire de ce
jeune berger, qui vient tenter sa
chance à la ville comme chapelier.
Les motifs sophistiqués de ce genre
disparurent pendant la période de la
guerre napoléonienne (*p. 54*) au
début du XIXᵉ siècle (*Museu
Nacional do Azulejo, p. 122-123*).

LES *AZULEJOS* SUR LES FAÇADES

Des frises et des décorations Art
nouveau colorées agrémentent la
façade de cette maison du début
du siècle, à Aveiro.
Aujourd'hui, les
carreaux sont utilisés
pour couvrir des
façades entières.
Relativement bon
marché, ils durent
longtemps et exigent
peu d'entretien. Ovar
(*p. 198-199*) en offre
de superbes
exemples.

v. 1770 *Portier*
Les figures « isolées »,
ornement amusant
de nombreux palais
et demeures à partir
du XVIIIᵉ siècle,
montent la garde
dans les entrées, sur
les paliers ou dans
les escaliers (*Museu
Nacional do Azulejo,
p. 122-123*).

Vila Africana, Aveiro (*p. 200*)

Les céramiques

Dans tout le pays, il existe des poteries traditionnelles *(olarias)*. Chaque région possède son style. Partout, les amateurs trouveront de jolies terres cuites dans les usines et sur les marchés. Le vaste choix recouvre différentes qualités, comme la terre cuite brune, aux multiples usages, les figurines aux couleurs vives *(bonecos)*, les articles aux motifs complexes peints à la main et la porcelaine fine.

Barcelos (p. 273) est le centre septentrional de la poterie. Jarres, vases, pots de fleurs et lanternes en terre cuite, ainsi que des figurines, sortent des ateliers de campagne.

MINHO

La porcelaine la plus fine du Portugal, réputée pour sa délicatesse, vient de Vista Alegre (p. 201). L'usine abrite un musée retraçant l'évolution de la porcelaine.

La tradition de la faïence de Coimbra (p. 202-205) est perpétuée dans de nombreuses usines, comme celle d'Estrela de Conimbriga. Des motifs du XVIIe et du XVIIIe siècle, ainsi que des ornements mauresques, sont peints à la main sur des objets utilitaires et décoratifs, comme ce chandelier.

ESTREMADURA ET RIBATEJO

Caldas da Rainha (p. 175) produit, entre autres, des céramiques figurant des légumes, des poissons et des fruits, mais aussi des articles ornés de motifs en relief.

LISBONNE

LA CÔTE DE LISBONNE

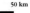

L'art de la céramique connut un regain à Cascais (p. 162) grâce à Luís Soares, qui réutilisa une technique ancienne consistant à tracer un dessin sur l'argile avec un stylet. La qualité des vernis et la cuisson à haute température parfont les objets.

0   50 km

La poterie de Porches a été créée en 1968 pour faire revivre l'artisanat local et préserver des motifs ibériques et mauresques. Chaque pièce est vernie à la main et peinte dans des bleus, verts et turquoises.

**DOURO ET
TRÁS-OS-MONTES**

LA TERRE CUITE BRUNE

La terre cuite mate ou vernie, sans motif ou peinte, est très répandue au Portugal. Partout, sur les foires et sur les marchés, on peut trouver ces articles, à la fois utilitaires et décoratifs : grandes jarres, cocottes résistantes à la cuisson, réchauds servant à faire cuire les fameuses saucisses *(chouriço)* à table, etc.

Bisalhães et d'autres villages près de Vila Real (p. 255) produisent des poteries en argile noire ou gris foncé, colorées par la fumée de bois à la cuisson, qui servent à cuisiner.

LES BEIRAS

Les motifs blancs, incrustés dans la terre cuite, caractérisent les poteries de Nisa (Alentejo). Des éclats de quartz ou de marbre sont assemblés pour composer des motifs floraux rappelant des broderies.

L'argile rouge d'Estremoz (p. 300-301) est appréciée pour sa malléabilité. Les articles typiques comportent des décorations en relief. La ville est aussi renommée pour ses figurines extravagantes.

La poterie peinte à la main de Redondo (p. 300) est rustique. Les assiettes sont décorées de motifs floraux, ou de ravissantes scènes pastorales, comme ici.

ALENTEJO

ALGARVE

Cette potière de São Pedro do Corval parvient à couper un grand morceau d'argile en parts égales, qui lui permettent de produire plusieurs jarres de même taille. Ici, elle met la touche finale à une pièce. Les environs de Reguengos do Monsaraz (p. 307) comptent plusieurs coopératives de potiers.

La pêche

Pots en terre cuite

Ce secteur majeur emploie près de 25 000 pêcheurs, essentiellement sur des chalutiers. Les poissons capturés sont destinés à la consommation locale ou à l'exportation. Viana do Castelo, Peniche, Nazaré, Sesimbra et Ericeira à l'ouest, et Sagres, Lagos et Olhão au sud permettent de voir des pêcheurs au travail.

Pêcheurs réparant leurs filets à Peniche (p. 174), grand centre de la sardine. Tous les ans, environ 250 000 tonnes de sardines sont pêchées, puis congelées, mises en conserve ou consommées dans les restaurants de bord de mer.

Cet étal de bord de mer, à Sesimbra (p. 166), présente la pêche locale. Au premier plan, on voit différents brèmes et bars. Traditionnellement, les poissonnières triaient le poisson.

Ferragudo est un petit port typique de l'Algarve. Les petits bateaux qui pêchent près des côtes couvrent les besoins locaux. La pêche industrielle s'effectue depuis Portimão, un des principaux centres de la sardine en Algarve.

- Viana do Castelo
  MINHO
- Póvoa de Varzim
  Porto
  DOURO ET
  TRÁS-OS-MONTES
- Aveiro
  LES BEIRAS
- Figueira da Foz
- Nazaré
  ESTREMADURA
  ET RIBATEJO
- Peniche
- Ericeira
LISBONNE   LA CÔTE DE
           LISBONNE
Cascais   Setúbal
Sesimbra   ALENTEJO
- Sines
  ALGARVE
  Portimão   Tavira
           Olhão
  Lagos
Sagres

BATEAUX DE PÊCHE

La plupart des bateaux de pêche officiellement recensés sont anciens. Les plus grands, chalutiers de 24 m, sont équipés de moteurs diesel et de la radio. Les chalutiers plus petits sont utilisés pour la pêche côtière. On trouve aussi des *meia-lua* de 5 m, à rames. Certains sont tirés par des bœufs depuis la rive.

Le bateau typique de l'Algarve, le petit chalutier (traineira), mesure moins de 12 m, ce qui interdit aux pêcheurs de sortir loin en mer.

*La **meia-lua** (demi-lune), avec son fond plat et sa grande proue, est utilisée sur la côte ouest. Elle est ornée d'un porte-bonheur peint, tel que la croix de l'ordre du Christ (p. 185).*

La fête de Nossa Senhora da Agonia à Viana do Castelo (p. 274-275) est l'une des nombreuses célébrations en l'honneur de la patronne des pêcheurs. Une statue de la Vierge est portée en procession, puis placée sur un bateau pour bénir les embarcations.

À Cascais, une vente à la criée se tient tous les soirs au marché aux poissons, pour vendre la prise du jour. Cette manifestation animée est une véritable attraction.

Pêcheurs rentrant chargés de palourdes de Cabanas, en Algarve. Palourdes, coques, bulots et couteaux se trouvent dans les eaux chaudes de la lagune, où ils sont ramassés à marée basse.

Le chalutier (traineira) pêche le plus loin des côtes, essentiellement des sardines. Selon une tradition qui remonte aux Phéniciens, les chalutiers sont souvent peints de couleurs vives, pour être visibles en mer.

LES DIFFÉRENTS POISSONS

Des délicieuses sardines aux brèmes et aux bars, en passant par les rougets et les thons, sans oublier la famille de l'anguille et du poulpe, le choix de poissons est infini. Curieusement, le poisson national, la morue séchée et salée *(bacalhau)*, n'est pas portugais. Appelée *o fiel amigo,* l'ami fidèle, on la retrouve dans d'innombrables recettes.

Les sardines *(sardinhas),* ou jeunes pilchards, sont la principale prise. Des chalutiers prennent à la seine des bancs qui se déplacent entre 25 et 40 m de profondeur.

Le chinchard *(carapau),* bon marché et abondant, est très apprécié, grillé, frit ou cuit au four. On le fait parfois mariner après la cuisson.

Le thon *(atum)* mesure jusqu'à 4 m et se trouve en banc, près des Açores et de l'Algarve. Il se vend frais ou en conserve, pour l'exportation.

Les calmars *(lulas)* sont répandus sur toute la côte. Ils se dégustent servis frits, grillés ou en sauce. Les seiches *(chocos)* et les poulpes *(polvos)* sont aussi très appréciés.

Le rouget de roche *(salmonete),* à la saveur délicate, se trouve près de Setúbal, d'où proviennent les recettes les plus connues.

Le poisson-épée *(peixe espada)* est un long poisson effilé à la chair savoureuse, propre à Sesimbra et à Madère. À ne pas confondre avec le *peixe espadarte,* ou espadon, plus trapu, au goût très différent.

Les vins du Portugal

Éclipsés par le célèbre porto, les vins de table portugais méritent pourtant d'être pris au sérieux. Le secteur viticole, après des années d'importants investissements, produit désormais quantité de vins rouges, comme ceux du Douro (provenant en partie des mêmes cépages que le porto), dotés d'une personnalité originale, fort agréable. Les grands vins blancs, plus rares, sont produits dans la plupart des régions.

Les rosés comme le mateus et le lancers ont eu un grand succès à l'exportation, mais le pays a depuis quelques excellents vins dignes de les concurrencer.

RÉGIONS VINICOLES

Beaucoup de régions vinicoles se sont spécialisées dans des cépages portugais, garants de leur personnalité. L'introduction de techniques vinicoles modernes a permis une amélioration globale de la qualité. Malgré le recours accru à des cépages importés, la spécificité des vins portugais ne semble pas menacée.

Vignobles de *vinho verde* dans le village de Lapela, près de Monção dans le Minho

LÉGENDE

☐	Vinhos Verdes
☐	Douro
☐	Dão
☐	Bairrada
☐	Estremadura
☐	Ribatejo
☐	Setúbal
☐	Alentejo

0   50km

Cave du Buçaco Palace Hotel (*p. 210-211*), réputée pour ses vins rouges

LIRE UNE ÉTIQUETTE

Tinto signifie rouge, *branco* blanc, *seco* sec et *doce* doux. L'étiquette mentionne également le nom du producteur, la région et le millésime. Le cépage indiqué sur la grande étiquette compose au moins 80 % du vin. *Denominação de Origem Controlada* (DOC) atteste que le vin a été produit selon les réglementations les plus strictes d'une région donnée, mais sa qualité n'est pas pour autant meilleure qu'un vin à l'appellation *Vinho Regional*. L'étiquette sur l'arrière de la bouteille livre souvent des informations intéressantes quant aux cépages et aux techniques de vinification.

Ce vin du Douro a été produit selon les réglementations DOC de la région.

Le nom de ce vin, « rives de la rivière Tua », précise son origine géographique.

La Sociedade Agrícola e Comercial dos Vinhos Vale da Corca Lda a produit ce vin et l'a mis en bouteille.

Reserva **signifie** que le vin a probablement vieilli en fûts de chêne. Ce terme implique également que le vin est de meilleure qualité qu'un non-reserva du même producteur.

Le vinho verde, « vin vert », de la région du Minho, peut être rouge ou blanc, mais les rouges secs et pétillants sont réservés à la consommation locale. Le vinho verde *blanc* est très sec, légèrement pétillant, peu alcoolisé et assez acide. Un vinho verde blanc, moins léger, est produit à partir de cépages alvarinho, près de la frontière espagnole. Le soalbeiro et le palácio da brejœira sont aussi d'excellente qualité.

Dans le Bairrada prédomine le cépage baga, un raisin à peau épaisse qui donne des vins riches en tanin, révélant quelquefois des notes de fumée ou d'aiguilles de pin. Comme les vins du Dão, ils demandent à vieillir. La viticulture moderne et l'oubli occasionnel des réglementations régionales ont donné des vins rouges plus accessibles (souvent qualifiés de Vinho Regional das Beiras) et de bons blancs. Luís Pato et Carves Alianza offrent des productions de qualité.

Le Ribatejo occupe la vallée fertile du Tage au nord et à l'est de Lisbonne. C'est la deuxième région vinicole en terme de volume après l'Estremadura. Toutefois, son potentiel pour les productions de qualité vient à peine d'être découvert. Comme en Estremadura, le Vinho Regional est souvent meilleur que le DOC. De même, le Quinta da Alorna, le Casa Branco et le Fiuza et Bright méritent d'être reconnus.

Le Douro est connu comme terre d'origine du porto. Toutefois, la moitié de la production se compose de vins de table, qui occupent désormais une place de choix au palmarès national. Le pionnier, Barca Velha, a été lancé voici un demi-siècle. Ce vin très prisé est aussi l'un des plus chers. Parmi les autres producteurs de qualité, citons Calheiros Cruz, Domingos Alves de Sousa, Quinta das Castas, Quinta do Crasto, Niepoort et Ramos-Pinto.

Vendanges du *vinho verde*

Setúbal, au sud de Lisbonne, est célèbre pour son muscat sucré et fortifié, le Moscatel de Setúbal. La région produit aussi d'excellents vins de table, essentiellement rouges. Deux grands producteurs prédominent dans le haut de gamme : José Maria da Fonseca (p. 167) et J. P. Vinhos. La coopérative de Santo Isidro de Pegões fournit des vins d'un bon rapport qualité-prix. Parmi les petits producteurs, citons Venâncio Costa Lima, Hero do Castanheiro et Ermelinda Freitas.

Le Dão fournit désormais quelques-uns des meilleurs vins du pays. Les petits viticulteurs, comme Quinta dos Roques, Quinta da Pellada et Quinta de Cabriz, et la grande société Sogrape produisent des vins rouges fruités qui se boivent jeunes, des blancs secs et frais, ainsi que des rouges qui restent fruités en vieillissant, se démarquant des vins lourds, souvent oxydés d'autrefois.

L'Estremadura, la région vinicole la plus occidentale du pays, vient à peine de s'imposer comme région à part entière. Plusieurs producteurs fournissent désormais du Vinho Regional de caractère, comme DFJ, Casa Santos Lima, Quinta de Pancas et Quinta do Monte d'Oiro. Le DOC le plus intéressant est l'Alenquer. Bucelas, au sud de la région, livre des vins blancs de caractère.

L'Alentejo est certainement la région vinicole ayant réussi l'amélioration de qualité la plus spectaculaire. Ses productions comptent aujourd'hui parmi les meilleurs rouges du pays. La région fournit aussi un nombre étonnant d'excellents blancs. Parmi les meilleurs viticulteurs, citons Herdade do Esporão, Herdade dos Coelheiros, Cortes de Cima et João Portugal Ramos.

LE PORTUGAL AU JOUR LE JOUR

Juillet et août sont les mois de prédilection des visiteurs. Toutefois, le printemps et l'automne sont des saisons plus agréables pour découvrir le charme du Portugal. L'atmosphère est plus détendue, sans la canicule estivale ni la foule de vacanciers. Toutes les régions perpétuent leurs traditions, notamment à travers les fêtes reli-

Festa da Coca, Monção (juin)

gieuses. Des *festas* sont célébrées toute l'année, le plus souvent en l'honneur d'un saint, mais aussi pour la fin des récoltes ou des événements gastronomiques ou sportifs. Elles s'accompagnent de processions, de feux d'artifice et de danses traditionnelles. On y mange et on y boit, dans l'allégresse générale.

PRINTEMPS

À l'arrivée des beaux jours, la campagne se couvre d'un tapis de fleurs sauvages. Sachez toutefois qu'il risque de pleuvoir jusqu'à fin mai.

Pâques est salué par quantité de célébrations religieuses, et lors de la semaine sainte, des processions se déroulent dans tout le pays.

MARS

Open de golf *(mi-mars).* Le lieu de la compétition change tous les ans. **Festival Intercéltico do Porto** *(fin mars ou début avril),* Porto. Festival de musique portugaise et espagnole.

Fête des fleurs de Funchal

AVRIL

Semaine sainte *(sem. avant Pâques),* Braga. Les fêtes, très solennelles, s'accompagnent de processions aux flambeaux. Le dimanche de Pâques marque aussi le

Tous les ans, le 13 mai, plus de 100 000 pèlerins se rendent à Fátima

début de la saison de la tauromachie. **Mãe Soberana** *(2e dimanche après Pâques),* Loulé, Algarve. Pèlerinage à Nossa Senhora da Piedade *(p. 324).* **FIAPE** *(fin-avril),* Estremoz. Foire internationale (bestiaux, agriculture, artisanat). **Fête des fleurs** *(fin avril),* Funchal, Madère. Les magasins et les maisons sont décorés de fleurs. La fête s'achève par un défilé de chars fleuris.

MAI

Festas das Cruzes *(début mai),* Barcelos. La fête des croix commémore le jour où la forme d'une croix est apparue dans la terre, en 1504. **Pèlerinage de Fátima** *(12-13 mai).* Une foule importante se rend à l'endroit où la Vierge est apparue à trois enfants, en 1917 *(p. 184).* **Queima das Fitas** *(mi-mai),* Coimbra. Des festivités animées marquent la fin de l'année universitaire

(p. 207). **Festa do Senhor Santo Cristo dos Milagres** *(5e dim. après Pâques),* Ponta Delgada, São Miguel, Açores. La plus grande fête religieuse de l'archipel. **Festa do Espírito Santo** *(Pentecôte),* Açores. Point culminant de la fête de l'Esprit Saint *(p. 367).* **Pèlerinage du Bom Jesus** *(Pentecôte),* Braga. Les pénitents gravissent à genoux un escalier spectaculaire *(p. 278-279).* **Festival de musique de l'Algarve** *(juin et juil.),* dans toute la région. Concerts et représentations du ballet Gulbenkian.

Enfants portant une croix, Festas das Cruzes, Barcelos (mai)

ÉTÉ

La plupart des visiteurs vont au Portugal en été. Comme beaucoup d'entreprises ferment en août, c'est aussi la période où les Portugais partent en vacances. C'est une bonne période pour visiter le Minho, plus frais, quand le Nord célèbre de nombreuses fêtes *(p. 226-227)*.

Les célèbres cavaliers du Ribatejo, Vila Franca de Xira (juillet)

JUIN

Festa de São Gonçalo *(premier week-end)*, Amarante. Les jeunes célibataires de la ville échangent des gâteaux de forme phallique en gage d'amour. **Feira Nacional da Agricultura** *(début juin)*, Santarém. Foire agricole, tauromachie et danses. **Santo António** *(12-13 juin)*, Lisbonne. Célébré dans l'Alfama, avec des chants et des danses. Les riverains installent des lampions et des banderoles et sortent des chaises pour les visiteurs. **Festa da Coca** *(jeudi suiv. le dim. de la Trinité)*, Monção. La fête, qui s'inscrit dans le cadre des célébrations de la Fête-Dieu, présente des scènes comiques de saint Georges combattant le dragon. **São João** *(23-24 juin)*, Porto. Les participants font des vœux en sautant par-dessus des petits feux. Course de bateaux *(p. 226-227)*. **São Pedro** *(29 juin)*, Lisbonne. Fête de rue. **Festival de Música de Sintra** *(juin-juil.)*, Sintra. Concerts de musique classique et ballets.

JUILLET

Festa do Colete Encarnado *(premier week-end)*, Vila Franca de Xira. La fête du « gilet rouge » doit son nom au costume traditionnel du cavalier du Ribatejo. Combats et lâchers de taureaux. **Festa dos Tabuleiros** *(mi-juil., tous les 2 ou 3 ans)*, Tomar. L'événement principal est un défilé de jeunes filles portant sur leur tête des plateaux avec des pains décorés. Musique, danses, feux d'artifice et course de taureaux *(p. 184-185)*. **Festa da Ria** *(tout le mois)*, Aveiro. Danses folkloriques, courses de bateaux et concours de l'embarcation la mieux décorée *(p. 201)*. **Festival da Cerveja** *(début juillet)*, Castelo de Silves. Fête de la bière très animée.

AOÛT

Festas Gualterianas *(premier week-end)*, Guimarães. Cette fête de trois jours remonte à 1452. Processions aux flambeaux, danses et défilé médiéval. **Festa da Nossa Senhora da Boa Viagem** *(premier week-end)*, Peniche. Une foule se rassemble dans le port avec des bougies allumées et accueille une statue de la Vierge qui arrive en bateau. Les feux

Festa dos Tabuleiros, Tomar

d'artifice et les danses se poursuivent tard dans la nuit. **Jazz em Agosto** *(début août)*, Festival populaire de jazz avec concerts dans les jardins du Gulbenkian Centre. **Semana do mar** *(1re semaine d'août)*, Horta, Faial, Açores. Au programme : gastronomie, musique, artisanat, sports nautiques et compétitions. **Festival do Marisco** *(mi-août)*, Olhão. Fête des fruits de mer, dans l'un des plus grands ports de pêche de l'Algarve. **Romaria da Nossa Senhora da Agonia** *(week-end le plus proche du 20 août)*, Viana do Castelo. Procession, suivie de défilés de chars, de danses et de feux d'artifice. Course de taureaux le samedi après-midi, suivie d'une bénédiction des bateaux de pêche.

Jeune fille en costume traditionnel

L'Algarve, ensoleillé, attire les vacanciers

Procession de la *Romaria* de Nossa Senhora da Nazaré

Musiciens en costume régional, au festival folklorique national, en septembre

AUTOMNE

C'est la meilleure saison. Dès la mi-septembre, les températures se rafraîchissent, et l'automne est plus sec que le printemps. C'est une saison délicieuse, où les paysages se couvrent de tons bruns, or et rouges.

Septembre est aussi le début de la *vindima*. Les vendanges et le pressurage du raisin sont une fête, surtout dans le Douro.

SEPTEMBRE

Romaria da Nossa Senhora dos Remédios *(6-9 sept.)*, Lamego. Le pèlerinage annuel à ce célèbre sanctuaire baroque constitue le point culminant de trois jours de célébrations. Procession aux flambeaux et musique. **Romaria da Nossa Senhora de Nazaré** *(8 sept. et week-end suivant)*, Nazaré. Processions, danses folkloriques et courses de taureaux. **Feiras Novas** *(mi-sept.)*, Ponte de Lima. Gigantesque marché, avec foire, feux d'artifice, costumes de carnaval et un concours d'orchestres de cuivres. **Festa da Senhora da Consalação** *(courant sept.)*, Sintra. Célébration de la patronne du Portugal avec musique et cuisine régionale. **Grand Prix du Portugal** *(date variable)*, Estoril. La course

de formule 1, qui se tient à l'Autodromo, draine une foule importante. **Festival folklorique national** *(mi-sept.)*, Algarve. Des groupes de musique et de danse se produisent dans diverses localités de l'Algarve. **Fête du vin** *(tout le mois)*, Funchal et Estreito de Câmara de Lobos, Madère. La manifestation de Funchal est très animée. Mais celle d'Estreito de Câmara de Lobos est plus authentique. **Festa de São Mateus** *(dernière semaine)*, Elvas. Manifestations religieuses, culturelles et agricoles.

Damon Hill remportant le Grand Prix d'Estoril, en 1995

OCTOBRE

Feira de Outubro *(1re semaine)*, Vila Franca de Xira. Lâchers et courses de taureaux.

Pèlerinage à Fátima *(12-13 oct.)*. Ultime pèlerinage de l'année, à la date de la dernière apparition de la Vierge. **Festival de Gastronomia** *(2 dernières semaines)*, Santarém. Pour découvrir le meilleur de la cuisine régionale. **Rallye automobile international de l'Algarve** *(oct.-nov.)*, Algarve.

NOVEMBRE

Toussaint *(1er nov.)*. Les Portugais honorent les morts. **Feira Nacional do Cavalo** *(2 1res semaines)*, Golegã. Les passionnés de chevaux et de tauromachie se retrouvent pour voir des courses et des défilés équestres. Célébrations de la Saint-Martin, grand défilé et lâcher de taureaux. **Encontros de Fotografia** *(mi-nov.)*, Coimbra. Exposition des œuvres de jeunes photographes. **Feira de Artesanato Do Porto** *(déc.)*, Porto. Grande foire artisanale.

Cavaliers à la Feira Nacional do Cavalo, Golegã

Paysage enneigé de la Serra de Montemuro, au sud de Cinfães *(p. 249)*

HIVER

En Algarve, le temps est doux et ensoleillé, et beaucoup de localités restent animées. Les golfeurs apprécieront aussi les mois d'hiver. En janvier et en février, les amandiers en fleurs offrent un spectacle superbe dans tout le Sud.

D'autres visiteurs partent encore plus au sud, à Madère, au climat subtropical. En hiver, surtout autour de Noël, la saison touristique y bat son plein.

JOURS FÉRIÉS

Nouvel An (1er janv.).
Carnaval (fév.).
Vendredi saint (mars ou avr.).
Dia 25 de Abril, *Révolution de 1974.*
Dia do Trabalhador, *fête du Travail* (1er mai).
Fête-Dieu (6 juin).
Fête nationale, mort de Camões (10 juin).
Assomption (15 août).
Proclamation de la République (5 oct.).
Toussaint (1er nov.).
Dia da Restauração, *indépendance face à l'Espagne, en 1640* (1er déc.).
Immaculée Conception (8 déc.).
Noël (25 déc.).

DÉCEMBRE

Noël *(25 déc.).* Des crèches ornent églises et magasins. Le soir du réveillon, les Portugais mangent du *bacalhau* (morue).

À Madère, on confectionne le traditionnel *bolo de mel* (gâteau au miel), et les enfants plantent du blé, du maïs ou de l'orge dans des pots disposés autour de la crèche pour symboliser le renouveau et la prospérité.

Le *bolo rei* se déguste pour les fêtes de Noël

JANVIER

Nouvel An. Fêtes avec des feux d'artifice magnifiques célébrant la nouvelle année. **Festa dos Rapazes** *(25 déc.-6 janv.),* autour de Bragança. Des garçons revêtent des masques et se déchaînent dans leur village, perpétuant un ancien rite païen de passage *(p. 227).*
Épiphanie *(6 janv.).* Le traditionnel *bolo rei* (gâteau des rois) renferme un porte-bonheur et une fève. La personne qui a la fève devra acheter le prochain gâteau. Le *bolo rei* se mange aussi à Noël. **Festa de São Gonçalinho** *(2e semaine),* Aveiro. Des miches de pain sont jetées à la foule, du haut d'une chapelle, en remerciement pour le retour d'un pêcheur ou pour un mariage.

Amandiers en fleurs en février, en Algarve

FÉVRIER

Fantasporto *(1er-15 fév.),* Porto. Festival international du film, avec projection d'œuvres, notamment de science-fiction, de jeunes réalisateurs. **Carnaval** *(en fonction de Pâques).* Célébré dans tout le pays. Défilés très colorés à Ovar, Sesimbra, Torres, Vedras, Funchal et Loulé. Les festivités de Loulé se déroulent parallèlement à la foire annuelle de la récolte des amandes.

Costumes de carnaval, Ovar

Le climat du Portugal

Le Portugal continental jouit d'un climat agréable, avec de longs étés chauds et des hivers cléments. À mesure qu'on descend vers le Sud, il fait de plus en plus chaud et les précipitations diminuent, jusqu'en Algarve où le climat est méditerranéen. À l'intérieur du pays, le climat est plus continental, plus chaud l'été, plus froid l'hiver. Madère est pluvieuse au nord, plus chaude et plus sèche au sud, et les Açores bénéficient d'un climat doux, avec quelques pluies toute l'année et du vent.

MINHO

°C			
19	28	21	12
8	15	10	4
6 h	8h30	5 h	3 h
77 mm	20 mm	109 mm	113 mm
mois	avr.	juil.	oct.	janv.

LES AÇORES

Flores

São Jorge — Terceira
Faial — Pico

São Miguel

0 — 200 m

ESTREMADURA ET RIBATEJO

°C			
17	21	20	14
12	16	15	9
8 h	11 h	6h30	4h30
55 mm	2,5 mm	60 mm	92,5 mm
mois	avr.	juil.	oct.	janv.

LES AÇORES

°C			
19	25	23	17
12	17	16	12
4h30	6 h	4h30	2h30
67 mm	27 mm	103 mm	120 mm
mois	avr.	juil.	oct.	janv.

CÔTE DE LISBONNE

°C			
20	28	23	14
12	17	14	8
9 h	12h30	7h30	5 h
47,5 mm	0 mm	65 mm	95 mm
mois	avr.	juil.	oct.	janv.

MADÈRE

Porto Santo

Madeira

Funchal

0 — 20 km

MADÈRE

°C			
20	25	24	19
14	18	18	13
6 h	7h30	6 h	4h30
39 mm	2,5 mm	75 mm	103 mm
mois	avr.	juil.	oct.	janv.

Viana
do Castelo

Porto

Aveiro

BEIRA
LITORAL

Leiria

Santarém

LISBONNE

Setúbal

Sines

Lagos

DOURO ET TRÁS-OS-MONTES

Douro

Température moyenne maximale
Température moyenne minimale
Durée moyenne d'ensoleillement
Moyenne mensuelle des précipitations

°C

	avr.	juil.	oct.	janv.
	19	25	21	13
	9	15	11	5
☀	8 h	12h30	6h30	4 h
☂	73 mm	15 mm	79 mm	149 mm

mois

LES BEIRAS

Beira Litoral

°C

	avr.	juil.	oct.	janv.
	21	29	23	14
	10	15	12	6
☀	8 h	10h30	7 h	4h30
☂	76 mm	13 mm	87 mm	132 mm

mois

Trás-os-Montes

°C

	avr.	juil.	oct.	janv.
	16	28	18	8
	5	13	7	0
☀	7 h	9h30	6 h	4h30
☂	86 mm	20 mm	105 mm	159 mm

mois

Beira Baixa

°C

	avr.	juil.	oct.	janv.
	19	31	21	11
	10	18	12	5
☀	7h30	12 h	6 h	4h30
☂	48 mm	19 mm	52 mm	43 mm

mois

ALENTEJO

Alto Alentejo

°C

	avr.	juil.	oct.	janv.
	19	30	22	12
	10	16	13	6
☀	8h30	12h30	7 h	5 h
☂	57 mm	5 mm	62 mm	96 mm

mois

ALGARVE

°C

	avr.	juil.	oct.	janv.
	20	28	23	16
	13	20	16	9
☀	9 h	12h30	7h30	5h30
☂	31 mm	1 mm	51 mm	70 mm

mois

Baixo Alentejo

°C

	avr.	juil.	oct.	janv.
	22	35	24	14
	10	18	13	6
☀	8h30	12h30	7h30	5h30
☂	46 mm	2 mm	48 mm	49 mm

mois

Bragança
TRÁS-OS-MONTES
aga
Vila Real
DOURO
BEIRA ALTA
Viseu
Guarda
oimbra
BEIRA BAIXA
Castelo Branco
Portalegre
ALTO ALENTEJO
Évora
Beja
BAIXO ALENTEJO
Faro

0   100 km

OM MANVEL

per graça de dꝰ Rey de portugall ⁊
dos algaruee, daquem ⁊ dalé mar
em africa, senioꝛ de guinee ⁊ da coniquista nauegracã ⁊ co
merço dethiopia arabia persia, ⁊ da judia tꝯ. A
quanttos, esto aperpetua memoria feito bium fazenio
saber que assi como opꝛopio ⁊ pꝛincipall cuydado dos q̃
tem alguu cargo deue ser trabalhar como ae cousae q̃
lhee sam encarregadae seiam postae, no maie, prospeꝛ
⁊ melhoꝛado estado que ser possa. assy tanto maie ab̃
sto noe, Reie, ⁊ pꝛincepꝯ fazello. quanto com maie, ex
cellente premininça sam per dꝰ postoe, na terra peꝛa
bem della ⁊ de seue bassalloe, ⁊ pa toda execaiciun ⁊ exẽ
plo de virtude. E pꝛ que esta obꝛigaciun tam deuid

HISTOIRE DU PORTUGAL

Le Portugal compte parmi les plus vieux États-nations d'Europe. Sa fondation, en 1139, précéda de 350 ans celle de l'Espagne voisine. Les Romains, qui pénétrèrent dans la région en 218 av. J.-C., baptisèrent l'ensemble de la péninsule Hispanie et la zone entre le Douro et le Tage Lusitanie. Après l'effondrement de l'Empire romain, au Vᵉ siècle, l'Hispanie fut dominée par des tribus germaniques, puis, en 711, par les Maures. La reconquête par les royaumes chrétiens du Nord commença au XIᵉ siècle. Ce n'est qu'en 1139 que le Portucale, petit comté du royaume de Castille-León, fut déclaré indépendant par son premier roi, Dom Afonso Henriques.

Bateau portugais (v. 1500)

Le nouveau royaume s'étendit vers le sud. Des navigateurs portugais commencèrent à explorer les côtes de l'Afrique et l'Atlantique. Le Portugal connut son apogée sous le règne de Dom Manuel Iᵉʳ, avec le voyage de Vasco da Gama aux Indes, en 1498, et la découverte du Brésil, en 1500. Le commerce avec l'Orient apporta des richesses, mais après la défaite militaire essuyée au Maroc, cette prospérité fut de courte durée. En 1580, l'Espagne envahit le Portugal, où les rois d'Espagne régnèrent pendant soixante ans. Redevenu indépendant, le royaume retrouva sa richesse grâce à l'or du Brésil. Au XVIIIᵉ siècle, le Premier ministre, le marquês de Pombal, modernisa le pays et limita l'influence conservatrice de l'Église. L'invasion napoléonienne de 1807 et la perte du Brésil, en 1825, appauvrirent et divisèrent le Portugal. Les luttes entre absolutistes et libéraux achevèrent d'affaiblir le pays, et malgré une période de stabilité vers 1850, la crise empira. En 1910, une révolution républicaine en finit avec la monarchie. Mais la dégradation de la situation économique se poursuivit jusqu'au coup d'État de 1926. António Salazar, de 1926 à 1968, imposa un régime dictatorial dont le pays eut du mal à sortir. Ce n'est qu'en 1974, avec la Révolution des Œillets, que le Portugal fut enfin libéré. Cependant, la démocratie ne fut entièrement rétablie qu'en 1976, et l'économie du pays prit un certain essor grâce à l'apport des fonds de l'Union européenne après son adhésion en 1986.

Carte marine portugaise de l'Atlantique Nord, sur parchemin (v. 1550)

◁ Frontispice enluminé de la *Leitura Nova*, représentant les armoiries du Portugal et Dom Manuel Iᵉʳ (v. 1520)

Les grands hommes du Portugal

En 1139, Dom Afonso Henriques se fit nommer premier roi du Portugal. Les alliances maritales de ses descendants entraînèrent plusieurs crises dynastiques. La défaite des Castillans devant Dom João Ier, en 1385, donna naissance à la maison d'Avis. Puis, en 1580, en l'absence d'héritier direct, le Portugal fut dirigé pendant six décennies par les rois d'Espagne, avant que le duc de Bragança ne monte sur le trône, sous le nom de Dom João IV. Mais, en 1910, une révolution républicaine mit fin à la monarchie. En seize ans, 40 gouvernements se succédèrent, et, en 1926, le Portugal devint une dictature, menée par Salazar. En 1974, la Révolution des Œillets ouvrit la voie à la démocratie.

1481-1495
João II

1248-1279
Afonso III

1211-1223 Afonso II

1185-1211
Sancho Ier

1438-1481
Afonso V

1279-1325 Dinis

1100	1200	1300	1400	1500
MAISON DE BOURGOGNE			**AVIS**	
1100	1200	1300	1400	1500

1325-1357 Afonso IV

1357-1367 Pedro Ier

1223-1248
Sancho II

1367-1383 Fernando Ier

1139-1185
Afonso
Henriques
(Afonso Ier)

1433-1438
Duarte

1521-155
João III

1385–1433 João Ier

1495-1521 Manuel Ier

1828–53 Maria II

1557-1578 Sebastião

1621-1640 Felipe III (Philippe IV d'Espagne)

1640-1656 João IV

1656-1683 Afonso VI

1683-1706 Pedro II (régent depuis 1668)

1750-1777 José Iᵉʳ

1816-1826 João VI (régent depuis 1792)

1853-1861 Pedro V

1861-1889 Luís Iᵉʳ

1932-1968 António Salazar (premier ministre)

1976-1978 et 1983-1985 Mário Soares (Premier ministre)

1600	1700	1800	1900	2000
HASBOURG	BRAGANÇA		REPUBLIQUE	
1600	1700	1800	1900	2000

1598-1621 Felipe II (Philippe III d'Espagne)

1580-1598 Felipe Iᵉʳ (Philippe II d'Espagne)

1578-1580 Henrique

1985-1995 Aníbal Cavaco Silva (Premier ministre)

1995-2002 António Guterres (Premier ministre)

2002- José Manuel Durão Barroso (Premier ministre)

1777–1816 Maria Iʳᵉ et Pedro III

1908-1910 Manuel II

1706-1750 João V

1826-1828 Pedro IV

1889-1908 Carlos Iᵉʳ

Préhistoire et Empire romain

À partir de 2000 av. J.-C., les peuples de l'âge du bronze subirent, entre autres, les invasions des Ibères et des Celtes. Lorsque Rome défit Carthage, en 216 av. J.-C., et prit possession de ses territoires d'Espagne orientale, elle dut réduire les tribus celtibères de l'ouest. Celle des Lusitaniens lui opposa une résistance farouche, avant d'être défaite en 139 av. J.-C. Cependant, le nom de Lusitanie fut conservé pour désigner la province de l'Hispanie romaine, qui correspondait grosso modo au Portugal actuel. Elle connut quatre siècles de stabilité. Mais après l'effondrement de l'Empire, la Lusitanie fut envahie par les Suèves, puis par les Wisigoths.

Pièce d'or
(v. 400 apr. J.-C.)

PÉNINSULE EN 27 AV. J.-C.

☐ *Provinces romaines*

L'amphithéâtre
date du programme de construction du Iᵉʳ siècle apr. J.-C.

Le forum et le temple principal

Dolmen de Comenda
Les dolmens, comme celui-ci près d'Évora, servaient de sépultures collectives. Beaucoup furent construits par des hommes du néolithique au IIIᵉ millénaire av. J.-C.

Rue principale
menant à Aeminium (Coimbra).

Porca de Murça
Le Trás-os-Montes compte encore seize statues d'animaux, comme ce cochon (p. 257), sans doute utilisé pour des rites de fertilité.

Palestra (lieu d'exercice des thermes)

Les bains de Trajan
avaient vue sur le ravin au bas des murailles.

CHRONOLOGIE

v. 2000 Arrivée dans la péninsule de tribus ibères, probablement venues d'Afrique

Collier ibère en or

139 Fin de la résistance celtibère avec la mort de Viriathe, chef des Lusitaniens

| | 3000 av. J.-C. | 2000 | 1000 | |

2500 Le Portugal est habité par des hommes de la fin de l'âge de pierre. Nombreuses tombes mégalithiques de ce temps

Guerrier celte en pierre, Iᵉʳ millénaire av. J.-C.

1000 Création de comptoirs commerciaux et de peuplements phéniciens sur la côte sud

218 Invasion de la péninsule par les Romains

v. 700 Installation des Celtes au Portugal

Sol de mosaïque
De superbes villas furent bâties à l'époque romaine. Cette mosaïque de triton (Ier siècle apr. J.-C.) provient de la Maison aux jets d'eau, en dehors de Conimbriga.

Amphore romaine
Le garum, une sauce épicée à base de poisson fermenté, était produit à Tróia (p. 169) et exporté en amphores de 27 litres comme celle-ci.

Aqueduc

Route vers Tomar

Boucle wisigothique
Les peuple des Wisigoths acheva de christianiser la région. Mais son système de monarchie élective suscita des factions.

Une domus, demeure avec un jardin

RECONSTITUTION DE CONIMBRIGA

Les vastes vestiges de Conimbriga *(p. 208)* illustrent l'ampleur de la romanisation du Portugal. La ville s'étendit rapidement au Ier siècle apr. J.-C., où elle obtint le statut de *municipium* autonome. Elle tomba aux mains des Suèves en 468 apr. J.-C.

OÙ VOIR LE PORTUGAL PRÉHISTORIQUE ET ROMAIN

L'Alentejo regorge de mégalithes de l'âge de pierre *(p. 306)*. Mais les deux peuplements celtibères majeurs se trouvent dans le Nord, à Sanfins *(p. 248)* et à Briteiros. On rencontre partout quantité de vestiges romains. Hormis Conimbriga, les principaux sites, comme les villas de Pisões *(p. 311)* et de Milreu *(p. 325)*, sont dans le Sud. Le Museu Municipal de Faro *(p. 327)* abrite une belle collection de pièces locales.

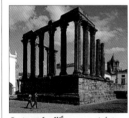

La Citânia de Briteiros a été fondée vers le Ve siècle av. J.-C. Le site qui a survécu jusqu'à l'époque romaine a été découvert en 1874 (p. 281).

Le temple d'Évora, qui date du IIe ou du IIIe siècle apr. J.-C. (p. 302), est quasiment le seul vestige d'une ville romaine.

---

1 apr. J.-C.	200	400	600
73 L'empereur Vespasien accorde à des villes de la péninsule les mêmes droits qu'aux villes latines d'Italie	**200** Enracinement du christianisme dans la péninsule	**415** Les Wisigoths chassent les Vandales et les Alains	**585** Conquête du royaume suève par les Wisigoths, qui installent leur capitale à Tolède
27 Division de la péninsule en trois provinces sous l'empereur Auguste. La province centrale, au sud du Douro, est appelée la Lusitanie		**409** Invasions barbares : Vandales, Alains et Suèves **411** Fondation d'un royaume suève en Galice et au nord du Portugal	*Chapelle de São Frutuoso (p. 277)*

La domination maure et la Reconquête chrétienne

PÉNINSULE IBÉRIQUE EN 1100
- Comté de Portucale
- Royaume de Castille-León
- Royaumes maures

Lampe à huile maure en bronze

Après la défaite des Wisigoths devant les Maures, en 711, la péninsule Ibérique devint une province du califat de Damas. En 756, Abd ar-Rahman fonda le royaume indépendant d'Al Andalus, dont la capitale Córdoba devint un centre culturel majeur. La domination maure sur la péninsule resta quasiment incontestée durant trois siècles, jusqu'au début de la Reconquête par les petits royaumes chrétiens du Nord. Au XIe siècle, alors que la puissance maure déclinait, le « Portucale » n'était qu'un petit comté du royaume de Castille-León, baigné par le Douro. Il devint indépendant lorsque Dom Afonso Henriques défit les Maures à Ourique, en 1139.

Sans la Vierge pour veiller sur eux, les pêcheurs de Faro remontent des filets vides.

Plat maure
Ce plat du XIe siècle a été trouvé à Mértola, port qui servait au commerce avec l'Orient. Il est orné d'un chien de chasse, d'un faucon et d'une gazelle.

Les pêcheurs repartent, pleins d'espoir.

Coexistence
Sous la domination maure, les religions cohabitaient. Cette miniature du XIIIe siècle représente la rencontre pacifique entre un chevalier chrétien et un chevalier maure.

CHRONOLOGIE

711 Conquête de la péninsule par les Maures, suite aux problèmes de succession wisigothique

722 La victoire chrétienne à Covadonga, dans les Asturies, marque le début de la reconquête

868 Vímara Peres prend Porto aux Maures

878 Les chrétiens prennent possession de Coimbra

Boîte hispano-mauresque du Xe siècle

700 — 800 — 900 — 1000

756 Bataille d'Al Musara. Défaite du gouverneur de Córdoba devant Abd ar-Rahman, qui fonde le royaume d'Al Andalus

La nora, roue à godets inventée par les Maures, servant à élever l'eau

955 Le chef maure Al Mansur reprend Coimbra, puis repousse les chrétiens jusqu'au Douro

1008–1031 Division d'Al Andalus en petits royaumes, les taifas

Relief de São Tiago
L'apôtre saint Jacques joua un rôle essentiel dans les guerres contre les Maures. Des soldats l'auraient vu mener au combat les armées chrétiennes à Ourique, en 1139.

Dirham d'argent du XIIᵉ siècle
Cette pièce a été battue à Beja par les Almohades, musulmans encore plus stricts que leurs prédécesseurs, les Almoravides.

OÙ VOIR LE PORTUGAL MAURE

L'influence maure est plus manifeste dans le Sud, dans des villes comme Lagos *(p. 320)*, Faro *(p. 326)* et Silves. L'architecture *(p. 19)* y présente une nette influence arabe. L'église de Mértola *(p. 313)* a conservé nombre d'éléments de l'ancienne mosquée. Plus au nord, le Castelo dos Mouros, à Sintra *(p. 157)*, et d'autres forteresses ont été prises et remaniées par les chrétiens.

Une citerne a été découverte dans le château en grès rouge de Silves, une importante forteresse maure en Algarve (p. 323).

La statue perdue de la Vierge est sortie de la mer et remise à son emplacement d'origine, sur les murs.

Pêcheurs
remontant des filets pleins.

Prise de Lisbonne
Le pape conféra à la Reconquête le statut de croisade. Lisbonne fut prise en 1147, avec l'aide de soldats anglais en route pour la Terre Sainte.

FARO SOUS LA DOMINATION MAURE

Les Mozarabes étaient des chrétiens vivant sous domination maure. À Faro, ils installèrent sur les murs de la ville une statue de la Vierge, que des musulmans mal intentionnés ôtèrent. Ces quatre scènes des *Cantigas de Santa Maria* racontent le miracle qui suivit.

1097 Alfonso VI de Castille-León confie le Portucale à son beau-fils, Henri de Bourgogne

1086 Invasion des Almoravides

1139 Bataille d'Ourique. Dom Afonso Henriques se proclame roi du Portugal

1143 Le traité de Zamora établit l'indépendance du Portugal

1165–1169 Geraldo sem Pavor prend aux Almohades de nombreuses villes, comme Évora et Badajoz

1050	1100	1150

1064 Les chrétiens reprennent Coimbra

1128 Bataille de São Mamede. Dom Afonso Henriques prend le contrôle du comté de Portucale

1153 Fondation de l'abbaye cistercienne d'Alcobaça

1147 Chute de Lisbonne face aux armées croisées. L'empire almoravide tombe aux mains des Almohades

Henri de Bourgogne

Le nouveau royaume

PÉNINSULE IBÉRIQUE EN 1200
- Royaume du Portugal
- Royaumes d'Espagne
- Domination maure

La Reconquête fut achevée en 1249 avec la prise de Faro, en Algarve, par Dom Afonso III. Son successeur, le roi Dinis, développa, entre autres, l'agriculture et le commerce. Il fit également construire des forteresses pour protéger les frontières et renforça la marine. Les conflits territoriaux avec la Castille culminèrent en 1383, lorsque, à la mort du roi Fernando, son beau-fils, Juan Ier de Castille, réclama le trône du Portugal pour son épouse Beatriz. Mais ses opposants lui préférèrent le fils illégitime de Dom Pedro Ier, João d'Avis, élu roi par les *cortes* à Coimbra, en 1385.

Chevalier en armes du XIVᵉ siècle

Le chien fidèle, aux pieds du défunt, est un élément courant des tombeaux gothiques.

Armoiries du Portugal

La frise évoque des scènes de la vie de Pedro et d'Inês.

Les côtés présentent des scènes illustrant la vie de saint Barthélemy, saint patron de Dom Pedro.

Cancioneiro da Ajuda
Cette enluminure provient d'un recueil de chants, dont beaucoup sont dus au roi Dinis, poète et musicien de talent.

Fortifications de Serpa
Le roi Dinis fit bâtir des villes fortifiées et des châteaux à la frontière avec la Castille et l'Espagne maure. Cette gravure du XVIᵉ siècle représente les murailles et les tours médiévales de Serpa (p. 310).

CHRONOLOGIE

1185 Sancho Ier devient roi. Ses victoires en Algarve sont contrecarrées par Al-Mansur, le calife almohade

1211 Tenue des premiers *cortes* (parlement) à Coimbra

Château de Leiria

1254 Les *cortes* comptent des représentants des villes

1200 **1250**

1173 Transfert à Lisbonne de la dépouille mortelle de saint Vincent

1179 Le pape reconnaît le royaume du Portugal

Afonso III

1248 Fin du règne anarchique de Sancho II, destitué par son frère, Afonso III

1249 Afonso III achève la reconquête de l'Algarve, mais sa souveraineté est contestée par la Castille

1256 Lisbonne devient capitale à la place de Coimbra

Sainte Isabel (1271-1336)
Le roi Dinis n'approuvait pas les actes de charité de son épouse. La légende veut que le pain que la reine s'apprêtait à distribuer se transforma en roses quand son mari la réprimanda.

Six anges soutiennent le roi gisant.

Croix de Sancho Ier
La puissance royale s'accrut sous le règne de Dom Sancho, malgré les différends qui l'opposaient au pape.

Saint Barthélemy, martyrisé, est mort écorché vif.

TOMBEAU DE PEDRO Ier
Les sculptures gothiques du tombeau royal d'Alcobaça *(p. 178-179)* sont les plus belles du genre au Portugal. Dom Pedro, qui régna de 1357 à 1367, est surtout resté dans les mémoires à cause de l'histoire tragique d'Inês de Castro, dont le tombeau fait face au sien.

OÙ VOIR LE PORTUGAL MÉDIÉVAL

Parmi les châteaux bâtis ou remaniés à cette époque, les plus pittoresques sont ceux d'Almourol *(p. 189)* et d'Óbidos. La forteresse de Bragança *(p. 258-259)* abrite la Domus Municipalis, l'hôtel de ville du Moyen Âge. Toutefois, la plupart des édifices romans préservés sont religieux : les cathédrales de Porto, Coimbra *(p. 204)* et Lisbonne *(p. 74)*, et nombre d'églises du Nord.

Le château d'Óbidos a été reconstruit par le roi Dinis, lorsqu'il fit don, en 1282, de la ville à son épouse Isabel en cadeau de mariage (p. 172).

La Sé de Porto (p. 240) a été remaniée, mais le côté occidental, aux tours jumelles, conserve son caractère original.

1279–1325 Le roi Dinis scelle l'indépendance du Portugal

1288 Création de la 1re université à Lisbonne

1297 La Castille reconnaît la souveraineté du Portugal sur l'Algarve

Chevalier de l'ordre du Christ

1300

1349 Après l'épidémie de peste noire, une loi impose le travail aux champs

1336 Mort de la reine Isabel

1319 Fondation de l'ordre du Christ *(p. 185)*

1355 Après l'assassinat d'Inês, Pedro prend les armes contre son père Afonso IV

1350

1357 Pedro Ier accède au trône et fait sauvagement exécuter les assassins d'Inês de Castro

1372 Le mariage impopulaire de Fernando Ier avec Leonor Teles entraîne des émeutes

1383 João d'Avis met fin à la régence de Leonor Teles et se proclame défenseur du royaume

1384 Juan Ier de Castille envahit le Portugal

La dynastie d'Avis

Après avoir défait les Castillans, en 1385, João d'Avis devint João Ier du Portugal et conclut une alliance avec l'Angleterre. Son long règne vit le début de l'impérialisme portugais et des expéditions maritimes lancées par son fils, Henri le Navigateur *(p. 48-49)*. Sous Dom Manuel Ier, d'autres voyages entraînèrent des échanges avec les Indes et l'Orient, et, après la prise de Goa par Afonso de Albuquerque, ils apportèrent une grande richesse. La colonisation du Brésil amena elle aussi la prospérité. Toutefois, l'aventure des colonies affaiblit le Portugal métropolitain, qui se dépeupla sérieusement. L'expansion prit fin en 1578, avec l'échec d'une expédition militaire au Maroc, menée par le roi Sebastião.

Péninsule Ibérique en 1500

☐ *Portugal*

☐ *Espagne (Castille et Aragon)*

Plat en porcelaine, XVIe siècle
En 1557, les Portugais obtinrent Macão comme comptoir commercial. Ce plat chinois affiche les armoiries de Matias de Albuquerque, descendant du conquérant de Goa.

Armoiries royales anglaises

Jean de Gand mit à profit l'alliance avec le Portugal pour revendiquer le trône de Castille.

Arrivée des soldats à Arzila
Les rois de la dynastie d'Avis étendirent leur territoire au Maroc, où ils créèrent une colonie autour de Tanger. Cette tapisserie flamande représente la prise d'Arzila par Dom Afonso V, en 1471.

Luís de Camões
Après avoir servi aux Indes et au Maroc, où il perdit un œil, le poète écrivit Os Lusíadas (p. 188), une épopée sur les Découvertes.

CHRONOLOGIE

1385 Défaite castillane devant Dom João Ier à Aljubarrota

1415 Prise de Ceuta au Maroc

v. 1425 Le roi Duarte écrit le « *Leal Conselheiro* », un traité sur les bonnes manières

1441 Lagos est le premier marché aux esclaves d'Europe

1496 Expulsion ou conversion de force des juifs

1495–1521 Dom Manuel Ier ; Grandes Découvertes

1400	1425	1450	1475

1386 Traité de Windsor, scellant l'alliance avec l'Angleterre

1418 Henri le Navigateur est fait gouverneur de l'Algarve

Le roi Duarte

1471 Conquête des forteresses d'Arzila et de Tanger

1482–1483 João II réussit à déjouer la Conspiration des Nobles

1494 Traité de Tordesillas : partage du Nouveau Monde entre l'Espagne et le Portugal

Mariage de Manuel Ier
Le règne de Dom Manuel marqua l'apogée des Découvertes. Ses mariages renforcèrent les liens avec l'Espagne. On voit ici son troisième mariage, avec Leonor, la sœur de Carlos Ier d'Espagne, en 1518.

Dom João Ier fut soutenu par les marchands de Lisbonne et de Porto, et non par les nobles, qui choisirent la Castille.

Archevêque de Braga

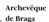

Évêques prenant position pour Dom João, après le refus du pape de légitimer les enfants d'Inês (p. 44-45).

OÙ VOIR LE PORTUGAL GOTHIQUE

Nombre d'églises possèdent des éléments gothiques, comme le cloître de la cathédrale de Porto (p. 240) et le portail sculpté de celle d'Évora (p. 304). Le convento de Cristo (p. 186-187) est essentiellement gothique, comme l'église d'Alcobaça (p. 178-179). La plus belle église est celle de Batalha. Elle présente aussi de superbes éléments d'architecture manuéline (p. 20-21).

Batalha *(p. 182-183) intègre nombre de styles gothiques. La sobriété de la nef contraste avec la décoration extérieure.*

JOÃO Ier ET LES ANGLAIS
L'alliance de João Ier avec l'Angleterre conduisit, en 1387, à son mariage avec Philippa de Lancastre, fille de Jean de Gand et petite-fille d'Edouard III. Cette illustration tirée de la chronique de Jean de Wavrin montre le roi divertissant son beau-père.

Bataille d'Alcácer-Quibir (1578)
Le roi Sebastião considéra son expédition africaine comme une croisade. Cependant, la mort du roi, à Alcácer-Quibir, devait sonner le glas de la dynastie d'Avis.

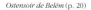

Ostensoir de Belém (p. 20)

1510 Naissance de l'empire portugais en Asie ; Goa conquis par Afonso de Albuquerque

1531 Introduction de l'Inquisition au Portugal

1536 Mort de Gil Vicente, grand poète dramatique

1572 Publication de l'épopée en vers de Luís de Camões, *Os Lusiadas*

1500	1525	1550	1575

v. 1502 Fondation du monastère de Jerónimos à Belém (p. 106-107)

1498 Arrivée de Vasco da Gama aux Indes

1521–1557 Règne de João III, dit « Le Pieux »

Gil Vicente

1559 Fondation de l'université jésuite d'Évora (p. 304)

1578 L'expédition de Sebastião au Maroc se solde par la mort du roi et la défaite totale à la bataille d'Alcácer-Quibir

L'âge des Découvertes

L'incroyable période des conquêtes portugaises s'ouvrit en 1415, avec la prise de Ceuta en Afrique du Nord. Suivirent des expéditions maritimes dans l'Atlantique et sur les côtes d'Afrique occidentale, motivées par l'hostilité vis-à-vis de l'islam et l'appât du gain. L'or et les esclaves de la côte guinéenne apportèrent des richesses, mais l'impérialisme portugais connut son véritable apogée en 1498, avec l'arrivée de Vasco da Gama *(p. 108)* aux Indes. Le Portugal contrôla rapidement l'océan Indien et le commerce des épices, et installa la capitale des colonies orientales à Goa. Avec la découverte du Brésil, le Portugal devint une superpuissance marchande.

Padrão portugais

Sphère armilliaire
Ce globe est formé d'anneaux symbolisant les mouvements des astres autour de la terre. Cet instrument devint l'emblème personnel de Dom Manuel Ier

Magellan (v. 1480-1521)
Grâce à des fonds espagnols, le navigateur portugais Fernão de Magalhães, dit Magellan, entama le premier voyage de circumnavigation de la terre (1519-1522). Il fut tué aux Philippines.

1500–1501 Gaspar Corte Real arrive à Terre-Neuve.

1427 Diogo de Silves découvre les Açores.

1434 Gil Eanes double le cap Bojador (Sahara occidental).

1460 Diogo Gomes découvre l'archipel du Cap-Vert.

v. 1470 Découverte de l'île de São Tomé.

1482 Diogo Cão arrive à l'embouchure du Congo.

1485 Diogo Cão, lors de son 3e voyage, atteint le cap Cross (Namibie).

1488 Bartolomeu Dias dépasse le cap de Bonne-Espérance.

1500 Pedro Álvares Cabral parvient au Brésil.

L'Adoration des Mages
Peint pour la cathédrale de Viseu, après le retour de Cabral du Brésil, en 1500, ce tableau est attribué à Grão Vasco (p. 213). Le deuxième roi, Balthazar, à les traits d'un Indien Tupi du Brésil.

Salière d'Afrique
Cet objet en ivoire du XVIe siècle représente des soldats portugais soutenant un globe et un bateau, et un marin dans le nid de pie.

Paravent japonais (v. 1600)
Il représente des marchands déchargeant une nef. Entre 1575 et leur expulsion en 1638, les Portugais détenaient le monopole du commerce entre la Chine et le Japon.

HENRI LE NAVIGATEUR

Bien que n'ayant jamais navigué, Henri (1394-1460), le troisième fils de João Ier, posa les jalons de l'expansion maritime du Portugal, poursuivie plus tard par João II et Manuel Ier. Maître du riche ordre du Christ et gouverneur de l'Algarve, Henri finança des expéditions sur les côtes africaines. À sa mort, il détenait le monopole de tout le commerce au sud du cap Bojador. La légende veut qu'il fonda une grande école de navigation, à Sagres *(p. 320)* ou Lagos.

1543 Les Portugais atteignent le Japon.

1513 Création de comptoirs en Chine, à Macao et à Canton.

1510 Prise de Goa.

1498 Vasco da Gama arrive à Calicut, en Inde.

1518 Forteresse construite à Colombo (Sri Lanka).

1512 Les Portugais parviennent à Ternate, aux Moluques.

LÉGENDE

– – – Itinéraires des découvertes

Clous de girofle

Poivre

Muscade

Cannelle

La route des épices
Les épices furent une source de richesse pour le Portugal. En 1528, les Espagnols tentèrent de s'emparer des Moluques, ou îles aux épices.

LES DÉCOUVERTES

La tentative de découvrir une route maritime vers les Indes, qui conduisit au monopole du commerce des épices, fut lancée en 1482, avec l'expédition de Diogo Cão. Celui-ci plantait un croix là où il accostait.

Nid de pie

Croix de l'ordre du Christ *(p. 185)*

Voile du mât de misaine

Les voiles latines
Les bateaux à trois voiles triangulaires (latines) étaient appréciés des premiers explorateurs, qui faisaient du cabotage. Plus tard, pour les voyages en pleine mer, ils préférèrent les voiles rectangulaires.

La domination espagnole

Philippe II d'Espagne

Lorsque Dom Henrique mourut sans héritier, en 1580, Philippe II d'Espagne, neveu de Dom Manuel Ier, revendiqua le trône du Portugal. Sous la domination espagnole, la politique étrangère commune conduisit à la perte progressive des colonies en faveur des Hollandais. Cependant, en 1640, le duc de Bragança fut proclamé roi du Portugal, sous le nom de Dom João IV. L'Espagne répondit par une guerre qui se poursuivit jusqu'en 1668. Durant cette période, l'économie du Portugal fut tributaire de ses territoires d'outre-mer.

Restauration de Dom João IV
Après que l'Espagne eut été chassée par les partisans de Dom João, en 1640, ce dernier fut couronné devant le palais royal à Lisbonne.

Armada espagnole
En 1588, Philippe II d'Espagne tenta de débarquer en Angleterre avec une flotte partie de Lisbonne, où elle avait été équipée.

Fort de Graça, aux mains des Espagnols.

António Vieira
Ce prêtre jésuite (1606-1697) était également écrivain et orateur. Il fut chargé de missions diplomatiques et s'opposa à l'Inquisition.

LA GUERRE D'INDÉPENDANCE

La guerre opposant le Portugal à l'Espagne (1640-1668) se déroula essentiellement dans l'Alentejo. Ce panneau d'*azulejos* du palácio Fronteira de Lisbonne *(p. 125)* illustre la bataille de Linhas de Elvas (1658). L'armée portugaise, défaite à Elvas *(p. 296-297)*, fut secourue par des soldats d'Estremoz.

CHRONOLOGIE

1580 Invasion du Portugal par l'Espagne. Philippe II d'Espagne devient roi du Portugal

1588 L'Armada espagnole quitte Lisbonne pour envahir l'Angleterre

1614 Fernão Mendes Pinto publie *A Peregrinação*, le récit de ses voyages dans l'Asie du milieu du XVIe siècle

1624 Prise de Bahia, au Brésil, par les Hollandais

1631 Naissance de la peintre Josefa de Óbidos

1580   **1600**   **1620**

1583 Philippe rentre en Espagne, laissant comme vice-roi son neveu Albert, archiduc d'Autriche

1581 Le roi confie à l'architecte italien Filippo Terzi le remaniement du palais royal de Lisbonne et la construction de plusieurs églises

L'église de São Vicente de Fora (p. 72) due à Filippo Terzi et Baltasar Álvares, achevée en 1627

1626 Traversée de l'Himalaya par le missionnaire jésuite António de Andrade qui arrive au Tibet

Contador indo-portugais

Les contadores, *cabinets luxueux en teck et en ébène, étaient fabriqués dans les colonies portugaises, et notamment à Goa. Cette superbe pièce du* XVIIe *siècle se trouve au Museu Nacional de Arte Antiga* (p. 96-99).

L'armée portugaise défaite à Elvas revenait d'une campagne infructueuse en Espagne.

Bastions protégeant des canons ennemis.

Les troupes d'Estremoz mirent les Espagnols en déroute.

Josefa de Óbidos

Née en Espagne, Josefa (1631-1684) s'installa à Óbidos (p. 172) *enfant. Formée par son père, elle peint motifs religieux et natures mortes.*

OÙ VOIR LE PORTUGAL DU XVIIe SIÈCLE

Le style qui prévalait sous la domination espagnole était austère, comme à São Vicente de Fora *(p. 72)*, la Sé Nova de Coimbra *(p. 204)* et l'église jésuite de Santarém *(p. 191)*. À Vila Viçosa, la façade du palais des ducs de Bragança en est un autre exemple *(p. 298-299)*. On verra des *azulejos* colorés de cette période au palácio Fronteira *(p. 125)* et au Museu Nacional do Azulejo *(p. 122-123)*.

Le palácio dos Biscainhos à Braga (p. 277) *a été bâti par de riches émigrants rentrés du Brésil. Agrandi ultérieurement, il a conservé sa structure originale.*

L'Inquisition

Au XVIe *et au* XVIIe *siècle, l'Inquisition, mise en place par l'Église catholique, brûla des hérétiques sur le Terreiro do Paço à Lisbonne.*

1639 Les bateaux portugais sont interdits dans les ports japonais

1654 Les Hollandais sont expulsés du Brésil

1656 Mort de Dom Joāo IV. Sa veuve, Luisa de Guzmán, devient régente du jeune roi Afonso VI

1665 Défaite de l'Espagne à la bataille de Montes Claros

1668 L'Espagne reconnaît l'indépendance du Portugal

1683 Dom Pedro II devient roi

Pedro II

1640 | | **1660** | | **1680**

Catherine de Bragança

1640 Restauration. Le 4e duc de Bragança devient le roi Joāo IV, après un soulèvement contre la domination espagnole

1662 Catherine de Bragança épouse Charles II d'Angleterre

1667 Afonso VI, faible d'esprit, est déposé par son frère Pedro, qui épouse la femme d'Afonso, une Française, et devient régent

1697 Découverte de mines d'or dans le Minas Gerais au Brésil

1698 Dernière réunion des *cortes* portugais

L'absolutisme

L e XVIIIe siècle fut une période ambiguë pour le Portugal : malgré les richesses engendrées par l'or du Brésil, Dom João V conduisit le pays au bord de la faillite. Plus tard, le marquês de Pombal, Premier ministre de Dom José Ier, successeur de Dom João, appliqua les idées des Lumières. À son arrivée sur le trône, en 1777, Dona Maria Ire annula quantité de décrets de Pombal. Cependant, l'invasion française, en 1807, la contraignit à l'exil, au Brésil.

Pièce d'or de João V

Funambule
Il était utilisé à l'université de Coimbra à la fin du XVIIIe siècle pour illustrer le centre de gravité.

La bibliothèque, aux étagères baroques, contient 40 000 volumes.

Marquês de Pombal (1699-1782)
Après le séisme de 1755 (p. 62-63), Pombal fit reconstruire Lisbonne selon des principes rationnels. Il présente ici la nouvelle ville.

Appartements de la reine

Dom João V
Cette miniature (1720) de Castriotto représente le roi buvant du chocolat, boisson à la mode chez les nobles, que lui sert l'infant Miguel.

La basilique
recèle de belles statues dues à des maîtres italiens, dans un étonnant décor de marbre jaune, rose, rouge et bleu.

CHRONOLOGIE

Bom Jesus do Monte

1703 Le traité de Methuen ouvre aux Portugais le marché du vin en Angleterre et aux Anglais celui du textile au Portugal

1723 Construction de l'escalier baroque du Bom Jesus, près de Braga (p. 278-279)

1755 Un séisme ravage Lisbonne et une grande partie du sud du Portugal

1730 Consécration de la basilique du palais-monastère de Mafra

1700	1720	1740

1706–1750 Règne de Dom João V « Le Magnanime », période de floraison artistique

1733 Représentation du premier opéra portugais, *La patience de Socrate*, d'António de Almeida, au palais royal de Lisbonne

1748 L'aqueduc das Águas Livres de Lisbonne conduit de l'eau pour la première fois

1750 Dom José Ier succède à Dom João V

Águas Livres
Inauguré en 1748, l'aqueduc fut financé par les Lisboètes. Malgré les conseils de ses ingénieurs, Dom João V le fit bâtir dans la vallée de l'Alcântara.

OÙ VOIR LE PORTUGAL DU XVIIIᵉ SIÈCLE

Les églises baroques, aux intérieurs ornés de bois doré *(talha dourada)*, comme Sào Francisco *(p. 241)* et Santa Clara *(p. 239)*, ne manquent pas. Les intérieurs décorés d'*azulejos (p. 22-23)* sont courants. L'université de Coimbra possède la capela de Sào Miguel et une bibliothèque baroque.

Outre les palais de Mafra et de Queluz, nombre de belles demeures, comme la casa de Mateus *(p. 254-255)*, datent de cette époque.

Réfectoire des moines

Fauteuil du XVIIIᵉ siècle
L'influence du style anglais Queen Anne se traduit par les pieds de cette chaise richement dorée en noyer.

Le clocher
abrite un carillon de 114 cloches.

Le palais de Queluz (p. 164-165), *qui fut la résidence de Dona Maria Iʳᵉ, est un bel exemple d'architecture rococo.*

LE MONASTÈRE DE MAFRA

Ce monument dédié à Dom João V comprend le palais royal, une église et un monastère *(p. 152)*. Sa construction dura 38 ans. Le complexe compte 880 pièces et 300 cellules de moines.

Les appartements du roi sont séparés de ceux de la reine par une galerie.

La capela de São Miguel, *à l'université de Coimbra* (p. 206-207), *a été redécorée en style baroque sous Dom João V.*

1756 La vallée du Douro, première région vinicole délimitée

1759 Pombal expulse les jésuites

1762 Déclaration de guerre de l'Espagne

Statue de Dom José Iʳ

1760

1775 La statue de Dom José Iᵉʳ, due à Machado de Castro, est inaugurée comme le centre de la Lisbonne reconstruite

1772 Pombal réorganise l'université de Coimbra et ajoute les mathématiques et les sciences naturelles au programme

1777 Dona Maria Iʳᵉ monte sur le trône

1780

1789 Répression du mouvement indépendantiste brésilien dans le Minas Gerais

Dona Maria Iʳᵉ

1808 Les Français reculent devant l'armée menée par Sir A. Wellesley. Convention de Sintra

1799 Dom João, fils de Dona Maria Iʳᵉ, est nommé régent

1807 Invasion des Français. La famille royale s'enfuit au Brésil

1800

Réforme et révolution

L e Portugal souffrit de la guerre contre Napoléon et de la perte du Brésil. Cette période de chaos culmina en 1832, avec la guerre civile opposant Dom Pedro IV le libéral à Dom Miguel l'absolutiste. Malgré la victoire libérale, les gouvernements ultérieurs furent souvent réactionnaires. Suivit une période de croissance économique, qui vit toutefois l'échec des tentatives d'expansion en Afrique. La monarchie constitutionnelle suscitait un profond mécontentement et, en 1910, un soulèvement républicain contraignit Manuel II à l'exil.

Révolution
La révolution de 1820 conduisit au retour de la famille royale du Brésil et à une nouvelle constitution. Celle-ci fut abrogée après le coup d'État de 1823.

Bateaux républicains bombardant le palais royal.

Personnification de la République portugaise

Zé Povinho
Ce personnage représentant Monsieur-tout-le-monde fut créé en 1875 par Rafael Bordalo Pinheiro, artiste et potier. Il exprimait les préoccupations des Portugais moyens.

Prêtres renvoyés par les républicains.

LA NAISSANCE DE LA RÉPUBLIQUE

L'engouement pour la République fut propagé dans les classes moyennes et dans l'armée par une société secrète, la Carbonária. La révolution, qui se déroula à Lisbonne en octobre 1910, dura à peine cinq jours.

La guerre napoléonienne (1808-1814)
Napoléon tenta deux fois d'envahir le Portugal, mais il fut repoussé par l'armée de Wellington qui remporta une victoire décisive, en 1810, à Buçaco (p. 210-211).

CHRONOLOGIE

1809–1820 La régence est dominée par Charles Stuart, ministre anglais à Lisbonne

1822 Nouvelle constitution. Indépendance du Brésil sous Dom Pedro, le fils de Joào VI

Teatro Nacional Dona Maria II

1853 Émission des premiers timbres postaux

1856 Inauguration de la première ligne de chemin de fer

1810

1830

1850

1826 Dom Pedro IV octroie une charte modérée, avant d'abdiquer en faveur de sa fille Maria

1810 Bataille de Buçaco

1828 Dom Miguel, fiancé à sa nièce Maria, est couronné roi

1842 Fondation du Théâtre national

1834 Monastères dissous

1832–1834 Guerre des deux frères, défaite de Miguel l'absolutiste

1851–1889 « Régénération » : période de développement industriel

Timbre de 5 reis

Ivrognes, de José Malhôa
Malhôa (1855-1933) brossa une sorte d'histoire sociale avec des peintures de genre comme celle-ci, où l'on voit des hommes enivrés.

OÙ VOIR LE PORTUGAL DU XIXᵉ SIÈCLE

Vous pourrez admirer le néo-classicisme, qui dominait au début du siècle, au palácio da Ajuda *(p. 111).* Plus tard sont apparus des styles plus romantiques, qui vont du néo-gothique exubérant du palácio da Pena *(p. 160-161)* de Sintra à l'orientalisme subtil de Monserrate *(p. 155).* Parmi les gares intéressantes liées au développement du chemin de fer, voyez la gare du Rossio de Lisbonne et São Bento à Porto *(p. 239).*

Le roi Manuel II fuit d'Ericeira pour l'Angleterre à bord du yacht royal.

Le Portugal et l'Afrique
La traversée de l'Afrique australe par Serpa Pinto en 1879 inspira la création d'une colonie allant de mer à mer.

La gare du Rossio (p. 82) *à Lisbonne présente une façade néo-manuéline, due à José Luís Monteiro. Achevée en 1887, elle possède l'une des premières voûtes en fer du Portugal.*

Les soldats républicains installent des barricades à Lisbonne et ne rencontrent que peu d'opposition.

Leaders du parti républicain

Eça de Queirós
Le grand écrivain (1845-1900) brossa un portrait acerbe de la bourgeoisie portugaise. Diplomate, il vécut longtemps à l'étranger.

Le pont Dom Luís Iᵉʳ (p. 242), *à Porto, date de 1886. Teófilo Seyrig s'inspira du pont voisin, de Gustave Eiffel, pour son architecture à double tablier.*

1865–1868 Coalition de deux grands partis

1869 Abolition du commerce des esclaves dans les colonies

1888 Publication d'*Os Maias* d'Eça de Queirós, étude satirique de l'inertie portugaise

Manuel II

1910 Révolution. Dom Manuel II abdique et part en exil

	1870		1890		1910

1861–1889 Règne de Dom Luís Iᵉʳ, modéré

1877 Serpa Pinto part de Benguela, en Angola, pour traverser l'Afrique australe.

1886 Construction du Ponte de Dom Luís Iᵉʳ à Porto

1908 Assassinat de Dom Carlos Iᵉʳ et de son héritier, Luís, par les républicains

1890 La jonction entre les deux colonies africaines, Mozambique et Angola, est contrecarrée par l'ultimatum britannique

Le Portugal moderne

Azulejos **modernes du métro de Lisbonne**

L a nouvelle République vécut une crise politique et économique jusqu'au coup d'État militaire de 1926, qui ouvrit la voie à la mise en place du Nouvel État, en 1933. Sous la dictature d'António Salazar, le pays réussit à se défaire de ses dettes, mais connut pauvreté et chômage. La dépendance du pays vis-à-vis de ses colonies entraîna des guerres coûteuses, des troubles dans l'armée, puis, en 1974, la chute du gouvernement. Le Portugal fut admis dans la Communauté européenne en 1986.

1935 Mort du poète Fernando Pessoa, qui avait plusieurs hétéronymes. Ce portrait dû à José de Almada Negreiros se trouve au Centro de Arte Moderna *(p. 120)* de Lisbonne

1949 Le Portugal signe le traité de l'Atlantique Nord et devient membre de l'OTAN

1922 1re traversée de l'Atlantique Sud en avion par Coutinho et Cabral

1933 Création de l'*Estado Novo* (État Nouveau), mené par Salazar. Le gouvernement interdit les grèves, censure la presse et réprime l'opposition avec l'aide de la PIDE, police secrète

1911 Droit de vote accordé aux femmes

1910	1920	1930	1940	1950
1910	1920	1930	1940	1950

1916 Entrée du Portugal dans la Première Guerre mondiale, aux côtés des alliés

1918 Assassinat du président Sidónio Pais. Les années d'après-guerre sont agitées par des troubles sociaux et de fréquents changements de gouvernement

1928 António Salazar est nommé ministre des Finances. Il devient Premier ministre en 1932

1949 Le prix Nobel de médecine est décerné à António Egas Moniz pour ses travaux sur la lobotomie

1917 À Fátima, trois enfants affirment avoir vu la Sainte Vierge. Le lieu de l'apparition devient un but de pèlerinage

1942 Salazar et Franco concluent un pacte de non-agression

1926 Coup d'État militaire. Le général Carmona, nouveau président, occupe ce poste jusqu'en 1951

1939–1945 Pendant la dernière guerre, le Portugal se veut neutre, mais les menaces contre ses navires l'obligent à vendre des minerais à l'Allemagne. En 1943, il autorise l'installation des bases anglaises et américaines aux Açores. Salazar *(au centre)* y visite la troupe

1966 Inauguration du Ponte Salazar (l'actuel Ponte 25 de Abril) sur le Tage *(p. 114)*

1986 Entrée du Portugal dans la Communauté européenne. Soares devient le premier président civil depuis 60 ans

1998 Exposition Universelle à Lisbonne. Gil, la mascotte, évoque le thème de l'eau et des océans

1966 L'équipe nationale de football, avec le talentueux Eusébio *(au centre, accroupi)*, arrive en quart de finale de la Coupe du Monde

1985 Arrivée au pouvoir des sociaux-démocrates, avec Aníbal Cavaco Silva

1955 Mort du magnat arménien Calouste Gulbenkian, qui lègue 2,355 milliards d'escudos (80 millions de francs) pour une fondation pour les arts

1974 Révolution des Œillets : le régime de Marcelo Caetano est renversé par le MFA (Mouvement des Forces Armées), un groupe d'officiers de gauche

1995 António Guturres (parti socialiste) élu Premier ministre

1960	1970	1980	1990	2000
1960	1970	1980	1990	2000

1961 Annexion de Goa, Damão et Diu par l'Inde

1968 Salazar se retire. Marcelo Caetano, plus modéré, lui succède

1976 Premières élections libres depuis 50 ans ; le socialiste Mário Soares devient Premier ministre

1988 Rosa Mota *(au centre)* gagne le marathon féminin des J. O., Séoul

1958 À l'élection présidentielle, le candidat de l'opposition, le général Delgado, remporte tant de suffrages que les résultats sont falsifiés.

1975 L'indépendance est accordée à toutes les colonies, hormis Macao, mettant fin à de longues guerres en Afrique. Les soldats, comme ceux-ci en Angola, sont rapidement rapatriés au Portugal

LA RÉVOLUTION DES ŒILLETS

Le coup d'État du 25 avril 1974 doit son nom aux œillets rouges que la population plaçait dans le canon des fusils des soldats. Conduite par des officiers que mécontentent les sanglantes guerres coloniales en Afrique, la révolution annonça une période d'effervescence dans un pays sortant de décennies d'isolement. Toutefois, la situation politique était chaotique : le nouveau gouvernement mit en œuvre un programme controversé de nationalisations et de réformes agraires. En novembre 1975, les radicaux de gauche furent évincés.

GOLPE MILITAR
"MOVIMENTO DAS FORÇAS ARMADAS" DESENCADEIA ACÇÃO DE MADRUGADA

Journal annonçant la révolution

LISBONNE

Lisbonne d'un coup d'œil

Installée sur la rive droite de l'estuaire du Tage, à 17 km de l'Atlantique, la capitale du Portugal compte environ 550 000 habitants. L'agglomération, le « Grande Lisboa », accueille près de deux millions de personnes. Entièrement ravagé par le séisme de 1755 *(p. 62-63)*, le centre-ville, où s'étendent les rues élégantes de la Baixa, date en grande partie du XVIIIe siècle. Les ruelles étroites des quartiers de l'Alfama et du Bairro Alto, établis sur les collines encadrant le centre, en font une ville agréable, à dimension humaine. Depuis ses années de gloire à l'âge des Découvertes, où elle était la capitale du commerce mondial, Lisbonne est restée un port important. Les docks sont aujourd'hui installés ailleurs, mais les monuments de Belém constituent un témoignage de son passé maritime.

Le Museu Nacional de Arte Antiga présente arts décoratifs, sculptures et peintures. Ne manquez pas les toiles portugaises d'inspiration flamande, comme le Christ apparaissant à la Vierge *de Jorge Afonso (p. 96-97).*

Le Mosteiro dos Jerónimos est un magnifique monastère du XVIe siècle. Commandé par Manuel Ier, il est essentiellement de style manuélin. Le portail sud de l'église, orné de sculptures extravagantes, a été conçu en 1516 par João de Castilho. C'est l'une des premières créations de ce style (p. 106-107).

BELÉM
(p. 100–111)

La Torre de Belém guidait les navigateurs rentrant des Indes et du Nouveau Monde, et symbolisait la puissance maritime du Portugal (p. 110).

◁ **Les tours jumelles de la Sé, de style roman, dominent les toits de la Baixa**

L'Elevador de Santa Justa, *construit au début du siècle, est un ascenseur en fer forgé superbement décoré, qui relie le quartier de la Baixa au Bairro Alto* (p. 86).

EN DEHORS DU CENTRE
(p. 112–125)

Le Museu Calouste Gulbenkian *expose les magnifiques œuvres d'art léguées par le milliardaire dont il porte le nom* (p. 116-119).

Le Museu Nacional do Azulejo, *dans les cloîtres du Convento de Madre de Deus, illustre l'histoire des azulejos portugais et leur fabrication* (p. 122-123)

0   4 km

BAIXA ET AVENIDA
(p. 80–87)

BAIRRO ALTO
ET ESTRELA
(p. 88–99)

ALFAMA
(p. 68–79)

0   500 m

Le Castelo de São Jorge, *qui fut successivement un château maure puis la demeure des rois du Portugal, a été entouré, dans les années 30, d'un jardin public. Belle vue depuis les remparts* (p. 78-79).

La Sé, *magnifiquement restaurée, est un édifice roman imposant, éclairé par une rosace. Les reliques de saint Vincent, le patron de la ville, sont exposées dans le trésor, avec des objets d'art liturgique* (p. 74).

Le séisme de 1755 à Lisbonne

Ex-voto carrelé offert par des survivants

Les premières secousses se firent sentir le 1er novembre, vers 9 h 30. Quelques minutes plus tard, un deuxième choc, beaucoup plus violent, détruisait plus de la moitié de la ville. Bien que l'épicentre du séisme fût situé près de l'Algarve, c'est Lisbonne qui paya le plus lourd tribut. Plusieurs églises s'effondrèrent sur les fidèles célébrant la Toussaint. Une troisième secousse provoqua des incendies qui se propagèrent très vite. Une heure plus tard, des vagues gigantesques déferlèrent depuis le Tage, inondant la ville basse. Presque tout le pays fut touché, et les secousses furent ressenties jusqu'en Italie. À Lisbonne, le séisme causa environ 15 000 morts.

Ce tableau (anonyme), qui illustre l'arrivée d'un ambassadeur du pape à la cour en 1693, montre le Terreiro do Paço avant le séisme.

Certains bâtiments qui avaient survécu au séisme furent ravagés par l'incendie qui suivit.

L'ancien palais royal, le Paço da Ribeira, fut gravement touché par le séisme et l'inondation.

La famille royale vivait à Belém, moins touché que Lisbonne, et sortit indemne de la catastrophe. Ici, le roi vient constater les dommages à Lisbonne.

Des bateaux bondés de citadins fuyant l'incendie firent naufrage, et les passagers furent engloutis par les flots.

Ce détail provient d'un ex-voto dédié à Nossa Senhora da Estrela. La peinture fut donnée par un père reconnaissant dont la fille avait miraculeusement survécu au séisme. La fillette fut retrouvée en vie sous les décombres, sept heures après la catastrophe.

LA RECONSTRUCTION DE LISBONNE

Marquês de Pombal (1699-1782)

À peine le séisme passé, Sebastião José de Carvalho e Melo, Premier ministre de José Ier et futur marquês de Pombal, se mit à concevoir les projets de reconstruction de la ville. Laissant les philosophes moraliser, Pombal réagit avec pragmatisme. « Enterrer les morts et nourrir les survivants », telle fut sa devise. Il rétablit l'ordre, puis mit en place un programme d'urbanisme novateur.

LA CATASTROPHE ET LES RÉACTIONS

**Voltaire
(1694-1778)**

Le séisme marqua profondément la pensée européenne. Partout, les journaux publièrent les comptes rendus de témoins oculaires. Un débat enflammé eut lieu sur l'origine du séisme : s'agissait-il d'un phénomène naturel ou d'un acte de colère divine ? Lisbonne était une ville prospère, connue pour sa richesse — et aussi pour son idolâtrie et l'Inquisition. Estimant que le séisme était une punition divine, des prédicateurs annoncèrent de nouvelles catastrophes. La signification à accorder à l'événement fut débattue par les hommes de lettres. Voltaire écrivit un poème sur la catastrophe, exposant ses idées, intitulé *Sur le désastre de Lisbonne*.

Les murailles du château cédèrent sous l'assaut des vagues puissantes.

Les flammes, dues aux cierges allumés dans les églises pour la Toussaint, se propagèrent. L'incendie dura 7 jours.

Quelques-uns des plus beaux bâtiments de la ville furent détruits, de même que bijoux, objets en or, archives, livres, etc.

Un raz-de-marée déferla, à 11 h, sur la ville basse. Les docks d'Alcântara subirent le choc le plus violent.

Les églises, les habitations et les bâtiments publics furent touchés. L'Opéra royal, ici en ruine, venait d'être achevé en mars.

VUE CONTEMPORAINE DU SÉISME
Cette gravure allemande de 1775 montre bien l'ampleur de la catastrophe. Beaucoup de citadins, fuyant les flammes, s'embarquèrent sur le Tage, mais furent engloutis par des vagues gigantesques. Le tribut en vies et en pertes matérielles fut colossal.

La reconstruction du centre de Lisbonne commença rapidement. À la fin du mois de novembre, le marquês de Pombal avait conçu un plan résolument moderne de rues parallèles, allant du bord de mer au Rossio. Les édifices nouveaux sont représentés en jaune.

La ville actuelle présente quantité de témoignages du séisme. Le plan en grille novateur de Pombal apparaît sur cette vue de la Baixa (p. 80-87). Les travaux durèrent longtemps, et ce n'est qu'un siècle plus tard, en 1873, que fut achevé l'arc de triomphe enjambant la rua Augusta.

SE DISTRAIRE À LISBONNE

De taille modeste comparée aux autres capitales européennes, Lisbonne n'en accueille pas moins quantité de manifestations : musique classique ou opéra, soirées de fado comme grands concerts de rock, ballet et danse contemporaine. Longtemps sous l'égide exclusive de la Fondation Gulbenkian, la vie culturelle bénéficie désormais de divers autres soutiens, tant privés que publics. Le foot est une passion nationale, et les équipes du Sporting et de Benfica jouent souvent à domicile. Enfin, Lisbonne *by night* ne décevra pas les noctambules les plus branchés.

RÉSERVATION DE BILLETS

Les réservations peuvent se faire par téléphone auprès de l'Agência de Bilhetes para Espectáculos Públicos (**ABEP**), et se règlent en espèces, lors du retrait au kiosque. On peut réserver, par carte ou par téléphone, dans les centres culturels.

Le kiosque ABEP vend les billets
sur la praça dos Restauradores

MAGAZINES

Il existe plusieurs magazines mentionnant les manifestations et les adresses de bars et de boîtes de nuit à Lisbonne : les mensuels *What's On* et *LISBOAem,* publiés en anglais et disponibles gratuitement à l'Office du tourisme, et le mensuel *Agenda Cultural,* gratuit aussi, en portugais.

CINÉMA ET THÉÂTRE

Lisbonne fait le bonheur des cinéphiles : les films sont projetés en V. O. sous-titrée et les places sont bon marché, souvent même à tarif réduit le lundi. Les centres multiplexes ont largement évincé les anciennes salles. Ceux des grands centres commerciaux tels que Amoreiras ou El Corte Inglés font la part belle aux superproductions hollywoodiennes, tandis que d'autres comme le King Triplex

passent davantage de films européens. La **Cinemateca Portugesa** présente des classiques et des rétrospectives ; le programme mensuel est disponible dans les offices du tourisme. Les représentations théâtrales sont en général en langue portugaise, mais le **Teatro Nacional Dona Maria II** et le **Teatro da Trindade** accueillent à l'occasion des troupes étrangères. Dans un registre plus décontracté, **Chapitô** propose parfois des représentations en plein air.

MUSIQUE CLASSIQUE, OPÉRA ET DANSE

Les deux principaux centres culturels sont le **Centro Cultural de Belém** *(p. 108)* et la **Fundação Calouste Gulbenkian** *(p. 116-119).* L'Opéra national du Portugal est le **Teatro Nacional de São Carlos**. Tous accueillent des spectacles portugais aussi bien que des tournées internationales : concerts, opéras, ballets, etc. Quant au **Coliseu dos Recreios,** son programme est très varié car aucune troupe particulière ne lui est attachée.

Spectacle de clowns au Chapitô,
le centre artistique de l'Alfama

MUSIQUES DU MONDE, JAZZ, FOLK ET ROCK

Le *fado (p. 66-67)* a beau être l'âme de la musique portugaise, Lisbonne vit aussi au rythme d'autres expressions musicales. La musique africaine, en particulier celle du Cap-Vert, ancienne colonie portugaise, est aussi très présente, souvent *live,* par exemple au **B.Leza** et à **l'Enclave.** Le **Hot Clube** a toujours été la scène de jazz la plus appréciée pour son

L'orchestre de la Fundação Calouste Gulbenkian

Musicien brésilien au Pé Sujo

ambiance intime. Un peu plus vaste, le **Speakeasy** accueille un public plus jeune et mêle le blues rythmique au jazz.
Les grands groupes de rock et de pop se produisent soit en plein air, au **Praça Sony** ou dans les stades, soit dans des salles comme le **Pavilhão Atlântico** ou le **Coliseu dos Recreios**.

BOÎTES DE NUIT

Le Barro Alto demeure le bastion des noctambules, même si ses plus petits bars ne font en général pas dancing et ferment relativement tôt. Il y a des exceptions, comme le doyen du quartier, le **Frágil**, et le moderne **V Imperium** où officie un DJ.
Au nombre des dancings à la mode figurent le vénérable **Kremlin**, un night-club quasi historique, et le **Kapital**, une discothèque assez ordinaire. Plus à l'ouest, à côté de la marina de Doca Santo Amaro, vous dénicherez la pittoresque **Salsa Latina**, l'un des rares clubs de salsa de Lisbonne. Dans le quartier d'Alcântara se trouve le **W** et l'**Alcântara Club**. À l'est, près du stade de Santa

Apolónia, au bord du fleuve, est le **Lux**, la scène la plus branchée de Lisbonne.

SPORT

Le Portugal accueillera en 2004 la Coupe du monde de football. Les deux principaux clubs portugais, le Sporting et le Benfica, construisent pour cet événement de nouveaux stades. Les finales nationales et autres, comme l'open de tennis de l'Estoril, se disputent à l'**Estadio Nacional-Jamor**. Le Pavilhão Atlantico accueille les rencontres de tennis, volley ou basket en salle. Les courses automobiles se déroulent à l'**Autódromo Fernanda Pires da Silva** de l'Estoril.

CARNET D'ADRESSES

RÉSERVATION DE BILLETS

ABEP
Praça dos Restauradores.
Plan 7 A2.
📞 213 475 824.

CINÉMA ET THÉÂTRE

Cinemateca Portuguesa
Rua Barata Salgueiro 39.
Plan 5 C5.
📞 213 596 262.

Chapitô
Costa do Castelo 1–7.
Plan 7 C3. 📞 218 867 334.

King Triplex
Avenida Frei Miguel Contreiras 52a. **Plan** 6 E1.
📞 218 480 808.

Teatro da Trindade
Rua Nova da Trindade 9
Plan 7 A3.
📞 213 423 200.

Teatro Nacional Dona Maria II
Praça Dom Pedro IV.
Plan 7 B3.
📞 213 250 800.

MUSIQUE CLASSIQUE, OPÉRA ET DANSE

Centro Cultural de Belém
Praça do Império. **Plan** 1 C5. 📞 213 612 400.

Coliseu dos Recreios
Rua das Portas de Santo Antão 96. **Plan** 7 A2.
📞 213 240 580.

Fundação Calouste Gulbenkian
Avenida de Berna 45.
Plan 5 B2.
📞 217 823 000.

Teatro Nacional de São Carlos
Rua Serpa Pinto 9. **Plan** 7 A4. 📞 213 253 000.

MUSIQUES DU MONDE, JAZZ, FOLK ET ROCK

B. Leza
Largo do Conde Barão 50.
Plan 4 E3. 📞 213 963 735.

Enclave
Rua do Sol ao Rato 71A
Plan 4 D1. 📞 213 888 738.

Hot Clube
Praça da Alegria 38-39.
Plan 4 F1. 📞 213 467 369.

Pavilhão Atlântico
Parque das Nações.
📞 218 918 409.

Praça Sony
Parque das Nações.
📞 218 919 000.

Speakeasy
Cais das Oficinas, Armazém 115, Rocha Conde d'Óbidos. **Plan** 4 D4.
📞 213 957 308.

BARS ET BOÎTES DE NUIT

Alcântara Club
Rua da Colina Economica 11
📞 213 465 250.

Frágil
Rua da Atalaia 128.
Plan 4 F2. 📞 213 469 578.

Kapital
Avenida 24 de Julho 68.
Plan 4 E3.
📞 213 957 101.

Kremlin
Escadinhas da Praia 5.
Plan 4 D3.
📞 213 908 768.

Lux
Avenida Infante Dom Henrique. **Plan** 8 D5.
📞 218 820 890.

Salsa Latina
Gare maritima de Alcântara. **Plan** 3 A5/B5.
📞 213 950 555.

V Imperium
Calçada do Tijolo 8.
Plan 4 F2. 📞 967 430 303.

W
Rua Maria Luisa Holstein 13.
Plan 3 A4. 📞 213 636 830.

SPORT

Autódromo Estoril
Alcabideche.
📞 214 691 462.

Estádio José Alvalade
(Sporting) Rua Franscico Stromp 2. 📞 217 567 930.

Estádio da Luz
(Benfica) Avenida General Norton Matos.
📞 217 266 129.

Estádio Nacional-Jamor
Cruz Quebrada
📞 214 197 212.

Le fado, musique de Lisbonne

À l'instar du blues, le *fado* chante la nostalgie et la tristesse. Ce terme, qui littéralement signifie « destin », peut désigner une chanson ou un genre musical. Cette musique doit beaucoup à la *saudade,* nostalgie d'une chose perdue ou jamais atteinte, ce qui explique sa puissance émotionnelle. Depuis plus de 150 ans le fado a peu changé, et les Lisboètes perpétuent cette tradition musicale dans des petits cafés et restaurants. Chanté tant par les hommes que par les femmes, le fado est toujours accompagné par la *guitarra*

Joueur de guitarra

et la *viola* (guitare acoustique espagnole). Coimbra a développé son propre style, plus léger.

Représentation de l'univers du fado dans les années 20

Argentina Santos est la plus grande chanteuse traditionnelle contemporaine. Toutes les femmes *fadistas* portent un châle noir.

Le *guitarrista* joue la mélodie et exécute à l'occasion un solo instrumental.

Maria Severa (1810-1836) *fut la première grande* fadista. *Le premier film portugais parlant, en 1931, lui fut consacré. Sa vie scandaleuse et sa mort prématurée jouèrent un rôle essentiel dans l'histoire du* fado. *Elle inspira fados, poèmes, romans, etc.*

La plupart des *guitarras* ont douze paires de cordes, comme celle-ci, pour donner un son argentin particulier.

Ornement floral en incrustation de nacre

Plaque en nacre pour les doigts

LA *GUITARRA*

Spécifiquement portugaise, la *guitarra* est un instrument à dos plat, en forme de mandoline, à 8, 10 ou 12 cordes regroupées par paires. La forme simple du XIXe siècle a évolué, pour donner un instrument richement décoré, parfois incrusté de nacre. Sa sonorité est une composante essentielle du *fado,* soulignant la ligne mélodique du chanteur.

Le fado aborde tous les sujets possibles. Ainsi, cette chanson de 1910 célèbre la naissance de la république libérale. Les partitions sont restées un mode de diffusion du fado très populaire, même après l'apparition des premiers disques, en 1904.

Alfredo Duarte (1891-1982) était un célèbre parolier de fados chantant l'amour, la mort, la nostalgie et le triomphe. Affectueusement appelé O Marceneiro (menuisier), en raison de son métier d'origine, il reste adulé, et ses œuvres continuent à être jouées.

Figure emblématique du Portugal, Amália Rodrigues (1921-1999) est l'ambassadrice du fado depuis plus de 50 ans. Dans les années d'après-guerre, elle a cristallisé cette musique et l'a fait connaître aux quatre coins du monde.

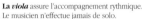

La *viola* assure l'accompagnement rythmique. Le musicien n'effectue jamais de solo.

Cette musique a toujours inspiré les écrivains et les peintres. L'œuvre O Fado *(1910) de José Malhôa* (p. 55) représente cette musique jouée dans un cadre intime, où le fadista *captive et bouleverse les spectateurs.*

LA MAISON DU FADO

Les meilleurs établissements de *fado* de Lisbonne, comme le célèbre Parreirinha de l'Alfama, qui appartient à Argentina Santos *(voir ci-dessus)*, sont tenus par les fadistas eux-mêmes. Ils perpétuent la tradition née dans l'Alfama, où les cafés et les restaurants accueillaient la musique du peuple. Ces établissements authentiques continuent à servir une cuisine de qualité et proposent de la bonne musique, comme au **Tasca de Chico** au Bairro Alto.

OÙ ÉCOUTER DU FADO À LISBONNE

Ces établissements vous proposeront bonne cuisine, bon vin et musique bouleversante. Mais allez voir la fascinante exposition de la Casa do Fado.

Arcadas do Faia
Ava da Barroca 54-56.
Plan 4 F2. ℂ *213 436 742.*

Casa de Fado
Largo do Chafariz de Dento 1.
Plan 7 A3. ℂ *213 823 470.*

Parreirinha de Alfama
Beco do Espírito Santo 1.
Plan 7 E4. ℂ *218 868 209.*

Senhor Vinho
Rua do Meio à Lapa 18.
Plan 4 D3. ℂ *213 972 681.*

Tasca do Chico
Rua Diário de Noticias 39.
Plan 7 A4. ℂ *213 431 040.*

Taverna do Embusçado
Beco dos Cortumés.
Plan 8 E4. ℂ *218 865 088.*

ALFAMA *l'Hotel*

On a du mal à croire aujourd'hui que ce quartier modeste ait été autrefois la partie la plus prisée de la ville. À l'époque maure, la ville se limitait aux ruelles autour du château fortifié. Le déclin commença au Moyen Âge, lorsque les résidents fortunés, redoutant les séismes, partirent plus à l'ouest, abandonnant le quartier aux pêcheurs et aux indigents. Les bâtiments ont survécu au tremblement de terre de 1755 (*p. 62-63*) et bien qu'il ne reste plus d'édifices maures, le quartier a conservé sa disposition rappelant une casbah. Des maisons compactes bordent les rues et les escaliers

Les armoiries du Portugal, trésor de la Sé

escarpés, et du linge sèche aux fenêtres. Des travaux de restauration ont enfin été entamés dans certaines zones. L'Alfama est dominée par l'imposant Castelo de São Jorge, qui couronne la colline orientale de Lisbonne. Bastion défensif et palais royal jusqu'au XVIᵉ siècle, le château est aujourd'hui un lieu de promenade très apprécié, offrant de belles vues depuis les remparts reconstruits.

À l'ouest de l'Alfama se dressent fièrement les deux tours jumelles de la Sé. Au nord-est, le dôme de l'église Santa Engrácia et la façade blanche de São Vicente de Fora se détachent.

LE QUARTIER D'UN COUP D'ŒIL

Musées et galeries
Museu de Artes
  Decorativas ❷
Museu Militar ❻

Bâtiments historiques
Casa dos Bicos ❼
Castelo de São Jorge p. 78–79 ❿

Églises
Santo António à Sé ❾

Santa Engrácia ❺
São Vicente de Fora ❸
Sé ❽

Belvédères
Miradouro da Graça ⓫
Miradouro de Santa Luzia ❶

Marchés
Feira da Ladra ❹

COMMENT Y ALLER
Les tramways 12 et 28 partent de la Baixa pour l'Alfama. Le bus 37 circule entre le château et le Rossio, praça da Figueira. Sur l'avenida Infante Dom Henrique, beaucoup de bus partent vers la gare Santa Apolónia et Belém.

LÉGENDE

🟦	Le quartier pas à pas p. 70–71
🚉	Gare ferroviaire
🅿	Parc de stationnement
ℹ	Information touristique
—	Murailles du château

◁ **Balcons en fer forgé d'une maison de la rua dos Bacalhoeiros, à côté de la Casa dos Bicos**

L'Alfama pas à pas

Ce quartier, passionnant et pittoresque, s'éveille en fin de journée, lorsque ses habitants, principalement des jeunes, sortent de chez eux et les petites tavernes se remplissent. Nombre d'établissements proposent de la musique branchée. Comme les rues sont escarpées et les escaliers nombreux, la meilleure solution consiste à commencer la visite au sommet de l'Alfama, pour découvrir des endroits étonnants, de vieilles églises et une superbe vue panoramique depuis les terrasses ombragées, comme le miradouro de Santa Luzia.

Sur le largo das Portas do Sol, les tables des cafés donnent sur l'Alfama et le Tage. Les Portas do Sol gardaient autrefois l'entrée de la vieille ville.

L'église Santa Luzia est ornée, sur son mur sud, d'*azulejos* bleu et blanc du XVIIIe siècle.

Statue de saint Vincent

D'une ancienne terrasse du largo das Portas do Sol, on découvre le flanc est de l'église Santa Luzia.

Castelo de São Jorge

★ Museu de Artes Decorativas
Transformé en musée par un banquier, Ricardo do Espírito Santo Silva, le Palácio Azurara (XVIIe siècle) abrite mobilier et arts décoratifs portugais du XVIIe et du XVIIIe siècle ❷

LÉGENDE

− − − Itinéraire conseillé

0   25 m

À NE PAS MANQUER

★ **Miradouro de Santa Luzia**

★ **Museu de Artes Decorativas**

★ Miradouro de Santa Luzia
Depuis cette terrasse, la vue porte sur les toits de l'Alfama, jusqu'au Tage. C'est un endroit agréable pour se reposer après une promenade dans les rues escarpées du quartier ❶

Le Beco dos Cruzes, comme la plupart des ruelles *(becos)* qui serpentent dans l'Alfama, est escarpé et pavé. Dans le quartier, on voit souvent du linge sécher aux fenêtres.

Carte de situation
Atlas des rues, plan 8

La rua São Pedro accueille un marché aux poissons animé, où les *varinas* vendent la prise du jour. On y trouve du *peixe espada* (poisson-épée).

Le largo do Chafariz de Dentro tire son nom de la fontaine du XVIIe siècle qui se trouvait jadis non pas à l'extérieur des murs du XIVe siècle, mais à l'intérieur *(dentro).*

BECO DAS CRUZES

RUA DE SÃO MIGUEL

BECO DA CARDOSA

BECO DO MEXIAS

BECO DO POCINHO

RUA DE SÃO PEDRO

Sé

LARGO DO CHAFARIZ DE DENTRO

L'église Nossa Senhora dos Remédios a été reconstruite après le séisme de 1755 *(p. 62-63).* De l'édifice d'origine, il ne reste que le portail manuélin.

São Miguel a été endommagée lors du séisme de 1755, puis reconstruite. Admirez le superbe plafond d'origine en bois de jacaranda.

Les petits restaurants du dédale de ruelles s'ouvrent sur des patios en plein air. Le *Lautasco (p. 404),* dans le Beco do Azinhal, sert une excellente cuisine.

Azulejos représentant la praça do Comércio avant le séisme, Santa Luzia

Miradouro de Santa Luzia ❶

Rua do Limoeiro. **Plan** 8 D4. 🚌 28.

La terrasse près de l'église Santa Luzia offre une vue éblouissante sur l'Alfama et le Tage. De gauche à droite, on voit le dôme de Santa Engrácia, l'église Santo Estêvão et les deux tours blanches de São Miguel. Tandis que les touristes admirent la vue, de vieux messieurs jouent aux cartes sous la pergola couverte de bougainvilliers. Le mur sud de Santa Luzia présente deux panneaux de faïencerie modernes : l'un représente la praça do Comércio avant le séisme, l'autre les chrétiens attaquant le Castelo de São Jorge *(p. 78-79)* en 1147.

Museu de Artes Decorativas ❷

Largo das Portas do Sol 2. **Plan** 8 D3. 📞 218 881 991 / 881 46 00. 🚌 37. 🚋 12, 28. 🕐 10 h–17 h dim.–ven. ⬤ lun. 📷♿

Appelé aussi Fondation Ricardo do Espírito Santo Silva, le musée a été créé en 1953 pour préserver les traditions et faire connaître les arts décoratifs portugais. La fondation doit son nom au banquier qui acheta, en 1947, le palácio Azurara pour y installer sa superbe collection de meubles, de textiles, d'argenterie et de céramiques. Parmi les antiquités du XVIIe et du XVIIIe siècle, on remarque quantité d'objets en bois exotique, comme une tablette de jacquet et d'échecs en bois de rose. La porcelaine chinoise et l'argenterie du XVIIIe siècle, et les tapis d'Arraiolos *(p. 301)* sont également magnifiques. Les salles sont spacieuses. Certaines sont ornées de panneaux d'*azulejos* originaux tout comme leurs plafonds.

Coffre à couverts du XVIIIe s., Museu de Artes Decorativas

Le bâtiment voisin abrite des ateliers qui se visitent, où des artisans perpétuent la fabrication de cabinets, la dorure, la reliure et autres techniques traditionnelles. Le palais accueille aussi des expositions temporaires, des conférences et des concerts.

São Vicente de Fora ❸

Largo de São Vicente. **Plan** 8 E3. 📞 218 824 400. 🚋 28. 🕐 9 h–18 h mar.–jeu. ; 9 h–19 ; 9 h–12 h 30, 15 h–17 h dim. 🚻📷♿ pour les cloîtres.

Saint Vincent devint le saint patron de la ville en 1173, lorsque ses reliques, qui se trouvent aujourd'hui dans la Sé *(p. 74)*, furent transférées de l'Algarve dans une église installée ici, hors *(fora)* des murs de la ville. Conçue par l'architecte italien Filippo Terzi et achevée en 1627, l'église présente une façade blanc cassé, sobre et symétrique, encadrée par deux tours. À l'intérieur, le regard est attiré par le baldaquin baroque de Machado de Castro au-dessus de l'autel, flanqué par des statues en bois.

L'ancien monastère augustin voisin, que l'on rejoint par la nef, renferme une citerne du XVIe siècle et des vestiges de l'ancien cloître. Il est surtout renommé pour ses *azulejos* du XVIIIe siècle. Parmi les panneaux de l'entrée, non loin du premier cloître, on voit en des scènes très vivantes, mais inexactes historiquement, le roi Afonso Henriques attaquant Lisbonne et Santarém. Autour des cloîtres, des scènes champêtres illustrent les fables de La Fontaine.

Un passage conduit à l'ancien réfectoire, transformé en 1885 en mausolée des Bragança. Il abrite les sarcophages de presque tous les souverains, du premier de la dynastie, João IV, mort en 1656, à Manuel II, le dernier roi du Portugal. Seuls Maria Ire et Pedro IV n'y reposent pas. Une statue est agenouillée près du tombeau de Carlos Ier et de son fils Luís Filipe, assassinés sur la praça do Comércio en 1908.

Statue représentant une femme priant près du tombeau de Carlos Ier, São Vicente de Fora

Feira da Ladra ❹

Campo de Santa Clara. **Plan** 8 F2.
⭕ 7 h 30–13 h mar. et sam. 🚎 12.

Les étals de la « foire de la voleuse » occupent cet emplacement ombragé, à la lisière de l'Alfama, depuis plus d'un siècle. Il est aujourd'hui devenu difficile de faire des affaires sur ce marché aux puces, qui est très renommé. Toutefois, dans cet incroyable bric-à-brac, certains stands vendent des articles en fer forgé, des gravures et des *azulejos* intéressants, de même que des vêtements d'occasion. Quelques vendeurs proposent des sculptures, masques et bijoux africains, réminiscence du passé colonial portugais. Sur le marché central, on trouve poissons, légumes et épices.

Brocante de la Feira da Ladra

Santa Engrácia ❺

Campo de Santa Clara. **Plan** 8 F2.
☎ 218 854 820. 🚎 28. ⭕ 10 h–17 h mar.–dim. ⬤ jours fériés. 📷 ♿

Ce superbe dôme domine l'est de Lisbonne. L'église d'origine fut ravagée par une tempête en 1681. La première pierre du nouvel édifice baroque fut posée en 1682, marquant le début d'une épopée architecturale qui allait durer jusqu'en 1966, soit 284 ans. Aujourd'hui, on parle d'un « travail de Santa Engrácia » pour désigner un ouvrage inachevé. Couronné d'une immense coupole, l'intérieur est extrêmement spacieux. L'église, qui est le panthéon national, abrite les cénotaphes de personnages historiques comme Vasco da Gama *(p. 108)* et Afonso de Albuquerque, vice-roi des Indes (1502-1515) sur la gauche et Henri le Navigateur *(p. 49)*, mais on y trouve également des tombes plus contemporaines comme celle de la célèbre *fadista* Amália Rodrigues *(p. 167)*. Vue panoramique de la ville exceptionnelle au sommet du dôme.

Museu Militar ❻

Largo dos Caminhos de Ferro. **Plan** 8 F3. ☎ 218 842 569. 🚌 9, 25, 28, 39, 46. 🚎 28. ⭕ 10 h–17 h mar.–dim. ⬤ jours fériés. 📷

Installé dans une fonderie de canons et un arsenal du XVIe siècle, le Musée militaire présente une importante collection d'armes, d'uniformes et de documents historiques militaires. La visite commence dans la salle Vasco da Gama, avec une collection de canons anciens et des peintures murales modernes illustrant la découverte de la route des Indes. Les Salas da Grande Guerra, au premier étage, présentent des objets liés à la Première Guerre mondiale. Les autres salles retracent l'évolution des armes portugaises. La grande cour est ornée de panneaux carrelés évoquant l'histoire du pays, de la Reconquête à la Première Guerre mondiale. Le département consacré à l'artillerie abrite le véhicule qui servit à acheminer l'arc de triomphe jusqu'à la rua Augusta *(p. 87)*.

L'intérieur en marbre de couleur et la coupole de Santa Engrácia

Casa dos Bicos ❼

Rua dos Bacalhoeiros. **Plan** 8 D4. ☎ 218 810 900. 🚌 9, 28, 46, 59. ⭕ 9 h 30–17 h 30 lun.-ven. (rdc uniquement) 🚎 18, 25. ⬤ jours fériés.

Cet édifice extravagant, décoré de pierres en forme de diamant *(bicos)*, a été construit en 1523 pour Brás de Albuquerque, fils illégitime d'Afonso, vice-roi des Indes. L'étrange façade est inspirée d'un style très en vogue au XVIe siècle en Europe. Les deux étages supérieurs, ravagés en 1755, n'ont été restaurés que dans les années 80. Son aspect d'origine a été recréé grâce à des panneaux et des gravures de Lisbonne. Entre-temps, le bâtiment servit à saler du poisson (d'où le nom : rue des pêcheurs de morue). Les étages inférieurs accueillent des expositions temporaires.

L'étrange façade de la Casa dos Bicos

La façade de la cathédrale de Lisbonne

Sé ❽

Largo da Sé. **Plan** 8 D4. 📞 218 866
752. 🚋 37. 🚋 12, 28. ◻ 9 h–17 h
t.l.j. 🏛 📷 🚻 cloître et trésor. 10 h–
17 h sam.–lun. 🎟

En 1150, trois ans après avoir repris Lisbonne aux Maures, Afonso Henriques construisit sur le site de l'ancienne mosquée une cathédrale pour le premier évêque de la ville, le croisé anglais Gilbert of Hastings. Ravagée par trois tremblements de terre au XIVe siècle et le séisme de 1755, puis rénovée au cours des siècles, la cathédrale (Sé est un diminutif de Sedes Episcopalis, siège épiscopal), affiche aujourd'hui un mélange de différents styles architecturaux. Avec ses deux tours et sa magnifique rosace, la façade a conservé son aspect roman. L'intérieur sombre est sobre et austère, et il ne reste quasiment rien des embellissements ajoutés par le roi João V au XVIIIe siècle. Au-delà de la nef romane restaurée, le déambulatoire compte neuf chapelles gothiques. La capela de Santo Ildefonso abrite les sarcophages du XIVe siècle de Lopo Fernandes Pacheco, compagnon d'armes du roi Afonso IV, et de son épouse, Maria Vilalobos. Ils sont tous deux représentés en sculpture sur leurs tombeaux, tenant respectivement une épée et un livre de prières, leurs chiens fidèles installés à leurs pieds. Dans le chœur

**Tombeau du noble Lopo Fernandes Pacheco
qui vécut au XIVe siècle, déambulatoire**

Détail de la crèche baroque
de Joaquim Machado de Castro

adjacent se trouvent les tombeaux d'Afonso IV et de sa femme, Dona Beatriz.

Le cloître gothique, auquel on accède par la troisième chapelle du déambulatoire, présente d'élégantes arcades, avec des chapiteaux finement sculptés. L'une des chapelles a toujours sa grille en fer forgé du XIIIe siècle. Des fouilles archéologiques ont mis au jour divers vestiges.

La chapelle franciscaine, située à gauche en entrant dans la cathédrale, abrite la cuve qui aurait servi au baptême de saint Antoine en 1195. Elle est agrémentée d'un panneau de faïences représentant le saint parlant aux poissons. La chapelle adjacente contient une crèche baroque, en liège, en bois et en terre cuite, de Machado de Castro (1766).

Le **trésor** se trouve au sommet des escaliers situés sur la droite, en entrant : argenterie, statues, habits sacerdotaux et diverses reliques liées à saint Vincent. Le bien le plus précieux est le reliquaire renferment les vestiges du saint, transférés en 1173 du Cabo de São Vicente à Lisbonne (p. 319). La légende veut que deux corbeaux sacrés veillèrent sur le bateau transportant les reliques. Ainsi le corbeau et le bateau devinrent deux symboles de la ville de Lisbonne, toujours présents de nos jours. Les descendants de ces deux corbeaux vivaient dans les cloîtres de la cathédrale.

SANTO ANTÓNIO (v. 1195–1231)

Santo António, connu sous le nom de saint Antoine de Padoue, naquit et passa son enfance à Lisbonne, mais termina sa vie à Padoue, en Italie. Saint Antoine entra dans l'ordre des franciscains en 1220, marqué par des frères croisés qu'il avait rencontrés à Coimbra. Le moine franciscain, prédicateur érudit et passionné, est connu pour son dévouement aux pauvres et son aptitude à convertir les hérétiques. Beaucoup de représentations le montrent portant l'Enfant Jésus sur un livre. On le voit aussi parlant aux poissons, comme saint François parlait aux oiseaux. Il est souvent invoqué pour retrouver les objets perdus.
Pie XI en fit le saint patron du Portugal en 1934. En 1995, le huit centième anniversaire de sa naissance donna lieu à des célébrations dans toute la ville.

Santo António à Sé **❾**

Largo Santo António da Sé. **Plan** 7 C4.
218 869 145. 37. 12, 28.
8 h–19 h 30 t.l.j. jours fériés.
Museu Antoniano 218 860 447.
10 h–13 h, 14 h–18 h mar.–dim.

On dit que la petite église se dresse à l'emplacement de la maison natale de saint Antoine. La crypte que l'on rejoint par la sacristie est tout ce qu'il reste du bâtiment d'origine, détruit en 1755. La construction de la nouvelle église commença en 1757, sous la direction de Mateus Vicente, l'architecte de la basílica da Estrela *(p. 95)*. Elle fut en partie financée grâce aux dons collectés par des enfants, qui criaient : « Une petite pièce pour saint Antoine ». Aujourd'hui encore, le sol de la chapelle de la crypte est parsemé d'escudos, et des inscriptions de fidèles figurent sur les murs.

Sur la façade, les courbes baroques se mêlent aux colonnes ioniques néo-classiques, de part et d'autre du portail principal. À l'intérieur, en descendant à la crypte, un panneau d'*azulejos* commémore la visite du pape en 1982. L'église fut rénovée en 1995, pour le huit centième anniversaire de la naissance du saint. La tradition veut que les jeunes couples viennent ici le jour de leur mariage et offrent des fleurs à saint Antoine.

À côté, le petit Museu Antoniano présente des ex-voto, des images et des manuscrits liés au saint, ainsi que des objets en or et en argent qui ornaient l'église. Un beau panneau d'*azulejos* datant du XVIIᵉ siècle représente saint Antoine parlant aux poissons.

Castelo de São Jorge **❿**

Voir p. 78–79.

Miradouro et igreja da Graça, vus du Castelo de São Jorge

Miradouro da Graça **⓫**

Plan 8 D2. 37. 12, 28.

Les visiteurs viennent surtout dans le quartier populaire de Graça pour admirer la belle vue du *miradouro* (belvédère). Le panorama des toits et des gratte-ciel est moins impressionnant que la vue du château, mais c'est un endroit très apprécié, surtout en début de soirée, où les cafés sous les pins se remplissent. Derrière le *miradouro* se dresse un monastère augustinien, fondé en 1271 et reconstruit après le séisme. Ce complexe abrite aujourd'hui une caserne, mais l'église, l'igreja da Graça, se visite toujours. À l'intérieur, dans le transept droit, le *Senhor dos Passos* représente le Christ portant sa croix sur le chemin du Calvaire. Le deuxième dimanche de carême, la statue, drapée dans des habits pourpres brillants, est portée en procession dans le quartier. Les *azulejos* du devant d'autel, qui imitent les brocarts ornant généralement cet endroit, datent du XVIIᵉ siècle.

Panneau carrelé commémorant la visite de Jean-Paul II à Santo António à Sé

Castelo de São Jorge ⑩

Sculpture de Martim Moniz

Après la prise de Lisbonne aux Maures, en 1147, le roi Dom Afonso Henriques installa la résidence des rois du Portugal dans cette citadelle. En 1511, Manuel Ier construisit un palais plus luxueux sur l'actuelle praça do Comércio. Le château servit alors successivement de théâtre, de prison et d'arsenal. Après le séisme de 1755, les remparts restèrent en ruine jusqu'en 1938, où Salazar *(p. 56-59)* entama une rénovation complète, reconstruisant les murs « médiévaux » et ajoutant des jardins. Le château n'est peut-être pas authentique, mais les jardins et les ruelles de Santa Cruz entre les murs invitent à la promenade. Les vues comptent parmi les plus jolies de la ville.

La Torre de Ulisses est une caméra qui projette des vues de Lisbonne sur les murs de la tour.

RUA DAS COZINHAS

★ Remparts
Les visiteurs peuvent monter sur les tours et se promener le long des remparts restaurés.

Restaurant Casa do Leão
Cet établissement installé dans l'ancienne résidence royale accueille dîneurs et réceptions.

Une exposition multimédia appelée Olisipónia, recrée ici le Lisbonne du XVIe siècle.

★ Observation Terrasse
Cette vaste place ombragée offre de superbes vues sur Lisbonne. Les résidents du quartier y jouent au jacquet et aux cartes.

LÉGENDE

— — — Itinéraire conseillé

◁ **Ravissante cour cachée entre les maisons délabrées de Santa Cruz, à l'intérieur des murs du château**

La Porta de Martim Moniz doit son nom au chevalier, dont le buste trône près de la porte, qui sacrifia sa vie pour laisser entrer les soldats d'Afonso Henriques (1147).

MODE D'EMPLOI

Porta de S. Jorge, rua do Chão da Feira. **Plan** 8 D3. 218 877 244. 37. 12, 28. avr.-sept 9 h-21 h t.l.j., oct.-mars 9 h-18 h t.l.j. **Torre de Ulisses.** 10 h-12 h 30, 14 h-17 h d'avril à sept. (par temps clair). 1er jan., 1er mai, 25 déc. toutes les demie-heures, 15 personnes maximum. **Olispónia.** 10 h-12 h 30, 14 h-17 h t.l.j. 1er jan., 25 déc.

L'église de Santa Cruz, du XIIe siècle, abrite une statue de saint Georges (XVIIe siècle).

La place Santa Cruz, entourée d'immeubles élégamment restaurés, est un endroit agréable.

LARGO

RUA DAS FLORES DE SANTA CRUZ DE SANTA CRUZ DO CASTELO

BECO DO RECOLHIMENTO

RUA DE SANTA CRUZ DO CASTELO

BECO DO FORNO DO CASTELO

RUA DO RECOLHIMENTO

Santa Cruz
Les rues pavées du petit quartier de Santa Cruz sont enserrées entre les murs du vieux château.

0   50 m

RUA DO CHÃO DA FEIRA
Porta de São Jorge

À NE PAS MANQUER

★ **Terrasse**

★ **Remparts**

Rua de Santa Cruz do Castelo
Dans les belles rues au sud du Castelo de São Jorge, on voit des façades écaillées, des plantes en pots et du linge séchant aux fenêtres.

Quartier où est situé notre hotel & . mondial Rua D. Duarte,

BAIXA ET AVENIDA

Après le séisme de 1755 *(p. 62-63)*, le marquês de Pombal fit entièrement reconstruire le centre de Lisbonne. Utilisant un plan de rues disposées en grille, il relia l'imposante praça do Comércio ornée d'arcades, près du Tage, à la place centrale du Rossio, très animée. Les rues furent bordées d'édifices néo-classiques semblables et baptisées d'après les activités des commerçants et des artisans.

Détail de la statue de José Ier, praça do Comércio

La ville basse est restée le quartier commerçant de la ville. Au centre, le Rossio est un endroit de rencontre très apprécié, où l'on trouve cafés, théâtres et restaurants. L'aménagement géométrique du quartier a été conservé, mais la plupart des bâtiments construits depuis le milieu du XVIIIe siècle n'affichent plus le formalisme pombalin. Les rues sont très animées dans la journée, mais le quartier se vide dès que la nuit tombe.

LE QUARTIER D'UN COUP D'ŒIL

Musées et galeries
Museu da Sociedade
de Geografia ❹

Églises
Nossa Senhora da
Conceição Velha ❾

Parcs et jardins
Jardim Botânico ❶

Ascenseur
Elevador de Santa Justa ❼

Rues et places historiques
Avenida da Liberdade ❷
Praça do Comércio ❿
Praça da Figueira ❻
Praça dos Restauradores ❸
Rossio ❺
Rua Augusta ❽

mondial Hotel situé à 5 mns du Rossio

COMMENT Y ALLER ?

Le quartier est bien desservi : il y a des bus, plusieurs stations de métro et la gare principale du Rossio, où arrivent les trains de Sintra et de l'Ouest. Les ferries de Cacilhas et de Barreiro desservent le Terreiro do Paço.

LÉGENDE

- 🔲 Le quartier pas à pas *p. 82–83*
- Ⓜ Station de métro
- 🚆 Gare ferroviaire
- Funiculaire
- ⛴ Embarquement des ferries
- 🅿 Parc de stationnement
- ℹ Information touristique

◁ **L'arc de triomphe de la praça do Comércio s'ouvre sur la rua Augusta et la Baixa.**

La Baixa pas à pas : Restauradores

La Baixa est le quartier le plus animé de la ville, avec la place du Rossio et la praça da Figueira. Reconstruit après le séisme de 1755 (p. 62-63), le quartier fut l'un des premiers exemples d'urbanisme en Europe. Aujourd'hui, des bureaux sont installés dans les bâtiments néo-classiques bordant les rues et les places spacieuses. Le meilleur moyen de prendre le pouls du quartier est de s'installer à la terrasse d'un café. La rua das Portas de Santo Antão, rue piétonne, est plus calme et invite à la promenade.

Azulejos, façade de la Tabacaria Monaco

Le palácio Foz, superbe palais construit au XVIIIe siècle par l'architecte italien Francesco Fabri, abrite un office du tourisme.

L'elevador da Glória est un funiculaire jaune qui grimpe jusqu' au Bairro Alto et au miradouro de São Pedro de Alcântara (p. 94).

Praça dos Restauradores
Cette large place bordée d'arbres, qui doit son nom à ceux qui donnèrent leur vie durant la guerre de la Restauration, est très animée avec ses cafés aux terrasses pavées. ❸

Restauradores

LÉGENDE

– – – Itinéraire conseillé

À NE PAS MANQUER

★ Rossio

La gare du Rossio, conçue par J. L. Monteiro, est un édifice néo-manuélin de la fin du XIXe siècle, orné de deux arcs en fer à cheval mauresques.

Museu da Sociedade de Geografia
Le musée qui abrite une collection d'objets des anciennes colonies portugaises est fermé pour rénovation ❹

CARTE DE SITUATION
Atlas des rues, plan 7

La rua das Portas de Santo Antão doit son nom à la porte qui se dressait ici. Cette rue animée compte de bons restaurants de fruits de mer.

La Casa do Alentejo, possède un patio et une fontaine néo-mauresques. Ce restaurant *(p. 405)* est un lieu de réunion pour les Alentejans installés à Lisbonne.

Église São Domingos

Teatro Nacional Dona Maria II *(p. 85)*

PORTAS DE SANTO ANTÃO

DO REGEDOR

LARGO DO REGEDOR

LARGO DE SÃO DOMINGOS

RAÇA DOM JOÃO A CÂMARA

ROSSIO (PRAÇA DOM PEDRO IV)

PRAÇA DA FIGUEIRA

RUA 1º DE DEZEMBRO

M

Café Nicola

Tabacaria Monaco

Rossio

Pastelaria Suiça

0   50 m

★ **Rossio**
Avec ses cafés, ses pastelarias et le Théâtre national, sur le côté nord, cette place est agréable mais très bruyante ❺

Praça da Figueira
Conçue comme le principal marché de la ville lors du programme de reconstruction pombalin, la place est dominée par une statue de João Ier ❻

Un pont enjambe une mare, dans le Jardim Botânico

Jardim Botânico ❶

Rua da Escola Politécnica 56 . **Plan** 4 F1.
📞 *213 921 800*. 🚌 *58*. Ⓜ *Avenida*.
Jardins ◯ *9 h–18 h (avr.–sept. : 20 h) sam. et dim.* ● *1er janv., 25 déc.*
🖪 ♿ **Museu de História Natural**
◯ *expositions seulement.* 🖪
Museu da Ciência ◯ *10 h–13 h, 14 h–17 h lun.–ven., 15 h–18 h sam.* ● *jours fériés.* 🖪

Ce complexe qui appartient à l'université comprend deux musées et quatre hectares de jardin. Le jardin botanique, qui se déroule depuis l'entrée principale, au niveau supérieur, jusqu'à la rua da Alegria, semble laissé à l'abandon. Toutefois, la visite (accès payant) en vaut la peine ; la promenade entre les arbres exotiques et dans les allées ombragées qui descendent vers la deuxième entrée est exquise. Une superbe avenue bordée de palmiers relie les deux niveaux.

Le **Museu de História Natural** (muséum d'Histoire naturelle) n'ouvre que pour des expositions temporaires. Le **Museu da Ciência** (musée de la Science), qui présente des principes scientifiques élémentaires, est très apprécié des enfants.

Avenida da Liberdade ❷

Plan 7 A2. 🚌 *2, 9, 36, entre autres routes.* Ⓜ *Restauradores, Avenida.*

Après le séisme de 1755 *(p. 62-63)*, le marquês de Pombal créa le Passeio Público (promenade publique) là où se trouvent aujourd'hui le bas de l'avenida da Liberdade et la praça dos Restauradores. Contrairement à ce qu'indiquait son nom, le Passeio Público n'était accessible qu'à la haute société lisboète. Des murs et des portes en interdisaient l'accès aux classes laborieuses. L'avenida et la place ne devinrent accessibles à tous qu'en 1821, lorsque les Libéraux arrivèrent au pouvoir.

L'avenue actuelle a été construite entre 1879 et 1882, dans le style des Champs-Élysées. La large avenue bordée d'arbres se mit à accueillir spectacles et manifestations. Un monument aux morts rend hommage aux victimes de la Première Guerre mondiale. Avec ses fontaines et ses cafés, cette avenue ombragée est restée élégante. La rue au sol orné de motifs abstraits s'étend sur 90 m de large. Aujourd'hui, il est devenu impossible de s'y promener paisiblement : sur cet axe reliant la praça dos Restauradores à la praça Marquês de Pombal, la circulation s'effectue sur sept voies. Certains bâtiments d'origine ont été préservés, comme le cinéma Tivoli, au n° 188, devant lequel se dresse un kiosque des années 20, et la casa Lambertini, ornée de mosaïques colorées, au n° 166. Mais quantité de façades Art nouveau ont cédé la place à des bureaux, hôtels et boutiques.

Détail du monument aux morts de la Grande Guerre, avenida da Liberdade

Monument commémorant la restauration de l'indépendance, praça dos Restauradores

Praça dos Restauradores ❸

Plan 7 A2. 🚌 *2, 9, 36, 46, entre autres routes.* Ⓜ *Restauradores.*

Cette place dominée par un obélisque érigé en 1886 commémore la libération du joug espagnol, en 1640 *(p. 50-51)*. Les statues en bronze sur le piédestal représentent la Victoire et la Liberté. Les noms et les dates inscrits sur l'obélisque sont ceux des batailles de la guerre de restauration de l'indépendance.

Sur le côté ouest, le Palácio Foz, qui abrite entre autres un bureau de l'Office du tourisme, a été construit par Francesco Savario Fabri entre 1755 et 1777 pour le marquês de Castelo-Melhor. Il fut renommé d'après le Marquês de Foz, qui y vécut au siècle dernier. L'élégant Avenida Palace Hotel *(p. 381)* qui limite la place au sud-ouest a été conçu par l'architecte José Luís Monteiro, qui a aussi conçu la station de train Rossio *(p 82)*.

Museu da Sociedade de Geografia ❹

Rua das Portas de Santo Antão 100.
Plan 7 A2. 🕿 213 425 401. 🚌 9, 80, 90. Ⓜ Restauradores. ⬤ pour rénovation. 📷 obligatoire.

L e musée présente des objets des anciennes colonies portugaises. On y voit surtout des masques de Guinée-Bissau, des instruments de musique et des lances, de même que des objets d'origine angolaise destinés à soutenir les coiffures, et le *padrão* (pilier de pierre) érigé par les Portugais en 1482 pour marquer leur souveraineté sur cette nouvelle colonie.
La plupart des objets sont exposés dans la splendide Sala Portugal, où se tiennent également des conférences.

Rossio ❺

Plan 6 B3. 🚌 2, 36, 44, 45, entre autres routes. Ⓜ Rossio.

A utrefois appelée praça de Dom Pedro IV, cette vaste place est depuis plus de six siècles le centre névralgique de Lisbonne. Elle a accueilli des courses de taureaux, des fêtes, des défilés militaires et de terribles *autos da fé*, ou autodafés *(p. 51)*.
Aujourd'hui, hormis quelques rassemblements politiques, il

Le Teatro Nacional Dona Maria II illuminé, sur le Rossio

ne s'y passe plus grand-chose. Les sobres bâtiments pombalins, couronnés de publicités lumineuses, abritent de petits magasins de souvenirs, des bijouteries et des cafés souvent bondés. Au milieu trône une statue de Dom Pedro IV, le premier empereur du Brésil indépendant *(p. 54)*, entourée des allégories de la Justice, de la Sagesse, de la Force et de la Modération — qualités attribuées à Dom Pedro.
Au milieu du XIXᵉ siècle, la place fut pavée de mosaïques représentant des vagues. Les pavés gris et blancs taillés à la main furent les premiers du genre à orner les trottoirs de la ville. Aujourd'hui, il ne reste qu'une petite partie du motif d'origine.

Sur le côté nord de la place se dresse le Teatro Nacional Dona Maria II, qui doit son nom à la fille de Dom Pedro. L'édifice néo-classique fut construit vers 1840 par l'architecte italien Fortunato Lodi. Ravagé par un incendie en 1964, il fut reconstruit en 1970. Au sommet du fronton, on voit Gil Vicente (1465-1536), le père du théâtre portugais. Le Café Nicola, sur le côté ouest de la place, était très prisé des écrivains comme du poète Manuel Maria Bocage (1765-1805) célèbre pour ses satires.

Praça da Figueira ❻

Plan 6 B3. 🚌 14, 43, 59, 60, entre autres routes. 🚋 15. Ⓜ Rossio.

A vant le séisme de 1755 *(p. 62-63)*, l'Hospital de Todos-os-Santos (tous les saints) se dressait sur cette place proche du Rossio. Le programme d'urbanisme de Pombal attribua à la place le rôle de marché central. Le marché couvert installé en 1885 fut détruit dans les années 1950. Aujourd'hui, les bâtiments de quatre étages sont occupés par des hôtels, des magasins et des cafés. Le trait le plus marquant de la place réside peut-être dans ses pigeons, perchés par centaines sur la statue équestre en bronze de João Iᵉʳ, due à Leopoldo de Almeida et érigée en 1971.

Statue de bronze du roi João Iᵉʳ, praça da Figueira

La vue sur la Baixa est spectaculaire depuis la plate-forme.

café

Une passerelle relie l'ascenseur au largo do Carmo (fermée pour rénovation).

Les deux cabines de l'ascenseur peuvent accueillir chacune 25 passagers.

Rua do Carmo

Marches vers la rue de Santa Justa

Elevador de Santa Justa ❼

Rua de Santa Justa et Largo do Carmo.
Plan 7 B3. 📞 213 427 944.
🕐 8 h 30-21 h 30 lun.–sam., 9 h–21 h 30 dim. ♿

Aussi appelé elevador do Carmo, cet ascenseur néo-gothique a été construit au début du siècle par l'architecte français Raoul Mesnier du Ponsard, élève de Gustave Eiffel. En fer et ornée de filigrane, c'est l'une des principales curiosités de Baixa. La billeterie est située derrière la tour au pied des escaliers conduisant à rua do Carmo. Les passagers peuvent monter et descendre à l'intérieur de la tour dans l'une des deux jolies cabines ornées de lambris de bois et d'accessoires en laiton mais la passerelle qui mène au largo do Carmo dans le Bairro Alto (32 m) est fermée pour travaux.

Au sommet de la tour trône un café, desservi par un étroit escalier en colimaçon. L'endroit offre une vue superbe sur le Rossio, le plan en grille de la Baixa, la rive opposée avec le château, le fleuve et les ruines de l'église du Carmo, toute proche. L'incendie qui ravagea le quartier de Chiado en 1988 *(p. 92)* fut circonscrit tout près de l'ascenseur.

Le café du sommet de l'elevador de Santa Justa

Rua Augusta ❽

Plan 7 B4. M *Rossio*. 🚌 2, 14, 36, 40 entre autres routes.

Cette rue piétonne animée au sol de mosaïque est bordée de boutiques et de cafés. C'est le principal axe touristique et l'une des rues les plus élégantes de la Baixa. Des artistes de rue s'y produisent. Le regard est attiré par le triomphal Arco da rua Augusta qui laisse entrevoir la statue équestre de José Iᵉʳ sur la praça do Comércio. Conçu par Santos de Carvalho pour célébrer la reconstruction de la ville après le séisme *(p. 62-63)*, l'arc ne fut achevé qu'en 1873.

Les autres grandes rues de la Baixa sont la rua da Prata (rue de l'Argent) et la rua Áurea, ou rua do Ouro (rue de l'Or). Ces grands axes bordés de magasins et de banques sont coupés par des rues plus petites, offrant de jolies vues sur le Bairro Alto à l'ouest et sur le quartier du Castelo de São Jorge *(p. 78-79)* à l'est. Les rues portent le nom des corporations de la ville ou de métaux précieux : on trouve des bijoutiers dans la rua da Prata et la rua do Ouro des chausseurs dans la rua dos Sapateiros et des banques dans la rua do Comércio.

Le site le plus insolite, au cœur de la Baixa, est un vestige des thermes romains, installés dans le Banco Comercial Português, dans la rua dos Correeiros. Les ruines et les mosaïques sont visibles depuis une vitrine, à l'arrière de la banque. On peut aussi les découvrir en prévenant de la visite au 213 211 000.

Les passants rua Augusta, dans la Baixa

Nossa Senhora da Conceição Velha ❾

Rua da Alfândega. **Plan** 7 C4.
📞 218 870 202. 🚌 9, 46, 90.
🚊 18. ⏰ 9 h–18 h, lun.–ven.
⛔ août. ♿

Le portail manuélin sophistiqué de l'église est le seul élément qui ait survécu de Nossa Senhora da Misericórdia du XVIᵉ siècle, qui se dressait ici avant le séisme de 1755. Il présente une profusion de détails manuélins : anges, bêtes, fleurs, sphères armillaires et croix de l'ordre du Christ (p. 18-19). Dans le tympan, la Vierge protège de son manteau plusieurs personnages contemporains, comme le pape Léon X, Manuel Iᵉʳ (p. 46-47) et sa sœur, la reine Leonor, veuve de João II. C'est elle qui fonda la Misericórdia (hospice) d'origine, sur l'ancien site d'une synagogue.

Malheureusement, l'intense circulation de la rua da Alfândega et le parking installé juste devant l'église n'invitent pas à la contemplation du portail. L'intérieur sombre recèle un plafond en stuc peu commun. La deuxième chapelle sur la droite abrite une statue de Nossa Senhora do Restelo. Elle provient de la chapelle de Belém où les navigateurs priaient avant de s'embarquer vers l'Orient.

Détail du portail, N. S. Conceição Velha

Praça do Comércio ❿

Plan 7 C5. 🚌 2, 14, 40, 46, entre autres routes. 🚊 15, 18.

Cette vaste place qui accueillit le palais royal pendant quatre siècles est aussi appelée *Terreiro do Paço* (place du Palais) par les Lisboètes. En 1511, Manuel Iᵉʳ transféra la résidence royale du Castelo de São Jorge au bord du fleuve. Le premier palais, y compris sa bibliothèque et ses 70 000 volumes, fut détruit lors du séisme de 1755. Lors de la reconstruction de la ville, la place fut la pièce maîtresse du programme d'urbanisme. Le nouveau palais fut installé dans des bâtiments spacieux ornés d'arcades, sur trois côtés de la place. Après la révolution de 1910 (p. 54-55), ils furent transformés en locaux administratifs et peints en rose républicain. Depuis, ils ont retrouvé leur couleur jaune royal.

Le côté sud, orné de deux tours carrées, donne sur le Tage. Cet endroit a toujours été l'accès le plus élégant de la ville : rois et ambassadeurs y accostaient et gravissaient les marches de marbre. Les visiteurs pourront admirer cette vue magnifique en prenant un ferry pour Cacilhas, sur la rive sud. Toutefois, aujourd'hui, une circulation intense défile sur l'avenue Infante Dom Henrique qui longe la rive. Au centre de la place se dresse la statue équestre du roi José Iᵉʳ, créée en 1775 par Machado de Castro, le plus célèbre sculpteur portugais du XVIIIᵉ siècle. Le cheval de bronze, qui piétine des serpents, valut à la place son troisième nom de « place du Cheval noir », que lui donnèrent les visiteurs et les marchands anglais. Au cours des années, le cheval s'est couvert d'une patine verte. L'imposant arc de triomphe, au nord de la place, donne sur la rua Augusta. C'est la porte d'entrée de la Baixa. Ouvert en janvier 2001 au nord-ouest du square, le Liboa Welcome Center abrite un office d'informations touristiques et diverses galeries, restaurants et boutiques. Non loin, à l'angle nord-est de la place, se trouve le plus vieux café de Lisbonne, le Martinho da Arcada, qui fut le lieu de rendez-vous des écrivains.

Le 1ᵉʳ février 1908, le roi Carlos et son fils Luís Filipe furent assassinés sur la place (p. 55), qui fut le théâtre, en 1974, du premier soulèvement du Mouvement des Forces Armées, qui renversa le régime de Marcelo Caetano (p. 57). Longtemps occupée par un grand parking, la place est aujourd'hui souvent le lieu de diverses festivités culturelles.

Les arcades ombragées au nord de la praça do Comércio

L'imposant arc de triomphe et la statue du roi José Iᵉʳ sur la praça do Comércio

BAIRRO ALTO ET ESTRELA

Perché sur une colline, le Bairro Alto, qui fut aménagé selon un plan en grille à la fin du XVIᵉ siècle, est un quartier très pittoresque. Initialement habité par de riches citoyens qui avaient quitté l'Alfama, devenu mal famé, il se dégrada petit à petit pour devenir au XIXᵉ siècle un quartier de prostitution. Aujourd'hui, petits ateliers et *tascas* (restaurants familiaux bon mar-

Azulejos, largo Rafael Bordalo Pinheiro, Bairro Alto

ché) s'y côtoient. Le Chiado, un élégant quartier commerçant où les Lisboètes aisés vont faire leur shopping, est très différent du centre du Bairro. Au nord-est, le quartier de l'Estrela s'étend autour de jardins agréables et de la basilique couronnée d'un dôme. Au sud-ouest, le quartier de Lapa regroupe des ambassades et de belles demeures élégantes.

LE QUARTIER D'UN COUP D'ŒIL

Musées et galeries
Museu do Chiado ❺
Museu Nacional de Arte Antiga p. 96–99 ⓫
Museu Nacional de Marioneta ❻

Églises
Basílica da Estrela ⓭
Igreja do Carmo ❷
São Roque ❶

Bâtiments et quartiers historiques
Chiado ❸
Palácio de São Bento ❿
Solar do Vinho do Porto ❼
Teatro Nacional de São Carlos ❹

Jardins et belvédères
Jardim da Estrela ⓬
Miradouro de São Pedro de Alcântara ❽
Praça do Príncipe Real ❾

COMMENT Y ALLER ?
On rejoint le quartier par l'elevador da Glória, depuis la praça dos Restauradores, ou celui de Santa Justa, depuis la Baixa. À pied, c'est plus raide. Il y a aussi une station de métro sur le largo do Chiado. Du Bairro Alto, le tramway 28 va à Estrela et à Graça.

LÉGENDE
- Le quartier pas à pas p. 90–91
- **M** Station de métro
- **R** Gare ferroviaire
- Funiculaire
- Embarquement des ferries
- **P** Parc de stationnement
- Voie ferrée

◁ **Décor Art nouveau du café A Brasileira dans le Chiado, fréquenté par les écrivains et les intellectuels**

Le Bairro Alto et Chiado pas à pas

Le Bairro Alto (quartier haut) est un quartier fascinant aux rues pavées, aux façades écaillées et aux petites épiceries vendant des fruits et du vin. Autrefois voué à la prostitution et aux salles de jeu, le Bairro Alto est devenu une zone résidentielle agréable. Il est depuis les années 80 renommé pour ses bars et ses *casas de fado (p. 66-67)*. Très différent, le Chiado, avec ses magasins élégants et ses cafés au charme désuet, s'étend de la praça Luís de Camões à la rua do Carmo et la Baixa. D'importants travaux de rénovation ont été entrepris depuis 1988, où un incendie *(p. 92)* a ravagé quantité de bâtiments.

Ange baroque, igreja do Carmo

La rua do Norte est située à la frontière du Bairro Alto traditionnel, où les noctambules se retrouvent.

Praça Luís de Camões

Chiado
Le Chiado est un élégant quartier très prisé par les écrivains et intellectuels. Situé juste avant le largo do Chiado, le café A Brasileira, qui date des années 20, est orné de miroirs dorés.

Le largo do Chiado est flanqué des églises Loreto et Nossa Senhora da Encarnação.

La statue d'Eça de Queirós (1845-1900), érigée en 1903, est l'œuvre de Teixeira Lopes. Une muse fort peu vêtue inspire le grand romancier.

Baixa/Chiado

La rua Garrett est l'une des principales rues commerçantes du Chiado.

EÇA DE QUEIROZ

0	50 m

LÉGENDE

– – – Itinéraire conseillé

Le Tavares, au 37, rua da Misericórdia, a ouvert en 1784. Décoré vers 1900 de miroirs et de stucs sophistiqués, cet ancien café est aujourd'hui un restaurant élégant *(p. 405)*.

RUA DO NORTE

RUA DAS GÁVEAS

RUA DO CHIADO

RUA DO ALECRIM

RUA GARRETT

Elevador da Glória

Le Museu de Arte Sacra présente une collection d'objets liturgiques et illustre l'histoire des trésors de l'église São Roque, à côté.

BAIXA ET
AVENIDA

BAIRRO ALTO
ET ESTRELA

Tejo

CARTE DE SITUATION
Atlas des rues, plan 7

La cervejaria Trindade est une brasserie et un restaurant connu, décoré d'*azulejos*.

★ **São Roque**
Des mosaïques et des pierres semi-précieuses ornent la capela de São Jorge, baroque, dans l'église du XVIᵉ siècle ❶

Teatro da Trindade

Les carreaux de la façade de cette maison de 1864, largo Rafael Bordalo Pinheiro, représentent des allégories de la Science, de l'Agriculture, de l'Industrie et du Commerce.

RUA DA MISERICÓRDIA

RUA NOVA DA TRINDADE

RUA DA TRINDADE

TRAVESSA DO CARMO

LARGO DO CARMO

C. DO SACRAMENTO

★ **Igreja do Carmo**
Les arcs gracieux de cette église carmélite, qui fut jadis la plus grande de Lisbonne, résistèrent au séisme de 1755. Le chœur, qui est la seule partie intacte, abrite un musée archéologique ❷

Elevador de Santa Justa *(p. 86)*

Les magasins de la rua do Carmo sont petit à petit restaurés, après le terrible incendie de 1988 *(p. 92)*.

À NE PAS MANQUER

★ **São Roque**

★ **Igreja do Carmo**

Ruines de l'igreja do Carmo du XIVᵉ siècle, vues de la Baixa

São Roque ❶

Largo Trindade Coelho. **Plan** 7 A3. ☎
213 235 53 83. 🚌 *58, 100.* 🚋 *28.*
⊙ *8 h 30–17 h lun.-ven.,*
9 h 30–17 h sam.–dim., 9 h 30–13 h
jours fériés. 🏛 **Museu de Arte**
Sacra ☎ *213 235 381.* ⊙ *10 h–17 h*
mar.–dim. ● *jours fériés.* 📷 📷

La sobre façade de São
Roque cache un intérieur
remarquablement riche.
L'église fut fondée à la
fin du XVIᵉ siècle par
l'ordre des jésuites.
En 1742, la chapelle
de Saint-Jean-
Baptiste (dernière
sur la gauche) fut
commandée par
João V aux
architectes italiens
Luigi Vanvitelli et
Nicola Salvi.
Construite à Rome,
elle fut ornée de
pierres et de marbre précieux,
d'or, d'argent et de mosaïques.
Puis la chapelle fut bénie par
le pape dans l'église
Sant'Antonio dei Portoghesi à
Rome, démontée et envoyée à
Lisbonne par bateau.

Détail d'azulejos,
São Roque

Parmi les nombreux
azulejos de l'église, les plus
intéressants sont ceux de la
troisième chapelle sur la
droite, qui date du XVIᵉ siècle
et qui est dédiée à São Roque
(saint Roch), qui protégeait de
la peste. Admirez aussi le
plafond en trompe-l'œil
représentant une coupole et
des scènes de l'Apocalypse, et
la sacristie, avec son plafond à
caissons et ses panneaux
peints illustrant la vie de saint
François Xavier, le
missionnaire jésuite du XVIᵉ
siècle. Les trésors de la
chapelle Saint-Jean, avec son
devant d'autel en argent et en
lapis-lazuli, sont présentés
dans le **Museu de Arte Sacra.**

Igreja do Carmo ❷

Largo do Carmo. **Plan** 7 B3. ☎ *213
460 473.* 🚋 *28 et elevador Santa
Justa* 🚌 *58.* ⊙ *Mai–sept. : 10 h–18 h
du mar. au dim. Oct.–avril :
10 h–13 h, 14 h–17 h du mar.
au dim.* ● *1ᵉʳ jan., Pâques,
1ᵉʳ mai, 25 déc.* 📷

Les ruines de
l'église carmélite
gothique qui domine
la Baixa témoignent
des ravages du séisme
de 1755. Fondée à la fin
du XIVᵉ siècle par Nuno
Álvares Pereira *(p. 183),*
le chef militaire qui
devint membre de
l'ordre des carmélites, l'église
fut un temps la plus grande de
Lisbonne. Aujourd'hui, la nef
privée de toit est tout ce qu'il
reste du bâtiment qui s'effondra
sur la congrégation réunie
pour la messe. Des rosiers
grimpent sur les piliers, des
pigeons ont élu domicile
sur les arcs en ruine.

Le chœur, dont le toit
a résisté au séisme, abrite
un **Musée archéologique,**
qui présente une petite
collection hétéroclite
réunissant statues,
sarcophages, céramiques
et mosaïques. Parmi les pièces
les plus anciennes d'Europe,
on trouve un vestige de pilier
wisigoth et un tombeau
romain sculpté, avec
des reliefs représentant des
Muses. Le musée recèle aussi
des objets du Mexique
et d'Amérique du Sud,
notamment des momies.

Dehors, sur le largo do
Carmo, la chafariz do Carmo,
une fontaine du XVIIIᵉ siècle
due à Ângelo Belasco,
est joliment ornée de quatre
dauphins.

Chiado ❸

Plan 7 A4. 🚌 *58.* 🚋 *28.* Ⓜ *Chiado.*

Les explications concernant
l'origine du mot Chiado,
utilisé depuis 1567, sont
nombreuses. Il pourrait venir
du grincement *(chiar)* des
roues des charrettes ou du
surnom donné au poète du
XVIᵉ siècle António Ribeiro, « O
Chiado ». Cet ancien bastion
des intellectuels compte
diverses statues d'écrivains.

L'INCENDIE DU CHIADO

Le 25 août 1988, un incendie
se déclara dans la rua do
Carmo, qui relie la Baixa
au Bairro Alto. Les camions
de pompiers ne pouvant
accéder à cette rue piétonne,
le feu s'étendit à la rua Garrett.
Des magasins, des bureaux
et de superbes bâtiments
du XVIIIᵉ siècle furent ravagés.
La rua do Carmo fut la plus
gravement touchée.
La rénovation, aujourd'hui
achevée, a su préserver les
façades d'origine. Elle fut
menée par le grand architecte
portugais Álvaro Siza Vieira.

Pompiers luttant contre le feu,
rua do Carmo

L'orchestre et le balcon du Teatro Nacional de São Carlos

Celle du poète Fernando Pessoa est installée à une table devant le café A Brasileira. Cet établissement fondé dans les années 20 était le rendez-vous des intellectuels.

Le nom de Chiado est souvent utilisé pour désigner uniquement la rua Garrett, commerçante, qui doit son nom à l'écrivain João Almeida Garrett (1799-1854). Cette rue élégante, qui descend du largo do Chiado vers la Baixa, est connue pour ses cafés et ses librairies. Ravagé par l'incendie de 1988, le quartier est reconstruit dans un style différent. Les boutiques remplacent les cafés.

Largo do Chiado se dressent deux églises baroques : igreja do Loreto, côté nord, et Nossa Senhora da Encarnação, en face, dont les murs extérieurs sont en partie ornés d'*azulejos*.

Teatro Nacional de São Carlos ❹

Rua Serpa Pinto 9. **Plan** 7 A4. ▮ *213 253 045.* ▭ *58, 100.* ▯ *28.* Ⓜ *Baxia-Chiado.* ◯ *représentations uniquement.*

Ce théâtre, qui remplace l'opéra ravagé par le séisme de 1755, fut construit entre 1792 et 1795 par José da Costa e Silva. Inspiré de la Scala de Milan et du San Carlo de Naples, l'édifice présente une façade bien proportionnée et un magnifique intérieur rococo. Toutefois, la vue de l'extérieur est gâchée par le parking installé sur la place devant le Teatro. La saison de l'opéra dure de septembre à juin, mais des concerts et des spectacles de ballet sont programmés toute l'année.

Le Teatro dispose de son propre orchestre à qui l'on doit notamment, avec Maria Callas, une magnifique interprétation de *La Traviata.*

Museu do Chiado ❺

Rua Serpa Pinto 4. **Plan** 7 A5. ▮ *213 432 148.* ▭ *58, 100.* ▯ *28.* Ⓜ *Baxia-Chiado.* ◯ *10 h– 18 h mer.–dim., 14 h– 18 h mar.* ● *1er janv., Pâques, 1er mai, 25 déc.* ◪

Le musée national d'Art contemporain, qui présente en réalité des toiles de 1850 à 1950, a changé de nom en 1994 et est parti s'installer dans un entrepôt joliment restauré. Les peintures et les sculptures illustrent l'évolution du romantisme au modernisme. La plupart des œuvres, dues à des artistes portugais, affichent souvent une influence étrangère très nette, particulièrement manifeste dans les paysages du XIXe siècle, dont les auteurs fréquentaient les artistes de l'école de Barbizon. Parmi les quelques œuvres étrangères, on remarquera des dessins de Rodin (1840-1917) et des sculptures françaises de la fin du XIXe siècle. Des expositions temporaires présentent les œuvres de « nouveaux artistes, de préférence inspirés par la collection permanente ».

Marionnette grotesque, Museu da Marioneta

Museu da Marioneta ❻

Convento das Bernardas, Rua da Esperança 146. **Plan** 4 D3. ▮ *213 942 810.* ▭ *15.* Ⓜ *Cais do Sodré.* ◯ *mar.–dim. : 10h-13h, 14h-19h.* ● *1er janv., 1er mai, 25 déc.* ◪

Ce musée de la Marionnette s'est installé en 2001 dans un couvent réaménagé. La collection regroupe des personnages de théâtre et d'opéra des XVIIe et XVIIIe siècles, parmi lesquels chevaliers, bouffons, princesses et figures satiriques. Les marionnettes sont finement sculptées, néanmoins, leur aspect grotesque pourrait effrayer les jeunes enfants. Le musée explique l'histoire de cet art et présente des spectacles de marionnettes en vidéo. La représentation vaut le coup d'œil.

Façade Art nouveau du célèbre café A Brasileira, Chiado

La vaste sélection de portos du Solar do Vinho do Porto

Solar do Vinho do Porto ❼

Rua de São Pedro de Alcântara 45.
Plan 4 F2. 📞 *213 475 707.*
🚌 *58.* 🚋 *28, elevador da Glória.*
🕐 *10 h–23 h 30 lun.–ven., 11 h–22 h 30 sam.* ⬤ *jours fériés.*

Le Solar do Vinho do Porto (*solar* signifie manoir ou demeure) est installé au rez-de-chaussée d'une demeure du XVIIIᵉ siècle. L'édifice appartenait autrefois à l'architecte allemand Johann Friedrich Ludwig (Ludovice), qui construisit le monastère de Mafra (*p. 152*). L'institut du porto de Porto fait la promotion de ses vins dans un bar sympathique, quoique un peu démodé. Sa carte propose quelque 200 variétés de porto venant de tous les producteurs, dont certains millésimes rares. Malheureusement, les crus affichés ne sont pas toujours présent en cave. À l'exception des vins millésimés, ils sont vendus au verrre, à des prix allant de 1 euro pour le jeune porto ruby à 70 euros pour un tawny de 40 ans d'âge.

Miradouro de São Pedro de Alcântara ❽

Rua de São Pedro de Alcântara. **Plan** 7
A2. 🚌 *58.* 🚋 *28, elevador da Glória.*

Du belvédère (*miradouro*), la vue sur l'est de Lisbonne, au-delà de la Baixa, est magnifique. Une carte en carreaux de faïence installée sur la balustrade permet de reconnaître les curiosités de la ville. La vue porte des remparts du Castelo de São Jorge (*p. 78-79*), entouré d'arbres, au sud-est, jusqu'à l'igreja da Penha de França, du XVIIIᵉ siècle, au nord-ouest. Le vaste complexe monastique de l'igreja da Graça (*p. 75*) se détache sur la colline et, au loin, on reconnaît São Vicente de Fora (*p. 73*), dont les tours symétriques flanquent sa façade blanche.

Cette terrasse ombragée où sont disposés des bancs est une halte agréable pour se reposer après avoir gravi la calçada da Glória depuis la Baixa. Les visiteurs moins courageux emprunteront le funiculaire jaune, l'elevador da Glória, qui les déposera non loin.

Le monument du jardin, érigé en 1904, représente Eduardo Coelho (1835-1889), fondateur du journal *Diário de Notícias,* et un jeune livreur courant avec des exemplaires du journal. Les imprimeries modernes ont déserté le quartier au profit de locaux plus spacieux, à l'ouest de la ville.

La vue est magnifique au coucher du soleil et la nuit, lorsque le château est illuminé. La terrasse devient un lieu de rendez-vous animé pour les jeunes Lisboètes.

Praça do Príncipe Real ❾

Plan 4 F1. 🚌 *58, 100.*

Joueurs de cartes sur la praça do Príncipe Real

Aménagée en 1860 comme une zone résidentielle élégante, la place a toujours fière allure. De belles demeures entourent un parc très agréable avec un café en terrasse, des statues et des arbres magnifiques. Les branches d'un immense cyprès ont été palissées sur une grille, créant un vaste espace d'ombre où l'on vient jouer aux cartes. Au n° 26 de la grande place se dresse un bel édifice néo-mauresques rose et blanc, orné de dômes et de pinacles, qui appartient à l'université de Lisbonne.

Vue sur la ville et le Castelo de São Jorge, depuis le miradouro de São Pedro de Alcântara

Museu Nacional de Arte Antiga ⓫

Voir p. 96–99.

Jardim da Estrela ⓬

Praça da Estrela. **Plan** 4 D2. 🚋 *9, 20, 38.* 🚃 *25, 28.* 🕐 *de 7 h à minuit t.l.j.*

Aménagé au XIXᵉ siècle, en face de la basílica da Estrela, ce jardin très apprécié est l'une des attractions du quartier. Le week-end, les familles flânent entre les parterres de fleurs, les arbustes et les arbres, donnent à manger aux canards et aux carpes du lac, ou paressent dans les cafés au bord de l'eau. Les jardins tirés au cordeau sont agrémentés de plates-bandes et d'arbustes entourant des platanes et des ormes. L'attraction principale du parc est un kiosque à musique vert en fer forgé, où des musiciens se produisent en été. Construit en 1884, il se dressait à l'origine sur le Passeio Público, avant la création de l'avenida da Liberdade *(p. 84).*

Le cimetière anglais, au nord du jardin, est la dernière demeure d'Henry Fielding (1707-1754), romancier et dramaturge qui mourut à Lisbonne. *Le Journal d'un voyage à Lisbonne,* publié à titre posthume en 1775, raconte son dernier voyage entrepris dans une vaine tentative de recouvrer la santé.

Basílica da Estrela ⓭

Praça da Estrela. **Plan** 4 D2. 📞 *213 960 915.* 🚋 *9, 38.* 🚃 *25, 28.* 🕐 *8 h–13 h, 15 h–20 h t.l.j.* ⛪ 📷

Tombeau de la pieuse Maria Iʳᵉ dans la basílica da Estrela

Au XVIIIᵉ siècle, Maria Iʳᵉ *(p. 165),* la fille de José Iᵉʳ, fit le vœu de bâtir une église si elle avait un fils, qui serait héritier du trône. Son souhait fut exaucé et la construction de la basilique fut entamée en 1779. Toutefois, son fils José mourut de la variole en 1790, avant l'achèvement de l'église. Cette version simplifiée de la basilique de Mafra *(p. 152)* fut construite par des architectes de l'école de Mafra en style baroque tardif et néo-classique. La façade est flanquée de deux tours jumelles et décorée de statues de saints et de figures allégoriques. Installée sur une colline à l'ouest de la ville, la basilique est l'un des symboles de Lisbonne.

L'intérieur spacieux, inondé de la lumière tombant de la coupole, est orné de marbre gris, rose et jaune. Le tombeau sophistiqué de la reine Maria Iʳᵉ, qui mourut au Brésil, se trouve dans le transept de droite. L'extraordinaire crèche de Machado de Castro, composée de plus de 500 personnages en liège et en terre cuite, est enfermée dans une salle voisine (pour la voir, demander au sacristain).

Kiosque à musique en fer forgé, jardim da Estrela

Palácio de São Bento ⓿

Rua de São Bento. **Plan** 4 E2. 📞 *213 919 000.* 🚋 *6, 49, 100.* 🕐 *sur r.-v.*

Aussi appelé Assembleia da República, cet immense bâtiment blanc néo-classique est le siège du Parlement portugais. L'édifice construit au XVIᵉ siècle abrita d'abord le monastère bénédictin de São Bento. Après la dissolution des ordres religieux, en 1834, il devint le siège du Parlement, le palácio das Cortes. L'intérieur est grandiose, avec des piliers en marbre et des statues néo-classiques.

Façade néo-classique et escalier du palácio de São Bento

pas visité

Museu Nacional de Arte Antiga ⓫

L e musée national d'Art ancien est installé dans un palais du XVIIᵉ siècle, construit pour les comtes d'Alvor. En 1770, le marquês de Pombal fit l'acquisition du bâtiment, qui resta la propriété de sa famille durant plus d'un siècle. Inauguré en 1884, le musée est aussi familièrement appelé par les Lisboètes Casa das Janelas Verdes, en raison des fenêtres vertes du palais. En 1940, une annexe moderne a été ajoutée. Le bâtiment a été construit sur le site du monastère carmélite Saint-Albert, détruit lors du séisme de 1755 (p. 62-63). Le seul élément ayant survécu est la chapelle, qui a été intégrée au musée.

Sculpture de saint Georges, XVᵉ siècle

★ **Saint Jérôme en prière**
Ce portrait magistral, réalisé par un Albrecht Dürer âgé, représente l'un des principaux thèmes de l'humanisme, la nature éphémère de l'homme (1521).

SUIVEZ LE GUIDE !

Le rez-de-chaussée présente la peinture européenne du XIVᵉ au XIXᵉ siècle, les arts décoratifs et le mobilier. Au premier étage, on trouve les arts africain et oriental, les céramiques chinoises et portugaises, l'or, l'argent et les bijoux, et au niveau supérieur la peinture et la sculpture portugaises.

La Tentation de saint Antoine, Hieronymus Bosch

Escaliers vers

Saint Augustin Piero della Francesca

60
61
59
62
63
58
64
57
65
56
55
66
54
67
68
53
69
52
70
51
46
50

LÉGENDE DU PLAN

- ☐ Art européen
- ☐ Peinture et sculpture portugaises
- ☐ Céramiques portugaises et chinoises
- ☐ Art oriental et africain
- ☐ Or, argent et bijoux
- ☐ Arts décoratifs
- ☐ Chapelle Saint-Albert
- ▨ Expositions temporaires
- ☐ Circulations et services

Jésus voilé
Peint à la fin du XVᵉ siècle par un artiste de l'école portugaise, Jésus accusé est représenté le voile abaissé sur les yeux. Il affiche une expression de calme et de dignité, malgré la couronne d'épines, la corde et les taches de sang.

À NE PAS MANQUER

★ **St Jérôme de Dürer**

★ **Paravents namban**

★ **Adoration de saint Vincent de Gonçalves**

★ **Adoration de saint Vincent**
Ce polyptyque attribué à
Nuno Gonçalves date
d'environ 1470 (p. 98).

MODE D'EMPLOI

Rua das Janelas Verdes. **Plan** 4 D4.
213 912 800. *27, 40, 49, 51,*
60. *10 h–13 h et 14 h–18 h*
mer.–dim., 14 h–18 h mar.
jours fériés.

Violon en faïence
La collection de céramiques
regroupe quantité d'objets
décoratifs réalisés au Portugal
pour la famille royale. Cette
pièce du XIXe siècle, de
Wenceslau Cifka, est décorée
des armoiries royales et des
portraits de Scarlatti et Corelli,
compositeurs baroques italiens.

1er étage

2e étage

★ **Paravents namban**
Ce détail tiré d'un
des paravents japonais
du XVIe siècle exposés dans
le musée montre une
scène marchande et la
mode portugaise
d'alors.

Entrée

Rez-de-chaussée

La chapelle Saint-Albert, du XVIe siècle, possède un somptueux intérieur baroque décoré d'*azulejos* bleu et blanc.

Salière en ivoire
Cette salière en
ivoire du Bénin représente
des dignitaires et des
chevaliers portugais sculptés.

À la découverte des collections du Museu Nacional de Arte Antiga

L e musée national d'Art ancien possède la plus grande collection de peinture du Portugal. Son point fort réside dans les œuvres religieuses de primitifs portugais, pour la plupart provenant de la confiscation des biens des couvents et des monastères en 1834. Il présente aussi de la sculpture, de l'argenterie, de la porcelaine et des arts appliqués, offrant un panorama de l'art portugais du Moyen Âge au XIXᵉ siècle. À cela viennent s'ajouter des œuvres d'Europe et d'Orient. Omniprésent, le thème des Découvertes illustre les liens du Portugal avec le Brésil, l'Afrique, l'Inde, la Chine et le Japon.

L'ADORATION DE SAINT VINCENT

Moines cisterciens d'Alcobaça *(p. 178-179)*

Moine

Pêcheur

ART EUROPÉEN

L es peintures d'artistes européens du XIVᵉ au XIXᵉ siècle sont disposées chronologiquement au rez-de-chaussée. Contrairement à l'art portugais, la plupart de ces toiles sont issues de collections privées, ce qui explique leur grande diversité. Les premières salles, consacrées au XIVᵉ et au XVᵉ siècle, illustrent la transition du gothique médiéval à l'esthétique de la Renaissance.

Les peintres les mieux représentés sont les artistes allemands et flamands du XVIᵉ siècle, avec le *Saint Jérôme* en prière d'Albrecht Dürer (1471-1528), la *Salomé* de Lucas Cranach l'Ancien (1472-1553), la *Vierge à l'Enfant* de Hans Memling (v. 1430-1494) et la *Tentation de saint Antoine* du grand maître fantastique flamand Hieronymus Bosch (1450-1516). Parmi la petite collection italienne, le *Saint Augustin* de Piero della

Francesca (v. 1420-1492) et un panneau d'autel de Raphaël (1483-1520) représentant la Résurrection sont remarquables. Quelques peintres portugais, comme Josefa de Óbidos *(p. 51)* et Gregório Lopes (1490-1550), sont présentés avec les écoles étrangères.

PEINTURE ET SCULPTURE PORTUGAISES

L es œuvres les plus anciennes sont pour la plupart dues aux primitifs portugais, influencés par le réalisme et l'amour du détail des artistes flamands. Au XVᵉ et au XVIᵉ siècle, plusieurs peintres d'origine flamande, comme Frey Carlos d'Évora, ont installé des ateliers au Portugal.

La pièce maîtresse du musée est le polyptyque de São Vicente de Fora, chef-d'œuvre de la peinture portugaise du XVᵉ siècle. Peint environ entre 1467 et 1470, et

attribué à Nuno Gonçalves, le retable représente l'*Adoration de saint Vincent,* saint patron du Portugal, entouré de dignitaires, de moines et de chevaliers, ainsi que de pêcheurs et de mendiants. La précision des portraits des personnages en fait un témoignage historique et sociologique d'une valeur inestimable.

Parmi les œuvres plus tardives, on trouve un portrait du XVIᵉ siècle du jeune Dom Sebastião *(p. 46-47)* de Cristóvão de Morais et des toiles du peintre néo-classique Domingos A. de Sequeira. La collection de sculptures comprend quantité de statues gothiques en bois et en pierre polychromes du Christ, de la Vierge et de saints. On trouve aussi des statues du XVIIᵉ siècle et une crèche de Machado de Castro, du XVIIIᵉ siècle, dans la chapelle Saint-Albert.

CÉRAMIQUES PORTUGAISES ET CHINOISES

L a vaste collection retrace l'évolution de la porcelaine chinoise et de la faïence portugaise, et illustre l'influence orientale sur des objets portugais, et vice-versa.

Panneau central de la *Tentation de saint Antoine,* de Hieronymus Bosch

Nuno Gonçalves, autoportrait de l'artiste · La reine Leonor d'Aragon, la régente · Henri le Navigateur *(p. 49)* · L'archevêque de Lisbonne, Jorge da Costa · Chevalier maure · Mendiant · Érudit juif

La reine Isabel · L'Infant João (roi João III) · Le roi Afonso V · L'Infant Fernão, le frère du roi · Chevalier · Saint Vincent · Le duc de Bragança · Prêtre présentant un morceau du crâne de Vincent

À compter du XVIᵉ siècle, les céramiques portugaises révèlent une nette influence Ming, et les pièces chinoises affichent des motifs portugais. Au milieu du XVIIIᵉ siècle, certains potiers développent un style européen de plus en plus spécifique, avec des motifs rustiques et populaires. La collection comprend aussi : des céramiques italiennes, espagnoles et néerlandaises.

Vase de Chine du XVIᵉ siècle

ARTS AFRICAIN ET ORIENTAL

Les ivoires et les meubles aux motifs européens illustrent aussi l'influence entre le Portugal et ses colonies. Au XVIᵉ siècle, l'engouement pour l'exotisme suscita une forte demande en objets tels que des cors de chasse sculptés en ivoire d'Afrique. Les fascinants paravents namban du XVIᵉ siècle représentent les Portugais commerçant au Japon. Les Japonais appelaient les Portugais *namban-jin* (barbares venus du Sud).

OR, ARGENT ET BIJOUX

La superbe collection d'objets liturgiques comprend la croix en or de Sancho Iᵉʳ (1214), l'ostensoir de Belém (1505) *(p. 20)* et aussi le reliquaire de la Madre de Deus du XVIᵉ siècle qui abriterait une épine de la couronne du Christ. La pièce maîtresse de la collection étrangère est un ensemble d'argenterie du XVIIIᵉ siècle, commandé par José Iᵉʳ à l'atelier parisien de Thomas Germain et composé de 1 200 pièces, avec des soupières, des saucières et des salières finement décorées. La collection de bijoux réunit des objets donnés aux couvents par les membres de la noblesse et de la bourgeoisie entrant dans les ordres.

ARTS APPLIQUÉS

La collection réunit meubles, tapisseries, tissus, habits sacerdotaux et mitres d'évêques. Les nombreux meubles des règnes de João V, de José et de Maria Iʳᵉ illustrent l'évolution du baroque au néo-classique. Parmi les meubles étrangers, les créations françaises du XVIIIᵉ siècle sont remarquables.

On verra aussi des couvre-lits du XVIIᵉ siècle, des tapisseries, dont de nombreuses pièces flamandes, comme le *Baptême du Christ* (XVIᵉ siècle), des tapis brodés et des tapis d'Arraiolos *(p. 301)*.

Reliquaire en or incrusté de pierres précieuses (v. 1502)

BELÉM

Vue

Installé à l'embouchure du Tage, là où les caravelles partaient pour les découvertes, Belém est inextricablement lié à l'âge d'or du Portugal *(p. 46-49).* Lorsque Manuel Ier arriva au pouvoir, en 1495, il récolta les fruits de l'incroyable ère d'expansion, bâtissant des monuments et des églises grandioses qui reflétaient l'état d'esprit prévalant alors. Deux des plus beaux exemples d'architecture manuéline, exubérante et exotique *(p. 20-21),* sont le Mosteiro dos Jerónimos et la Torre de Belém.

La Générosité, à l'entrée du Palácio da Ajuda

Belém est un faubourg spacieux et assez vert, avec une multitude de musées, de parcs et de jardins, et aussi un rivage agréable, avec des cafés et une promenade, où il règne, par temps ensoleillé, une atmosphère de bord de mer. Avant que les eaux du Tage ne baissent, le monastère des Jerónimos donnait sur le fleuve. Aujourd'hui, la bruyante avenida da Índia sépare le centre de Belém des rives pittoresques du Tage, et des wagons jaunes et argent passent régulièrement.

BELÉM D'UN COUP D'ŒIL

Musées et galeries
Museu de Arte Popular **10**
Museu da Marinha **7**
Museu Nacional de Arqueologia **5**
Museu Nacional dos Coches **2**
Planetário Calouste Gulbenkian **6**

Parcs et jardins
Jardim Agrícola Tropical **3**
Jardim Botânico da Ajuda **14**

Églises et monastères
Ermida de São Jerónimo **12**
Igreja da Memória **13**
Mosteiro dos Jerónimos p. 106-107 **4**

Bâtiments historiques
Palácio de Belém **1**
Palácio Nacional da Ajuda **15**
Torre de Belém p. 110 **11**

Monuments
Monument des Découvertes **9**

Centres culturels
Centro Cultural de Belém **8**

LÉGENDE
Le quartier pas à pas *p. 102-103*

🚆 Gare ferroviaire

⛴ Embarcadère des ferries

P Parc de stationnement

Voie ferrée

COMMENT Y ALLER ?
On peut prendre le tramway 15 Praça do Comércio. Les bus 14, 27, 28, 43, 49, 51 et 112 suivent le même trajet. Certains trains en direction de Oeiras s'arrêtent à Belém. Se renseigner à la gare de Cais do Sodré.

◁ **La nef de Santa Maria de Belém, l'église du monastère des Jerónimos**

Belém pas à pas

Caravelle de pierre, Jerónimos

La gloire maritime d'antan du Portugal est manifeste dans tout Belém. Elle transparaît notamment à travers des édifices exubérants comme le mosteiro dos Jerónimos. Lorsque Salazar *(p. 56)* tenta de rendre présent aux esprits l'âge d'or du Portugal, il fit remanier le quartier du rivage, qui s'était envasé depuis le temps des caravelles, pour célébrer la gloire passée du pays. La praça do Império fut aménagée pour accueillir l'Exposition du monde portugais, en 1940, et la praça Afonso de Albuquerque fut dédiée au premier vice-roi des Indes. Le palácio de Belém, doté d'un jardin et d'un manège par João V au XVIIIe siècle, fut brièvement la résidence de la famille royale, après le séisme de 1755.

★ Mosteiro dos Jerónimos
Le cloître manuélin du monastère est orné d'arcades voûtées et de colonnes richement sculptées de feuilles, d'animaux exotiques et d'instruments de navigation ❹

LARGO

DOS

JERÓNIMOS

PRAÇA DO IMPÉRIO

Museu Nacional de Arqueologia
Les trouvailles archéologiques exposées proviennent de tout le pays ; magnifique collection d'orfèvrerie ❺

Torre de Belém
(p. 110)

À NE PAS MANQUER

★ Mosteiro dos Jerónimos

★ Museu Nacional dos Coches

LÉGENDE

– – –   Itinéraire conseillé

La praça do Império, place qui s'étend devant le monastère, est illuminée, dans les grandes occasions, par un jeu de lumières colorées.

La rua Vieira Portuense longe un petit parc. Ses maisons colorées du XVIᵉ et du XVIIIᵉ siècle contrastent avec les édifices imposants de Belém.

Jardim Agrícola Tropical
Des plantes et des arbres exotiques des anciennes colonies poussent dans ce jardin paisible, qui faisait partie du palácio de Belém ❸

CARTE DE SITUATION
Atlas des rues, plans 1 et 2

L'Antiga Confeitaria de Belém vend des pastéis de Belém (pâte feuilletée nappée de crème aux œufs).

TRAVESSA DOS FERREIROS

T. MARTA PINTO

RUA DE BELÉM

RUA VIEIRA PORTUENSE

Lisbonne centre

Palácio de Belém
Appelé aussi palácio cor de rosa (palais rose) en raison de la couleur de sa façade, l'ancien palais royal, du XVIᵉ siècle, est la résidence officielle du président de la République ❶

0   50 m

★ Museu Nacional dos Coches
Ce carrosse du XVIIIᵉ siècle utilisé par l'ambassadeur auprès du pape Clément XI fait partie de la collection ❷

La praça Afonso de Albuquerque doit son nom au premier vice-roi des Indes, dont la statue est installée sur une colonne néo-manuéline à la base ornée de scènes sculptées.

Palácio de Belém ❶

Praça Afonso de Albuquerque.
Plan 1 C4. 📞 213 614 600. 🚌 14,
27, 28, 43, 49, 51. 🚋 15. 🚈 Belém.
🌑 3ᵉ dim. du mois (matin). 📷

L es jardins de ce palais d'été,
construit par le conde de
Aveiras en 1559 avant la
baisse des eaux du Tage,
bordaient autrefois le fleuve.
Au XVIIIᵉ siècle, le palais fut
acheté par João V, à qui l'or
du Brésil *(p. 52-53)* avait
apporté une richesse
considérable. Il modifia
entièrement le palais, ajoutant
un manège et rendant
l'intérieur luxueux à souhait
pour accueillir ses conquêtes
amoureuses.

Le roi José Iᵉʳ et sa famille
avaient été en résidence ici lors
du séisme de 1755 *(p. 62-63)*,
ce qui leur valut de survivre à
la catastrophe. Mais la famille
royale, redoutant de nouvelles
secousses, s'installa
provisoirement dans des
tentes sur le domaine du
palais. Aujourd'hui, l'élégant
bâtiment rose est la résidence
officielle du président de la
République.

Façade rose du palácio de Belém, la résidence du président de la République

Museu Nacional dos Coches ❷

Praça Afonso de Albuquerque. **Plan** 2
D4. 📞 213 610 850. 🚌 14, 27, 28, 43,
49, 51. 🚋 15. 🚈 Belém. 🌑 10 h–17
h 30 mar.–dim. ⚫ 1ᵉʳ janv., Pâques, 1ᵉʳ
mai, 25 déc. 📷 📷

L a collection du musée des
Carrosses est sans conteste
la plus riche d'Europe. Elle est
située dans l'aile est du
palácio de Belém, où se
trouvait autrefois le manège
construit par l'architecte
italien Giacomo Azzolini, en
1726. De la

galerie supérieure, la famille
royale regardait évoluer ses
superbes chevaux lusitaniens
(p. 296). En 1905, le manège
fut transformé en musée par
l'épouse du roi Carlos, Dona
Amélia.

Les carrosses portugais,
italiens, français, autrichiens et
espagnols couvrent trois
siècles et vont du plus simple
au plus ostentatoire. La galerie
principale, de style Louis XVI,
qui possède de superbes
plafonds peints, abrite deux
rangées de carrosses.

La collection commence
avec un carrosse en bois et en
cuir rouge relativement sobre,
du XVIIᵉ siècle, qui
appartenait à Philippe II
d'Espagne *(p. 50-51)*. Puis
les véhicules deviennent de
plus en plus exubérants.
L'intérieur est orné de
velours rouge et d'or, et
l'extérieur est richement
sculpté et décoré
d'allégories et d'armoiries
royales. La présentation
s'achève avec trois
gigantesques carrosses
baroques, fabriqués à Rome
pour l'ambassadeur
portugais au Vatican, le
marquês d'Abrantes.
Monuments de faste et
d'extravagance, mais pas
forcément de confort, ces
véhicules de cinq tonnes
sont agrémentés d'un
intérieur en peluche et de
grandes statues dorées.

La galerie voisine
présente d'autres voitures
royales, y compris des
cabriolets à deux roues,
des landaus et autres
voitures tirées par des
poneys et utilisés par les
jeunes membres de la
famille royale. Il y a aussi un

Arrière du carrosse construit (1716) pour le marquês
d'Abrantes, ambassadeur portugais auprès de Clément XI

taxi lisboète du XIXe siècle, peint en noir et vert. Un cabriolet du XVIIIe siècle, dont la capote de cuir noir est percée de fenêtres sinistres, a été fabriqué sous Pombal *(p. 52-53),* où la sobriété était de mise. La galerie supérieure présente des harnais, des costumes et des portraits de membres de la famille royale.

Jardim Agrícola Tropical ❸

Largo dos Jerónimos. **Plan** 1 C4.
📞 *213 620 210.* 🚌 *27, 28, 43, 49, 51.* 🚊 *15.* 🕐 *10 h–17 h du mar. au ven. ; 11 h–18 h sam. et dim.*
⬤ *jours fériés.* 📷 *mar.–ven. seul.* ♿
Museu Tropical 🕐 *sur r.-v.*

Palmiers du Jardim Agrícola Tropical

Aussi appelé jardim do Ultramar, ce parc paisible agrémenté de mares et peuplé d'oiseaux aquatiques et de paons attire peu de visiteurs. Aménagé au début du siècle comme centre de recherche de l'Institut de Sciences Tropicales, il tient davantage de l'arboretum que du jardin d'agrément. Il est planté de végétaux tropicaux et subtropicaux rares, dont de nombreuses espèces menacées. On notera des dragonniers, originaires des îles Canaries et de Madère, et des araucarias d'Amérique du Sud. Le jardin oriental, avec ses cours d'eau, ses ponts et ses hibiscus, est dominé par un immense portail de style chinois qui représenta Macao lors de l'Exposition du monde portugais de 1940 *(p. 102).*

Les locaux consacrés à la recherche et le Museu Tropical sont installés dans le palácio dos condes da Calheta, du XVIIIe siècle, dont l'intérieur est rehaussé d'*azulejos.* Le musée abrite 50 000 plantes séchées et 2 414 variétés de bois.

Mosteiro dos Jerónimos ❹

Voir p.106–107.

Museu Nacional de Arqueologia ❺

Praça do Império. **Plan** 1 B4. 📞 *213 620 000.* 🚌 *28, 43, 49, 51.* 🚊 *15.* 🕐 *10 h–18 h mer.–dim., 14 h–18 h mar.* ⬤ *1er janv., Pâques, 1er mai, 25 déc.* 📷 ♿

La longue aile ouest du mosteiro dos Jerónimos *(p. 106-107)* accueille un musée depuis 1893.

Reconstruit au milieu du XIXe siècle, l'édifice est une pâle imitation de l'original manuélin. Le musée contient le principal centre de recherche archéologique du pays et des trouvailles de toutes les régions, comme un bracelet en or de l'âge du fer trouvé à Grândola dans l'Alentejo, des bijoux wisigoths de Beja *(p. 311),* des ornements romains et des objets maures du début du VIIIe siècle. Le département égyptien et gréco-romain, très riche en art funéraire, possède notamment des figurines, des pierres tombales, des masques et des amulettes en terre cuite. La salle des Trésors, faiblement éclairée, présente une superbe collection de pièces, colliers, bracelets et autres bijoux datant de 1800 à 500 av. J.-C., qui manque toutefois d'explications. Une

Boucle wisigothique, Museu de Arqueologia

nouvelle salle a été restaurée afin qu'y soit exposée une magnifique joaillerie, invisible au public pendant des décennies.

Planetário Calouste Gulbenkian ❻

Praça do Império 27. **Plan** 1 B4. 📞 *213 620 002.* 🚌 *28, 43, 49, 51, 112.* 🚊 *15.* 🕐 *spectacles : 16 h et 17 h sam. et dim. (vacances scolaires : 11 h, 15 h et 16 h 15 mer. et jeu.). Spectacles spéciaux pour les enfants : 11 h dim.* ⬤ *jours fériés.* 📷 ♿

Le planétarium est installé dans un bâtiment moderne de 1965, qui contraste avec le monastère des Jerónimos voisin. L'intérieur reconstitue un ciel étoilé et dévoile les mystères du cosmos. Des présentations en portugais, en français et en anglais expliquent le mouvement des étoiles et le système solaire. Des conférences se tiennent aussi sur des thèmes plus spécialisés, comme les constellations ou l'étoile.

Le dôme du Planetário Calouste Gulbenkian

Mosteiro dos Jerónimos ❹

Sphère armillaire du cloître

Monument glorifiant la richesse de l'âge des Découvertes *(p. 48-49)*, le monastère est le fleuron de l'architecture manuéline *(p. 20-21)*. Commandé par Manuel Iᵉʳ vers 1501, peu de temps après le retour de Vasco da Gama de son voyage historique, il fut largement financé par « l'argent du poivre », taxe prélevée sur le commerce des épices et des matières précieuses. Parmi les grands bâtisseurs de l'édifice, le plus célèbre est sans doute Diogo Boytac, remplacé en 1516 par João de Castilho. Le monastère fut confié à l'ordre de Saint-Jérôme (Hiéronymites) jusqu'à l'interdiction de tous les ordres religieux en 1834.

Tombeau de Vasco da Gama
Sa tombe (p. 108), du XIXᵉ siècle, est sculptée de cordages, de sphères armillaires et autres objets marins.

La fontaine
représente l'animal accompagnant saint Jérôme.

Réfectoire
Les murs du réfectoire sont tapissés d'azulejos du XVIIIᵉ siècle. Le panneau de l'extrémité nord représente le Repas de cinq mille.

L'aile moderne, de style néo-manuélin, abrite le Museu Nacional de Arqueologia *(p. 105)*.

Le portail occidental est dû au sculpteur français Nicolas Chantereine.

Entrée de l'église et du cloître

Tribune

Vue du monastère
Cette scène peinte par Felipe Lobo représente des femmes autour d'une fontaine, en face de l'édifice.

À NE PAS MANQUER
★ **Portail sud**
★ **Cloître**

★ **Cloître**
João de Castilho acheva cette création de style manuélin en 1544. Des nervures délicates et des ornements finement sculptés décorent les arcs et les balustrades.

MODE D'EMPLOI

Praça do Império. **Plan** 1 B4. 213 620 034. 27, 28, 43, 49, 51, 112. 15. Mai–sept. : 10 h–16 h du mar. au dim. Oct.–avril : 10 h–17 h du mar. au dim. jours fériés. cloître seul.

Nef
La voûte spectaculaire de l'église Santa Maria est soutenue par de fins piliers octogonaux qui s'élancent tels des palmiers, créant une sensation d'espace et d'harmonie.

La salle capitulaire abrite le tombeau d'A. Herculano (1810-1877), historien et premier maire de Belém.

Le chœur a été commandé en 1572 par Dona Catarina, épouse de João III.

Les tombeaux de Manuel Ier, de son épouse Dona Maria et de João III sont portés par des éléphants.

★ **Portail sud**
L'architecture géométrique stricte du portail est presque éclipsée par la décoration exubérante. João de Castilho associe thèmes religieux et profanes pour exalter les rois du Portugal.

Tombeau du roi Sebastião
Le sépulcre de Dom Sebastião, le « Désiré », est vide. Le jeune roi parti au combat en 1578 ne revint jamais (p. 47).

Façade du Museu da Marinha

Museu da Marinha ❼

Praça do Império. **Plan** 1 B4. █ 213
620 019. ▦ 27, 28, 43, 49, 51, 112.
▦ 15. ◯ 10 h–18 h (oct.–mai : 17 h)
mar.–dim. ◯ jours fériés. ▨ ⚲ ⚲

Le musée de la Marine a été
inauguré en 1962, dans
l'aile ouest du monastère des
Jerónimos (p. 106-107). C'est
ici, dans la chapelle construite
par Henri le Navigateur
(p. 49), que les marins
assistaient à la messe avant de
prendre la mer. Une salle
dédiée aux Découvertes
illustre les progrès rapides de
la construction
navale à partir du XVe
siècle, grâce aux
enseignements
recueillis par les
navigateurs. Des
petites maquettes
montrent l'évolution
de la *barca* jusqu'à la
nau portugaise, en
passant par la
caravelle à voiles
latines et celle plus
rapide à voiles
rectangulaires. Le
musée présente aussi
des instruments de
navigation,
astrolabes et
reproductions de
cartes du XVIe siècle.
Les piliers de pierre,
sculptés de la croix
de l'ordre du Christ,
sont des
reproductions des
padrão érigés pour
marquer la
souveraineté
portugaise sur les nouvelles
terres. Derrière la salle des
Découvertes, plusieurs pièces
présentant des maquettes de
bateaux portugais modernes
mènent aux appartements
royaux et à la cabine du roi
Carlos et de la reine Amélia,
provenant du yacht royal,
l'*Amélia*, construit en 1900.

Le pavillon moderne, en
face, abrite des galiotes
royales, dont la plus
extravagante est celle
construite en 1780 pour
Maria Ire. La visite s'achève par
une collection d'hydravions,
dont le *Santa Clara*, qui
effectua la première traversée
de l'Atlantique Sud en 1922.

VASCO DA GAMA (v.1460–1524)

En 1498, Vasco da Gama doubla
le cap de Bonne-Espérance et
ouvrit la route des Indes (p. 48-49).
Bien que le souverain hindou de
Calicut, qui le reçut paré de rubis
et de diamants, ne fût aucunement
impressionné par ses modestes
présents, le navigateur rentra au
Portugal chargé d'épices. En 1502,
il retourna aux Indes, créant des
routes commerciales portugaises
dans l'océan Indien. João II le
nomma vice-roi des Indes en 1524,
mais il mourut de la fièvre peu de
temps après.

**Vasco da Gama à Goa,
peinture du XVIe siècle**

Centro Cultural de Belém ❽

Praça do Império. **Plan** 1 B5. █ 213
612 400. ▦ 27, 28, 43, 49, 51. ▦
15. ◯ 8 h–22 h lun.–ven. ;
10 h–19 h sam-dim. ⚲ **Centre des
Expositions** ◯ 11 h–20 h. ▨ ⚲

La construction d'un
bâtiment moderne austère,
juste entre le monastère et le
Tage, souleva bien des
polémiques. Bâti en 1990, par
les architectes Vittorio Gregotti
et Manuel Salgado, pour
accueillir le siège de la
présidence portugaise de la
Communauté européenne, le
complexe fut transformé, en
1993, en centre culturel
consacré à la musique, aux
spectacles et à la photographie,
avec un **Centre des
Expositions** montrant des
chefs-d'œuvre du design depuis
1937. De la terrasse du café-
restaurant, qui déborde sur le
mur d'enceinte, superbe vue sur
le fleuve et le quai.

**Le complexe moderne du Centro
Cultural de Belém**

Monument des Découvertes ❾

Padrão dos Descobrimentos, avenida
de Brasília. **Plan** 1 C5. █ 213 031
950. ▦ 28, 29, 43, 51. ▦ 15.
◯ 9 h–17 h (19 h en juillet et août)
mar.–dim. ◯ jours fériés. ▨
ascenseur et expositions. ⚲

Au bord du Tage, ce
monument massif et
anguleux, a été achevé en
1960 par Salazar, pour le 500e
anniversaire de la mort
d'Henri le Navigateur (p. 49).
Ce monument de 50 m de
hauteur rend hommage aux
navigateurs, aux rois et à tous
les artisans des Découvertes.
En forme de caravelle, il est
orné sur les côtés des
armoiries du Portugal. L'épée

L'immense rose des vents devant le monument des Découvertes

Museu de Arte Popular ⑩

Avenida de Brasília. **Plan** 1 B5.
📞 *213 011 282.* 🚌 *27, 28, 29, 43, 51, 112.* 🚊 *15.* 🕐 *10 h–12 h 30, 14 h–17 h mar.–dim.* ⬤ *jours fériés.* ♿

Ce bâtiment terne, entre le Padrão dos Descobrimentos et la Torre de Belém *(p. 110)*, abrite le musée d'Art populaire et d'Artisanat portugais, ouvert en 1948. Tandis que les salles comportant des expositions permanentes sont fermées pour rénovation durant une période indéterminée, le public aura accès à une collection temporaire distribuée par provinces qui présente des poteries, des outils agricoles, des costumes, des instruments de musique, des bijoux et des selles colorées. Le musée illustre la grande diversité des créations d'une région à l'autre.

Costume du Trás-os-Montes

Chacune possède ses spécialités : jougs colorés et coqs de céramique du Minho, vannerie du Trás-os-Montes, clochettes à vaches et cocottes en terre cuite de l'Alentejo, équipement de pêche d'Algarve, etc. Pour qui prévoit de voyager dans le pays, le musée offre un excellent aperçu de l'artisanat traditionnel des différentes provinces.

de la maison royale d'Avis s'élève au-dessus de l'entrée. Henri le Navigateur se tient à la proue, une caravelle dans sa main. Disposées en deux rangées, de chaque côté du monument, des statues représentent des personnages historiques liés aux Découvertes. Sur le côté occidental, on reconnaît, entre autres, les infants Dom Pedro et Dom Fernando, les fils de Dom João Ier, le poète Camões avec un exemplaire d'*Os Lusíadas*, l'écrivain Fernão Mendes Pinto et le peintre Nuno Gonçalves tenant une palette, mais aussi des navigateurs, cosmographes et mathématiciens.

Sur le côté nord du monument, la gigantesque rose des vents ornant le sol est un cadeau offert par l'Afrique du Sud en 1960. La mappemonde centrale, émaillée de galions et de sirènes, représente les itinéraires des découvertes au XVe et au XVIe siècle.

Un ascenseur dessert le dernier étage du monument, d'où un escalier mène au sommet. De là, le panorama du fleuve et de Belém est de toute beauté. Le sous-sol accueille des expositions temporaires, pas forcément liées aux Découvertes.

L'architecture du monument ne fait pas l'unanimité, mais l'emplacement est indéniablement magnifique. Il est saisissant, vu de l'ouest, dans la lumière de la fin de l'après-midi.

CÔTÉ EST DU MONUMENT DES DÉCOUVERTES

Afonso V (1432-1481), mécène des premiers explorateurs

Henri le Navigateur (1394-1460)

Pedro Álvares Cabral (1467-1520), découvreur du Brésil

Vasco da Gama (1460-1524)

Fernão Magalhães (Magellan), qui traversa le Pacifique en 1520-1521

Padrão **érigé par Diogo Cão au Congo en 1482**

Torre de Belém ⑪

**Armoiries,
Manuel Iᵉʳ**

M anuel Iᵉʳ fit bâtir cette forteresse au milieu du Tage entre 1515 et 1521. Ce joyau de l'architecture manuéline était le point de départ des navigateurs, et il devint le symbole de l'ère d'expansion du Portugal. Sa véritable beauté réside dans ses décorations extérieures. Ornée de cordages en pierre sculptée, la tour (en restauration) présente des balcons à claire-voie, des échauguettes de style mauresque et des créneaux originaux en forme d'écussons. L'intérieur gothique, sous la terrasse, est très austère. Il servit d'arsenal et de prison. En revanche, les quartiers privés de la tour méritent une visite. La loggia est superbe, et le panorama magnifique.

MODE D'EMPLOI

Avenida da India. **Plan** 1 A5.
📞 *213 019 316.* 🚌 *27, 28, 29,
43, 49, 51, 112.* 🚊 *15.* 🚉 *Belém.*
🕙 *10 h–17 h mar.–dim. (18 h de
juin à sept.)* ⬤ *jours fériés.* 📷 📹
♿ *r.-de-c. uniquement.*

Loggia Renaissance
*L'élégante loggia à arcades,
d'inspiration italienne, ajoute
une touche de
légèreté aux
créneaux de la
tour.*

**Sphères
armillaires** et
cordages
évoquent un
peuple
navigateur.

**Armoiries
royales
de
Manuel Iᵉʳ**

Chapelle

Les créneaux
sont ornés de la
croix de l'ordre
du Christ
(p. 20-21).

**Salle du
capitaine**

Vierge à l'Enfant
*Notre-Dame-du-Bon-Succès
est tournée vers la mer,
veillant sur les marins partis
en voyages de découvertes.*

Entrée

**Passerelle
vers la rive**

**Postes
des sentinelles**

Le cachot voûté
servit de prison
jusqu'au xixᵉ siècle.

La Torre de Belém en 1811
*Sur cette toile de J.T. Serres, qui représente un bateau
anglais sur le Tage, la tour est plus loin du rivage
qu'aujourd'hui ; au xixᵉ siècle, des terres furent
gagnées sur la rive droite du fleuve.*

L'Ermida de São Jerónimo est une sobre chapelle manuéline

Ermida de São Jerónimo ⑫

Rua Pero de Covilhã. **Plan** 1 A3.
📞 213 018 648. 🚌 28, 43, 49, 51.
⭕ sur r.-v. uniquement.

Aussi appelée Capela de São Jerónimo, l'élégante petite chapelle fut bâtie en 1514, alors que Diogo Boytac construisait le mosteiro dos Jerónimos (p. 106-107). Bien que plus simple, l'édifice est aussi de style manuélin, et pourrait avoir été construit sur des plans de Diogo Boytac. Ses seuls éléments décoratifs sont quatre pinacles, des gargouilles d'angle et le portail manuélin. Perchée sur une colline paisible dominant Belém, la chapelle offre de belles vues sur le Tage. De la terrasse, un chemin descend en serpentant vers la Torre de Belém.

Igreja da Memória ⑬

Calçada do Galvão, Ajuda. **Plan** 1 C3. 📞
213 635 295. 🚌 14, 27, 28, 29, 32.
🚋 18. ⭕ 16 h–18 h lun.–sam. 🚻 ♿

L'église fut construite en 1760 par José Ier qui avait échappé à cet endroit à une tentative d'assassinat, en 1758. Le roi revenait d'un rendez-vous galant secret avec une dame de la famille des Távora lorsqu'il fut attaqué et touché d'une balle au bras. Détenteur d'un pouvoir total, Pombal (p. 52-53) exploita l'incident pour se débarrasser des Távora. Il les accusa de conspiration et, en 1759, les fit

torturer et exécuter. Dans le beco do Chão Salgado, non loin de la rua de Belém, se dresse une colonne à leur mémoire.

L'église néo-classique couronnée d'un dôme possède un intérieur de marbre et une petite chapelle qui abrite le tombeau de Pombal. Il mourut un an après avoir été banni de Lisbonne, à 83 ans.

Jardim Botânico da Ajuda ⑭

Calçada da Ajuda. **Plan** 1 C2. 🚌 14, 27, 28, 32. 🚋 18. ⭕ 9 h–17 h lun.–ven. ⚫ jours fériés. 🚻 (entrée libre de 9 h à 19 h le dim.) ♿

Aménagé par Pombal en 1768, ce jardin de style italien qui s'étend sur deux niveaux offre un refuge agréable. Attention ! il est facile de manquer le portail vert en fer forgé qui s'ouvre dans un mur rose. On y trouve des arbres tropicaux et des jardins géométriques aux plates-bandes bien entretenues.

Trône du XIXe siècle, Palácio Nacional da Ajuda

Admirez le dragonnier de 400 ans, originaire de Madère, et la grande fontaine extravagante, du XVIIIe siècle, ornée de serpents, de poissons ailés, d'hippocampes et de créatures mythiques. Une terrasse majestueuse donne sur le niveau inférieur du jardin.

Palácio Nacional da Ajuda ⑮

Calçada da Ajuda. **Plan** 2 D2. 📞 213 637 095. 🚌 14, 27, 28, 32, 42, 60.
🚋 18. ⭕ 10 h–17 h jeu.–mar. ⚫ jours fériés. 📷 ♿ ✅

Détruit par un incendie en 1795, le palais royal fut remplacé au début du XIXe siècle par l'édifice néo-classique actuel. Il resta inachevé lorsque la famille royale s'enfuit au Brésil, en 1807 (p. 52-53).

Il ne devint la résidence permanente de la famille royale qu'en 1861, lorsque Luís Ier monta sur le trône et épousa Maria Pia di Savoia. On ne recula devant aucune dépense pour meubler les appartements. Les pièces fastueuses sont tendues de soie et regorgent de porcelaine de Sèvres et de chandeliers en cristal. La salle de Saxe, cadeau de mariage du roi de Saxe à Maria Pia, illustre le faste royal : chaque meuble est décoré de porcelaine de Meissen. La gigantesque salle de banquet, au premier étage, est décorée de chandeliers en cristal, de chaises couvertes de soie et d'un plafond orné d'une allégorie de la naissance de João VI. L'atelier de peinture néo-gothique de Luís Ier, plus intime, abrite des meubles ornés de sculptures sophistiquées.

Les jardins tirés au cordeau du Jardim Botânico da Ajuda

EN DEHORS DU CENTRE

a plupart des centres d'intérêt situés hors de la ville, parmi lesquels de superbes musées, sont bien desservis, en bus ou en métro. Depuis les jardins du parque Eduardo VII, une promenade de dix minutes vers le nord vous mène à la Fundação Calouste Gulbenkian, située dans le très beau parc de Palhavã. Rares sont les visiteurs qui s'aventurent encore plus au nord, mais le Museu da Cidade, installé dans le palácio Pimenta à Campo Grande, mérite le détour. Il offre un aperçu de l'histoire de la ville.

Azulejo panel from Palácio Fronteira

Le charmant palácio Fronteira, décoré d'*azulejos,* est l'une des nombreuses villas qui dominent les faubourgs de la ville. Les connaisseurs apprécieront le Museu Nacional do Azulejo. Si vous disposez d'une demi-journée, traversez le Tage et rendez-vous au monument Cristo Rei d'où le panorama est magnifique. Le nord-est de Lisbonne est un vaste oceanarium, Oceanário de Lisboa, dans le Parque das Naçoes, et l'endroit, avec ses restaurants et attractions diverses, est très apprécié.

LES ENVIRONS D'UN COUP D'ŒIL

Musées et galeries
Centro de Arte Moderna **7**
Museu da Água **9**
Museu Calouste Gulbenkian
  p. 116–119 **6**
Museu da Cidade **13**
Museu Nacional do Azulejo
  p. 122–123 **10**

Architecture moderne
Amoreiras Shopping Centre **3**
Cristo Rei **1**
Parque das Naçoes **11**
Ponte 25 de Abril **2**

Architecture historique
Aqueduto das Águas Livres **15**
Campo Pequeno **8**
Palácio Fronteira **16**
Praça Marquês de Pombal **4**

Parcs et jardins
Parque Eduardo VII **5**
Parque do Monteiro-Mor **17**

Zoos
Jardim Zoológico **14**
Oceanário de Lisboa **12**

LÉGENDE

	Principaux quartiers à visiter
✈	Aéroport
⛴	Embarcadère de ferries
	Autoroute
	Route principale
	Route secondaire

0   4 km

LES SITES EN DEHORS DU CENTRE

Vila Franca de Xira

17

A9 (CREL)
IC17 (CRIL)
Pontinha
Amadora
IP1 – A1 (E1)
✈
Olivais
11
12
IC2
IC19
IC17 (CRIL)
IC19
Benfica
13 Campo Grande
IDI
14
8
16
PARQUE
FLORESTAL
DE
MONSANTO
15
Praça Espanha
6
7
5
4
3
Xabregas
10
9
Carnaxide
IC15–A5
IC17 (CRIL)
Cascais
A9
N117
N6
Alcântara
N6
Graça
⛴
Montijo

T e j o

IP1 – A2 (E1)
2
⛴ Cacilhas
Almada
N10
Barreiro
Porto Brandão
Setúbal
1
Seixal

Cristo Rei **❶**

Santuário Nacional do Cristo Rei, alto do Pragal, Almada. **☏** *212 751 000.* **🚢** *de Praça do Comércio et Cais do Sodré à Cacilhas, puis* **🚌** *101.* **Ascenseur** ⃝ *9 h 30–18 h t.l.j.* 🎫

Inspiré du célèbre Cristo Redentor de Rio de Janeiro, cette gigantesque statue se dresse, les bras ouverts, sur la rive gauche du Tage. Ce Christ de 28 m de haut, perché sur un immense piédestal, a été réalisé par Francisco Franco entre 1949 et 1959, à la demande de Salazar.

Le monument peut s'admirer depuis différents endroits, mais la solution la plus divertissante consiste à prendre un ferry pour l'*Outra Banda* (l'autre rive), puis un bus ou un taxi (en évitant les heures de pointe). Un ascenseur puis quelques marches mènent 82 m plus haut, au sommet du socle, qui offre de belles vues.

Ponte 25 de Abril **❷**

Plan 3 A5. **🚌** *52, 53.*

Appelé Ponte Salazar, le pont suspendu de Lisbonne, construit en 1966, fut rebaptisé pour commémorer la révolution du

L'imposant monument du Cristo Rei domine le Tage

25 avril 1974, qui ramena la démocratie au Portugal (*p. 57*).

Inspirée par le Golden Gate de San Francisco, aux États-Unis, cette construction en acier s'étend sur 2 km. Les travaux en cours, visant à ajouter un nouveau tablier

sous le pont, permettront une liaison ferroviaire par-dessus le Tage. Le pont était connu pour ses embouteillages, surtout le week-end, mais ce problème a été en partie résolu avec l'achèvement du pont Vasco da Gama, de 12 km de long. La construction qui enjambe le fleuve entre Montijo et Sacavém, a été terminée pour l'inauguration de l'Expo'98.

Centre commercial d'Amoreiras **❸**

Avenida Engenheiro Duarte Pacheco. **Plan** 5 A5. **☏** *213 810 200.* **Ⓜ** *Rotunda.* **🚌** *11, 18, 23, 53, 58, 74, 83.* ⃝ *10 h–23 h t.l.j.* ⬤ *25 déc.* ♿

Au XVIIIe siècle, le marquês de Pombal (*p. 52-53*) ordonna la plantation de mûriers *(amoreiras)*, le long de la bordure ouest de la ville, pour l'élevage de vers à soie. Ces arbres ont donné leur nom au centre commercial construit en 1985. Ce complexe post-moderne aux tours roses et bleues, dû à l'architecte Tomás Taveira, compte 370 commerces, 10 cinémas, près de 60 cafés et de nombreux restaurants. Véritable pôle d'attraction, il attire quantité de visiteurs, surtout les jeunes Lisboètes.

Le Ponte 25 de Abril relie le centre de Lisbonne à la rive gauche du Tage

Plantes tropicales de l'Estufa Quente, l'une des serres du parque Eduardo VII

Praça Marquês de Pombal ❹

Plan 5 C5. **M** *Marquês de Pombal.* 🚌 *1, 2, 12, 20, 38, entre autres.*

Au bout de l'avenida da Liberdade *(p. 84)*, la circulation gronde autour de la Rotunda (rond-point), comme l'appellent les Lisboètes. Au milieu se dresse le monument à Pombal, inauguré en 1934. Le despote, qui dirigea le pays entre 1750 et 1777, se dresse au sommet de la colonne, la main posée sur un lion, symbole de pouvoir, et les yeux dirigés vers la Baixa, qu'il réaménagea *(p. 52-53)*. Des allégories de ses réformes

dans l'éducation, la politique et l'agriculture ornent la base du monument. Des personnages représentent l'université de Coimbra, où il créa une nouvelle faculté des sciences. Cet homme politique redouté mais dynamique réussit à propulser son pays dans l'âge des Lumières. Les blocs de pierre au pied du monument et les vagues inondant la ville symbolisent le séisme de 1755.

Les visiteurs pourront admirer les sculptures du piédestal et les inscriptions en empruntant le passage souterrain menant au centre de la place, mais celui-ci n'est hélas pas toujours ouvert. Il conduit aussi à la station de métro Rotunda et au parque Eduardo VII qui s'étend vers le nord au-delà de la place. Autour de la Rotunda, les pavés composent une mosaïque représentant les armoiries de Lisbonne. Des motifs noir et blanc similaires ornent de nombreuses places et rues de la ville.

Détail représentant l'agriculture sur la base du monument de la praça Marquês de Pombal

Parque Eduardo VII ❺

Praça Marquês de Pombal. **Plan** 5 B4. 📞 *213 882 278.* **M** *Rotunda.* 🚌 *2, 11, 22, 36.* **Estufa Fria** 🕐 *9 h–17 h 30 mai–sept. t.l.j. ; 9 h–16 h 30 oct.–avr. t.l.j.* 🔴 *jours fériés.* ✍️

Le plus grand parc du centre-ville doit son nom au roi Edward VII d'Angleterre qui vint à Lisbonne en 1902 pour réaffirmer l'alliance anglo-portugaise. Le vaste domaine de 25 hectares fut aménagé en prolongement de l'avenida da Liberdade *(p. 84)*, au début du siècle. Depuis la praça Marquês de Pombal, des parterres très soignés montent jusqu'à un belvédère, entouré de jardins, avec un charmant café au bord de l'eau. De là, le panorama de la ville et des collines lointaines, au bord du Tage, est magnifique. Par beau temps, la vue porte jusqu'à la serra da Arrábida *(p. 167)*.

Au nord-ouest se trouvent les serres, l'élément le plus original de ce parc plutôt monotone : l'**Estufa Fria** (serre froide), véritable jungle avec des plantes exotiques, des cours d'eau et des cascades. Des palmiers montent jusqu'au toit de bambou et des chemins serpentent dans une forêt de fougères, de fuchsias, d'arbustes en fleurs et bananiers. L'Estufa Quente, plus chaude, est une serre vitrée avec une végétation luxuriante, des mares couvertes de nénuphars et des cactées, ainsi que des oiseaux tropicaux en cages.

Près des serres, une mare peu profonde où nagent de grandes carpes et une aire de jeu figurant un galion font le bonheur des enfants. À l'est, le **Pavilhão Carlos Lopes,** qui porte le nom du vainqueur du marathon des Jeux olympiques de 1984, accueille des concerts et des conférences. La magnifique façade blanche et ocre est décorée de scènes en *azulejos* modernes de Jorge Colaço *(p. 23)*, représentant surtout des batailles portugaises.

Museu Calouste Gulbenkian ⑥

Calouste Gulbenkian (p. 119) était un magnat du pétrole arménien, qui avait le coup d'œil pour les chefs-d'œuvre. Ce musée inauguré en 1969 abrite l'une des plus belles collections d'art d'Europe. C'est l'une des émanations de la fondation léguée au Portugal par le milliardaire. L'architecture du bâtiment, installé dans le parc de Palhavã, laisse entrer la lumière du jour dans certaines pièces. Il a récemment bénéficié d'une importante rénovation et certaines expositions peuvent avoir changé.

Pot à moutarde
Ce pot à moutarde en argent du XVIII siècle a été réalisé en France par A. S. Durand.

Ornement de corsage de René Lalique
Les courbes des serpents en or et en émail distinguent ses bijoux Art nouveau.

★ Diane
Cette statue en marbre (1780) du sculpteur français Jean Antoine Houdon, qui appartint à Catherine II la Grande, était jugée trop osée pour être exposée. Elle représente Diane, déesse de la chasse, tenant un arc et une flèche.

Entrée

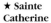
Escaliers vers
🄲 🄷 ♿

★ Sainte Catherine
Ce buste a été peint par Rogier Van der Weyden (1400-1464). La mince bande de paysage, sur la gauche du panneau de bois, apporte au portrait luminosité et profondeur.

À NE PAS MANQUER

★ **Portrait de vieillard par Rembrandt**

★ **Diane par Houdon**

★ **Sainte Catherine par Van der Weyden**

★ Portrait de vieillard
Rembrandt était un maître du clair-obscur. Dans ce portrait daté de 1645, la stature fragile du vieil homme contraste avec l'éclairage puissant et spectaculaire.

MODE D'EMPLOI

Avenida de Berna. **Plan** 5 B2.
📞 217 823 245. Ⓜ *Praça de Espanha ou São Sebastião.*
🚌 16, 18, 26, 31, 46, 56.
🚊 24. ⭕ 10 h – 16 h mer.–dim.
(14 h–18 h le mar.). ⚫ *jours fériés.* 📷 ♿ 💻 ⑪
Ⓦ www.gulbenkian.pt

Art Renaissance

Vase aux cent oiseaux
La décoration en émail qui orne ce vase de porcelaine chinois est appelée « Famille Verte ». Les motifs sophistiqués sont caractéristiques de la dynastie Qing sous le règne de K'ang-Hi, empereur de 1662 à 1722.

SUIVEZ LE GUIDE !
Les galeries sont agencées chronologiquement et géographiquement : la première section (salles 1 à 6) est consacrée à l'art classique et oriental ; la seconde (salles 7 à 17) à la peinture, à la sculpture, à l'ameublement, aux bijoux européens, etc.

Art arménien

Chat de bronze égyptien
Ce bronze d'une chatte allaitant ses petits date de la période saïte (VIIIᵉ siècle av. J.-C.). On notera aussi un magnifique masque de momie en or.

Faïence persane

Plat de faïence turque
Les fabriques d'Iznik en Turquie produisirent quelques-uns des plus beaux plats, cruches et vases du monde islamique, comme ce plat creux du XVIᵉ siècle orné d'animaux stylisés.

LÉGENDE DU PLAN

☐ Art égyptien, classique et mésopotamien

☐ Art d'Orient islamique

☐ Art d'Extrême-Orient

☐ Art européen (XIVᵉ -XVIIᵉ siècle)

☐ Arts décoratifs français, XVIIIᵉ siècle

☐ Art européen (XVIIIᵉ-XIXᵉ siècles)

☐ Collection Lalique

☐ Circulations et services

Découvrir la collection Gulbenkian

Ce musée qui abrite l'extraordinaire collection d'art de Calouste Gulbenkian est l'un des plus beaux de Lisbonne, avec le Museu de Arte Antiga *(p. 96-99)*. Les objets présentés couvrent quatre millénaires, depuis les statuettes égyptiennes aux broches Art nouveau en passant par la verrerie islamique. Ils sont exposés dans des galeries spacieuses, dont beaucoup donnent sur le jardin ou des cours. Le musée est assez petit, mais chaque œuvre d'art, qu'elle appartienne à la magnifique collection d'art de l'Orient islamique ou à la sélection de peintures et de meubles européens, mérite l'attention.

Carreau de faïence persan de la fin du XVIe siècle, de l'école d'Ispahan

ART ÉGYPTIEN, CLASSIQUE ET MÉSOPOTAMIEN

Des trésors inestimables retracent l'évolution de l'art égyptien de l'Ancien Empire (v. 2700 av. J.-C.) à l'Égypte romaine (Ier siècle av. J.-C.), avec une coupe d'albâtre de la IIIe dynastie jusqu'au buste bleu en terre cuite étonnamment moderne d'une statuette de *Vénus Anadyomène* de l'Égypte romaine.

Dans la section classique, notez le vase grec à figures rouges et les médailles romaines trouvées en Égypte. On pense qu'elles auraient été battues pour les jeux de Macédoine (242 apr. J.-C.), en commémoration d'Alexandre le Grand. Dans la section mésopotamienne, un grand bas-relief assyrien en albâtre représente le génie ailé du Printemps portant un récipient d'eau sacrée (IXe siècle av. J.-C.).

Vase grec du Ve siècle av. J.-C.

ART DE L'ORIENT ISLAMIQUE

Calouste Gulbenkian, qui était arménien, se passionna pour l'art du Moyen-Orient. Cette section présente une belle collection de tapis, de tissus, de costumes et de céramiques persans et turcs. Dans la partie sur cour, des lampes de mosquée et des bouteilles syriennes, commandées par des princes et des sultans, sont décorées de verre émaillé. La collection arménienne comprend quelques superbes manuscrits illustrés du XVIe au XVIIIe siècle, réalisés par des réfugiés arméniens à Istanbul, en Perse et en Crimée.

ART D'EXTRÊME-ORIENT

Entre 1910 et 1930, Calouste Gulbenkian réunit une riche collection de porcelaine chinoise. L'une des pièces les plus rares est une petite coupe bleue vernie de la dynastie Yuan (1279-1368), sur la droite en entrant. La plupart des objets sont de la « Famille Verte », plus tardive et à la décoration plus exubérante, ou du biscuit K'ang-Hi du XVIIe et du XVIIIe siècle. On trouve également des jades et autres pierres semi-précieuses chinoises, ainsi que des estampes, des tentures en brocart, des livres reliés et des laques japonais.

ART EUROPÉEN (XIVe-XVIIe SIÈCLE)

Cette section s'ouvre sur des manuscrits enluminés, des livres imprimés rares et des ivoires médiévaux. Les diptyques et triptyques français en ivoire délicatement sculpté du XIVe siècle représentent des scènes de la vie du Christ et de la Vierge.

La collection de peintures commence avec des panneaux de *Saint Joseph* et de *Sainte Catherine* de Rogier Van der Weyden, le grand peintre flamand du XVe siècle. La Renaissance italienne est représentée par la *Sacra Conversazione* de Cima da Conegliano de la fin du XVe siècle et le *Portrait de jeune fille* (1485) de Domenico Ghirlandaio.

On passe ensuite aux œuvres flamandes et hollandaises du XVIIe siècle, avec deux toiles de

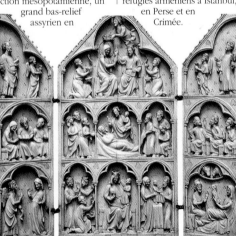

Triptyque français en ivoire,
Scènes de la vie de la Vierge (XIVe siècle)

Portugal. La lutte contre les feux de forêt continue

Pour une troisième journée consécutive, environ 1 200 pompiers, aidés de 9 bombardiers d'eau, tentaient d'éteindre les flammes qui font rage à Pedrogao Grande, à environ 150 km au nord de Lisbonne, et qui ont coûté la vie à 64 personnes.

Bien que les services d'urgence du Portugal aient indiqué faire des progrès dans la lutte contre l'important incendie qui sévit dans le centre du pays, un autre feu, qui fait rage tout près, a pris de l'ampleur et est devenu une source d'inquié-

/ ARMANDO FRANCA/ASSOCIATED PRESS

tude. Par ailleurs, des informations voulant qu'un avion Canadair se soit écrasé se sont révélées fausses, ont indiqué des responsables, hier. **AP**

Santé. Le nombre de cas de cancer augmentera de 35 % d'ici 2030 au Canada

000 Canadiens recevront un diagnostic de cancer dans 12

Rembrandt : le magistral *Portrait de vieillard* (1645) et *Alexandre le Grand* (1660), pour lequel Titus, le fils du peintre, aurait servi de modèle, et dont on pensait autrefois qu'il représentait la déesse Pallas Athéna. Rubens est présent avec trois toiles, dont le magnifique *Portrait d'Hélène Fourment* (1630), seconde épouse du peintre.

Après les peintures hollandaises et flamandes, on trouve des tapisseries et des textiles italiens et flamands, des sculptures et des céramiques italiennes.

ARTS DÉCORATIFS FRANÇAIS DU XVIIIᵉ SIÈCLE

Des objets de style Louis XV et Louis XVI remarquablement travaillés, dont certains réalisés pour des maisons royales, figurent dans la collection de meubles français du XVIIIᵉ siècle. Beaucoup sont ornés de panneaux de laque, d'ébène et de bronze. Ils sont regroupés par style historique, dans un décor de tapisseries d'Aubusson et de Beauvais.

L'argenterie française, provenant en grande partie des tables des palais russes, comprend soupières, salières et plats richement ornés.

Commode Louis XV, incrustée d'ébène et de bronze

ART EUROPÉEN (XVIIIᵉ-XIXᵉ SIÈCLES)

L'art du XVIIIᵉ siècle est dominé par les peintres français, comme Watteau (1684-1721), Boucher (1703-1770) et Fragonard (1732-1806). La sculpture la plus connue est la *Diane* de Jean-Antoine Houdon. Commandée en 1780 par le duc de Saxe-Gotha pour ses

Vue du Molo avec le palais ducal (1790), Francesco Guardi

jardins, elle devint l'une des pièces maîtresses du musée de l'Ermitage (Russie) au XIXᵉ et au début du XXᵉ siècle.

Une salle entière est consacrée aux vues de Venise de Francesco Guardi, peintre vénitien du XVIIIᵉ siècle. La petite collection d'art anglais comprend des œuvres de grands portraitistes du XVIIIᵉ siècle, comme le *Portrait de Mrs Lowndes-Stone* de Gainsborough (v. 1775) et le *Portrait de Mrs Constable* de Romney (1787), et deux marines de J.M.W. Turner (1775-1851). Les paysages français du XIXᵉ siècle sont bien représentés, avec l'école de Barbizon, les Réalistes et les Impressionnistes, reflétant la prédilection de Gulbenkian pour le naturalisme. Toutefois, les toiles les plus connues sont le *Garçon aux cerises* de Manet, peint vers 1858, au début de la carrière de l'artiste, et *Le souffleur de*

bulles, réalisé vers 1867. Le *Portrait de Madame Claude Monet* de Renoir a été peint vers 1872, alors que l'artiste séjournait chez Monet à Argenteuil, dans la banlieue parisienne.

COLLECTION LALIQUE

La visite du musée s'achève par une salle entière consacrée aux créations extravagantes du bijoutier Art nouveau René Lalique (1860-1945). Gulbenkian, qui était un ami de Lalique, acquit quantité de bijoux, verres et ivoires directement auprès de l'artiste. Incrustés de pierres semi-précieuses et couverts de feuilles d'or ou d'émail, les broches, les colliers, les vases et les peignes sont décorés de libellules, de paons et de nus sensuels caractéristiques de l'Art nouveau.

CALOUSTE GULBENKIAN

Né à Scutari en Turquie en 1869, Gulbenkian commença à collectionner des objets d'art à 14 ans, en achetant des pièces anciennes dans un bazar. En 1928, il reçut 5 % du capital de quatre grandes compagnies pétrolières, dont BP et Shell, pour le rôle qu'il joua dans le transfert de la Turkish Petroleum Company à ces quatre sociétés. L'opération lui valut le surnom de « Monsieur cinq pour cent ». Avec la fortune qu'il amassa, il put s'adonner à sa passion pour l'art. Pendant la Seconde Guerre mondiale, il partit s'installer au Portugal, qui était neutre. À sa mort, en 1955, il légua tous ses biens à l'État portugais, en créant une fondation qui soutient quantité d'activités culturelles et qui possède un orchestre, des bibliothèques, un corps de ballet et des salles de concert.

Sculpture d'Henry Moore dans le jardin du Centro de Arte Moderna

Centro de Arte Moderna ❼

Rua Dr Nicolau de Bettencourt.
Plan 5 B3. ☎ 217 823 000.
Ⓜ *São Sebastião.* 🚌 *16, 26, 31, 46, 56.* ◯ *10 h-18 h mer.-dim., 14 h-18 h sam.* ◯ *jours fériés.* 🖋
♿ Ⓦ www.gulbenkian.pt

Le musée d'Art moderne, séparé du musée Calouste Gulbenkian par un jardin, appartient à la même fondation *(p. 119)*. La collection permanente présente des peintures et des sculptures d'artistes portugais du début du XXᵉ siècle à nos jours. La toile la plus connue

est le remarquable portrait du poète Fernando Pessoa au Café Irmãos Unidos (1964), de José de Almada Negreiros (1893-1970), l'un des grands noms du modernisme portugais. On remarquera aussi les toiles d'Eduardo Viana (1881-1967), d'Amadeo de Sousa Cardoso (1887-1910) et d'artistes contemporains, comme Paula Rego, Rui Sanches, Graça Morais et Teresa Magalhães.

Spacieux et lumineux, le musée possède un jardin agréable et une cafétéria, très fréquentée le week-end.

Campo Pequeno ❽

Plan 5 C1. Ⓜ *Campo Pequeno.* 🚌 *22, 45.* **Bullring** ☎ 217 932 442. ◯ *Pâques– oct. : pour les courses de taureaux.* 🖋 ♿

La place est dominée par les arènes néo-mauresques en briques rouges, de la fin du XIXᵉ siècle. Fermé temporairement, le bâtiment qui doit abriter un parc de stationnement souterrain et un centre de loisirs, est en travaux. Les fenêtres en forme de serrures et les doubles coupoles en forme

de croissants de lune seront conservées. Renseignez-vous auprès de l'office du tourisme.

Pompe à vapeur rénovée du XIXᵉ siècle au Museu da Água

Museu da Água ❾

Rua do Alviela 12. ☎ 218 100 215.
🚌 *35, 104, 105, 107.* ◯ *10 h-18 h lun.– sam.,* ◯ *jours fériés.* 🖋 📷

Consacré à l'histoire de la distribution de l'eau à Lisbonne, ce petit musée passionnant a été créé dans la première station de pompage à vapeur de la ville. Il rend hommage à Manuel da Maia, l'ingénieur de l'aqueduc des Águas Livres *(p. 124)* au XVIIIᵉ siècle.

Quatre machines à vapeur sont soigneusement conservées. L'une d'elles fonctionne toujours (à l'électricité) et elle est mise en marche pour les visiteurs. Des photographies illustrent l'évolution des technologies. Les parties consacrées à l'aqueduc des Águas Livres et à la Chafariz d'el-Rei de l'Alfama (XVIIᵉ siècle), l'une des premières fontaines de Lisbonne, sont particulièrement intéressantes. En fonction de leur statut social, les habitants de la ville faisaient jadis la queue à l'un des six points d'eau.

Museu Nacional do Azulejo ❿

Voir p. 122– 123.

Façade néo-mauresque des arènes dans le Campo Pequeno

La superbe gare de Oriente, près du parque das Naçoes

Parque das Naçoes ⓫

Avenida Dom João. ☎ 21-891 93 33.
Ⓜ Oriente. 🚌 5, 10, 19, 21, 28, 44,
50, 68, 82. 🚊 Gare de Oriente.
🕙 10 h-20 h t.l.j. ♿ 🚻 🛒
Pavilhão do Conhecimento ☎ 21-
891 71 00. 🕙 10 h-18 h lun.-ven.,
11 h-19 h sam. et dim. 📷

L e site de l'Expo '98 est
devenu l'un des principaux
points d'intérêt de Lisbonne.
Avec son architecture
contemporaine étonnante et
ses attractions destinées à
toute la famille, le Parque das
Naçoes a donné un second
souffle aux quais orientaux,
zone industrielle désaffectée
jusqu'en 1990. De loin, les
formes géométriques
chapeautant l'Oriente Station,
création de Santiago Calatrava,
annoncent le ton architectural.
L'imposant **pavillon du
Portugal**, dû à l'architecte
portugais Alvaro Siza Vieira,
est doté d'un toit en béton
armé, qui semble planer,
presque miraculeusement,
au-dessus de l'esplanade.
Les visiteurs accompagnés
d'enfants apprécieront le
Pavilhão do Conhecimento
(pavillon de la Connaissance),
un musée de la Science et de
la Technologie avec plusieurs
expositions interactives. Une
bonne vue d'ensemble s'offre
depuis le téléphérique qui
conduit les visiteurs d'un bout
du site à l'autre, ou de la
Torre Vasco da Gama, le plus
haut bâtiment de la ville. Ne
manquez pas la promenade
au bord de l'eau, qui permet
d'admirer le Tage à son point
le plus large et le pont Vasco
da Gama. Celui-ci est le plus

long pont d'Europe (17 km).
Sa construction fut achevée à
l'occasion de l'expo de 1998
pour le passage des visiteurs
venus du sud du Portugal,
d'Espagne et d'ailleurs
en Europe.

Oceanário de Lisboa ⓬

Esplanada D. Carlos 1, Parque das
Naçoes. ☎ 21-891 70 02. Ⓜ Oriente.
🚌 5, 10, 19, 21, 28, 44, 50, 68, 82.
🚊 Gare de Oriente. 🕙 avr.-oct. :
10 h-17 h t.l.j. 📷 ♿

P ièce maîtresse de l'Expo '98,
l'océanarium du Parque das
Naçoes n'est pas sans rappeler
un porte-avions. Œuvre
de l'architecte
américain Peter
Chermayeff, le bâtiment qui
se dresse à l'extrémité
d'une jetée est
entouré d'eau. Le
deuxième plus
grand aquarium au
monde abrite une
étonnante diversité
d'espèces
animales, avec des
poissons et autres
créatures
aquatiques, mais
aussi des oiseaux et
des mammifères.
Quatre espaces distincts recréent
les habitats des océans
Atlantique, Pacifique, Indien et
Antarctique, avec leur faune et
leur flore respectives. Toutefois,
pour la plupart des visiteurs,
l'attraction principale réside dans
le gigantesque réservoir central
qui abrite une étonnante diversité
de poissons de toutes tailles. Des
requins marteaux y cohabitent
pacifiquement avec des brèmes,
des barracudas et des raies.

**Jouet indien du XVIIIᵉ
siècle, Museu da Cidale**

Museu da Cidade ⓭

Campo Grande 245. ☎ 217 513 200.
Ⓜ Campo Grande. 🚌 1, 3, 33, 36,
47, 50, 101. 🕙 10 h-13 h, 14 h-18 h
mar.-dim. ● jours fériés. 📷 ♿

O n dit que le palácio
Pimenta aurait été
commandé par João V (p. 52-
53) pour sa maîtresse madre
Paula, une religieuse du
couvent voisin d'Odivelas. Au
XVIIIᵉ siècle, la demeure se
dressait dans un cadre
champêtre paisible, à
l'extérieur de la ville.
Aujourd'hui, elle doit faire face
à l'intense circulation du
Campo Grande. La maison a
toutefois conservé son charme
originel et le musée de la Ville
est l'un des plus intéressants
de Lisbonne. Il illustre
l'évolution de la ville depuis la
préhistoire, en passant par les
Romains, les Wisigoths et les
Maures. On y voit des azulejos,
des dessins, des peintures, des
maquettes et des documents
historiques. Les visiteurs y
découvrent également les
anciens logements de la
demeure et la cuisine, décorée
de panneaux de carreaux bleu
et blanc représentant des
poissons, des fleurs et du
gibier. La ville avant
le séisme de 1755
est représentée
par des objets
fascinants, comme
une maquette très
détaillée des années
1950, et une peinture
à l'huile du
XVIIIᵉ siècle de
Dirk Stoop
(1610-1686) montrant
le Terreiro do Paço
(Praça do Comércio,
p. 87). Une salle est
consacrée à
l'aqueduc des Águas
Livres (p. 124) avec les plans
détaillés de sa construction
ainsi que des gravures et des
aquarelles de l'ouvrage achevé.
Le thème du séisme est illustré
par des représentations de
la ville ravagée et les divers
plans de reconstruction.
Le retour au XXᵉ siècle
s'effectue avec une grande
affiche célébrant la révolution
de 1910 et la proclamation
de la nouvelle république
(p. 54-55).

Museu Nacional do Azulejo ➓

Pélican du portail manuélin

Dona Leonor, veuve du roi João II, fonda le convento da Madre de Deus en 1509. Construit à l'origine en style manuélin, le couvent fut restauré sous le règne de João III, avec des formes Renaissance simples. L'éblouissante décoration baroque a été ajoutée par João V. Les cloîtres offrent un cadre magnifique au musée national de l'Azulejo. Des panneaux décoratifs, des carreaux isolés et des photographies retracent l'évolution de leur fabrication depuis leur introduction par les Maures jusqu'à nos jours *(p. 22-23)*.

Panorama de Lisbonne
Ce panneau du XVIIIe siècle, qui orne un mur du cloître, représente Lisbonne avant le séisme de 1755 (p. 62-63). Ce détail montre le palais royal sur le Terreiro do Paço.

Scène de chasse
Ce sont des artisans plus que des artistes qui commencèrent, au XVIIe siècle, à décorer des carreaux.

LÉGENDE DU PLAN

- ☐ Faïence mauresque
- ☐ Faïence du XVIe siècle
- ☐ Faïence du XVIIe siècle
- ☐ Faïence du XVIIIe siècle
- ☐ Faïence du XIXe siècle
- ☐ Faïence du XXe siècle
- ☐ Expositions temporaires
- ☐ Circulations et services

À NE PAS MANQUER

★ **Madre de Deus**

★ **Cloître manuélin**

★ **Nossa Senhora da Vida**

Niveau 2

Niveau 1

★ **Nossa Senhora da Vida**
*Ce détail représentant saint Jean fait partie d'un retable de majolique du XVIe siècle. Le panneau central illustre l'*Adoration des Mages.

Les carreaux du XVIIe siècle aux influences orientales sont exposés ici.

Faïence
*Les murs
du restaurant sont
tapissés d'azulejos
du XXe siècle
représentant
des sangliers et
des faisans.*

MODE D'EMPLOI

Rua da Madre de Deus 4. 218
147 747. 18, 42, 104, 105.
14 h–18 h mar., 10 h–18 h
mer.–dim. (dernière ent. 30 mn av.
la ferm.). 1er janv., Pâques, 1er
mai, 25 déc.

Niveau 3

Faïence mudéjare
*Ce carreau du XVe
siècle, orné d'un
animal stylisé,
est typique des
faïences
mudéjares.*

Entrée

Le cloître Renaissance
est l'œuvre de Diogo de
Torralva (1500-1566).

★ Madre de Deus
*Achevée au milieu du
XVIe siècle, l'église Madre
de Deus ne s'orna de
sa décoration sophistiquée
que deux siècles plus tard,
sous João V. Le splendide
retable rococo a été ajouté
après le séisme de 1755.*

SUIVEZ LE GUIDE !
*Les salles autour du cloître
central sont disposées de façon
chronologique. Les carreaux les
plus anciens sont exposés au
premier niveau. On accède à
l'église Madre de Deus par le
deuxième niveau du musée.
La porte principale de l'église est
seulement utilisée pour les messes.*

**Le portail
manuélin**
sculpté *(p. 21)*
a été restauré à partir
d'un tableau
du XVIe siècle.

★ Cloître manuélin
*Le cloître manuélin est un élément
important du couvent d'origine
qui a été préservé. Les azulejos aux
motifs géométriques ont été ajoutés
sur les murs au XVIIe siècle.*

Jardim Zoológico ⑭

Estrada de Benfica 158–60. ☎ *217 232 900*. Ⓜ *Jardim Zoológico*. 🚌 *16, 34, 54, 68.* ◯ *9 h–18 h (avr.–sept. : 20 h) t.l.j.* 🅿 Ⓞ

Dauphins du Jardim Zoológico

Les jardins sont aussi intéressants que le zoo. Certaines cages et volières datant de l'ouverture du zoo, en 1905 ; la modernisation du zoo vient de s'achever et les animaux bénéficient aujourd'hui de meilleures conditions. Certains éléments sont inattendus, notamment le mini-téléphérique qui survole le parc, le spectacle sur la Guerre des Étoiles et le spectacle de dauphins, qui enchantent petits et grands. Le domaine est divisé en quatre zones, et le prix d'entrée est fonction du nombre de parties visitées.

Aqueduto das Águas Livres ⑮

Calçada da Quintinha. ☎ *218 135 522*. ◯ *visites guidées sur r.-v. (Museu da Agua, 218 135 522)* **Mãe d'Água das Amoreiras,** *Praça das Amoreiras.* ◯ *de 10 h à 18 h du lun. au sam.*

Cet Aqueduc, qui était considéré comme le plus beau site de Lisbonne au début du siècle, franchit la vallée d'Alcântara, au nord-ouest de la ville. La construction d'un aqueduc destiné à approvisionner la ville en eau douce fournit à João V *(p. 52-53)* l'occasion rêvée de s'adonner à sa passion des projets grandioses. Le seul quartier qui possédait alors de l'eau potable était l'Alfama. Le projet fut financé par un impôt sur la viande, le vin, l'huile d'olive et d'autres aliments. Bien qu'il n'ait été entièrement achevé qu'au XIXᵉ siècle, l'aqueduc commença à approvisionner la ville dès 1748. L'aqueduc principal mesure 19 km, mais la longueur totale de toutes les ramifications est de 58 km. Trente-cinq arches enjambent la vallée d'Alcântara ; la plus haute se dresse à 65 m.

Le passage piéton de l'aqueduc, qui faisait une promenade agréable, a été fermé en 1853, en partie à cause de Diogo Alves, le célèbre voleur qui précipitait ses victimes dans le vide. Aujourd'hui, une visite guidée, très intéressante, permet de découvrir les arches de l'Alcântara. Des visites du réservoir de Mãe d'Água sont parfois organisées, de même que des excursions aux sources de Mãe d'Água. Comme les visites ne sont pas régulières, mieux vaut contacter le Museu da Água *(p. 120)* pour connaître le programme.

Au bout de l'ancien aqueduc, la **Mãe d'Água das Amoreiras,** qui ressemble à un château, servait autrefois de réservoir d'eau. Les plans de 1745 furent dessinés par l'architecte hongrois Carlos Mardel, qui travailla à la reconstruction de la Baixa sous les ordres de Pombal *(p. 62-63)*. Achevé en 1834, l'endroit devint un lieu de rendez-vous agréable, et on raconte que les rois y retrouvaient leurs maîtresses. Aujourd'hui, les murs de 5 m d'épaisseur qui entourent le bassin accueillent des expositions temporaires.

Les arches imposantes de l'Aqueduto das Águas Livres enjambent la vallée d'Alcântara

Palácio Fronteira ⑯

Largo São Domingos de Benfica 1.
█ 217 782 023. Ⓜ Jardim Zoológico.
█ 72. ⬛ Benfica. ◯ visites guidées
seul. à 11 h et ap.–m. lun.–sam. █
palais. ◯ jours fériés. █

Terrasse carrelée menant à la chapelle du palácio Fronteira

Ce ravissant manoir fut construit en 1640 comme pavillon de chasse pour João de Mascarenhas, le premier marquês de Fronteira. Bien que des gratte-ciel se détachent à l'horizon, la demeure est toujours installée en un paisible endroit champêtre en bordure du parque Florestal de Monsanto. La maison et le jardin possèdent de magnifiques *azulejos* aux thèmes les plus variés, allant de scènes de batailles à des singes soufflant dans des trompettes.

Le palais est habité par le 12e marquis du nom, mais certaines pièces, la bibliothèque et le jardin à la française se visitent. Dans la salle des Batailles, des panneaux de faïence représentent des scènes très vivantes

Buste de João Ier, jardin du palácio Fronteira

de la guerre de restauration de l'indépendance *(p. 50-51)*, un détail montrant João de Fronteira combattant un général espagnol. C'est sa loyauté vis-à-vis de Pedro II durant cette guerre qui lui valut le titre de marquis. Comparez ces naïfs *azulejos* portugais du XVIIe siècle à la faïence de Delft de la même période, dans la salle à manger, représentant des scènes naturalistes. La salle à manger est également décorée de fresques en carreaux et de portraits de la noblesse portugaise, réalisés par des artistes comme Domingos A. de Sequeira (1768-1837).

La chapelle (fin du XVIe siècle) est la partie la plus ancienne de la maison. La façade est agrémentée de pierres, de coquillages et d'éclats de verre et de porcelaine. La vaisselle aurait été utilisée pour les festivités d'inauguration du palais, puis brisée. La visite du **jardin** part de la terrasse de la chapelle, où des niches carrelées abritent des personnages incarnant les arts et des créatures mythologiques. À une extrémité du jardin à l'italienne, des scènes en *azulejos* figurant des chevaliers (ancêtres de la famille Fronteira), se reflètent dans l'eau d'un grand bassin. De part et d'autre du plan d'eau, un grand escalier rejoint une terrasse, où des niches abritent des bustes de rois et des reliefs colorés en majolique ornent les arcades. D'autres *azulejos* ornent le fond du jardin.

Entrée du musée du théâtre, parque do Monteiro-Mor

Parque do Monteiro-Mor ⑰

Largo Júlio Castilho. █ 217 590 318. █
1, 3, 4, 7, 36, 101, 108. **Parc** ◯
10 h–18 h mar.–dim. ◯ 1er janv.,
Pâques, 1er mai, 25 déc. **Museu
Nacional do Traje** ◯ 10 h–18 h
mar.–dim. **Museu Nacional do Teatro**
█ 217 567 410. ◯ 10 h–18 h
mer.–dim., 14 h–18 h mar. █ billet
valable pour le parc et les musées. █ █

Ce parc fut cédé à l'État portugais en 1975, et le palais du XVIIIe siècle accueille désormais des musées. Les visiteurs sont peu nombreux dans ce superbe domaine boisé, éloigné du centre-ville. Autour des musées s'étend un jardin avec des arbustes fleuris, des mares et des arbres tropicaux, bien plus charmant que ceux de Lisbonne.

Le **Museu Nacional do Traje** (musée du Costume), plutôt désuet, possède une vaste collection de vêtements ayant appartenu à des musiciens, des hommes politiques, des poètes, des aristocrates et des soldats.

Le **Museu Nacional do Teatro** est installé dans deux bâtiments. L'un accueille des expositions temporaires, l'autre présente une très petite collection permanente. On y voit des photographies, des affiches et des dessins d'acteurs portugais célèbres du XXe siècle. Une partie est consacrée à Amália Rodrigues, la célèbre chanteuse de *fado* *(p. 66-67)*.

RÉPERTOIRE DES NOMS DE RUES

Les références données pour chaque site, monument ou salle de spectacles de Lisbonne décrits dans ce guide se rapportent aux plans de l'Atlas des pages suivantes. Des références sont également fournies pour les hôtels *(p. 380-383)* et les restaurants de Lisbonne *(p. 404-407)*. Le premier chiffre de la référence correspond au numéro du plan. La

lettre et le chiffre suivants indiquent le carré défini par la grille du plan. La carte ci-dessous représente la zone couverte par les huit cartes. Les symboles utilisés pour les sites et les renseignements utiles sont expliqués ci-dessous. Vous trouverez dans les pages suivantes un index des noms de rues suivi des cartes détaillées de la ville vous informant de tous les sites intéressants.

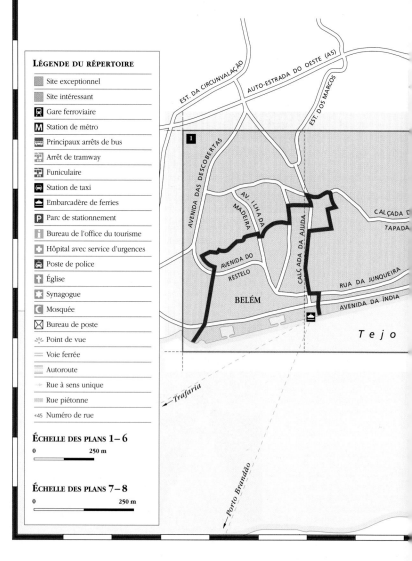

LÉGENDE DU RÉPERTOIRE

	Site exceptionnel
	Site intéressant
🚆	Gare ferroviaire
Ⓜ	Station de métro
🚌	Principaux arrêts de bus
🚊	Arrêt de tramway
🚋	Funiculaire
🚕	Station de taxi
⛴	Embarcadère de ferries
🅿	Parc de stationnement
🛈	Bureau de l'office du tourisme
✚	Hôpital avec service d'urgences
🛡	Poste de police
✝	Église
✡	Synagogue
☪	Mosquée
⊠	Bureau de poste
☀	Point de vue
═	Voie ferrée
▬	Autoroute
➝	Rue à sens unique
▬	Rue piétonne
«45	Numéro de rue

ÉCHELLE DES PLANS 1 – 6

0   250 m

ÉCHELLE DES PLANS 7 – 8

0   250 m

Répertoire des noms de rues

notre hotel, le Mundial

Hotel Mundial

TAPADA

BAIRRO
A AJUDA

DA

CALÇADA DA AJUDA

AJUDA

CALÇADA DA AJUDA

FESSOR CID DOS SANTOS

R. DO VITO AO CASALINHO DA AJUDA

RUA ROY-CAMPBELL

R. FONSECA BENEVIDES

TRAVESSA DO

RUA PROF. ARMANDO DE

R. DO CASALINHO DA AJUDA

RUA DO CRUZEIRO

R. JOSÉ FERNANDES

R. VIEIRA DA CASTRO

R. INÊS M. CORREIA

CALÇADA DA TAPADA

DO MIRANTE À AJUDA

LARGO DA TORRE

GOMES FERREIRA

R. DA TORRE

EDUARDO

BAYRADA

RUA G. ANTHORI

RUA BARROS

RUA LUIS DE CAMÕES

R. DA INDÚSTRIA

Palácio
Nacional
da Ajuda

LARGO
DA AJUDA

RUA DE DOM VASCO

R. DO GUARDA-JÓIAS

RUA DO RIO SECO

R. SILVA PORTO

RUA DOM JOÃO DE

T DOS MOINHOS

RUA JOÃO R. GOMES DE PASSOS

RUA PEDRO CALMON

RUA GIL

FILINTO ELÍSIO

LUSÍADAS

R. DA BICA DO MARQUÊS

R. DAS FLORINDAS

T. DO GUARDA-JÓIAS

R. DOS ARRENDOS

R. SÁ

R. CORONEL PEREIRA DA SILVA

TRAVESSA MOINHO VELHO

R. DO MACHADO

RUA DO M

RUA ALIANÇA OPERÁRIA

RUA JAU

RUA VICENTE

CALÇADA DE SANTO AMARO

TRAVESSA DA BOA HORA À AJUDA

T. DOM VASCO

RUA NOVA DO CALHARIZ

RUA DOS QUARTEIS

CÃO DIOGO

TRAVESSA DO GIESTAL

SANTO
AMARO

T. DO CONDE DA RIBEIRA

AJUDA

R. DAS MOREIRAS À AJUDA

r.183

R. ALF DA SILVA

CALÇADA DA

RUA DO GIESTAL

R. ACADEMIA RECREATIVA DE

r.14

RUA ALEXANDRE DE SÁ PINTO

R. DA QUINTA DO ALARGÃO

RUA ARTUR LAMAS

RUA DA BOA HORA

RUA DO GIESTAL

Hospital
de Egas
Moniz

RUA DA JUNQUEIRA

T. DO PINTO

T DA GUARDA

T. DA PRAÇA

RUA PINTO FERREIRA

RUA

RUA DA JUNQUEIRA

ÍNDIA

🚗

🏛

r.14

Museu
Nacional
dos Coches

RUA
DO EMBAIXADOR

RUA DA JUNQUEIRA

r329

AVENIDA

AVENIDA DE BRASÍLIA

DA

🚉
Belém

🏛
Estação Fluvial
de Belém

Tejo

Le Centre
du Portugal

Le Centre d'un coup d'œil

La région entre Lisbonne et Porto compte des chefs-d'œuvre architecturaux et des sites historiques magnifiques, comme les palais de Sintra et de Queluz, et les sites religieux de l'Estremadura. Cette région et la Beira Litoral possèdent des stations balnéaires prisées, mais aussi des villages de pêcheurs pittoresques. L'intérieur des terres, sur les rives du Tage, est voué à l'élevage et à l'agriculture (vigne, fruits, riz). Plus au nord, les Beiras présentent des paysages variés : la ville de Coimbra, les vallées couvertes de vigne de la région de Dão, réputée pour son vin, ainsi que les montagnes désolées et les villes fortifiées de la Beira Alta et de la Beira Baixa. Cette région reculée est dominée par le massif de granit de la Serra da Estrela.

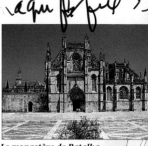

Le monastère de Batalha
(Batalha signifie « bataille »), ou Santa Maria da Vitória, a été construit pour commémorer la victoire sur les Espagnols lors de la bataille d'Aljubarrota en 1385. C'est un édifice gothique remarquable (p. 182-183).

Beira Litoral

Alcobaça *est renommée pour son abbaye fondée au XIIᵉ siècle par le roi Afonso Henriques. Le grand dortoir voûté illustre parfaitement l'atmosphère contemplative qui règne dans ce vaste bâtiment cistercien (p. 178-179).*

Sintra*, à l'ouest de Lisbonne, est une ville boisée qui permet d'échapper à la canicule de la capitale. C'est ici que les monarques portugais venaient passer l'été. Le Palácio Nacional regorge de merveilles, comme ce plafond peint décoré de pies (p. 158-159).*

Estremadura

ESTREMADURA ET RIBATEJO
(p. 170–193)

LISBONNE
(p. 58–139)

LA CÔTE DE LISBONNE
(p. 148–169)

Le palácio de Queluz *est un chef-d'œuvre architectural rococo (p. 164-165). L'escalier des Lions monte vers le pavillon à colonnes qui porte le nom de son architecte, Jean-Baptiste Robillion.*

0   50 km

◁ **Château des Templiers du convento de Cristo à Tomar, dominant la ville**

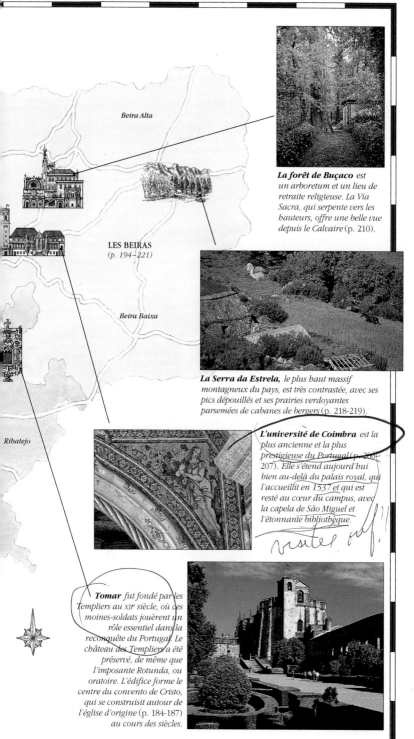

Beira Alta

LES BEIRAS
(p. 194–221)

Beira Baixa

Ribatejo

La forêt de Buçaco, *est un arboretum et un lieu de retraite religieuse. La Via Sacra, qui serpente vers les hauteurs, offre une belle vue depuis le Calvaire* (p. 210).

La Serra da Estrela, *le plus haut massif montagneux du pays, est très contrastée, avec ses pics dépouillés et ses prairies verdoyantes parsemées de cabanes de bergers* (p. 218-219).

L'université de Coimbra *est la plus ancienne et la plus prestigieuse du Portugal* (p. 206-207). *Elle s'étend aujourd'hui bien au-delà du palais royal, qui l'accueillit en 1537 et qui est resté au cœur du campus, avec la capela de São Miguel et l'étonnante bibliothèque.*

Tomar *fut fondé par les Templiers au XIIe siècle, où des moines-soldats jouèrent un rôle essentiel dans la reconquête du Portugal. Le château des Templiers a été préservé, de même que l'imposante Rotunda, ou oratoire. L'édifice forme le centre du convento de Cristo, qui se construisit autour de l'église d'origine* (p. 184-187) *au cours des siècles.*

Chevaux et taureaux

Le dressage classique et la tauromachie sont liés au nom du marquês de Marialva, écuyer du roi de 1770 à 1799. Il rendit célèbres des figures de dressage extrêmement complexes et difficiles, certaines voyant le cheval s'élancer dans les airs comme une ballerine. Lors des courses de taureaux, les cavaliers dans l'arène recourent à l'« art de Marialva » et exécutent généralement quelques figures de dressage pour divertir le public. La patrie traditionnelle de la tauromachie est le Ribatejo. Les courses se déroulent du printemps à l'automne lors de foires annuelles dans des villes comme Santarém, Vila Franca de Xira et Coruche. Au Portugal, la mise à mort du taureau n'a jamais lieu dans l'arène.

Cavalier lors de la foire de Golegã

Affiche d'une course de taureaux

Ces gardiens de troupeaux rassemblent les taureaux, montrant leur savoir-faire.

Le grand João Moura salue la foule de son tricorne lors d'une *tourada*.

La crinière du cheval est magnifiquement tressée de rubans.

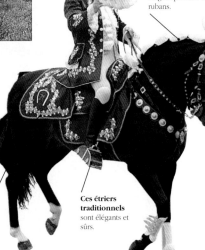

LE *CAVALEIRO*
Le cavalier porte un costume traditionnel du XVIIIe siècle, avec l'habit en satin, et monte un cheval richement harnaché. Il doit planter les *farpas* (banderilles) dans l'épaule du taureau. Sa performance est évaluée d'après son style et son courage.

Ce précieux tapis de selle est brodé aux initiales de João Moura.

La décoration de la queue, très riche, affiche encore l'influence du style Louis XV.

Ces étriers traditionnels sont élégants et sûrs.

L'ART ÉQUESTRE TRADITIONNEL

L'Escola Portuguesa de Arte Equestre et les centres hippiques du Ribatejo perpétuent l'art codifié par Marialva. L'école de Lisbonne effectue plusieurs représentations par an, dans tout le pays. Des cavaliers en costumes du XVIIIe siècle exécutent des figures de dressage sur leurs chevaux lusitaniens Alter Real *(p. 296)*. Leurs figures ressemblent à ces illustrations tirées d'un ouvrage de 1790 dédié à Dom João (futur João VI), féru d'équitation.

Plaque du centre équestre Lezíria Grande *(p. 192)*

Le marquês de Marialva fait exécuter une *croupade* à sa monture : le cheval relève ses pattes postérieures sous le ventre.

LA COURSE DE TAUREAUX

La corrida ou *tourada* allie drame et bravoure. Une équipe d'écuyers à pied *(peões de brega)* attirent le taureau avec des capes et le préparent pour le *cavaleiro*. Celui-ci est suivi de huit *forcados*, des volontaires qui tentent de maîtriser le taureau à mains nues lors de la *pega*. À la fin, le taureau est tiré hors de l'arène par des bœufs.

Lors de la cérémonie d'ouverture, *les deux* cavaleiros *s'alignent avec les* forcados, *placés de part et d'autre.*

Le cavaleiro plante les banderilles dans l'épaule du taureau.

Le taureau charge, provoqué par le *cavaleiro* et le cheval. Ses cornes émoussées sont gainées de cuir.

L'entente entre l'homme et le cheval est parfaite. La plupart des cavaleiros *montent des lusitaniens, le plus ancien cheval de selle du monde, qui est une monture de guerre courageuse, élégante et puissante. Les partisans de la tauromachie estiment que ce spectacle a permis de préserver cette race de chevaux.*

Le bas des jambes du cheval est bandé.

Le premier *forcado* saisit le taureau à bras le corps en se jetant entre ses cornes.

Un forcado prête main forte au premier, les autres s'apprêtant à intervenir.

Le combat s'achève *avec la* pega *: le chef de file des* forcados *incite le taureau à charger, puis se jette par-dessus sa tête. Les autres tentent de maintenir la bête, pesant de tout leur poids pour l'immobiliser. L'un d'eux tire le taureau par la queue. Huit fois sur dix, les* forcados *sont ballottés, puis tentent à nouveau de relever le défi. La foule rit, mais applaudit leur savoir-faire et leur courage.*

Dom João en personne exécute le galop, impliquant un changement de direction à chaque foulée.

Le marquês de Marialva apprend à sa monture à tourner en cercles autour d'un poteau.

Le cheval bondit, les pattes postérieures tendues, pour exécuter la cabriole.

Cuisine : le Centre du Portugal

Pot en céramique

La gastronomie de la région est extrêmement diversifiée. Les spécialités de l'Aveiro sont le ragoût d'anguille et les *ovos moles* (p. 200), et le plat des environs de Coimbra est le cochon de lait. Sur les côtes, les fruits de mer sont abondants et variés. À l'intérieur des terres, le chevreau et l'agneau sont servis rehaussés de *colorau* (paprika) et cuits au vin rouge. Le lait de chèvre et de brebis donne quantité de fromages, dont le fameux serra, de la Serra da Estrela. Les melons du Ribatejo sont très sucrés, et le muscat de Setúbal est utilisé pour la table et pour le vin.

Les **pataniscas** *sont des croquettes de morue. Ces demi-lunes, des rissóis, sont farcies d'une sauce aux fruits de mer.*

Papo seco

Pãezinhos

Queijo de ovelha **(fromage de brebis)**

Requeijão

La **sopa de pedra,** *« soupe de pierre », à base de légumes et de viande, est une entrée consistante.*

Les **fromages frais** *de chèvre ou de brebis se dégustent avec différents pains frais. Le requeijão est très apprécié.*

Le **leitão à Bairrada,** *cochon de lait rôti croustillant, est servi froid ou chaud. On en trouve chez les bons traiteurs.*

Le **bife à café** *est un steak avec une sauce crémeuse et des frites, couronné d'un œuf sur le plat, tel qu'on le sert dans les cafés.*

Le **frango à piri-piri,** *poulet au piment grillé au feu de bois, est un classique des anciennes colonies africaines.*

Le **bacalhau à brás,** *très apprécié, est composé de morue, de pommes de terre, d'oignons et d'œuf brouillé.*

LES FROMAGES

La plupart des fromages sont au lait de brebis ou de chèvre, ou des deux. Le meilleur (et le plus cher) est le serra, crémeux, qui durcit et se corse en vieillissant *(p. 215)*. Le rabaçal est un fromage doux de Coimbra, tandis que l'azeitão, produit près de Setúbal, est relevé. Le saloio est apprécié pour son goût laiteux. Les petits fromages sont parfois conservés dans l'huile.

Rabaçal

Serra

Azeitão

Saloio

Les fruits de mer, *très abondants, sont succulents. Lisbonne regorge de restaurants de fruits de mer : homards, crevettes, langoustes, huîtres, crabes et araignées de mer y sont présentés avec art. Les menus proposent aussi des régals moins connus, comme les* anatifes. *Les coques et les palourdes se retrouvent dans quantité de plats, notamment le riz aux fruits de mer,* l'arroz de marisco.

Huîtres

Crabe

Crevettes

Homard

Moules

Bouquets

Dans l'açorda de marisco, *les fruits de mer rehaussent une soupe épaisse à base de mie de pain, d'ail et de coriandre.*

Le salmonete grelhado, *rouget grillé, est la spécialité de Setúbal, où il est servi avec une sauce au beurre citronnée.*

LES BOISSONS

Le Centre du Portugal produit quantité de vins *(p. 28-29)*, à partir desquels on distille l'*aguardente* (eau-de-vie). Il y a aussi des liqueurs, comme la licor beirão à base d'herbes. Les nombreuses sources de la région donnent de l'eau minérale, notamment la Luso *(p. 209)*. On connaît moins la bière de cette région. Lisbonne possède plusieurs *cervejarias* (brasseries).

La mousse de chocolate, *préparée avec du chocolat noir de qualité, est excellente.*

L'arroz doce, *riz au lait, est parfumé aux zestes de citron et à la vanille.*

**Eau-de-vie
Velha
Reserva**

**Eau
minérale
de Luso**

Queijadas de Sintra
(tartelettes au fromage
et à la cannelle)

Pastéis de nata
(tartelettes à la
crème aux œufs)

Pastel de feijão
(amandes, œufs
et haricots)

Broas
(patate douce
et amandes)

Les tartelettes, *comme les* pastéis de nata, *sont le plus souvent à base de jaune d'œuf, d'amandes et d'épices, comme la cannelle.*

**Liqueur
Beirão**

**Bière
Sagres**

LA CÔTE DE LISBONNE

À moins d'une heure de voiture de Lisbonne, au nord-ouest, s'étendent les côtes rocheuses de l'Atlantique, les versants boisés de Sintra et des campagnes parsemées de villas et de palais royaux. Au sud, on trouve des plages et des villages de pêcheurs, et les lagunes des estuaires du Tage et du Sado.

Des Phéniciens aux Espagnols, les marchands et les envahisseurs ont marqué la région. L'influence des Maures y est particulièrement visible : leurs forts et leurs châteaux, reconstruits à maintes reprises au cours des siècles, sont visibles sur toute la côte. Lorsque Lisbonne devint la capitale, en 1256, les rois et les nobles portugais bâtirent des palais et des villas d'été à l'ouest de la ville, sur les hauteurs verdoyantes et fraîches de la Serra de Sintra.

Jusqu'à la construction du pont suspendu, en 1966, la rive sud, au-delà du Tage, n'était desservie que par ferry et donc peu fréquentée. Aujourd'hui, les longues plages de la Costa da Caparica, la côte de la région de Sesimbra et même la péninsule reculée de Tróia sont très prisées en été. Heureusement, de vastes réserves naturelles ont été aménagées sur la côte et dans les campagnes.

Malgré l'urbanisation rapide de la région, des petits villages de pêcheurs et d'agriculteurs ont été préservés. Des marchés animés proposent des poissons et des fruits de mer, et Colares et Palmela sont connus pour leurs vins. Dans la Serra da Arrábida, l'élevage des moutons est toujours pratiqué, et le lait de brebis sert à la production d'un fromage, l'azeitão. La principale culture de l'estuaire du Sado est le riz. Les marais salants près d'Alcochete et les carrières de marbre de Pero Pinheiro sont toujours exploités.

La mer est froide et souvent agitée, mais les plages sont très propres. La région permet de pratiquer la planche à voile, la pêche et la plongée au tuba, mais aussi l'équitation et le golf. Il y a même un circuit de formule 1 à Estoril. Les divertissements sont nombreux : festivals de musique et de cinéma, courses de taureaux et foires artisanales proposant poteries et vanneries.

Façades carrelées d'Alcochete, une jolie ville de l'estuaire du Tage

◁ Bateaux de pêcheurs colorés dans le port de Sesimbra

À la découverte de la côte de Lisbonne

Au nord du Tage, la ville de Sintra, parsemée de palais anciens, est entourée de collines boisées qu'auréole parfois la brume venue de la mer. Sur la côte, la localité cosmopolite de Cascais ou le village de pêcheurs traditionnel d'Ericeira sont d'excellentes bases pour rayonner dans les environs. Au sud du Tage, la Serra da Arrábida et la côte déchiquetée des environs du cabo Espichel peuvent se visiter depuis le petit port de Sesimbra. À l'intérieur des terres, les réserves naturelles des estuaires du Tage et du Sado sont des havres de paix.

D'UN COUP D'ŒIL

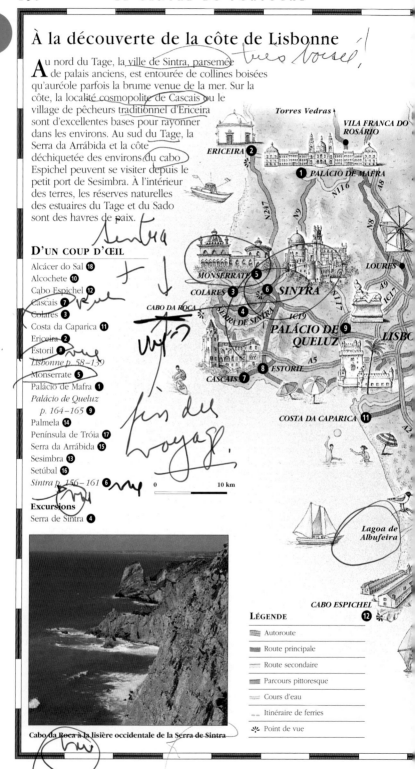

TORRES VEDRAS — VILA FRANCA DO ROSÁRIO — ERICEIRA 2 — PALÁCIO DE MAFRA 1 — LOURES — MONSERRATE 5 — COLARES 3 — SINTRA 6 — CABO DA ROCA — SERRA DE SINTRA 4 — PALÁCIO DE QUELUZ 9 — LISBOA — ESTORIL 8 — CASCAIS 7 — COSTA DA CAPARICA 11 — Lagoa de Albufeira — CABO ESPICHEL 12

0   10 km

Cabo da Roca à la lisière occidentale de la Serra de Sintra

LÉGENDE

- Autoroute
- Route principale
- Route secondaire
- Parcours pittoresque
- Cours d'eau
- Itinéraire de ferries
- Point de vue

Convento da Arrábida, Serra
da Arrábida

CIRCULER

De Lisbonne, des autoroutes
desservent Sintra, Estoril, Palmela et
Setúbal. Les routes principales sont
bien signalisées et en bon état, mais
parfois encombrées, surtout le week-
end et les jours fériés. Attention aux
nids de poule sur les petites routes !
De Lisbonne (gare Cais do Sodré)
aussi partent des trains rapides et
fréquents à destination de Cascais en
desservant Estoril, entre autres, et à
destination de Sintra (gare du Rossio).
Pour les trains du sud, allant à Setúbal,
Alcácer do Sal et plus loin, prenez le
ferry pour Barreiro, sur la rive gauche.
La plupart des cars partent de la praça
de Espanha, à Lisbonne.

Bateaux de
pêche, port de
Sesimbra

VOIR AUSSI

• **Hébergement** p. 384–386

• **Restaurants** p. 408–409

Pavement de marbre dans la superbe bibliothèque du palácio de Mafra

Palácio de Mafra ❶

Carte routière B5. Terreiro de Dom João V, Mafra. 📞 218 181 550. 🚌 de Lisbonne. 🕐 10 h–15 h. 🕐 1er janv., Pâques, 1er mai, 25 déc. 📷 🎥 obligatoire.

L'imposant palais-monastère baroque *(p. 52-53)*, qui domine la petite ville de Mafra, a été construit sous le règne de João V, le roi le plus extravagant du Portugal. Tout commença lorsque le jeune souverain fit le vœu de construire un monastère et une basilique pour avoir un héritier (ou peut-être, disent les mauvaises langues, pour expier une vie de débauche). Le modeste projet initial entamé en 1717 était prévu pour accueillir treize moines franciscains. Puis les richesses issues du Brésil affluèrent dans les caisses du Portugal, et le roi et son architecte formé en Italie, Johann Friedrich Ludwig

(1670-1752), conçurent des plans de plus en plus grandioses : 52 000 ouvriers travaillèrent à la construction du site qui, une fois achevé, pouvait accueillir 330 moines. Il comprenait un palais royal et l'une des plus belles bibliothèques d'Europe, ornée de marbre précieux et de bois exotique. La superbe basilique fut consacrée le 22 octobre 1730, jour du 41e anniversaire du roi. Les festivités durèrent huit jours.

Le palais ne fut apprécié que par la famille royale, et par quelques amateurs de chasse au sanglier et au cerf dans la *tapada* (réserve de chasse) voisine. La plupart des meubles et œuvres d'art furent emportés au Brésil quand la famille royale fuit l'invasion française, en 1807. Le monastère ne fut abandonné qu'en 1834, après la dissolution des ordres religieux. Quant au palais, il fut délaissé en 1910, lorsque le dernier roi du Portugal, Dom Manuel II, s'enfuit sur le yacht royal ancré au large d'Ericeira.

Il faut prévoir au moins une heure

pour la visite. Elle commence dans les salles du monastère, passe par la pharmacie, avec de superbes bocaux et des instruments médicaux inquiétants, puis mène à l'hospice où seize patients installés dans des loges particulières pouvaient assister à la messe dans la chapelle adjacente sans quitter leur lit.

En haut, de splendides salles de réception s'étendent le long de la façade occidentale du palais. Les appartements du roi sont séparés de quelque 232 m de ceux de la reine. L'imposante façade est agrémentée des tours jumelles de la basilique, couronnée d'un dôme. À l'intérieur, l'église est décorée de marbre aux couleurs contrastées et recèle six orgues du début du XIXe siècle. De magnifiques sculptures baroques, réalisées par l'école de Mafra, ornent le vestibule de la basilique.

Cette école fondée par José Ier en 1754 forma quantité de sculpteurs portugais et étrangers, sous la direction de l'Italien Alessandro Giusti (1715-1799). Plus loin, la sala da Caça abrite trophées de chasse et têtes de sangliers. Le trésor le plus précieux de Mafra est l'étonnante bibliothèque, avec son sol en marbre, ses œuvres d'art, ses étagères en

Saint Bruno, vestibule de la basilique de Mafra

bois rococo et ses 36 000 ouvrages reliés en cuir, dont la première édition de l'œuvre du poète Luís de Camões *(p. 46), Os Lusíadas* (1572).

AUX ENVIRONS : Le jeudi matin, le petit bourg de **Malveira,** à 10 km à l'est de Mafra, accueille un grand marché d'alimentation et d'articles ménagers.

À **Sobreiro,** à 6 km à l'ouest de Mafra, la reconstitution d'un village portugais en miniature, Zé Franco, regroupe des maisons, des fermes, une cascade et un moulin à vent, tous minutieusement recréés.

La chambre à coucher du roi dans le palais royal

Un tracteur hisse un bateau de pêche hors de l'eau, Ericeira

Ericeira ❷

Carte routière B5. 🚶 6 600. 🚌
ℹ️ *rua Mendes Leal (261 863 122).*
🏪 *t.l.j.*

Ce village de pêcheurs est resté traditionnel, malgré l'afflux de visiteurs qui, l'été, viennent profiter du climat vivifiant, des plages de sable et des fruits de mer. En juillet et en août, lorsque la population passe à 30 000 personnes, les cafés, les restaurants et les bars de la praça da República restent animés tard dans la nuit. Parfois, le drapeau rouge sur la plage indique que la baignade est dangereuse. Les vacanciers partent alors jouer au mini-golf à Santa Marta ou visitent le **Museu da Ericeira**, avec ses maquettes de bateaux et ses équipements de pêche traditionnels.

La vieille ville, aux maisons blanchies à la chaux et aux ruelles pavées, est perchée sur les hauteurs. Le largo das Ribas, au sommet d'une falaise de 30 m, offre une jolie vue sur le port de pêche animé, où les tracteurs ont remplacé les bœufs qui hissaient autrefois les bateaux hors de l'eau. Le 16 août, la fête annuelle des pêcheurs est célébrée par une procession qui se rend au port pour bénir les bateaux.

Le 5 octobre 1910, lorsque la république fut proclamée à Lisbonne, Manuel II, le dernier roi du Portugal *(p. 54-55)*, partit en exil depuis Ericeira. Dans la chapelle de Santo António, au-dessus du port, un panneau d'*azulejos* commémore cet événement.

Le monarque s'installa à Twickenham, au sud-ouest de Londres, où il mourut en 1932.

🏛 Museu da Ericeira
Largo da Misericórdia. 🕐 *juin–sept. : mar.–dim. ; oct–mai : lun.–sam. (a.-m. seulement).* ⚫ *1er janv., 25 déc.* 📷 *Actuellement fermé*

Colares ❸

Carte routière B5. 🚶 7 500. 🚌
ℹ️ *Praça da Republica 23, Sintra (219 237 157).*

Ce charmant village du bas de la Serra de Sintra est tourné vers la mer, dont il est seulement séparé par une vallée verdoyante, appelée la várzea de Colares. Une route escarpée mène à ce village paisible, qui regorge de fleurs odorantes, de pins et de châtaigniers. C'est ici qu'est produit le fameux vin de Colares. Les vieilles vignes, qui croissent sur un sol sablonneux, les racines profondément enfouies dans l'argile, furent les seules à survivre à l'épidémie de phylloxéra. L'insecte qui ravagea les vignes dans toute l'Europe en s'attaquant aux racines ne parvint pas à pénétrer le sol sablonneux et dur de la région. Des dégustations de vin sont proposées à l'Adega regional de Colares dans l'alameda de Coronel Linhares de Lima.

AUX ENVIRONS : L'ouest de Colares compte plusieurs stations balnéaires agréables, mais assez peuplées en haute saison. De Banzão, vous pourrez parcourir 3 km dans le vieux tramway inauguré en 1910, qui circule toujours du 1er juillet au 30 septembre, pour rejoindre **Praia das Maças.** Juste au nord de Praia se trouve le pittoresque village d'**Azenhas do Mar,** agrippé à la falaise. Au sud s'étend la station balnéaire de **Praia Grande.** Les deux localités possèdent des piscines naturelles taillées dans les rochers, qui se remplissent d'eau de mer à marée haute. **Praia da Adraga** possède un café et un restaurant de plage très agréables. Le soir et hors saison, les pêcheurs installent leurs cannes pour prendre les poissons qu'amène la marée.

Piscine naturelle d'Azenhas do Mar, près de Colares

La Serra de Sintra ④

Azulejos à Peninha

Ce circuit au départ de Sintra emprunte un itinéraire spectaculaire dans la montagne boisée. La première partie du trajet, assez difficile, suit des virages en épingle à cheveux sur des routes étroites et escarpées, en assez mauvais état, et traverse des forêts denses et un paysage irréel de rochers géants couverts de mousse, avec une vue époustouflante sur l'Atlantique et l'estuaire du Tage. Après avoir plongé vers la côte déchiquetée et venteuse, l'itinéraire revient sur des petites routes de campagne traversant des villages montagnards et de vastes domaines verdoyants sur le versant nord de la Serra.

La côte atlantique, vue de Peninha

Colares ⑥
Le village de Colares, entouré de jardins et de vignes, est niché au bas des versants boisés de la montagne *(p. 153)*.

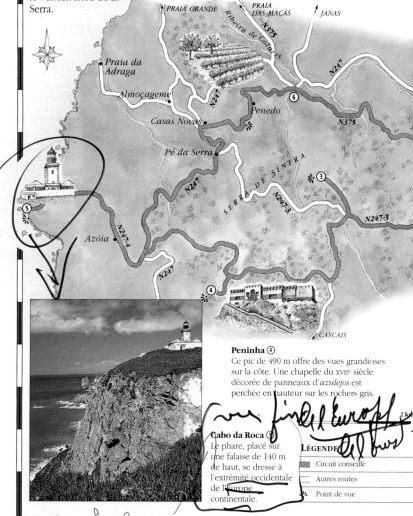

Peninha ④
Ce pic de 490 m offre des vues grandioses sur la côte. Une chapelle du XVIIᵉ siècle décorée de panneaux d'*azulejos* est perchée en hauteur sur les rochers gris.

Cabo da Roca ⑤
Le phare, placé sur une falaise de 140 m de haut, se dresse à l'extrémité occidentale de l'Europe continentale.

LÉGENDE

— Circuit conseillé
— Autres routes
Point de vue

0 km   2 km

Seteais ⑧

Cet élégant palais rose qui abrite un hôtel-restaurant de luxe *(p. 386 et 409)* a été bâti au XVIIIᵉ siècle pour le consul hollandais, D. Gildemeester.

CARNET DE ROUTE

Longueur : *36 km.*
Où faire une pause ? *La forêt et le parque da Pena invitent au pique-nique, avec leurs sources d'eau potable et leurs fontaines le long des routes de montagne. Au cabo da Roca, vous trouverez un café, un restaurant et quelques magasins de souvenirs. Colares a plusieurs restaurants et bars très agréables (p. 444-445).*

Monserrate ⑦

Le parc forestier, touffu et frais, et l'élégant palais du XIXᵉ siècle se marient au romantisme de Sintra.

Sintra ①

Du centre de la vieille ville, la route qui grimpe en lacet dépasse de magnifiques *quintas* (propriétés) cachées entre les arbres.

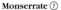

ERICEIRA
MAFRA
N247

SERRA DE SINTRA
⑧
⑦
①
Palácio da Pena
②
CRUZ ALTA
N249
N9
LISBOA
ESTORIL
CASCAIS

Parque da Pena ②

Ce vaste parc peut se découvrir à pied *(p. 157)*. En voiture, on peut aller jusqu'à Cruz Alta, point culminant de la Serra de Sintra.

Convento dos Capuchos ③

Deux rochers géants gardent l'entrée de ce monastère franciscain, où les moines vivaient dans de minuscules cellules taillées dans le roc et tapissées de liège. La colline dominant ce site isolé offre une belle vue sur la côte.

Palais de Monserrate

Monserrate ⑤

Carte routière B5. Route de Monserrate. ☎ *219 231 201.* 🚌 *pour Sintra, puis taxi.* ☐ *du 25 mars au 27 oct. : 9 h-19 h ; du 28 oct. au 24 mars : 9 h-18 h (dernière admission 1 h avant la fermeture).* ● *1ᵉʳ janv., Pâques, 1ᵉʳ mai, 25 déc.* 🚫

Le jardin sauvage et romantique de ce domaine est une véritable jungle d'arbres exotiques et d'arbustes en fleurs. Entre les essences subtropicales et une vallée de fougères arborescentes, on découvre une cascade, un petit étang et une chapelle en ruine, emprisonnée entre les racines d'un *Ficus* géant. L'histoire de la localité remonte aux Maures, mais elle tire son nom d'une chapelle du XVIᵉ siècle dédiée à Notre-Dame de Montserrat en Catalogne.

Le jardin a été aménagé à la fin du XVIIIᵉ siècle par un jeune Anglais fortuné, William Beckford. Ce jardin a été immortalisé par Lord Byron dans *Le pèlerinage de Childe Harold* (1812).

En 1856, le domaine abandonné fut acheté par Sir Francis Cook, qui construisit un palais de style mauresque (aujourd'hui vide) et dota le jardin d'une vaste pelouse, de camélias et d'arbres subtropicaux de toutes provenances. On y trouve un *Metrosidros* géant (arbre australien qui se couvre de fleurs rouges en juillet), des *Arbutus* indigènes (arbousiers dont les fruits rouges servent à distiller un alcool, la *medronheira*), et des chênes-lièges, sur les troncs desquels de petites fougères ont élu domicile.

L'Association des amis de Monserrate travaille à la restauration de la maison et du jardin, laissés à l'abandon.

Sintra **6**

L'emplacement grandiose de Sintra, sur un versant nord de la Serra, parsemé de ravins boisés et de sources fraîches, en fit un lieu de villégiature très apprécié des rois du Portugal. Les hautes cheminées coniques du Palácio Nacional de Sintra (*p. 158-159*) et le fabuleux palácio da Pena (*p. 160-161*), majestueux sur son pic lorsque la Serra se drape de brume, sont emblématiques de la région. Classée patrimoine mondial de l'humanité par l'Unesco en 1995, Sintra attire des milliers de visiteurs, mais les collines boisées de la région offrent encore quantité de promenades paisibles, particulièrement belles les soirs d'été.

À la découverte de Sintra

La Sintra actuelle se divise en trois parties : Sintra Vila, Estefânia et São Pedro, reliées par un dédale de rues en lacet qui s'étendent sur les collines environnantes. Dans les jolies ruelles pavées de la vieille ville, Sintra Vila, qui s'articule autour du **palácio nacional de Sintra**, se trouvent les musées et le **bureau de poste** carrelé. La **volta do Duche** part de la vieille ville, longe le **parque da Liberdade** et se dirige au nord vers le quartier d'Estefânia et la magnifique **câmara municipal** (mairie) gothique. Au sud et à l'est, le village de São Pedro s'étend sur les versants de la Serra. Un marché s'y tient, un dimanche sur deux, sur la vaste place du marché et dans la rua 1° de Dezembro.

La visite de Sintra à pied implique de longues marches sur les collines escarpées. Une solution plus confortable consiste à prendre une calèche. Le **miradouro da Vigia** à São Pedro permet d'admirer le superbe paysage, de même que la **Casa de Sapa,** un charmant café qui sert des *queijadas,* la spécialité locale (*p. 137*). Les habitants continuent de remplir leurs bouteilles d'eau de source aux nombreuses fontaines réparties à travers la ville. Les plus remarquables sont la **fonte Mourisca** (fontaine maure) à la décoration néo-mauresque et la **fonte de Sabuga** d'où l'eau jaillit d'une paire de seins.

Fonte Mourisca on Volta do Duche

🏛 Museu do Brinquedo

Rua Visconde de Monserrate. 📞 21-924 21 71. ⏱ mar.–dim. 🈺 ♿
Ce petit musée possède une belle collection de jouets du monde entier, des modèles réduits de jouets, voitures et trains aux bataillons de soldats de plomb en passant par les poupées et les maisons de poupées. Le musée, idéal pour occuper un jour de pluie, séduira particulièrement les adultes nostalgiques.

Alfa Romeo, jouet du Museu do Brinquedo

🏛 Museu de Arte Moderna

Avenida Heliodoro Salgado. 📞 21-924 81 70 ⏱ mar.–dim 🈺 ♿ 🍴 ⬛
La collection Berardo, réunie par l'entrepreneur Joe Berardo, est l'une des plus belles collections privées d'art du XXᵉ siècle avec des œuvres de René Magritte, Jackson Pollock, Francis Bacon et Andy Warhol. Elle propose, de plus, une explication pédagogique des mouvements et des styles, notamment de l'après-guerre.

🔱 Quinta da Regaleira

Rua Barbosa du Bocage. 📞 21-910 66 50. ⏱ t.l.j. 🎫 obligatoire; appeler pour réserver. 🈺 🍴 ⬛
Construit dans les années 1890, ce palais entouré de vastes jardins, traduit les obsessions du millionnaire António Augusto Carvalho Monteiro. Sa visite séduira tous ceux qui s'intéressent à la franc-maçonnerie, l'alchimie ou l'ésotérisme.

Cheminées du Palácio Nacional de Sintra, au-dessus de la vieille ville

♨ Castelo dos Mouros

Estrada da Pena. 📞 *219 237 300.*
🕐 *t.l.j.* ● *1ᵉʳ janv., 25 déc.*
Dominant la vieille ville, les
remparts du château maure
construit au VIIIᵉ siècle, pris
par Dom Afonso Henriques
en 1147, s'étendent au
sommet de la Serra. Par beau
temps, la vue sur le palácio da
Pena au-delà de la vieille ville,
sur un pic montagneux et sur
la côte, au loin, est superbe.
Une chapelle en ruine et une

ancienne citerne maure sont
cachées dans les murs. Depuis
l'église **Santa Maria,** datant
du XIIᵉ siècle, un sentier de
randonnée escarpé rejoint les
bois d'alentour. Suivez les
indications qui guident vers le
portail vert foncé, là où le
sentier commence. Les
initiales « DFII » gravées sur le
portail rappellent que les
murailles furent restaurées par
Dom Fernando II *(p. 161)* au
XIXᵉ siècle.

Remparts du castelo dos Mouros, perché sur la Serra

MODE D'EMPLOI

Carte routière B5. 🚶 *25 000.*
🚉 🚌 *avenida Dr Miguel
Bombarda.* ℹ *praça da República
23 (219 231 157).* 🎪 *2ᵉ et
4ᵉ dim. du mois à São Pedro.*
🎵 *Festival de Música (juin–sept.).*

♣ Parque da Pena

Estrada da Pena. 📞 *21 923 73 00.*
🕐 *t.l.j.* ● *1ᵉʳ janv., 25 déc.* ♿
Un vaste parc entoure le
palácio da Pena ; les sentiers
serpentent au milieu d'une
végétation exotique luxuriante.
Cachés dans la verdure, on
trouve des belvédères, des
folies et des fontaines, ainsi
qu'un chalet romantique
construit en 1869 par Dom
Fernando II pour sa maîtresse.
Cruz Alta, qui culmine à 530 m,
offre une belle vue sur la Serra
et la plaine environnante. Sur
un rocher voisin se dresse la
statue du baron von Eschwege,
architecte du palais et du parc.

CENTRE-VILLE DE SINTRA

Câmara Municipal ①
Casa de Sapa ②
Castelo dos Mouros ⑨
Fonte Mourisca ⑥
Fonte da Sabuga ⑦
Museu do Brinquedo ⑤
*Palácio Nacional de
   Sintra p. 158–159* ③
Bureau de poste ④
Santa Maria ⑧

0   200 m

LÉGENDE

🚉 Gare ferroviaire

🚌 Gare routière

🅿 Parc de stationnement

ℹ Information touristique

✝ Église

▪▪▪ Sentier

Palácio Nacional de Sintra

Cygne, sala dos Cisnes

Au cœur de la vieille ville de Sintra (Sintra Vila), deux étranges cheminées coniques dominent le palais royal. La partie principale du palais, avec le bloc central à la sobre façade gothique et les grandes cuisines installées sous les cheminées, a été construite par João Ier à la fin du XIVe siècle, sur un site autrefois occupé par les Maures. Appelé aussi Paço Real, il fut la résidence d'été favorite des rois du Portugal jusqu'en 1880 environ. Les ajouts effectués par le riche Manuel Ier, au début du XVIe siècle, rappellent le style mauresque. La reconstruction progressive du palais a donné naissance à une mosaïque fascinante de différents styles.

Torre da Meca sont installés des pigeonniers sous la corniche, décorée de sphères armillaires.

La sala das Galés
abrite des expositions temporaires.

★ **Sala das Pegas**
Le roi João Ier aurait fait exécuter les panneaux du plafond, pour faire taire les dames de la cour, s'adonnant aux commérages.

★ **Sala dos Brasões**
Le plafond en coupole est décoré de caissons représentant les blasons (brasões) de 74 familles nobles portugaises. Le bas des murs est orné de panneaux d'azulejos du XVIIIe siècle.

Le jardim da Preta, un jardin clos

La Sala de Dom Sebastião, la salle d'audience

CHRONOLOGIE

Xe siècle Le palais devient la résidence du gouverneur maure	**1281** Le roi Dinis fait restaurer le palais, alors appelé palácio de Oliva	**1495-1521** Restauration importante et ajouts manuélins sous le règne de Manuel Ier	**1683** Afonso VI meurt après avoir été emprisonné ici pendant 9 ans	**1755** Le palais est endommagé en partie lors du grand séisme

800	1000	1200	1400	1600	1800

1147 Reconquête chrétienne. Prise du palais par Afonso Henriques

VIIIe siècle Construction du premier palais maure

1281-1385 João Ier fait entièrement reconstruire les bâtiments centraux et les cuisines

Sirène, Sala das Sereias (v.1660)

1755-1880 Maria Pia, grand-mère de Manuel II, dernier occupant royal

1910 Le palais devient monument national

★ Sala dos Cisnes
Le superbe plafond de l'ancienne salle des banquets, peint au XVIIᵉ siècle, est divisé en panneaux octogonaux ornés de cygnes (cisnes).

La sala dos Árabes est décorée de beaux *azulejos*.

Sala das Sereias
La porte de la salle des Sirènes est encadrée des arabesques sophistiquées des azulejos du XVIᵉ siècle.

les cheminées

Les cuisines, installées sous les cheminées coniques, abritent les broches et les ustensiles qui servaient aux banquets royaux.

Entrée

Sala dos Archeiros, la salle des Archers

Manuel Iᵉʳ ajouta les *ajimeces*, fenêtres géminées mauresques avec une colonnette séparant des arcs doubles.

Chapelle
Des motifs mauresques symétriques ornent le plafond en châtaignier et en chêne, du XIVᵉ siècle, et le sol en mosaïque de la chapelle privée.

MODE D'EMPLOI

Largo Rainha Dona Amélia. ☎ 219 106 840. ◷ 10 h–13 h, 14 h–17 h jeu.–mar. (der. entrée : 30 mn av. ferm.). ● 1ᵉʳ janv., Pâques, 1ᵉʳ mai, 29 juin, 25 déc. 🈺 (libre de 10 h à 13 h le dim.) 🎟 W www.ippar.pt

À NE PAS MANQUER

★ **Sala dos Brasões**

★ **Sala dos Cisnes**

★ **Sala das Pegas**

pas visité   en hauteur

Sintra : palácio da Pena

Arc de Triton

Sur l'un des plus hauts sommets de la Serra de Sintra se dresse l'étonnant palais de Pena, mélange hétéroclite de styles architecturaux. Il fut construit au XIXe siècle sur les ruines d'un monastère hiéronymite fondé au XVe siècle sur le site de la chapelle de Nossa Senhora da Pena. Ferdinand de Saxe-Cobourg et Gotha, époux de la jeune reine Maria II, chargea un architecte allemand, le baron von Eschwege, de la construction de son palais d'été, rempli de curiosités de tous les pays et entouré d'un parc. À la proclamation de la République, en 1910, le palais fut transformé en musée et conservé en l'état. Comptez au moins une heure et demie pour visiter cet endroit enchanteur.

Arc d'entrée
À l'entrée du palais, un arc surmonté de tourelles crénelées accueille les visiteurs. Le palais affiche ses couleurs d'origine, jaune canari et rouge fraise.

Chambre de Manuel II
Cette salle ovale aux murs rouge vif possède un plafond en stuc. Un portrait de Manuel II est suspendu au-dessus de la cheminée.

Dans la cuisine, les ustensiles en cuivre sont toujours accrochés au mur. Les armoiries de Ferdinand II ornent le service de table.

★ **Salle de bal**
La vaste salle de bal est somptueusement ornée de vitraux allemands, de précieuses porcelaines orientales et de quatre porteurs de torches enturbannés, grandeur nature, tenant des candélabres géants.

★ **Salle arabe**
De magnifiques fresques en trompe-l'œil couvrent les murs et le plafond de cette belle salle. L'Orient était l'une des sources d'inspiration du romantisme.

MODE D'EMPLOI

Estrada da Pena, 2 km au S. de Sintra. ☎ 219 230 227. 🚌 d'avenida Dr Miguel Bombarda, Sintra (mai–mi-sept.) ou taxi. ◯ Mai-oct. : 9 h 30–18 h du mar. au dim. (juin-sept jusqu'à 19 h) ; nov.-avril : 10 h–17 h du mar. au dim. ● 1er janv., Pâques, 1er mai, 29 juin, 25 déc. 🅿

L'arc de Triton, orné de détails néo-manuélins, est gardé par un féroce monstre marin.

★ **Retable de la chapelle**
L'impressionnant retable en marbre et en albâtre du XVIe siècle est l'œuvre de Nicolas Chantereine. Chaque niche représente une scène de la vie du Christ.

Le cloître, dont les tuiles colorées dessinent des motifs, appartient au monastère d'origine.

Entrée

À NE PAS MANQUER

★ **Salle arabe**

★ **Salle de bal**

★ **Retable**

FERDINAND DE SAXE-COBOURG ET GOTHA

Ferdinand fut connu au Portugal sous le nom de Dom Fernando II. Comme son cousin le prince Albert, qui épousa la reine Victoria d'Angleterre, il aimait l'art, la nature et les nouvelles inventions de l'époque. Le prince, très attaché à son pays d'adoption, consacra sa vie aux arts. En 1869, seize ans après la mort de Dona Maria II, Ferdinand épousa sa maîtresse, la comtesse Edla, une chanteuse d'opéra. La construction du palais de Pena, rêve de toute une vie, fut achevée en 1885, l'année de la mort de Ferdinand.

Terrasse de café dans la station
balnéaire animée de Cascais

Cascais **7**

Carte routière B5. 🏠 33 000. 🚉
🚌 ℹ *rua Visconde da Luz 14 (214
868 204).* ⊕ *1er et 3e dim. du mois.*

Station balnéaire depuis plus
d'un siècle, Cascais en tire
une notoriété dont les stations
plus récentes sont
dépourvues. Son histoire est
inscrite au fronton de ses
villas du bord de mer,
résidences secondaires de
riches habitants de la capitale
du siècle dernier, à l'époque
où le roi Luís Ier élut la
forteresse du XVIIe siècle de
Cascais comme lieu de
villégiature estivale. Cascais a
toutefois perdu de nos jours la
très ancienne importance
militaire qu'elle devait à sa
situation stratégique à
l'embouchure du Tage.
Sa baie de sable protégée,
aujourd'hui couverte de villas,
est un port de pêche depuis
l'époque préhistorique. La
pêche est restée une activité
importante, au point qu'un
nouveau quai vient d'être
construit pour le
débarquement des prises et le
marché au poisson. Mais
Cascais reste avant tout une
banlieue dorée de Lisbonne,
avec ses luxueux
appartements donnant sur la
mer, ses pinèdes et ses
terrains de golf. S'il est vrai
que le lieu est plus marqué
par son urbanisation
galopante que par un
quelconque caractère
historique ou touristique, sa
superbe côte battue des vents
est restée relativement intacte.
C'est peut-être le **Museu do
Conde de Castro Guimaraes**
qui donne la meilleure image
du Cascais d'autrefois. Cette
villa aux allures de château,
trônant au milieu d'un parc
sur une pointe
dominant une
petite rivière, a été
léguée à la
municipalité avec
tout son mobilier.
Juste en face
s'étend la toute
nouvelle marina,
aujourd'hui l'un
des sites les plus
emblématiques de
Cascais. Le week-
end, son centre
commercial, ses restaurants et
ses cafés attirent en foule
riverains et touristes.

🏛 Museu de Conde de
Castro Guimarães

Avenida Rei Humberto de Itália.
📞 *214 825 407.* **Musée** ◯
mar.–dim. 📚 **Bibliothèque** Casa da
Horta de Santa Clara ◯ *10 h-17 h
lun.–sam.* ● *jours fériés.*

AUX ENVIRONS : À la **Boca do
Inferno** (Bouche de l'Enfer),
à 3 km à l'ouest par la route
côtière, la mer s'engouffre
dans les crevasses et les
grottes dans un fracas
assourdissant, faisant jaillir des
embruns. Le site est presque
caché par le marché et les
cafés, mais une petite plate-
forme offre une belle vue sur
l'arc de pierre et la mer agitée,
plus bas.
   La superbe plage de sable
de **Guincho,** à 10 km plus à
l'ouest, est bordée de dunes
ponctuées de pins parasols.
Un petit fort (aménagé en
hôtel) perché sur les rochers
domine la mer. Les vagues
déferlantes font le bonheur
des véliplanchistes et des
surfeurs expérimentés.
Prudence : les courants sous-
marins sont très puissants.

Vue grandiose de la côte battue par les
intempéries à la Boca do Inferno, près de Cascais

Estoril **8**

Carte routière B5. 🏠 24 000. 🚉 🚌
ℹ *arcadas do Parque (214 664 414).*

Jadis lieu d'exil des têtes
couronnées et nobliaux de
province fuyant les
révolutions d'Europe, Estoril
ne se repose pas sur les
lauriers de son passé : c'est
devenu un confortable lieu de
villégiature pour les touristes,
les hommes d'affaires et les
retraités cossus, sur la foi non
seulement de son histoire
mais aussi de son cadre
naturellement plaisant… sans
compter ses nombreux
terrains de golf.
La différence entre Estoril et
Cascais, outre une promenade
de bord de mer longue de
3 km et une crête couverte de
villas, est sa distribution dans
l'espace. La gare vous débarque
en plein cœur de la ville ; d'un
côté des voies, la plage en
forme de riviera, de l'autre un
parc planté de palmiers,

Plage de sable et promenade bordant la baie d'Estoril

flanqué de bâtiments grandioses et rythmé de fontaines, qui s'allonge jusqu'à un casino réputé être le plus grand d'Europe. Au pied du casino, le Centre des congrès, un vaste complexe où s'exprime la fonction résolument contemporaine d'Estoril.

Palácio de Queluz ❾

Voir p. 164 – 165.

Alcochete ❿

Carte routière C5. 🚶 *9 000.* 🚌 ℹ️ *largo da Misericórdia (212 342 631).*

Cette charmante bourgade domine l'estuaire du Tage depuis la rive sud. Le sel a longtemps été l'une des principales exploitations, et des marais salants se trouvent toujours au nord et au sud de la ville. Dans le centre-ville, la statue d'un ouvrier du sel porte l'inscription : « Do sal à revolta e à esperança » (Du sel à la révolte et à l'espoir). À la périphérie d'Alcochete se dresse une statue de Manuel Ier *(p. 46-47),* né ici le 1er juin 1469 et qui accorda une charte municipale à la ville en 1515.

AUX ENVIRONS : La **reserva natural do estuário do Tejo** couvre une vaste zone d'eau, de marais salants et de petites îles dans l'estuaire du Tage. C'est une zone de reproduction pour les oiseaux aquatiques. Pendant les migrations, quantité de flamants se retrouvent ici, venus de Camargue ou de la Fuente de Piedra en Espagne. Des excursions en bateau permettent de les voir, ainsi que d'autres animaux, comme des taureaux et des chevaux sauvages.

🦌 **Reserva Natural do Estuário do Tejo**
Avenida dos Combatentes da Grande Guerra 1. 📞 *212 341 742.* ▓

Logements à cabo Espichel

Costa da Caparica ⓫

Carte routière B5. 🚶 *12 000.* 🚉 *de Pragal puis bus.* ℹ️ *av. da República 18 (212 900 071).*

Ses longues plages de sable bordées de dunes en ont fait une destination de vacances appréciée des Lisboètes qui viennent s'y baigner, lézarder au soleil et s'installer dans les restaurants de fruits de mer et les cafés. En été, un train aux wagons ouverts parcourt un trajet de 10 km sur la côte. Les plages les plus proches de la ville sont familiales, tandis que les plus éloignées plairont aux amateurs de calme. Plus au sud, la **lagoa do Albufeira,** abritée par les pins, possède un centre de planche à voile et un camping.

Statue d'un ouvrier du sel, Alcochete (1985)

Cabo Espichel ⓬

Carte routière B5. 🚌 *de Sesimbra.*

De ce promontoire battu par le vent où la terre s'arrête net, une falaise abrupte plonge dans la mer. Les Romains baptisèrent l'endroit Promontorium Barbaricum, et un phare signale le danger aux marins. L'éperon rocheux offre des vues époustouflantes sur l'océan et sur la côte. Toutefois, la prudence s'impose, car les rafales de vent sont violentes.

C'est ici que se dresse l'impressionnant **santuário de Nossa Senhora do Cabo,** une église du XVIIe siècle. De part et d'autre, de longues rangées de logements pour pèlerins tournés vers l'intérieur forment une cour ouverte. Des peintures baroques, des ex-voto et une fresque peinte sur le plafond ornent l'église abandonnée. La chapelle, derrière l'église, est décorée d'*azulejos* bleu et blanc représentant des scènes de pêche.

L'endroit devint un lieu de pèlerinage populaire au XIIIe siècle lorsqu'un habitant de la région eut une vision de la Vierge sortant de la mer à dos de mule. Les empreintes de sa monture seraient visibles sur le rocher. Quant aux grandes traces sur la praia dos Lagosteiros, sous l'église, il s'agirait d'empreintes de dinosaures fossilisées.

Fleurs de printemps près des marais salants de l'estuaire du Tage

Palácio de Queluz ❾

En 1747, Dom Pedro, le plus jeune fils de João V, chargea Mateus Vicente de la transformation de son pavillon de chasse en palais d'été rococo. La partie centrale fut construite, avec sa salle de musique et sa chapelle, puis le palais fut de nouveau agrandi après le mariage de Pedro et de la future Maria Ire, en 1760.

Sphinx du jardin

L'architecte Jean-Baptiste Robillon créa le pavillon portant son nom et le jardin, conçut la salle du trône et réaménagea la salle de musique. Sous le règne de Dona Maria, la famille royale faisait du bateau sur le canal bordé d'*azulejos*.

Couloir des Manches
Des panneaux d'azulejos peints (1784) représentant les continents, les saisons et des scènes de chasse décorent les murs du corredor das Mangas.

★ Sala dos Embaixadores
Construite par J.-B. Robillon, cette salle accueillait des audiences diplomatiques, mais aussi des concerts. Le plafond est en trompe-l'œil.

Fontaine de Neptune

L'escalier des Lions, majestueux et élégant, relie le palais aux jardins inférieurs.

À NE PAS MANQUER

★ **Salle du trône**

★ **Salle des ambassadeurs**

★ **Jardins du palais**

Vers le canal

Fontaine des Lions

Le pavillon Robillon illustre l'extravagance du style rococo de l'architecte.

Salle Don Quixote
La chambre où Dom Pedro IV (p. 54) naquit et mourut possède un plafond en coupole et un sol somptueux en bois exotique, qui confère à cette salle carrée une apparence circulaire. Des peintures de Manuel da Costa (1784) illustrent l'histoire de Don Quixote.

Salle de musique
L'orchestre de Dona Maria Ire, le « meilleur d'Europe » au dire du voyageur anglais William Beckford, y exécutait opéras et concerts. Un portrait de la reine est suspendu au-dessus du piano.

MODE D'EMPLOI

Carte routière B5. Largo do Palácio, Queluz. 214 343 860. Queluz-Belas, puis 20 mn à pied. à Lisbonne, Colégio Militar. 10 h–17 h mer.– lun. 1er janv., Pâques, 1er mai, 29 juin, 25 déc. Cozinha Velha (p. 409).

Chapelle

★ Salle du trône
La salle des réceptions (1770) accueillait bals et banquets somptueux. Les statues dorées d'Atlas sont de Silvestre Faria Lobo.

Les salons et les chambres de la famille royale donnaient sur le jardin de Malte.

Entrée

Jardin de Malte

Le Jardin suspendu, conçu par Robillon, était construit sur des arcs et était plus élevé que les jardins avoisinants.

MARIA I^{RE} (1734–1816)

Dona Maria, première fille du roi José Ier, vécut à Queluz après avoir épousé son oncle Dom Pedro, en 1760. Sérieuse et pieuse, elle remplit consciencieusement son rôle de reine, mais souffrait d'accès de mélancolie fréquents. Lorsque son fils Dom José mourut de la variole, en 1788, elle perdit la raison. Les visiteurs étaient terrorisés à Queluz par les hurlements que lui arrachaient ses hallucinations. Après l'invasion française de 1807, elle suivit son fils Dom Joào (régent en 1792) au Brésil.

★ Jardins du palais
Les jardins ornés de statues, de fontaines et d'arbres taillés accueillaient des divertissements. Les concerts de la salle de musique se tenaient parfois à l'extérieur.

Sesimbra ⓭

Carte routière C5. 🏚 *21 000*. 🚌
i *largo da Marinha 26–7 (212 288 540).* 🛥 *1er et 3e ven. du mois.*

Une route étroite et escarpée descend vers ce village de pêcheurs, installé dans une baie abritée. Protégée des vents du nord par la Serra da Arrábida, la bourgade est devenue une station balnéaire appréciée des Lisboètes. Elle fut occupée par les Romains, puis par les Maures jusqu'en 1236, où le roi Sancho II *(p. 42-43)* prit les forts. La vieille ville est un dédale de ruelles escarpées, au centre duquel trône le **fort de Santiago** (abritant aujourd'hui la douane), qui domine la mer. De la terrasse, ouverte au public pendant la journée, la vue sur la ville, l'Atlantique et la large plage de sable, qui s'étend de part et d'autre, est magnifique. Sesimbra est une station balnéaire en expansion, où les résidences secondaires se multiplient. Par beau temps, les nombreuses terrasses de cafés sont toujours pleines.

Les bateaux de pêche colorés sont ancrés dans le **porto do Abrigo**, situé à l'ouest de la ville. Le port est desservi par l'avenida dos

Bateaux de pêche colorés dans le port de Sesimbra

Náufragos, qui longe la plage en sortant de la ville. Les grands chalutiers *(traineiras)* prennent surtout des sardines, des daurades, des merlans et des espadons, tandis que les petits bateaux pêchent des poulpes et des calmars. Ne manquez pas, en fin d'après-midi, la vente aux enchères animée qui se tient sur le quai. La prise du jour se déguste dans les excellents restaurants de poisson du bord de mer.

Au-dessus de la ville se dresse le **château maure**. Au xviiie siècle, il fut restauré et une église et un cimetière furent ajoutés. Des remparts, la vue est magnifique, surtout au coucher du soleil.

Palmela ⓮

Carte routière C5. 🏚 *16 000*. 🚌
🚉 **i** *castelo de Palmela (212 332 122).* 🛥 *un mar. sur deux.*

Le magnifique château de Palmela veille sur la bourgade installée sur le contrefort nord-est de la Serra da Arrábida. De son emplacement stratégique, il domine la plaine ; le soir, il est illuminé. Au xiie siècle, le château fut pris aux Maures et donné aux chevaliers de l'ordre de Santiago *(p. 43)* par Dom Sancho Ier. En 1423, Dom João Ier transforma le château en monastère pour cet ordre. L'édifice, qui a été restauré, abrite aujourd'hui une *pousada* splendide *(p. 385),* avec un restaurant installé dans l'ancien réfectoire des moines et une piscine pour les résidents, cachée à l'intérieur des murs.

Des terrasses du château et surtout du haut du donjon du xive siècle, la vue panoramique est splendide sur la Serra da Arrábida, au sud, et, par beau temps, sur Lisbonne, au-delà du Tage. Sur la place de la ville, l'église **São Pedro** renferme des *azulejos* du xviiie siècle représentant la vie de saint Pierre.

La fête annuelle des vendanges, la *festa das Vindimas*, se déroule en septembre, devant la mairie du xviie siècle. Habillés en costumes traditionnels, les villageois foulent le raisin pieds nus, et, le dernier jour, un feu d'artifice est tiré depuis les murs du château.

Vue panoramique sur la Serra da Arrábida depuis le château de Palmela

Serra da Arrábida ⑮

Carte routière C5. 🚌 *Setúbal.*
🛈 *Parque Natural da Arrábida, Praça da República, Setúbal (265 541 140).*

L e parc naturel d'Arrábida couvre le petit massif montagneux calcaire qui s'étend d'est en ouest le long de la côte, entre Sesimbra et Setúbal. Le parc fut créé pour protéger les superbes paysages sauvages et la grande variété d'oiseaux, de chats sauvages, de blaireaux, etc.

Arrábida, qui vient de l'arabe, signifie lieu de prière. Les collines boisées sont en effet un lieu de retraite paisible et isolé. Les versants abrités, tournés vers le sud, sont couverts de plantes aromatiques, d'arbustes et d'arbres, pins et cyprès entre autres. Des vignes poussent aussi sur ces versants. La ville de **Vila Nogueira de Azeitão** est connue par son vin, en particulier le moscatel de Setúbal.

L'**estrada de Escarpa** (la N379-1) serpente au sommet de la montagne. Une route étroite en lacet conduit à **Portinho da Arrábida,** une crique abritée avec une plage de sable fin aux eaux cristallines, appréciée pour la pêche sous-marine. Les plages de sable de **Galapos** et de **Figueirinha** sont situées plus à l'est sur la côte, en direction de Setúbal. À l'est de Sesimbra, la Serra da Arrábida semble plonger dans la mer, du haut des falaises de Risco, les plus élevées du Portugal continental (380 m).

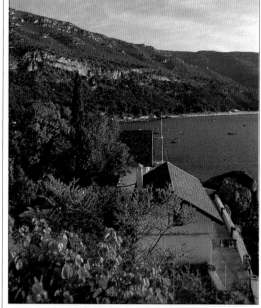

Portinho da Arrábida, sur la magnifique côte de la Serra da Arrábida

🏛 Convento da Arrábida

Serra da Arrábida. 📞 *212 180 520.*
⬛ *sur r.-v. uniquement (213 527 002).*
🈳

Caché sur un versant sud de la Serra, ce grand bâtiment du XVIᵉ siècle était un monastère franciscain. Les cinq tours rondes disséminées servaient probablement à la méditation solitaire.

🏛 Museu Oceanográfico

Fortaleza de Santa Maria, Portinho da Arrábida. 📞 *265 541 140.*
⬛ *mar.–ven.* 🈳

Le petit fort a été construit par le prince régent Dom Pedro, en 1676, pour protéger les habitants de la région des pirates maures. Il abrite aujourd'hui le Musée océanographique et le centre de Biologie marine, qui présente quantité d'animaux marins en aquarium : oursins, poulpes, étoiles de mer, etc.

🍷 José Maria de Fonseca

Rua José Augusto Coelho 11, Vila Nogueira de Azeitão. 📞 *212 198 940.* **FAX** *212 198 942.* ⬛ *9 h-12 h, 14 h 15-16 h 15 lun.-ven. ; 10 h 15-12 h 15, 14 h 15-16 h 30 sam.* ⬛ *24 déc.-1ᵉʳ janv..* 🈳 🈯

La cave Fonseca produit des crus de qualité et un vin de dessert parfumé, le muscat de Setúbal *(p. 29).* L'exploitation se visite. On vous expliquera le procédé de fabrication du muscat et vous verrez dans les antiques caves des cuves énormes de chêne et de châtaignier. La visite de 45 minutes inclut une dégustation.

LÉGENDE

▬▬ Route principale

━━ Route secondaire

══ Autre route

0   5 km

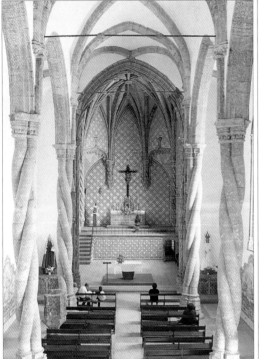

Intérieur manuélin de l'igreja de Jesus, Setúbal

Setúbal ⑯

Carte routière C5. 🏠 *92 000.* 🚉
🚌 ⛴ 🛈 *casa do Corpo Santo,
praça do Quebedo (265 534 222).*

Quoique cette ville
industrielle soit le
troisième port du pays, après
Lisbonne et Porto, c'est un
endroit agréable pour y
séjourner quelques jours et
pour découvrir la région. Au
sud du jardin central et des
fontaines se trouvent le port
de pêche, la marina et le port
des ferries, ainsi qu'un marché
couvert animé. Au nord
s'étend la vieille ville, avec ses
jolies rues piétonnes et ses
places.
   La cathédrale du XVIe siècle,
dédiée à Santa Maria da
Graça, est décorée d'*azulejos*
du XVIIIe siècle et d'un bel
autel. Les noms des rues
rendent hommage à deux
habitants célèbres de Setúbal :
le poète satirique Manuel
Barbosa du Bocage (1765-
1805) et la cantatrice Luísa
Todi (1753-1833). À l'époque

romaine, la salaison du
poisson était la principale
activité. Sous le sol vitré de
l'Office du tourisme, au n° 10,
travessa Frei Gaspar, on voit
des bassins rectangulaires
taillés dans la pierre.

🙏 Igreja de Jesus

Praça Miguel Bombarda. 🕿 *265 524
150.* ◯ *mar.–dim.* ♿ **Musée** 🕿
265 524 772. ◯ *mar.–sam.* ● *jours
fériés.*
Au nord de la vieille ville, cette
belle église gothique est l'un
des trésors architecturaux de
Setúbal, créé par l'architecte

Diogo Boytac en 1494.
L'intérieur spacieux est orné de
piliers torsadés taillés dans du
calcaire rose d'Arrábida, qui,
avec les nervures du toit figurant
des cordages, sont les premières
manifestations du style
manuélin *(p. 20-21).*
   Dans la rua do Balneário,
les bâtiments monastiques qui
jouxtent l'église abritent un
musée présentant quatorze
peintures magnifiques
illustrant la vie du Christ. Ces
œuvres sont attribuées aux
disciples de Jorge Afonso
(1520-1530), qui fut influencé
par l'école flamande.

🏛 Museu de Arqueologia e Etnografia

Avenida Luísa Todi 162. 🕿 *265 239
365.* ◯ *mar.–sam.* ● *jours fériés.*
Le musée expose le produit
de fouilles locales : vases de
l'âge du bronze, monnaies
romaines et amphores servant
à transporter du *garum,* une
sauce à base de poisson
mariné très prisée à Rome.
La partie ethnographique
présente essentiellement l'art,
l'artisanat et les activités du
lieu, comme le traitement du
sel et du liège au cours
des siècles.

♣ Castelo de São Filipe

Estrada de São Filipe. 🕿 *265 523
844.* ◯ *t.l.j.*
Ce fort en forme d'étoile a été
construit en 1595 par Philippe II
d'Espagne *(p. 50-51)* pour
surveiller les pirates, les
envahisseurs anglais et la
population. Un portail
imposant et un tunnel mènent
à l'intérieur du fort, qui abrite
aujourd'hui une *pousada*
(p. 385) et une petite chapelle
avec des scènes de la vie de
São Filipe en *azulejos* dus à
Policarpo de Oliveira
Bernardes *(p. 22).*
De la terrasse, la
vue sur la ville et
sur l'estuaire du
Sado est
magnifique.

AUX ENVIRONS :
Setúbal est une
excellente base pour
découvrir en voiture
la **reserva natural
do estuário do
Sado,** région de
laisses de vase, de

**Bateau de pêche dans la reserva natural
do estuário do Sado**

lagunes et de marais salants avec des forêts de pins, habitée depuis 3500 av. J.-C. Elle est peuplée de loutres, d'oiseaux aquatiques (y compris des cigognes et des hérons) et de quantité de poissons. L'ancien moulin de Mouriscas, à 5 km à l'est de Setúbal, exploite la force marémotrice pour faire tourner des meules. Aujourd'hui, les principales activités sont la riziculture, la pêche et la collecte de la résine des pins autour de la lagune.

🐾 Reserva Natural do Estuário do Sado
ℹ *praça da República, Setúbal (265 541 140).*

Península de Tróia ⓱

Carte routière C5. 🚢 ⛴ *Tróia.* **ℹ** *Complexo Turístico de Tróia (265 494 312).*

Maison de pêcheur en chaume dans le village de Carrasqueira

Les tours abritant des appartements de vacances dominent la pointe de la péninsule, que l'on rejoint facilement de Setúbal en ferry. La côte se déroule, vers le sud, sur 18 km, avec des plages de sable intactes bordées de dunes et de forêts de pins.

Près de Tróia, dans la lagune, la ville romaine de **Cetóbriga** était renommée pour la salaison du poisson. Les bassins en pierre et les ruines se visitent. Au sud, d'élégantes villas et des clubs de golf sont construits le long de la lagune.

Plus loin, **Carrasqueira** est un ancien village de pêcheurs aux maisons en roseau traditionnelles, aux murs et aux toits de chaume caractéristiques. Les bateaux de pêche étroits, ancrés sur

Vue sur Alcácer do Sal et le Sado depuis le château

les laisses de vase, sont desservis par des pontons sur pilotis. D'ici à Alcácer do Sal, des forêts de pins bordent la route, et on commence à découvrir les paysages plantés de chênes-lièges, typiques de l'Alentejo.

⛩ Cetóbriga
N 253-1. **☎** *265 494 318.* **◯** *t.l.j.*

Alcácer do Sal ⓲

Carte routière C5. 🏛 *9 000.* 🚉 🚌 **ℹ** *Rua de República 76 (265 610 070).* **◯** *1er sam. du mois.*

Contournée par la route principale, la vieille ville d'Alcácer do Sal (al-kasr signifie « château » en arabe, do sal « du sel ») est paisiblement installée sur la rive nord du Sado. Un fort s'y dressait déjà au VIe siècle av. J.-C. Les Phéniciens y installèrent un

port fluvial, et le château devint plus tard un bastion romain. Reconstruit par les Maures, il fut pris en 1217 par Afonso II. Il abrite désormais une *pousada (p. 384),* d'où l'on peut admirer les toits de la ville et des nids de cigognes.

La localité possède une promenade longeant la rivière, avec des cafés agréables et plusieurs églises anciennes. La petite église d'Espírito Santo abrite aujourd'hui le **Museu Arqueológico** présentant des trouvailles locales. **Santo António,** du XVIIIe siècle, possède une chapelle des onze mille vierges, en marbre. Les arènes accueillent plusieurs manifestations en été et la foire agricole en octobre.

🏛 Museu Arqueológico
Igreja do Espírito Santo, praça Pedro Nunes. **☎** *265 610 070.* **◯** *t.l.j.*

LES OISEAUX DES ESTUAIRES

Beaucoup d'oiseaux, comme les échasses blanches, les avocettes, les gravelots à collier interrompu et les perdrix de mer, vivent près de l'eau, sur les laisses de vase et dans les lagunes asséchées des estuaires du Tage et du Sado. Les roseaux abritent des nids et quantité de petits butors, hérons pourprés et busards de roseaux. De septembre à mars, la région de l'estuaire du Tage accueille nombre d'oiseaux sauvages.

L'échasse blanche se nourrit dans les estuaires

ESTREMADURA ET RIBATEJO

*Entre le Tage et la côte s'étend une région vallonnée, l'Estremadura,
dont les collines se déroulent jusqu'à des plages de sable et des
falaises. Par contraste, le Ribatejo, en bordure du Tage, est une
vaste plaine alluviale. Les plus beaux monastères médiévaux du Portugal
témoignent du riche passé historique de ces régions.*

Le nom d'Estremadura vient du latin *Extrema Durii*, « au-delà du Douro », qui délimitait les royaumes chrétiens du Nord. À mesure que le Portugal s'étendit vers le Sud, au XIIe siècle, les terres reprises aux Maures *(p. 42-43)* furent distribuées aux ordres religieux. L'abbaye cistercienne d'Alcobaça commémore la prise de Santarém par Dom Afonso Henriques, en 1147. Peu après, les Templiers bâtirent leur citadelle à Tomar *(p. 185)*.

Les revendications espagnoles sur le Portugal amenèrent de nouveaux conflits : l'abbaye de Batalha fut construite près du lieu de la victoire de Dom João Ier sur la Castille à Aljubarrota, en 1385. Plus tard, entre 1808 et 1810, les troupes de Napoléon mirent à sac nombre de villes de la région, mais elles furent arrêtées par les défenses de Wellington, les fortifications de Torres Vedras. L'Estremadura connaît aujourd'hui une relative expansion grâce à l'agriculture. La plaine alluviale du Ribatejo (littéralement « rive du Tage ») possède un sol fertile couvert de cultures et de pâturages où paissent chevaux et taureaux.

La région de Tomar et les villes bordant le Tage abritent des industries prospères. Le barrage construit dans les années 40 sur le Zêzere, à Castelo de Bode, ouvrit l'ère de l'énergie hydro-électrique. Avec des villages de pêcheurs comme Nazaré et les plages de sable bordant une vaste pinède, la Pinhal de Leiria, la côte atlantique a la faveur des vacanciers. Les visiteurs affluent aussi à Fátima, le principal sanctuaire du Portugal, où sont célébrées les apparitions de la Vierge (1917).

Affiches annonçant des courses de taureaux, Coruche

◁ Piliers gothiques austères dans la nef de l'église de l'abbaye cistercienne d'Alcobaça

Découvrir l'Estremadura et le Ribatejo

L es monuments de l'Estremadura témoignent de son rôle historique déterminant. La ravissante ville de Leiria est une bonne base pour visiter les abbayes de Batalha et d'Alcobaça ou le sanctuaire moderne de Fátima. Tomar est un endroit agréable pour séjourner ou à découvrir depuis Lisbonne dans la journée. Les vacanciers plus oisifs feront du bateau sur le lac du Castelo de Bode ou lézarderont sur les plages de la région. La plaine de Lezíria, dans le Ribatejo, est renommée pour l'élevage de taureaux et de chevaux. Les visiteurs pourront assister à des courses de taureaux, à Santarém, et à des fêtes locales animées.

LES RÉGIONS D'UN COUP D'ŒIL

CIRCULER

Les liaisons par train et par car sont bonnes. De Lisbonne, des excursions d'une journée sont proposées en car, par exemple pour Alcobaça ou Tomar. Les autoroutes A1 (E1) et A8 (IC1) desservent bien la région dans le sens nord-sud. Évitez la N1 (IC2), souvent embouteillée. L'IP6 (E806) relie l'est à partir de l'A1 (E1).

Cabines de plage colorées de São Martinho do Porto

Coimbra

CASTANHEIRA DE PÊRA

N236-1

RIÇAL

A1 (E1) N1 (IC2)

POMBAL ⑩ IC8

ANSIÃO IC8

FIGUEIRÓ DOS VINHOS

Arunca

Nabão

Zêzere

N110

PALHAIS

N238

N113

N110

OURÉM

TOMAR ⑫

FÁTIMA ⑪

BARRAGEM DO CASTELO DE BODE ⑬

IP6 (E806) → **Castelo Branco**

SARDOAL

Tejo

RRES NOVAS ⑯ **CONSTÂNCIA**

→ **Portalegre**

ENTRONCAMENTO **CASTELO DE ALMOUROL** ⑮ **ABRANTES** ⑭

A1 (E1)

N3

GOLEGÃ ⑰

N2

CHAMUSCA

N243

ALPIARÇA ⑱

SANTARÉM ⑲

ALMEIRIM

Ribeira de Maçe

LEZIRIA

LÉGENDE

▬▬	Autoroute
▬▬	Route principale
▬▬	Route secondaire
▬▬	Route pittoresque
~~	Cours d'eau

Sorraia

N251

⑳ **CORUCHE**

N114

Évora

Ribeira de Santo Estêvão

VOIR AUSSI

- *Hébergement* p. 386–388
- *Restaurants* p. 410–411

Les bougainvilliers couvrent les murs d'un café dans la jolie ville d'Óbidos

À Tomar, le ponte Velha, un ouvrage Renaissance, enjambe le Nabão, avec le convento de Cristo à l'arrière-plan

Îles Berlenga ❶

Carte routière B4. 🚢 de Peniche.
ℹ️ *Peniche.*

Cet archipel rocheux, à 12 km des côtes, n'a été habité que par des moines, un gardien de phare et, plus récemment, des scientifiques. L'île principale, Berlenga Grande, est desservie par ferry (comptez une heure environ). Cette réserve naturelle est un lieu de reproduction pour les oiseaux de mer.

Au sud-est de l'île se dresse le **forte de São João Baptista**, du XVIIᵉ siècle. Ce fort pentagonal austère, qui a subi les assauts répétés des pirates et des armées étrangères, abrite aujourd'hui une auberge. Des barques en location permettent de découvrir les récifs et les grottes marines, dont la plus spectaculaire est le **Furado Grande**. Ce long tunnel de 70 m débouche sur le covo do Sonho (grotte du Rêve), entourée de falaises de granit rouge.

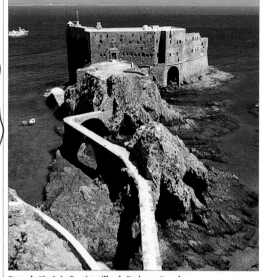

Forte de São João Baptista, ilha de Berlenga Grande

Peniche ❷

Carte routière B4. 🏠 20 000.
ℹ️ *rua Alexandre Herculano (262 571).* 🚌 *jeu. (sauf juil. et déc.).*

Cette petite ville agréable, installée sur une péninsule, est en partie ceinturée de murailles du XVIᵉ siècle. Totalement tributaire de son port, Peniche possède d'excellents restaurants de poisson. Au sud de la ville, la **Fortaleza** du XVIᵉ siècle servit de prison sous Salazar *(p. 56-57).* La forteresse [...] **Misericórdia** présente un plafond orné de panneaux peints représentant *La vie du Christ,* du XVIIᵉ siècle, et des panneaux d'*azulejos* de la même époque.

🏛 Museu de Peniche
Campo da República. ☎ 262 780 116. 🕐 *mar.–dim.* ⬤ *25 déc.* 📷

AUX ENVIRONS : À 2 km de Peniche, le **cabo Carvoeiro**, à l'ouest de la péninsule, offre [...] magnifique sur [...] rochers aux [...]nges émaillent la [...]. La chapelle [...]ora dos [...]brite des faïences [...]e représentant la *vie de la Vierge,* attribuées à l'atelier d'António de Oliveira Bernardes *(p. 22).*

À 2 km à l'est de Peniche, le village côtier de Baleal possède des plages agréables et fera le bonheur des pêcheurs.

Óbidos ❸

Carte routière B4. 🏃 3 000. 🚉 🚌
ℹ️ *rua Direita (262 959 231).*

Ce village enchanteur aux maisons blanchies à la chaux est entouré de murailles crénelées du XIVᵉ siècle. Óbidos fut offert en cadeau de mariage par le roi Dinis *(p. 44-45)* à son épouse Isabel d'Aragon, en 1282. Óbidos était alors un port important. Au XVIᵉ siècle, la rivière s'était envasée et la localité avait perdu son importance stratégique. Cette localité pittoresque a été joliment restaurée. L'accès à la

Bateaux ancrés dans le vieux port de Peniche

ville s'effectue par la porte sud, la **porta da Vila,** dont l'intérieur est embelli d'*azulejos* du XVIIIe siècle. La rua Direita mène à la praça de Santa Maria. Là, un *pelourinho* (pilori) manuélin est décoré d'un filet de pêche. Dona Leonor, épouse de João II, choisit cet emblème en l'honneur des pêcheurs qui tentèrent en vain de sauver son fils de la noyade.

En face du pilori, l'église **Santa Maria** est dotée d'un portail Renaissance. C'est ici qu'en 1441 le futur Afonso V, alors âgé de dix ans, épousa sa cousine Isabel de deux ans sa cadette. L'église possède un plafond en bois peint et des *azulejos* du XVIIe siècle. Dans le chœur, le retable représentant *Le mariage mystique de sainte Catherine* (1661) est dû à Josefa de Óbidos (*p. 51*). L'artiste repose dans l'église **São Pedro** sur le largo de São Pedro. Ses œuvres sont également exposées au **Museu Municipal.**

Le château, reconstruit par Afonso Henriques après la prise de la ville aux Maures en 1148, domine la localité. Aujourd'hui, il abrite une

Maisons blanchies à la chaux d'Óbidos, avec le château en arrière-plan

charmante *pousada* (*p. 387*). Le chemin de ronde sur les remparts offre une belle vue sur les toits.

Au sud-est, le **santuário do Senhor da Pedra** est un édifice baroque de plan hexagonal, commencé en 1740. La croix de pierre primitive de l'autel est très vénérée.

⚥ Museu Municipal
Praça de Santa Maria. **(** 262 955 010. **○** t.l.j. **●** 1er janv., 25 déc. **◯**

Caldas da Rainha ④

Carte routière B4. **◯** 22 000. **◯**
◯ i rua Duarte Pacheco (262 834 511). **◯** lun.

Caldas da Rainha, littéralement « sources chaudes de la reine », est une ville thermale qui doit sa prospérité aux cures, aux fruits et à la céramique. Dona Leonor, qui valut son nom à la localité, fonda l'hospital da **Misericórdia** sur le largo qui porte son nom. La chapelle de l'hôpital fut ultérieurement transformée en **igreja do Populo,** aménagée en style manuélin par Diogo Boytac (*p. 106-107*). À l'intérieur, la chapelle de São Sebastião est décorée d'*azulejos* du XVIIIe siècle.

Le marché de la praça da República et les magasins de la rua da Liberdade proposent des céramiques locales, notamment les célèbres majoliques figurant des feuilles de chou (*p. 24-25*). Le **Museu de Cerâmica** présente des créations humoristiques et religieuses de Rafael Bordalo Pinheiro (1846-1905), caricaturiste-potier.

⚥ Museu de Cerâmica
Rua Elidio Amado. **(** 262 840 280.
○ mar.–dim. **●** jours fériés. **◯**

AUX ENVIRONS : La **lagune d'eau de mer d'Óbidos** (15 km à l'ouest) est appréciée pour la voile et la pêche.

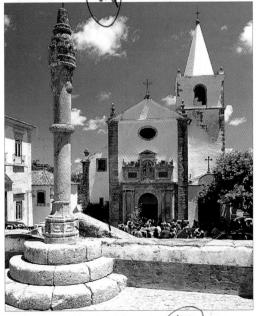

Un pilori se dresse devant l'igreja de Santa Maria, Óbidos

Óbidos, entouré de remparts médiévaux crénelés, semble tout droit sorti d'un conte de fées

Alcobaça ❺

Le mosteiro de Santa Maria de Alcobaça est un fleuron de l'art cistercien. Monument phare, à jamais attaché au souverain Dom Afonso Henriques et à la Reconquête, l'abbaye fut fondée en 1153. En mars 1147, Dom Afonso Henriques *(p. 42-43)* prit le bastion maure de Santarém. En échange de l'aide apportée lors de la Reconquête, Dom Afonso Henriques donna ce territoire, en 1152, à Bernard de Clairvaux pour y fonder une abbaye. Un premier monastère, qui vit le jour en 1180, fut vite détruit par les Maures ; l'ouvrage ne fut achevé qu'en 1223. Les rois continuèrent à doter le monastère, notamment Dom Dinis, qui construisit le cloître principal.

Sacristie
Feuillages exotiques et pinacles complexes ornent le portail manuélin, attribué à João de Castilho (p. 106).

Tombeau d'Inês de Castro

Dortoir

Dans la salle capitulaire, les moines se réunissaient pour élire l'abbé et discuter des affaires concernant le monastère.

La cheminée de la cuisine

Lavabo octogonal où les moines se lavaient les mains.

Réfectoire et cuisine
Un escalier mène à la chaire où l'un des moines lisait la Bible à haute voix tandis que les autres mangeaient en silence. À côté, dans la grande cuisine, des bœufs étaient rôtis à la broche ; un cours d'eau détourné fournissait la boisson.

À NE PAS MANQUER

★ **Cloître de Dom Dinis**

★ **Tombeaux de Pedro Ier et d'Inês de Castro**

★ **Cloître de Dom Dinis**
Aussi appelé cloître du Silence, il fut commandé par le roi Dinis en 1308. Les galeries austères et les colonnettes jumelées reflètent le souci de simplicité cistercien.

Mort de saint Bernard, sculpture en céramique de la fin du XVIIe siècle

MODE D'EMPLOI

Carte routière C4. Mosteiro de Santa Maria de Alcobaça, praça 25 de Abril, Alcobaça. **(** 262 505 120. **▪** de Lisbonne, Coimbra et Leiria. ◐ 9 h–19 h (oct.–avr. : 17 h) t.l.j. (der. entrée : 30 mn av. ferm.). ● 1er janv., Pâques, 1er mai, 25 déc. **✝** 11 h 30 le dim. ▨ ◙

★ **Tombeaux de Pedro Ier et d'Inês de Castro**
Le gisant de Dom Pedro fait face à celui d'Inês, pour qu'au jour du Jugement dernier il se retrouve les yeux dans les yeux avec son aimée (p. 44-45).

Nef centrale
La voûte et les piliers élancés de la nef centrale créent une impression d'harmonie et de dépouillement.

La façade date du XVIIIe siècle. Des statues de marbre des saints Benoît et Bernard flanquent le portail principal.

Entrée principale

Sala dos Reis
Des azulejos du XVIIIe siècle illustrent la fondation de l'abbaye et des statues royales ornent les murs.

L'ASSASSINAT D'INÊS DE CASTRO

Pour des raisons d'État, Dom Pedro, héritier de Dom Afonso IV *(p. 44-45)*, dut épouser l'infante de Castille, Constança, alors qu'il était tombé amoureux de l'une de ses dames d'honneur, Inês de Castro. À la mort de Constança, Dom Pedro partit vivre à Coimbra avec Inês. Mais, jugeant la famille d'Inês dangereuse pour le royaume, Dom Afonso IV la fit assassiner le 7 janvier 1355 *(p. 203)*. À la mort du roi, Dom Pedro fit arracher le cœur aux meurtriers de sa belle. Révélant son mariage secret avec Inês, Dom Pedro fit exhumer sa dépouille et la fit couronner. Puis il contraignit la cour à baiser la main de la reine morte.

avons dîné à Nazaré (H aenv)

La plage de Nazaré, vue du Sítio

Nazaré ❻

Carte routière C4. 🏠 *10 000.* 🚌
ℹ️ *avenida da República 17 (262 561 194).* 🎪 *ven.*

Avec sa belle plage nichée dans une baie bordée de falaises, ce village de pêcheurs est une station balnéaire appréciée, au charme traditionnel. On y voit encore des pêcheurs vêtus de chemises à carreaux et de bonnets noirs et leurs femmes portant des jupons superposés, qui réparent les filets et font sécher du poisson sur la plage. Les bateaux de couleurs vives aux grandes proues, autrefois hissés hors de l'eau par des bœufs, sont toujours utilisés, mais un mouillage leur est désormais réservé au sud de la plage. Le nom de Nazaré

L'église baroque Nossa Senhora de Nazaré

viendrait d'une statue de la Vierge rapportée ici au IVe siècle par un moine de Nazareth.

Perché sur la falaise, le Sítio est desservi par un funiculaire. La petite **ermida da Memória** se dresse au bord de la falaise. C'est ici qu'en 1182 la Vierge aurait sauvé le seigneur Dom Fuas Roupinho et son cheval, alors qu'il chassait un cerf qui sauta de la falaise noyée dans la brume. De l'autre côté de la place, l'église **Nossa Senhora de Nazaré,** du XVIIe siècle, possède deux clochers baroques. L'intérieur, tapissé d'*azulejos* du XVIIIe siècle, abrite une peinture anonyme du miracle et une représentation de Notre-Dame de Nazaré. En septembre, la statue est portée vers la mer lors d'une procession traditionnelle, rappelant l'origine de la localité.

AUX ENVIRONS : São Martinho do Porto, à 13 km au sud de Nazaré, est une plage de sable dans une baie presque fermée. Très sûre, elle est appréciée des familles avec des enfants. L'église wisigothique **São Gião,** à 5 km plus au sud, abrite de belles sculptures.

Porto de Mós ❼

Carte routière C4. 🏠 *6 000.* 🚌
ℹ️ *Alamedo A. Afonso Henriques (244 491 323).* 🎪 *ven.*

Le **château,** plutôt extravagant, domine la bourgade de Porto de Mós. L'édifice, à l'origine un fort maure, fut reconstruit par différents rois chrétiens. Sa physionomie actuelle, avec ses tourelles vertes coniques et sa ravissante loggia, est l'œuvre des bâtisseurs de Dom Afonso IV, qui l'achevèrent en 1420.

L'église **São João Baptista,** du XIIIe siècle, a conservé son

portail roman d'origine. L'église baroque **São Pedro,** richement décorée, est installée dans le jardin public. À l'écart de la praça da República, le **Museu Municipal** présente une collection variée de trouvailles locales : vestiges romains et os de dinosaures, mais aussi *mós* (meules), céramiques et tapis tissés contemporains.

🏛 **Museu Municipal**
Travessa de São Pedro. 📞 *244 499 615.* ⬜ *mar.–dim.* ⬛ *jours fériés.*

Âne dans le parc natural das Serras de Aire e Candeeiros

AUX ENVIRONS : Au sud de Porto do Mós, le **parque natural das Serras de Aire e Candeeiros** s'étend sur 38 900 hectares dans un paysage de calcaire verdoyant. Le parc est un lieu de reproduction pour les craves à bec rouge.

La région est truffée de grandes grottes souterraines avec d'étranges formations rocheuses, des stalactites et des stalagmites. Les plus grandes sont les **grutas de Mira de Aire,** à 17 km au sud-est de Porto de Mós, où des tunnels descendent jusqu'à 110 m sous terre. Au cours de la visite des cavités, vous découvrirez des rochers bizarres, baptisés le « Chapeau chinois » ou la « Méduse » ; elle s'achève par un spectacle d'eau et de lumière.

🦇 **Grutas de Mira de Aire**
Mira de Aire, N 243. 📞 *244 440 322.* ⬜ *t.l.j.* 🖼

Batalha ❽

Voir p.182–183.

Leiria 🟒

Carte routière C4. 🏠 *13 000.* 🚉
🚌 ℹ️ *Jardim Luís de Camões (244 823 773).* 🛒 *mar. et sam.*

Ville épiscopale depuis 1545, Leiria s'étend dans un joli paysage de campagne sur les bords de la Lis. L'ancienne ville romaine de Collipo fut prise aux Maures par Afonso Henriques *(p. 42-43)* au XII⁰ siècle. En 1254, Dom Afonso III y tint des Cortes.

Le magnifique **château**, qui domine la ville, compte une bibliothèque et des salles de réunion. Au début du XIV⁰ siècle, le roi Dinis le restaura, le dotant d'un beau donjon, de la torre de Menagem et d'une élégante loggia, et en fit une résidence royale pour lui et son épouse, la reine Isabel d'Aragon. À l'intérieur des remparts, on découvre les murs de granit sombres de l'église gothique **Nossa Senhora da Pena**, privée de toit. De la loggia, la vue porte sur la pinède, la pinhal de Leiria, et sur les toits.

La vieille ville, située au pied du château, est charmante, avec ses minuscules habitations en surplomb, ses ravissantes arcades et la petite église São Pedro, du XII⁰ siècle, qui s'élève sur le largo de São Pedro. Le portail roman est tout ce qu'il reste de l'église d'origine. La Sé du XVI⁰ siècle, au-dessus de la praça Rodrigues Lobo, possède une élégante nef et, dans le chœur, un retable de 1605 peint par Simão Rodrigues. De l'avenida marquês de Pombal, qui grimpe sur la colline en face du château, un escalier du XVIII⁰ siècle monte au **santuário de Nossa Senhora da Encarnação**, du XVI⁰ siècle. Le petit intérieur baroque, où les *azulejos* géométriques abondent, abrite également des peintures illustrant la *Vie de la Vierge*, du XVII⁰ siècle.

⚓ **Château**
Largo de São Pedro. 📞 *244 813 982.*
🕐 *t.l.j.* ● *1ᵉʳ janv., 25 déc.* 🎫

AUX ENVIRONS : À l'ouest s'étend l'immense **pinhal de Leiria**, la pinède plantée par Dom Dinis afin de fournir du bois pour les bateaux. Cette « cathédrale verte emplie de murmures », selon les paroles du poète Afonso Lopes Vieira (1878-1946), s'étend vers le nord jusqu'à la plage de Pedrógão. **São Pedro de Muel**, à 22 km à l'ouest de Leiria, possède une belle plage.

La côte déchiquetée de l'ouest de Leiria

Pombal 🔟

Carte routière C4. 🏠 *12 500.* 🚉
🚌 ℹ️ *Viaduto Guilherme Santos (236 213 230).* 🛒 *lun. et jeu.*

Associée au marquês de Pombal *(p. 52-53)*, qui s'y retira en 1777, cette petite ville aux maisons blanchies à la chaux est dominée par l'imposant **château** bâti en 1171 par les Templiers *(p. 185)*.

Le marquis vécut sur l'actuelle praça marquês de Pombal. L'ancienne prison et le *celeiro* (cellier) sont ornés des armoiries de sa famille. L'ancien monastère de Santo António abrite le **Museu Marquês de Pombal,** avec des documents et des œuvres d'art consacrés à ce personnage historique.

🏛 **Museu Marquês de Pombal**
Largo do Cardal. 📞 *236 212 018.*
🕐 *lun.–ven.* ● *jours fériés.* ♿

La loggia à arcades et les tours du château veillent sur Leiria

Batalha ❽

extraordinaire ++

Le jeune Nuno Álvares Pereira

L'abbaye dominicaine de Santa Maria da Vitória à Batalha, qui célèbre la victoire d'Aljubarrota en 1385, est le chef-d'œuvre du gothique rayonnant portugais. En effet, Dom João Iᵉʳ avait fait le vœu d'élever une église magnifique à la Vierge s'il gagnait la bataille. La construction fut entamée en 1388 par l'architecte maître Afonso Domingues, auquel succéda en 1402 David Huguet. Au cours des deux siècles suivants, différents rois y laissèrent leur empreinte : le fils de Dom João, le roi Duarte, commanda un panthéon derrière l'abside ; les chapelles inachevées et les décorations des bâtiments sont des ajouts manuélins. L'abbaye a toujours un rôle militaire : deux soldats inconnus de la Première Guerre mondiale reposent dans le chapitre.

Chapitre
Le Soldat inconnu gît dans le tombeau sous la belle voûte présentant une étoile de nervures due à Huguet.

coup de cœur du groupe

★ Cloître royal
Les arcades gothiques d'Afonso Domingues et de David Huguet autour du cloître sont ornées de remplages manuélins (p. 20-21), mettant en harmonie les formes et les décors.

Le lavabo, où les moines se lavaient les mains avant et après les repas, possède une fontaine construite vers 1450.

Réfectoire

Entrée principale

Portail
Huguet enrichit le portail de motifs religieux et de statues des apôtres, dans le style complexe du gothique tardif.

À NE PAS MANQUER

★ **Chapelle**

★ **Cloître royal**

★ **Chapelles**

★ **Chapelles inachevées**
Commencé sous Dom Duarte, le mausolée fut abandonné par le roi Manuel Ier pour le monastère des Jerónimos (p. 106-107).

MODE D'EMPLOI

Carte routière C4. Mosteiro de Santa Maria da Vitória, Batalha. 244 765 497. de Lisbonne, Leiria, Porto de Mós et Fátima. 9 h–18 h (oct.–mars : 17 h) t.l.j. 1er janv., Pâques, 1er mai, 25 déc.

Les vitraux, derrière le chœur, datent de 1514.

Portail manuélin
La décoration des chapelles inachevées datent, en partie, de Dom Manuel Ier. Ce portail a été sculpté en 1509 par M. Fernandes.

La haute nef d'Afonso Domingues

La chapelle abrite une lanterne octogonale.

★ **Chapelle du fondateur**
Le tombeau de Dom João Ier et de Philippa de Lancastre, gisant main dans la main, a été commencé en 1426 par Huguet. Leur fils, Henri le Navigateur, repose également ici.

LA BATAILLE D'ALJUBARROTA

En 1383, Fernando Ier *(p. 44-45)* mourut sans héritier mâle direct. Dom João, fils illégitime du père de Fernando, fut proclamé roi, ce que contesta Juan de Castille. Le 14 août 1385, les troupes de João Ier, commandées par Nuno Álvares Pereira, défirent les Castillans, sur un petit plateau près d'Aljubarrota, à 3 km au sud de Batalha. La spectaculaire victoire de João assura deux siècles d'indépendance vis-à-vis de l'Espagne. Le monastère est un symbole de la souveraineté portugaise et de la puissance de la maison d'Avis.

Commandant Nuno Álvares Pereira

La devise de João Ier,
Por bem (Pour le bien), figure sur son tombeau.

avons les 3 commence plus margueritte

**Galerie en calcaire sculpté entourant
la grande esplanade de la basilique de Fátima**

Fátima ⓫

Carte routière C4. 🏠 4 000. 🚌
ℹ️ *avenida Dom José Alves Correia
da Silva (249 531 139).* 🏠 *sam.*

Le sanctuaire de Fátima est
l'un des lieux de pèlerinage
comparable à ceux de
Lourdes ou de Saint-Jacques-
de-Compostelle. La **basilique**
néo-baroque, flanquée de
statues de saints, est dotée
d'une tour de 65 m et d'une
esplanade deux fois plus
grande que la place Saint-
Pierre de Rome.

Le 13 mai et le 13 octobre,
des milliers de pèlerins
viennent commémorer les
apparitions de la Vierge à trois
jeunes bergers. Le 13 mai
1917, Lucia Santos, âgée de
dix ans, et ses jeunes cousins,
Francisco et Jacinta Marta,
virent une apparition dans les
branches d'un chêne vert. Elle
leur demanda de revenir le 13
du mois pendant six mois, et
le 13 octobre 70 000 pèlerins
s'étaient joints aux enfants.
On parla du « miracle du

soleil ». Seule Lucia
entendit les trois
« secrets de Fátima »,
révélés lors de la
dernière apparition.
Le premier
concernait la paix
(la Première Guerre
mondiale avait
lieu), le deuxième
la Russie, et le
troisième, la vision
de l'assassinat du
pape, fut révélé par
le pape Jean-Paul II
à l'occasion du Millenium. La
basilique, entamée en 1928,
abrite les tombeaux de Jacinta
et de Francisco. Lucia, qui
devint carmélite, vit toujours.
Les vitraux représentent les
apparitions. Sur l'esplanade, la
capela das Aparições se
dresse sur le lieu même des
apparitions. À l'intérieur, on
peut voir la balle qui fut tirée
sur le pape en 1981. Un chêne
vert remplace le chêne des
apparitions. Les demeures des
enfants ont été préservées
dans la **casa dos
Pastorinhos.**

L'intense émotion et la
ferveur des pèlerins qui
s'approchent du sanctuaire à
genoux sont saisissantes. Des
cierges sont brûlés en
offrande pour les miracles
accomplis par la Vierge et,
lors des messes nocturnes,
des milliers de bougies
illuminent l'esplanade.

⚜ Casa dos Pastorinhos
Aljustrel. 📞 *249 532 828.*
🕐 *t.l.j.* ♿

AUX ENVIRONS : Ourém, qui
se trouve à 10 km à peine au
nord-est de Fátima, est une
citadelle médiévale. Le
château fut construit au XVᵉ
siècle par Afonso, petit-fils de
Nuno Álvares Pereira *(p. 183).*
L'igreja Matriz, du XVᵉ siècle,
abrite son tombeau. Le nom
de la ville viendrait d'Oureana,
une jeune Maure qui s'appelait
Fátima avant de se convertir
par amour pour un chevalier
chrétien.

**Ce passage secret en ruine reliait
les tours du château à Ourém**

Tomar ⓬

Carte routière C4. 🏠 20 000. 🚆
🚌 ℹ️ *avenida Dr Cândido Madureira
(249 322 427).* 🏠 *ven.*

Fondée en 1157 par
Gualdim Pais, le premier
grand maître de l'ordre des
Templiers au Portugal, la ville
est dominée par son château
du XIIᵉ siècle, qui abrite le
convento de Cristo *(p. 186-
187).* La rua Serpa Pinto, une
rue commerçante animée,
mène à l'église gothique **São
João Baptista** sur la praça da
República, la place principale.
Cette église de la fin du
XVᵉ siècle, à l'élégant portail
manuélin, est surmontée
d'une flèche octogonale.
L'intérieur recèle une chaire
en pierre sculptée et des
peintures du XVIᵉ siècle,
comme la *Cène* de Gregório
Lopes (1490-1550).

Devant l'église se déroule la
spectaculaire festa dos
Tabuleiros. Lors de cette fête
d'origine païenne célébrée en
juillet, tous les deux ou trois
ans, des jeunes filles vêtues de
blanc portent sur la tête des

Église et clocher de São João Baptista sur la place principale de Tomar

plateaux où sont empilés des pains et des fleurs.

Non loin, dans la rua Dr Joaquim Jacinto, se dresse l'une des plus vieilles **synagogues** du Portugal, construite entre 1430 et 1460. L'édifice servit pour la dernière fois de lieu de culte en 1497, lorsque Manuel Ier (*p. 46-47*) bannit tous les juifs refusant de se convertir. La synagogue fut successivement une prison, un grenier à foin et un entrepôt. Aujourd'hui, elle abrite un petit musée juif, le **Museu Luso-Hebraico de Abraham Zacuto,** du nom d'un célèbre astronome et mathématicien du XVe siècle.

Plus au sud, l'église São Francisco, du XVIIe siècle, accueille dans ses cloîtres le **Museu dos Fósforos,** un musée des Allumettes présentant la plus grande collection d'Europe, avec plus de 43 000 boîtes provenant de 104 pays.

Sur la rive est du Nabão, non loin de la rua Aquiles da Mota Lima, l'église **Santa Maria do Olival,** du XIIIe siècle, possède un clocher original à trois étages. Restaurée au cours des siècles, l'église a conservé sa façade gothique et sa rosace. L'intérieur renferme les tombeaux de Gualdim Pais (mort en 1195) et d'autres maîtres des Templiers, et une élégante chaire Renaissance. L'église possédait autrefois une

Le château veille sur la rua Serpa Pinto, la rue commerçante de Tomar

Chaire, Santa Maria do Olival importance considérable, puisqu'elle était l'église mère des marins à l'époque des Découvertes.

En direction du nord, la rua Santa Iria mène à la **capela de Santa Iria,** à côté du **ponte Velha,** du XVe siècle. Cette chapelle Renaissance serait construite à l'endroit où la sainte fut martyrisée au VIIe siècle (*p. 191*). Un puissant retable de pierre représentant la *Crucifixion* (1536) se dresse au-dessus de l'autel,

dans la capela dos Vales. Le **parque do Mouchão,** sur une île, est un lieu de promenade ombragé et agréable. Le cours d'eau fait tourner une roue d'irrigation qui daterait de l'époque romaine. Encore plus au nord, en dépassant l'**ermida de São Gregório,** un bâtiment octogonal du XVIe siècle doté d'un portail manuélin, un long escalier monte à **Nossa Senhora da Piedade,** du XVIIe siècle.

Nossa Senhora da Conceição, une basilique

Renaissance construite entre 1530 et 1550, se dresse sur la colline du convento de Cristo. La simplicité de sa façade contraste avec l'intérieur, aux colonnes corinthiennes finement sculptées. L'architecte serait Francisco de Holanda (1517-1584).

🏛 **Museu Luso-Hebraico de Abraham Zacuto**
Rua Joaquim Jacinto. 📞 *249 322 427.* ◯ *jeu.–mar.* ⚫ *jours fériés.*
🏛 **Museu dos Fósforos**
Largo 5 de Outubro. 📞 *249 322 427.* ◯ *t.l.j.* ⚫ *jours fériés.* ♿

L'ORDRE DU CHRIST

Au XIIe et au XIIIe siècle, les membres de l'ordre des Templiers, en croisade, aidèrent les Portugais à combattre les Maures. En contrepartie, ils reçurent des terres et acquirent un pouvoir politique. Sous leur houlette, châteaux, églises et villes virent le jour. En 1314, le pape Clément V interdit cet ordre riche et puissant, mais, au Portugal, le roi Dinis le transforma en l'ordre du Christ, qui hérita des biens et des privilèges des Templiers. Les idéaux d'expansion chrétienne

Croix, ordre du Christ

connurent une nouvelle heure de gloire lorsqu'Henri le Navigateur, le grand maître, investit la fortune de l'ordre dans les explorations. L'emblème de l'ordre du Christ, la croix carrée, ornait les voiles des caravelles qui traversaient les mers (*p. 46-47*).

de notre hôtel (noble belle chambre) vue sur le château des Templiers

Tomar : Convento de Cristo

Fondé en 1162 par le grand maître des Templiers, le couvent du Christ présente toujours des témoignages de ces moines-chevaliers et de l'ordre du Christ *(p. 185)*, qui leur succéda. Sous Henri le Navigateur, grand maître de l'ordre à partir de 1418, des cloîtres virent le jour entre la Charola et la forteresse des Templiers. Mais c'est le règne de Dom João III (1521-1557) qui connut les changements les plus importants. Des architectes comme João de Castilho et Diogo de Arruda construisirent l'église et les cloîtres, foisonnant de décorations manuélines, qui culminent dans la fenêtre sur la face ouest de l'église.

Saint Jérôme, portail sud

★ **Fenêtre manuéline**
Cette fenêtre étonnante ruisselle d'une profusion de motifs marins. La sculpture du bas représenterait soit l'architecte (p. 20), soit un vieux marin.

Cloître des Corbeaux, bordé par un aqueduc

★ **Grand Cloître**
Commencé vers 1550, par Diogo de Torralva, le cloître reflète la passion de Dom João III pour l'art italien. Un escalier en colimaçon mène à la terrasse de la Cire.

Dans le cloître « de la Micha », des miches de pain était distribuées aux pauvres qui venaient mendier au monastère.

La terrasse de la Cire, où séchaient les rayons de miel

LA CHAROLA

La Charola du XIIᵉ siècle, l'oratoire des Templiers, est le cœur du monastère. Son plan est inspiré par la rotonde du Saint-Sépulcre de Jérusalem, avec un octogone central formé d'autels. En 1356, Tomar devint le siège de l'ordre du Christ au Portugal. Les décorations de la Charola reflétaient la richesse de l'ordre. Les peintures et les fresques (souvent des scènes bibliques du XVIᵉ siècle) ainsi que les statues dorées sous la coupole byzantine ont été soigneusement restaurées.

L'octogone doré

À la construction de l'église manuéline, un arc fut aménagé sur le côté de la Charola pour la relier à l'église et en faire la principale chapelle.

À NE PAS MANQUER

★ **Charola**

★ **Fenêtre manuéline**

★ **Grand Cloître**

Église manuéline
Commencée par Diogo de Arruda au XVIe siècle, l'église s'étend sur deux niveaux. La voûte à nervures de la partie supérieure porte les emblèmes de Manuel Ier.

MODE D'EMPLOI

Sur la N113, à l'O. de Tomar.
☎ 249 313 481. 🅿 🚌 de Lisbonne, Coimbra et Leiria.
🕐 Juin-sept. 9 h–18 h 30 t.l.j. ; oct.–avr. : 9 h–17 h 30) t.l.j. (der. entrée : 15 mn av. ferm.). ● 1er janv., Pâques, 1er mai, 25 déc. 🎫
📷 (flash interdit)

★ Charola
L'église des Templiers, appelée parfois la rotonde, est dotée d'un déambulatoire.

Octogone intérieur de la Charola

Cloître du Cimetière
Les pierres tombales des moines pavent le pourtour de ce cloître du XVe siècle, qui fut le premier du couvent.

Le cloître des Ablutions a été bâti autour de deux réservoirs, recouverts de fleurs aujourd'hui.

Ruines de l'ancien palais royal

Le portail sud est dû à João de Castilho.

Entrée

Donjon du château

Château des Templiers
En 1160, le grand maître des Templiers le fit ériger sur des terres données à l'ordre par le roi.

Les murailles de la forteresse d'Abrantes, du début du XIIIᵉ siècle

Barragem do Castelo de Bode ⑬

Carte routière C4. 🚍 *jusqu'au barrage.* 🚌 *de Castanheira.* ℹ️ *Tomar (249 322 427).*

On pense qu'il y avait jadis un « château du bouc » (castelo de bode), qui a donné son nom au grand barrage *(barragem)* installé sur le Zêzere, peu avant le confluent de celui-ci et du Tage. La construction de l'ouvrage, commencée en 1946, permit l'alimentation de la première centrale hydro-électrique du pays. Plus haut, un long lac est niché entre des collines tapissées de forêts et émaillées de petits villages. Cette région isolée est appréciée des amateurs de pêche, de navigation et de sports aquatiques. Les équipements nécessaires sont loués sur les bords du lac. À Castanheira, sur la rive ouest du lac, le Centro Naútico do Zêzere loue canoës, planches à voile et skis nautiques. Les hôtels du bord du lac, comme le paisible Estalagem Lago Azul *(p. 386)*, proposent des voiliers. Une petite croisière, avec des haltes sur les plages de sable et les îlots, part de l'hôtel.

Abrantes ⑭

Carte routière C4. 🏛 *15 000.* 🚆 🚌 ℹ️ *largo 1º de Maio (241 362 555).* 🛒 *lun.*

Située à un emplacement grandiose, la ville avait une importance stratégique. Elle joua un rôle essentiel lors de la Reconquête *(p. 42-43)*. Pendant la guerre napoléonienne *(p. 54)*, le général Junot et le duc de Wellington y installèrent tous deux une base. À l'intérieur des murailles, l'église Santa Maria do Castelo, du XVᵉ siècle, abrite aujourd'hui le petit **Museu Lopo de Almeida.** Outre des trouvailles archéologiques locales, il recèle les tombeaux de la famille Almeida, les comtes d'Abrantes. Dans la rua da República, l'église **Misericórdia**, datant de 1584, présente six magnifiques panneaux religieux attribués à Gregório Lopes (1490-1550).

🏛 **Museu Dom Lopo de Almeida**
Rua Capitão Correia de Lacerda.
📞 *241 371 724.* ⏰ *t.l.j.*
🚫 *jours fériés.* ♿

Maisons blanchies à la chaux de Constância, dominant le Tejo

AUX ENVIRONS : À Sardoal, à 8 km au nord d'Abrantes, l'église São Tiago e São Mateus, du XVIᵉ siècle, abrite un saisissant *Couronnement d'épines* dû au maître de Sardoal, un peintre du XVIᵉ siècle. Sur la capela do Espírito Santo, bordant la praça da República, des *azulejos* rendent hommage au poète Gil Vicente, né ici.

À 12 km à l'ouest de Sardoal, la jolie bourgade de **Constância** célèbre la mémoire du poète Luís Vaz de Camões. Renvoyé de la cour pour s'être mal conduit avec une dame, il vécut brièvement ici. Sur la berge de la rivière, la maison du poète, la **Casa Memória de Camões**, se visite.

🏠 **Casa Memória de Camões**
Rua do Tejo. 📞 *249 739 536* ⏰
appeler aux heures ouvrables.

LUÍS VAZ DE CAMÕES (1524–1580)

L'auteur du poème épique *Os Lusíadas* avait un tempérament de feu qui lui valut bien des ennuis. Banni de la cour, il s'engagea dans l'armée en 1547 et s'embarqua pour l'Afrique du Nord, où il perdit un œil. Emprisonné après une bagarre, il partit servir son pays aux Indes, et son bateau fut le seul de la flotte à résister aux tempêtes. Ces expériences transparaissent à travers la puissance des *Lusiades*. Témoignage unique des Découvertes, ce poème épique narre le voyage de Vasco da Gama aux Indes tout en mêlant événements et légendes de l'histoire du Portugal. Toutefois, Camões passa des années mornes aux Indes en se languissant de Lisbonne. Son poème ne fut publié qu'en 1572.

Statue de Camões, au bord de la rivière, Constância

Castelo de Almourol **⑮**

Carte routière C4. 🚌 à Barquinha, puis taxi. ⏰ *t.l.j. pendant la journée.* ℹ *praça da República, Barquinha (249 720 350).*

Installé sur une petite île du Tage, le château a été construit en 1171 par Gualdim Pais *(p. 185)*. D'innombrables légendes entourent ce lieu enchanteur. Un roman en vers du XVIe siècle, le *Palmeirim de Inglaterra*, raconte l'histoire de géants et de chevaliers, et du combat du croisé Palmeirim pour la ravissante Polinarda. Le château serait hanté par le fantôme d'une princesse se consumant d'amour pour son esclave maure.

Le château, entouré de remparts et gardé par neuf tours, n'a jamais été pris.

Les murailles de la forteresse d'Abrantes, du début du XIIIe siècle

Torres Novas **⑯**

Carte routière C4. 🏘 16 000. 🚌 ℹ *Largo dos Combatentes 4-5 (249 813 019).* ⛴ *mar.*

Sous les murs du château se trouvent des rues animées et de belles églises. Lors de la Reconquête, la **forteresse** du XIIe siècle fut le théâtre de combats violents. Aujourd'hui, ses ruines renferment un jardin. Sous le château, l'église **Misericórdia** du XVIe siècle possède un portail Renaissance. L'intérieur est orné d'*azulejos* colorés de

1674. L'**igreja de Santiago**, sur le largo do Paço, a probablement été construite en 1203, mais les *azulejos* et le retable doré, avec une sculpture en bois du jeune Jésus aidant Joseph le charpentier, sont des ajouts du XVIIe siècle.

Au centre, le **Museu Municipal de Carlos Reis** présente des œuvres d'artistes du XIXe siècle et du début du XXe siècle, une Nossa Senhora do Ó gothique du XVe siècle, et des médailles, des bronzes et des céramiques des ruines romaines de Vila Cardílio. Le musée porte le nom du peintre Carlos Reis (1863-1940), natif de la ville.

🏛 Museu Municipal de Carlos Reis
Rua do Salvador. 📞 *249 812 535.* ⏰ *mar.–dim.*

AUX ENVIRONS : Les ruines romaines de **Vila Cardílio**, à 3 km au sud-ouest de Torres Novas, datent du IVe siècle apr. J.-C. et présentent des mosaïques et des thermes superbes. Les **grutas das Lapas**, au nord-est, sont de grandes grottes du néolithique. Entre le Tage et l'Almondo, le petit marécage de la **reserva natural do Paúl de Boquilobo**, à 8 km au sud, est protégé depuis 1981. En hiver, les saules et les plantes aquatiques abritent des oiseaux sauvages. Au printemps, c'est un lieu de reproduction pour les aigrettes et les hérons.

🏞 Vila Cardílio
Fin de la N3. ⏰ *t.l.j.* ♿
🏞 Grutas das Lapas
Rua José Mota e Silva, Lapas. ⏰ *t.l.j.* *(demander la clé au n° 16).* ♿

Vestiges de l'hypocauste, le système de chauffage souterrain romain à Vila Cardílio, à l'extérieur de Torres Novas

Portail de l'igreja Matriz, Golegã

Golegã ⑰

Carte routière C4. 🚶 9 000. 🚉
ℹ️ largo de Parque de Campismo (249
976 742). 🗓️ mer.

Les deux premières
semaines de novembre,
cette bourgade paisible est
prise d'assaut par des milliers
de visiteurs qui se retrouvent
pour la foire du cheval, la
Feira Nacional do Cavalo. La
dégustation du vin nouveau,
le jour de la Saint-Martin
(11 novembre), a lieu pendant
la foire, ajoutant encore à
l'ambiance festive. Éleveurs et
cavaliers se retrouvent pour
boire du vin nouveau et de
l'*agua-pé* (eau-de-vie).

Au centre de Golegã,
l'**igreja Matriz** du XVIᵉ siècle,
attribuée à Diogo Boytac
(p. 106-107), est dotée d'un
magnifique portail manuélin.
L'intérieur est paisible. Le petit
**Museu de Fotografia Carlos
Relvas** est installé dans une
élégante maison Art déco, qui
était le studio du photographe
(1838-1894). Le **Museu de
Pintura e Escultura Martins
Correia**, dans l'ancienne
poste, présente une collection
d'art moderne intéressante.

🏛 **Museu de Fotografia
Carlos Relvas**
Largo Dom Manuel I. 📞 249 979 050.
🌑 jusqu'à nouvel avis. 📷
🏛 **Museu de Pintura e
Escultura Martins Correia**
Largo da Imaculada Conceição. 📞
249 979 050. 🗓 mar.–dim.
🌑 1ᵉʳ janv., 25 déc. ♿ r.-de-c.

Alpiarça ⑱

Carte routière C4. 🚶 8 000. 🚉
ℹ️ *Parque de Campismo de Alpiarça
(243 557 040)* 🗓️ mer.

Cette bourgade agréable de
la plaine de la Lezíria, à
l'est du Tage, est renommée
pour ses élevages de chevaux.
La belle église paroissiale à
deux tours est dédiée à **Santo
Eustáquio**, le saint patron de
la ville. Construite à la fin du
XIXᵉ siècle, elle abrite surtout
des peintures du XVIIᵉ siècle,
comme le jeune Jésus parlant
à un mouton. La croix de
pierre de la cour, plus
ancienne, date de 1515.

À la lisière sud de la
ville, la belle **Casa Museu
dos Patudos**, entourée de
vignes, est l'ancienne
résidence de José Relvas
(1858-1929).
Collectionneur d'art,
diplomate et homme
politique, Relvas occupa
brièvement le poste de
Premier ministre. Ce
manoir aux murs blanchis à la
chaux dominé par une flèche
a été construit par Raúl Lino
entre 1905 et 1909. La loggia à
colonnes, desservie par un
escalier extérieur, est ornée de
panneaux d'*azulejos* colorés.
Le musée abrite la collection
personnelle de Relvas —
œuvres d'art et arts décoratifs.
Parmi les peintures de la
Renaissance, on admirera une
Vierge à l'Enfant et saint Jean
de Léonard de Vinci et une
Mise au tombeau d'Albrecht
Dürer. La collection comprend
aussi des œuvres de

Delacroix, de Zurbarán, mais
aussi d'artistes portugais du
XIXᵉ siècle, notamment trente
toiles de José Malhôa *(p. 55)*,
qui était un ami de Relvas.
Celui-ci collectionnait
également les porcelaines, les
bronzes, le mobilier et les
tapis d'Orient, ainsi que des
tapis d'Arraiolos anciens.
Notez en particulier un
exemplaire en soie de toute
beauté.

🏛 **Casa Museu dos Patudos**
2 km au S., N118. 📞 243 556 444. 🌑
mer.–dim. 🌑 jours fériés. 📷

**Élégante façade de la quinta da Alorna,
un manoir à l'extérieur d'Almeirim**

AUX ENVIRONS : Almeirim, à
7 km au sud, était très
apprécié de la maison d'Avis
(p. 46-47). Aujourd'hui, les
vestiges de ce passé royal sont
rares, et les visiteurs y vont
plutôt pour déguster la
célèbre *sopa de pedra*, ou
soupe de pierre *(p. 146)*.

Cette vaste plaine fertile
compte quantité d'élevages
de bétail et de chevaux.
À l'extérieur d'Almeirim, la
quinta da Alorna est un joli
manoir du XIXᵉ siècle entouré
d'un jardin agréable et
renommé pour son vin.

Loggia ornée d'*azulejos* de la Casa Museu dos Patudos, Alpiarça

Vue du Tage depuis le jardin das Portas do Sol, Santarém

Santarém ⑲

Carte routière C4. 🏠 *30 000*. 🚏
🚌 ℹ️ *rua Capelo e Ivens 63 (243 304 437)*. 🛍️ *2e et 4e dim. du mois.*

La capitale du Ribatejo domine le Tage ; elle s'enorgueillit d'un passé glorieux. Sous Jules César, la ville était un centre administratif important, un *praesidium julium*. Elle devint ensuite un bastion maure, Xantarim, du nom de Santa Iria, une religieuse de Tomar *(p. 184-185)* martyrisèe au VIIe siècle, dont le corps fut jeté dans le Nabào et, dit-on, réapparut ici sur les rives du Tage. Les rois du Portugal, qui chassèrent les Maures en 1147, appréciaient Santarém, et de nombreuses réunions des *Cortes* s'y tinrent.

Au centre de la vieille ville, sur la praça Sá da Bandeira, la grande **igreja de Seminário** est un édifice baroque construit en 1640 par Joào IV pour les jésuites, sur le site d'un palais royal. De là, la rua Serpa Pinto, allant vers le sud-est, longe plusieurs édifices plus anciens. La spacieuse **igreja do Marvila**, construite au XIIe siècle et modifiée ultérieurement, possède un portail manuélin. Elle est embellie de magnifiques panneaux d'*azulejos* du début du XVIIe siècle. La **torre das Cabaças** se dresse à 22 m de hauteur et abrite un petit musée du temps le **Núcleo Museological do Tempo**. En face, se situe le **Museu Arqueológico**, installé dans l'ancienne église romane Sào Joào de Alporào. Fort malheureusement, le musée,

qui abritait quantité d'objets intéressants illustrant le passé romain et maure de la ville, est fermé en raison de l'instabilité de ses fondations et sa réouverture n'est pas envisagée pour l'instant.

La rua Serpa Pinto mène à la rua 5 de Outubro, puis au **jardim das Portas do Sol.** Une terrasse offre une vue panoramique de la rivière et des prairies.

En revenant vers la ville, on arrive sur le largo Pedro Álvares Cabral, où l'**igreja da Graça,** du XIVe siècle, est dotée d'une magnifique rosace. L'église recèle la

pierre tombale de Pedro Álvares Cabral, qui découvrit le Brésil *(p. 48)*. Plus au sud, dans la rua Braamcamp Freire, l'**igreja do Santíssimo Milagre,** du XIVe siècle, a un intérieur Renaissance décoré d'*azulejos*. Dans la sacristie, un petit flacon de cristal contient, dit-on, du sang du Christ. Cette croyance remonte à une légende du XIIIe siècle, selon laquelle de l'eau bénite destinée à empêcher un mari de battre sa femme se transforma miraculeusement en sang.

Santarém possède des arènes modernes, situées à l'extrémité sud-ouest de la ville. Durant les dix premiers jours de juin, la ville accueille la foire du Ribatejo, la plus grande manifestation agricole du pays, qui s'accompagne de courses de taureaux et de concours de *campinos*, les gardiens de taureaux. À l'automne, la ville accueille le plus grand festival de gastronomie du Portugal et ses nombreux stands vous proposeront un large éventail de toutes les spécialités régionales du pays.

Tombeau de Duarte de Meneses dans le Museu Arqueológico, Santarém

Champs et vignobles de la Lezíria, la vallée qui s'étend au-delà de Coruche

Coruche ⑳

Carte routière C5. 🏛 *3 500*. 🚊
🚌 ℹ *porto João Felício (243 617 488)*. 🎪 *dernier sam. du mois.*

Installé au bord d'une rivière, au cœur du pays de la tauromachie, Coruche domine la Lezíria, la grande plaine à l'est du Tage. Construite sur un site habité depuis le paléolithique, la ville fut rasée par les Maures en 1180.

Dans la rua de Santarém, qui est la rue piétonne centrale, le café **O Coruja** est orné de panneaux d'*azulejos* modernes, représentant des taureaux, les arènes de la ville et des scènes de la vie quotidienne. Un peu plus loin, la rue est bordée par la petite église **São Pedro**, à l'intérieur entièrement tapissée de faïencerie jaune et bleue du XVIIe siècle. Sur le devant d'autel, un panneau d'*azulejos* représente saint Pierre entouré d'oiseaux et d'animaux. Au-dessus de la

Chœur de l'église São Pedro couvert d'*azulejos*, Coruche

ville se dresse **Nossa Senhora do Castelo,** une église bleue et blanche du XIIe siècle. De là on jouit d'une superbe vue sur les cultures et les chênes-lièges de la vallée de Sorraia et la Lezíria.

Lâcher de taureaux à Vila Franca de Xira

Vila Franca de Xira ㉑

Carte routière C5. 🏛 *20 000*. 🚊
🚌 ℹ *rua Almirante Cândido dos Reis 147 (263 276 053)*. 🎪 *mar. et ven.*

Entourée d'industries, cette ville sur les rives du Tage est plus intéressante qu'il n'y paraît. La région est un centre traditionnel d'élevage de taureaux et de chevaux. Deux fois par an, une foule de participants assiste au lâcher de taureaux dans les rues de la ville, à la *tourada* et aux manifestations équestres traditionnelles. La *festa do Colete Encarnado* (une fête animée qui doit son nom au gilet rouge des *campinos*, les gardiens de taureaux du Ribatejo) se déroule début

juillet et dure plusieurs jours. Elle s'accompagne de danses folkloriques, de courses de bateaux sur le Tage et de dégustations de sardines grillées. Une fête similaire, la *feira de Outubro*, se tient en octobre. Le petit **Museu Etnográfico** présente les costumes colorés traditionnels des *campinos* et d'autres objets liés à la tauromachie.

Le centre-ville possède un **marché** couvert datant des années 20, décoré de faïence. Plus à l'est, sur le largo da Misericórdia, de magnifiques *azulejos* du XVIIIe siècle rehaussent le chœur de l'église **Misericórdia**. Au sud de la ville, le **ponte Marechal Carmona,** construit en 1951, est le seul pont enjambant le Tage entre Santarém et Lisbonne.

🏛 **Museu Etnográfico**
Praça de Touros. 📞 *263 273 056* ◯
mar.–dim. ● *jours fériés.*

AUX ENVIRONS : À Povos, à 3 km au sud, le **Centro Equestre da Lezíria Grande** propose des démonstrations de dressage, effectuées sur des chevaux lusitaniens *(p. 296)*.

🐎 **Centro Equestre da Lezíria Grande**
N1. ◯ *mar.–dim.* ● *1er janv.,*
Pâques, 25 déc. ♿ 📞 *263 285 160*

Alenquer

Carte routière C5. 🚶 *4 000.* 🚌 🚹
Parque Vaz Monteiro (263 733 663).
🗓 *lun. suivant le 2ᵉ dim. du mois.*

La vieille ville, Vila Alta,
dégringole sur les versants
de la colline, au-dessus de la
ville nouvelle. Sur la place
centrale, la praça Luís de
Camões, l'église **São Pedro**,
du XVᵉ siècle, abrite le
tombeau de Damião de Góis
(1501-1574), un chroniqueur
humaniste né ici. Pêro de
Alenquer, qui navigua avec
Bartolomeu Dias et Vasco da
Gama *(p. 48-49)*, est lui aussi
natif d'Alenquer. Sur la
colline, près d'un château du
XIIIᵉ siècle en ruine, l'église du
monastère **São Francisco** a
un cloître manuélin et un
portail du XIIIᵉ siècle. Fondé
en 1222 du vivant du saint, ce
fut le premier monastère
franciscain du Portugal.

AUX ENVIRONS : À Meca, à
5 km au nord-ouest, l'église
Santa Quitéria est un lieu de
pèlerinage. Tous les ans au
mois de mai, des animaux y
sont bénis.

Les murs défensifs et le château veillant sur Torres Vedras

Torres Vedras ㉓

Carte routière B5. 🚶 *30 000.* 🚌
🚌 🚹 *rua 9 de Abril (261 314 094).*
🗓 *3ᵉ lun. du mois.*

La ville est étroitement liée
aux défenses fortifiées
construites par le duc de
Wellington pour lutter contre
les troupes napoléoniennes
(p. 54). Au nord de la ville,
près du fort de **São Vicente**,
les vestiges des fossés et des
bastions sont toujours visibles,
mais les forts et les ouvrages
de terre ont disparu.

Au-dessus de la ville, les
murailles restaurées du
château du XIIIᵉ siècle
entourent un jardin ombragé
et l'église Santa Maria do
Castelo. Sur la praça 25 de
Abril, dans la ville, un
monument aux morts rend
hommage aux victimes de la
guerre napoléonienne. En
face, le convento da Graça du
XVIᵉ siècle abrite le **Museu
Municipal.** Une salle
consacrée à la guerre
napoléonienne présente une
maquette des lignes
défensives. On remarquera
aussi le *Retábulo da Vida da
Virgem* du XVᵉ siècle, de
l'école flamande. L'église du
monastère, l'**igreja da Graça,**
recèle un retable doré
monumental du XVIIᵉ siècle.
Dans le chœur, une niche
abrite le tombeau de Gonçalo
de Lagos *(p. 320)*.

Derrière la rua 9 de Abril,
l'église manuéline **São Pedro**
possède un portail avec un
dragon ailé exotique
accueillant les visiteurs.
L'intérieur recèle un plafond en
bois peint et des panneaux
d'*azulejos* du XVIIIᵉ siècle.
Derrière l'église, dans la rua
Cândido dos Reis, la
fontaine, la **chafariz dos
Canos,** date du XVIᵉ siècle.

🏛 **Museu Municipal**
Praça 25 de Abril. 📞 *261 310 484.*
⭕ *mar.–dim.* ⬤ *jours fériés.* ♿

LES LIGNES DÉFENSIVES DE TORRES VEDRAS

**Fusil à silex
de la guerre
napoléonienne**

En octobre 1809, Arthur
Wellesley (le futur duc de
Wellington) fit construire un arc
de lignes défensives *(linhas de
Torres)* pour protéger Lisbonne de
l'invasion napoléonienne. Une fois
achevé, le dispositif comprenait plus
de 600 canons et 152 redoutes le
long de deux lignes reliant la mer au
Tage. La première, de 46 km de longueur, reliait
l'embouchure de la Sizandra, à l'ouest de Torres Vedras, à
Alhandra, au sud de Vila Franca de Xira. La
deuxième, située derrière la première,
mesurait 39 km. Une troisième ligne, plus
courte, devait permettre une retraite et un
embarquement éventuels. Les lignes furent
construites dans le plus grand secret ; des
rivières durent être endiguées, des ouvrages
de terre créés, des collines déplacées,
mais en moins d'un an la chaîne de
forteresses fut achevée. Le 14 octobre
1810, le général Masséna, à la tête
de 65 000 hommes, découvrit un
paysage totalement changé et
devenu imprenable. En novembre,
les envahisseurs reculèrent jusqu'à
Santarém *(p. 191)*, puis en 1811,
affamés et défaits, ils se retirèrent
au-delà de la frontière espagnole.

**Portrait du duc
de Wellington, 1814**

LES BEIRAS

Les Beiras qui se déroulent de la frontière espagnole à la mer séparent le Nord, très vert, du Sud aride. Très diversifiée, cette région réunit les sommets de la Serra da Estrela et les marais salants de la Ria de Aveiro, la station balnéaire animée de Figueira da Foz et la ville universitaire de Coimbra, chargée d'histoire.

Les trois provinces des Beiras (littéralement : bords) ne sont pas des hauts lieux du tourisme. Toutefois, par le passé, elles ont joué un rôle marchand et militaire qui a laissé des traces. Les jolies proues des bateaux d'Aveiro servant à récolter les algues, dans la Beira Litoral, sont un héritage phénicien. Dans toute la Beira Baixa, de Castelo Branco aux petits villages granitiques, on trouve des vestiges des occupants du passé. Quant à Viseu, la capitale de la Beira Alta, elle est née à la croisée des routes marchandes empruntées par les Romains.

Les Romains ne s'implantèrent pas aussi solidement ici que plus au sud, mais les ruines de Conímbriga témoignent de l'élégance de la ville qui a donné son nom à Coimbra. À la création du royaume du Portugal *(p. 42)*, le roi Afonso Henriques installa sa cour à Coimbra, qui resta plus d'un siècle la capitale du jeune État.

Les premières heures du royaume et l'indépendance durement acquise ont laissé un héritage de châteaux et de villes fortifiées. Pour se protéger des revendications sur leurs terres de l'Espagne toute proche, les rois du Portugal construisirent une imposante chaîne de forts gardant la frontière orientale. Par exemple, Almeida, aux remparts imprenables, rappelle l'histoire mouvementée du pays. Ces forteresses frontalières jouèrent un rôle déterminant dans la guerre d'indépendance contre l'Espagne, puis contre les troupes napoléoniennes *(p. 54)*. Même Buçaco, véritable havre de paix, fut le théâtre d'un affrontement entre Wellington et Masséna.

Les Beiras produisent quelques merveilles gastronomiques : le fromage de la Serra da Estrela, et la région verdoyante de Bairrada, dans les environs de Mealhada, est renommée pour son cochon de lait, le *leitão*. Les vins rouges, comme le bairrada et le dão *(p. 28-29)*, sont fameux.

Les maisons rayées de couleurs vives, typiques de Costa Nova, installées entre la Ria de Aveiro et la mer

◁ *Pelourinho* (pilori) de pierre dans un coin paisible de Castelo Mendo, l'une des villes frontalières de la Beira Alta

À la découverte des Beiras

Les Beiras, qui comptent quelques très beaux paysages, regroupent trois régions. La Beira Litoral réunit aussi bien les villages perdus de la Ria de Aveiro que la station balnéaire animée de Figueira da Foz. La majestueuse ville universitaire de Coimbra, à découvrir, est une bonne base pour découvrir la forêt de Buçaco, chargée d'histoire, et les stations thermales.

À l'intérieur des terres, Viseu, la belle capitale de la Beira Alta, est installée sur la route des forteresses de Guarda et Trancoso et des châteaux frontaliers. Le plus haut massif montagneux du pays, la Serra da Estrela, sépare la Beira Alta de la Beira Baixa, que boudent les visiteurs. Pourtant, Monsanto et la petite ville de Castelo Branco méritent un détour.

Belle collection de sculptures au Museu Nacional Machado de Castro à Coimbra

LA RÉGION

Excursions

0   25 km

Estivants sur la plage de la station de Figueira da Foz

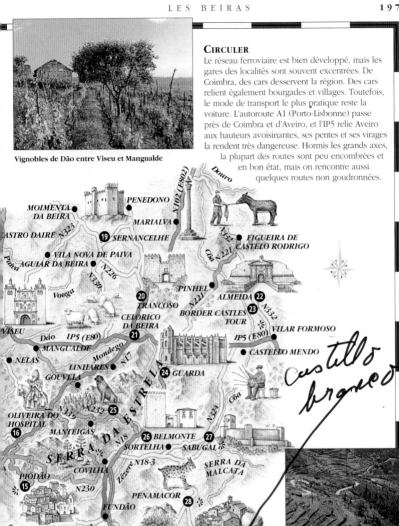

Vignobles de Dão entre Viseu et Mangualde

CIRCULER

Le réseau ferroviaire est bien développé, mais les gares des localités sont souvent excentrées. De Coimbra, des cars desservent la région. Des cars relient également bourgades et villages. Toutefois, le mode de transport le plus pratique reste la voiture. L'autoroute A1 (Porto-Lisbonne) passe près de Coimbra et d'Aveiro, et l'IP5 relie Aveiro aux hauteurs avoisinantes, ses pentes et ses virages la rendent très dangereuse. Hormis les grands axes, la plupart des routes sont peu encombrées et en bon état, mais on rencontre aussi quelques routes non goudronnées.

Douro

MOIMENTA DA BEIRA

PENEDONO

N102 (E802)

CASTRO DAIRE N323

MARIALVA

19 SERNANCELHE

FIGUEIRA DE CASTELO RODRIGO

N332

Côa N221

VILA NOVA DE PAIVA

AGUIAR DA BEIRA

N226

Paiva

N330

Vouga

PINHEL

ALMEIDA **22**

N221

20 TRANCOSO

BORDER CASTLES TOUR **23**

N332

VISEU

CELORICO DA BEIRA **21**

Dão IP5 (E80)

IP5 (E80) VILAR FORMOSO

MANGUALDE

Mondego

CASTELLO MENDO

NELAS

LINHARES N17

GOUVEIA

24 GUARDA

N324

Côa

OLIVEIRA DO HOSPITAL **16**

N339 N232 **25**

MANTEIGAS

N18

S E R R A   D A   E S T R E L A

26 BELMONTE **27**

SORTELHA SABUGAL

Zêzere N18-3

SERRA DA MALCATA

PIÓDÃO **15**

COVILHÃ

N230

PENAMACOR **28**

FUNDÃO

N332

SERRA DA GARDUNHA

N258

N112

N253

29 MONSANTO

30 IDANHA-A-VELHA

OLEIROS

IP2 (E802)

Pensal

N240

N332

Erges

31 CASTELO BRANCO

N233

Ocreza

IP2 (E802)

Tejo

Castello branco

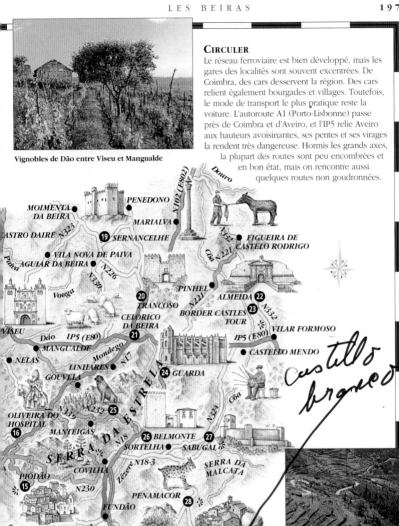

Terrasses escarpées dans la Serra de Açor, près de Piódão

LÉGENDE

▬	Autoroute
▬	Route principale
▬	Route secondaire
▬	Parcours pittoresque
〰	Cours d'eau
❊	Point de vue

VOIR AUSSI

- **Hébergement** p. 388-390

- **Restaurants et cafés** p. 411-413

Arouca ❶

Carte routière C2. 🚶 2 400. 🚌
ℹ️ *praça Brandão de Vasconcelos
(256 943 575).* 🛒 *5 et 20 du mois.*

P etite bourgade blottie dans une vallée verdoyante, Arouca doit son magnifique **couvent** à sa bienfaitrice, la princesse Mafalda, née en 1195, qui était la fille de Dom Sancho Ier. Lorsqu'un accident coûta la vie à son fiancé, le jeune prince Enrique de Castille, elle entra dans les ordres à Arouca. Le couvent qui l'accueillit devint cistercien et acquit une grande influence. Mafalda mourut en 1256, et sa dépouille fut découverte intacte en 1616 ; elle a été canonisée en 1793.

Depuis plus d'un millénaire, le couvent côtoie l'église, sur la place principale pavée. Au début du XVIIIe siècle, l'église fut somptueusement redécorée : les 104 stalles sculptées du chœur furent surmontées de peintures, dans de superbes panneaux dorés. L'orgue et le retable du chœur sont également richement dorés. L'effigie de santa Mafalda, dans un tombeau en argent et en ébène, possède son propre autel, et ses reliques momifiées reposent sous le tombeau.

Le musée du couvent réunit des ostensoirs en argent, du mobilier et des œuvres d'art religieuses. Une visite guidée du musée est proposée. Le double cloître néo-classique commencé en 1781, le grand réfectoire, la cuisine et le chapitre, qui est tapissé de jolis *azulejos* de Coimbra représentant des scènes rurales, sont également ouverts aux visiteurs.

🔒 Convento de Arouca

Largo de Santa Mafalda. 📞 *256 943 321.* 🕐 *mar.–dim.* ⏺ *1er janv., 2 mai, 25 déc.* 📷 🎥 *mer. après-midi.*

Cercueil en argent et en ébène de l'église conventuelle d'Arouca, qui abrite une effigie de santa Mafalda

Santa Maria da Feira ❷

Carte routière C2. 🚶 10 000. 🚌
🚌 ℹ️ *Praça de la República (256 370 802).* 🛒 *20 du mois.*

V ille prospère grâce au liège et à ses marchés, Santa Maria da Feira doit son nom à une longue tradition du commerce — un document de 1117 mentionne la « Terra de Santa Maria, un endroit que l'on nomme Feira », du nom des foires qui s'y tenaient. Tous les mois, un immense marché a lieu sur le Rossio pour perpétuer la tradition. De la place, un double escalier mène à l'**igreja dos Lóios,** aux deux clochers symétriques enjolivés de faïence bleue du XVIIe siècle. De l'autre côté, des rues tortueuses conduisent à un escalier décoratif orné d'une fontaine ornementale, qui mène à l'**igreja da Misericórdia** du XVIIIe siècle.

Le **château** qui couronne une hauteur boisée, au sud de la ville, est digne d'un conte de fées. Reconstruit au XXe siècle, l'édifice respecte toutefois le plan conçu par un habitant de la ville, Fernão Pereira, et son fils. Les deux hommes dotèrent un fort du XIe siècle de créneaux et de tours. Le titre de conde da Feira fut conféré à Pereira, et le château resta la propriété de sa famille jusqu'en 1700. Le château est quasiment vide, mais il en émane toujours un charme inouï.

♣ Château

Largo do Castelo. 📞 *256 372 248.* 🕐 *mar.–dim.* 🎥

Ovar ❸

Carte routière C2. 🚶 14 000. 🚌
🚌 ℹ️ *rua Elias Garcia (256 572 215).* 🛒 *mar., jeu. et sam., 3e dim. du mois (antiquités).*

V ar, ou O Var, qui vit de la mer et de la Ria de Aveiro *(p. 201),* a donné son nom aux *varinas,* les fameuses poissonnières. Quoiqu'Ovar compte désormais une industrie métallurgique (fonderies et aciéries), on y voit toujours des chars à bœufs.

Beaucoup de petites maisons sont revêtues d'*azulejos,* à l'instar de l'**igreja Matriz** du XVIIe siècle, qui se dresse avec ses deux tours dans l'avenida do Bom Reitor. Dans le centre-ville, la chapelle du Calvaire de la **capela dos Passos** du XVIIIe siècle est rehaussée de sculptures sur bois intégrant un motif de coquillages.

Le château hérissé de pinacles et de créneaux domine Santa Maria da Feira

Façades d'Ovar, ornées de la magnifique faïence bleue traditionnelle

Ovar célèbre un carnaval pittoresque, et son *pão-de-ló* (gâteau) est un délice. Le **Museu de Ovar** présente des scènes de la vie quotidienne d'autrefois (costumes régionaux, etc.) et des souvenirs du romancier Júlio Dinis, qui vécut ici.

🏛 Museu de Ovar
Rua Heliodoro Salgado 11. 📞 256 572 822. ⭘ *lun.–sam.* ⬤ *jours fériés.* 🈺

Aveiro ❹

Voir p. 200–201.

Praia de Mira ❺

Carte routière C3. 🏠 *5 000.* 🚌
ℹ *praça da República (231 471 100).*
🔺 *11 et 30 du mois.*

Bateau de pêche sur la plage de Praia de Mira

Le tourisme s'est développé récemment sur cette côte adossée à une réserve boisée, la Mata Nacional das Dunas de Mira. Bordé d'un côté par les dunes et l'Atlantique, et de l'autre par la paisible lagune de Barrinha de Mira, Praia de Mira est un joli village de pêcheurs, où l'on voit toujours des bœufs hisser les bateaux de pêche sur la plage. Mais les bateaux de plaisance sont de plus en plus nombreux. En bord de mer, les *palheiros* (p. 18) rayés des pêcheurs passent quasi inaperçus entre les magasins, les bars et les cafés.

Figueira da Foz ❻

Carte routière C3. 🏠 *35 000.* 🚉
🚌 ℹ *edifício Atlântico, avenida 25 de Abril (233 422 610).* ⬤ *t.l.j.*

Vivante et cosmopolite, quoique un peu désuète, cette station balnéaire possède une marina animée, un casino et une longue plage incurvée, dont les grandes vagues attirent les surfeurs intrépides. Le **Museu Municipal Dr Santos Rocha** rassemble une intéressante collection archéologique, mais aussi tapis d'Arraiolos (p. 301), armes, éventails et photographies.

La **Casa do Paço,** qui domine la rivière, possède un magnifique intérieur. Ses murs sont revêtus de 8 000 carreaux de faïence de Delft provenant d'un naufrage de la fin du XVIIe siècle. La forteresse triangulaire de **Santa Catarina,** du XVIe siècle, se dresse à l'embouchure du Mondego. Le duc de Wellington eut en son temps sa base, lorsqu'il débarqua en 1808 (p. 54) pour débouter les troupes de Napoléon.

🏛 Museu Municipal Dr Santos Rocha
Rua Calouste Gulbenkian. 📞 233 402 840. ⭘ *mar.–dim.* ⬤ *jours fériés.*

🏛 Casa do Paço
Largo Professor Vítor Guerra. 📞 233 422 159. ⭘ *lun.–ven.* ⬤ *jours fériés.*

Montemor-o-Velho ❼

Carte routière C3. 🏠 *2 600.* 🚌
ℹ *Castelo de Montemor-o-Velho (239 680 380).* 🔺 *1 mer. sur 2.*

Cette jolie bourgade historique est installée sur une colline, en bordure du Mondego. Le **château,** qui défendait Coimbra (p. 202-207) et qui date du XIVe siècle, est un ancien bastion maure. Le donjon présente des fragments de constructions romaines. L'église **Santa Maria de Alcaçova,** dans l'enceinte, a été fondée en 1090, puis restaurée au XVe siècle. Ses nefs et ses arcs sont manuélins.

Montemor est le pays natal de Fernão Mendes Pinto (1510-1583), célèbre par ses récits de voyage en Orient. Diogo de Azambuja (mort en 1518), qui aurait navigué avec Christophe Colomb et qui explora les côtes de l'Afrique de l'Ouest, y est enterré. Son tombeau, dû au maître manuélin Diogo Pires, se trouve dans le **convento de Nossa Senhora dos Anjos** sur la place du même nom (demandez la clé à l'Office du tourisme). Sa façade du XVIIe siècle cache un intérieur plus ancien et plus riche, où l'on peut voir des influences manuélines et Renaissance.

♜ Château
Rua do Castelo. ⭘ *mar.–dim.*

Terrasse de café baignée de soleil au printemps, Figueira da Foz

Aveiro ❹

**Tonnelet
d'ovos moles**

Aveiro, qui fut jadis un site portuaire important, s'enorgueillit d'une riche histoire — ses marais salants étaient déjà mentionnés dans le testament de la comtesse Mumadona, en l'an 959. Au XVᵉ siècle, Aveiro tirait ses richesses du sel et de la morue pêchée au large de Terre-Neuve par les *bacalhoeiros*. En 1575, la lagune fut fermée par une tempête et le port s'envasa. La ville déclina peu à peu au bord de la *ria*, la lagune étant devenue malsaine. Ce n'est qu'au XIXᵉ siècle qu'Aveiro retrouva un peu de sa prospérité. La *ria* et ses canaux lui donnent un charme particulier.

Vieux quartier

Des maisons de pêcheurs sont blotties entre le canal das Pirâmides et le canal de São Roque. Au petit matin, l'animation se concentre autour du **mercado do Peixe**, où le poisson est vendu à la criée.

Pont enjambant le canal de São Roque

La rua João de Mendonça, qui longe le canal Central, est bordée de demeures Art nouveau et de *pastelarias* proposant la spécialité d'Aveiro, les *ovos moles*. Ces « œufs mous » sont une pâtisserie à base de jaune d'œuf entourée de sucre, en forme de poisson ou de tonneau. Ils sont vendus en vrac ou en petits tonneaux. La recette originale serait due à des religieuses.

Au-delà du canal Central

Les principaux bâtiments historiques se trouvent au sud du canal Central et de la praça Humberto Delgado. L'**igreja da Misericórdia** de la praça da República, tapissée d'*azulejos*, date du XVIᵉ siècle. La place est aussi bordée par l'imposant **paços do Concelho** (mairie) du XVIIIᵉ siècle. Non loin, en face du musée, la modeste cathédrale **São Domingos**

date du XVᵉ siècle. Les Trois Grâces surmontant le portail, sur la façade baroque, sont des ajouts de 1719.

Une courte promenade vers le sud mène à l'**igreja das Carmelitas**. L'intérieur est décoré de *talha dourada* (boiseries sculptées et dorées, caractéristiques du baroque portugais).

🏛 Museu de Aveiro

Rua de Santa Joana Princesa.
📞 *234 423 397.* ⏰ *10 h-17 h 30 mar.–dim.* ● *jours fériés.*

L'ancien mosteiro de Jesus, fondé en 1458, regorge de souvenirs de santa Joana, fille de Dom Afonso V, qui entra au couvent en 1472. Elle fut canonisée en 1693. Son tombeau ornemental baroque est installé dans le chœur inférieur. Dans la chapelle, les peintures du XVIIIᵉ siècle illustrant sa vie sont plus sobres. La pièce où la sainte mourut en 1490 était consacrée aux travaux d'aiguille. Parmi les œuvres de primitifs portugais, on trouve un magnifique portrait de la princesse en costume de cour.

Le chœur orné de dorures (1725-1729), le cloître du XVᵉ siècle et le réfectoire couvert de faïence font aussi partie du musée. Le tombeau gothique de Dom João de Albuquerque est situé entre le réfectoire et la salle capitulaire.

Ces *moliceiros* colorés utilisés pour la récolte des algues sont ancrés le long du canal Central

Le sel est récolté dans les marais salants de la Ria

AUX ENVIRONS : À Ílhavo, à 8 km au sud d'Aveiro, le **Museu Marítimo e Regional de Ílhavo,** installé dans un bâtiment moderne, illustre le long passé maritime de la région, avec divers objets : équipements de pêche, coquillages, maquettes de bateaux, etc.

À 4 km plus au sud, une petite pancarte indique le **Museu Histórico da Vista Alegre.** La fabrique de Vista Alegre, bien connue des amateurs de porcelaine (p. 24), a été fondée en 1824. La boutique de l'usine propose des articles en porcelaine. Le musée retrace l'histoire de la fabrique et expose des porcelaines, ainsi que quelques verres en cristal, de 1850 à nos jours.

MODE D'EMPLOI

Plan C3. 70 000. avenida Dr Lourenço Peixinho. avenida Dr Lourenço Peixinho. rua João Mendonça 8 (234 423 680). 14 et 28 du mois. juil.–août : Festa da Ria. Aveiro– Torreira : un fois par jour (juin–sept.).

Museu Marítimo e Regional de Ílhavo
Avenida Dr. Rocha Madail. 234 329 990. mer.–sam., mar. et dim. a.-m. jours fériés.

Museu Histórico da Vista Alegre
Indiqué sur la N109. 234 320 755. 9 h-18 h mar.–dim. jours fériés.

RIA DE AVEIRO

Les cartes anciennes ne mentionnent pas de lagune à cet emplacement. En 1575, une tempête donna naissance à une barre de sable qui bloqua le port. Coupé de la mer, Aveiro se mit à décliner, et sa population fut touchée par une fièvre venant des eaux stagnantes. Ce n'est qu'en 1808 que la *barra nova* relia à nouveau Aveiro à la mer.

Aujourd'hui, la lagune couvre 65 km², sur presque 50 km de long. Elle s'étend depuis Furadouro, au sud, jusqu'à Costa Nova, en longeant les marais salants d'Aveiro et la réserve naturelle de São Jacinto. Le plus élégant des bateaux de la lagune est le *moliceiro*. Ce bateau utilitaire récolte les *moliços* (algues) pour la production d'engrais. Mais les engrais chimiques ont fait chuter la demande en algues, et seuls quelques artisans vivent encore de cette activité. En été, un bateau relie tous les jours Aveiro à Torreira. Les passagers découvrent cette zone sauvage, appelée la Rota da Luz, « route de la lumière », qui se déroule entre les marais salants étincelants, des plages claires et l'océan.

Proue richement décorée d'un *moliceiro*, dans la Ria

Bord de mer dans le village de pêcheurs de Torreira

LÉGENDE
Autoroute
Route principale
Route secondaire
Autre route
Marais salants

0 10 km

Coimbra ❽

Étudiante célébrant mai

Ville natale de six rois et siège de la plus vieille université du Portugal, Coimbra est chère au cœur des Portugais. À l'époque romaine, elle s'appelait Aeminium. Au VIᵉ siècle, l'évêché de Conímbriga *(p. 208)* fut transféré ici, et la ville adopta le nom de Coimbra. La ville fut prise aux Maures en 878, pour retomber entre leurs mains un siècle plus tard, avant d'être libérée par le roi de Castille, Ferdinand le Grand, en 1064. Lorsque Dom Afonso Henriques, premier roi du Portugal, voulut transférer sa capitale au sud de Guimarães en 1139 *(p. 42-43)*, il fit choix de Coimbra, qui conserva ce privilège jusqu'en 1256. Liée aux débuts du royaume du Portugal, Coimbra offre aux visiteurs une profusion de témoignages historiques.

Orientation

Les cathédrales, l'université et le musée se trouvent dans le centre historique, tandis que les boutiques sont installées autour de la praça do Comércio, entourée de rues animées. Mais pour visiter la ville, il vaut mieux partir du largo da Portagem, qui est un bon point de départ pour rayonner. Des promenades sur la rivière partent le long du parque Dr Manuel Braga.

particuliers aux premiers étudiants de l'université. Au-delà de la praça 8 de Maio, la rua da Sofia doit son nom aux collèges théologiques qui s'y élevaient. Les églises conventuelles, auxquelles ils étaient rattachés, existent toujours : les **igrejas do Carmo** (1597) et **da Graça,** fondée en 1543 par Dom João III. Non loin, le pátio da Inquisição rappelle que Coimbra fut l'un des sièges de l'Inquisition *(p. 51)*.

Tombeau de Dom Afonso Henriques, igreja de Santa Cruz

Ville basse

Du largo da Portagem, la rua Ferreira Borges se poursuit jusqu'à la praça do Comércio, où se dresse l'**igreja de São Tiago.** Sa façade, sobre, contraste avec l'intérieur, qui abrite un retable en *talha dourada* (boiseries sculptées et dorées, caractéristiques du baroque portugais).

De cette place, la rua Visconde da Luz vu au nord jusqu'à la praça 8 de Maio et à l'**igreja de Santa Cruz** *(p. 205)*, où reposent Dom Afonso Henriques et son fils, Dom Sancho Iᵉʳ. L'église faisait partie de l'ancien mosteiro de Santa Cruz, construit en 1131. Les moines du monastère donnaient des cours

Terrasses de cafés sur la praça do Comércio, dominée par São Tiago

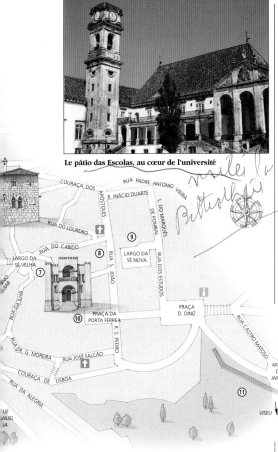

Le pátio das Escolas, au cœur de l'université

sortis de l'atelier de Jean de Rouen. La tour abrite aujourd'hui une galerie d'art et d'artisanat.

Dans les ruelles escarpées, on trouve plusieurs *repúblicas,* où des étudiants logent depuis le Moyen Âge.

Les deux cathédrales, la **Sé Velha** et la **Sé Nova** *(p. 204),* sont éclipsées par l'**université,** perchée sur la colline *(p. 206-207).* Derrière s'étend la place principale de la ville haute, la praça da República.

Au-delà du Mondego

La vue sur le vieux Coimbra mérite que l'on traverse la rivière. Les deux couvents de **Santa Clara** *(p. 205),* sur la rive gauche, sont liés à santa Isabel et à Inês de Castro, l'infortunée maîtresse de Dom Pedro Iᵉʳ assassinée ici en 1355 *(p. 179).* La légende veut qu'une source, la **fonte dos Amores,** jaillit à l'endroit du meurtre. Elle se trouve dans le jardin de la quinta das Lágrimas du XVIIIᵉ siècle, transformée en hôtel *(p. 389),* au sud de Santa Clara-a-Velha.

Ville haute

À l'écart de la rua Ferreira Borges, l'**arco de Almedina** du XIIᵉ siècle est la porte de la vieille ville (*medina* signifie « ville » en arabe). Des marches mènent à la **torre de Anto,** dont les médaillons et les fenêtres Renaissance sont

0 ———————— 200 m

CENTRE-VILLE DE COIMBRA

LÉGENDE

Gare ferroviaire

Gare routière

Embarcadère

Parc de stationnement

Information touristique

Église

Aqueduc

Escalier

L'arco de Almedina, jeté sur les marches menant à la ville haute

À la découverte de Coimbra

Les habitants de Coimbra appellent affectueusement le Mondego « O rio dos poetas », ce qui témoigne de la richesse du passé de leur ville. De l'université *(p. 206-207)*, au sommet de la colline d'Alcaçova, à la ville basse, en passant par les rues étroites et les escaliers, la ville regorge de bâtiments historiques et de merveilles (parfois aussi de voitures). La plupart des sites, assez proches, peuvent se découvrir à pied, et, malgré ses rues escarpées, Coimbra est une ville qui se visite à pied. Au-delà du Mondego, les visiteurs découvriront d'autres sites historiques et un parc à thème original pour les enfants.

La riche façade de la Sé Nova

Le retable doré de la Sé Velha

🔒 Sé Velha

Largo da Sé Velha. 📞 239 825 273. 🕐 10 h–13 h, 14 h–16 h lun.–sam. ; 10 h–13 h ven. 🎫 pour le cloître.

L'ancienne cathédrale, probablement le plus bel édifice roman du pays, célèbre la défaite des Maures, en 1064. Dom Afonso Henriques installa sa capitale à Coimbra et son fils, Dom Sancho Ier, fut couronné dans cette église peu après son achèvement, en 1185.

Dans l'intérieur sobre, des piliers carrés dirigent le regard jusqu'au retable flamboyant au-dessus de l'autel. En bois polychrome et doré, il a été réalisé par des sculpteurs flamands vers 1502 et représente la Nativité, l'Assomption et plusieurs saints. Dans le transept sud, un retable du XVIe siècle est aussi richement décoré, tout comme les fonts baptismaux manuélins, qui seraient dus à Diogo Pires le Jeune.

Le tombeau du premier gouverneur chrétien de la ville, Sisinando (un musulman converti qui mourut en 1091), se trouve dans la salle capitulaire. L'aile nord abrite le tombeau de Dona Vetaça, morte en 1246, dame de compagnie byzantine et professeur de l'épouse du roi Dinis, la reine sainte Isabel *(p. 45)*.

🔒 Sé Nova

Largo da Feira. 📞 239 823 138. 🕐 9 h–12 h ; 14 h–17 h 30 du mar. au ven. ⬤ jours fériés sauf pour la messe.

L'appellation de « neuve » est toute relative, car l'église a été fondée par les jésuites en 1598 (le colégio das Onze Mil Virgens, collège jésuite adjacent, appartient aujourd'hui à la faculté des sciences). L'ordre des jésuites fut interdit par le marquês de Pombal en 1759 *(p. 52)*, mais leur église devint le siège de l'épiscopat en 1772. Des saints jésuites trônent toujours sur la façade.

L'intérieur, plus spacieux que celui de la Sé Velha, présente une voûte en berceau, avec une coupole. À gauche de l'entrée, les fonts baptismaux octogonaux de style manuélin proviennent de la Sé Velha. Le retable dans le chœur du XVIIe siècle est flanqué de deux orgues du XVIIIe siècle.

Coimbra vue du Mondego, avec le clocher de l'université couronnant la colline d'Alcaçova

🏛 Museu Nacional Machado de Castro

Largo Dr José Rodrigues. **(** 239 823 727. **◯** 9 h 30–12 h 30, 14 h–17 h 30 mar.–dim. **⚫** jours fériés. 🖼

Les élégantes loggias du XVIe siècle et les ravissantes cours de l'ancien palais épiscopal rassemblent de magnifiques sculptures — Joaquim Machado de Castro (1731-1822) était au demeurant un maître sculpteur. On y trouve un chevalier médiéval tenant une massue, à la mine fort engageante… La collection réunit meubles, habits sacerdotaux et peintures du XIIe au XXe siècle, notamment l'*Assomption de Marie-Madeleine*, du maître de Sardoal. Un élément intéressant du musée est le cryptoportique d'Aeminium, un labyrinthe de passages romains abritant une superbe collection de sculptures et de stèles romaines, d'objets wisigoths et de trouvailles plus anciennes.

Le claustro do Silêncio (cloître du Silence) dans le monastère de Santa Cruz

🔓 Santa Cruz

Praça 8 de Maio. **(** 239 822 941. **◯** t.l.j. 🖼 pour le cloître.

Fondés en 1131, l'église et le monastère de Santa Cruz abritent quantité de créations de l'école de sculpture de la ville. Des œuvres de Nicolas Chantereine et de Jean de Rouen ornent le portail de l'église, le portal da Majestade, conçu par Diogo de Castilho en 1523. La salle capitulaire de Diogo Boytac est de style manuélin, tout comme le claustro do Silêncio et les stalles sculptées, en 1518, d'une frise sur le thème des voyages de Vasco da Gama. Les deux premiers rois du Portugal furent enterrés dans le chœur en 1520. Leurs magnifiques tombeaux seraient dus à Chantereine, qui repose ici.

🌿 Jardim Botânico

Calçada Martim de Freitas. **(** 239 822 897. **◯** t.l.j.

Cet immense jardin botanique fut aménagé en 1772, lorsque le marquês de Pombal introduisit l'étude de l'histoire naturelle à l'université de Coimbra.

L'entrée, près de l'aqueduc de São Sebastião, s'ouvre sur 20 hectares plantés de quelque 1 200 végétaux, dont quantité d'espèces exotiques et rares. Ce jardin qui joue toujours un rôle scientifique est aménagé comme un jardin d'agrément, avec une partie plus sauvage dominant le Mondego.

🔓 Santa Clara-a-Velha

Santa Clara. **⚫** en travaux.

Santa Isabel, veuve du roi Dinis, fit reconstruire le couvent de Santa Clara pour s'y retirer. En 1336, elle mourut à Estremoz *(p. 300)*, mais elle repose ici. Inês de Castro y fut également enterrée après son assassinat, mais sa dépouille fut transférée à Alcobaça *(p. 178-179)* sur ordre de Dom Pedro.

En raison des crues, Santa Clara finit par être abandonnée en 1677. En 1696, les reliques de santa Isabel furent mises en lieu sûr à Santa Clara-a-Nova. Les ruines de l'église gothique d'origine, submergées de limons depuis la fin du XVIIe siècle, font enfin l'objet d'une rénovation.

🔓 Santa Clara-a-Nova

Alto de Santa Clara. **(** 239 441 674. **◯** 9 h–12 h ; 14 h–17 h mar.–dim. 🖼 pour le cloître.

Le « nouveau » couvent a été construit en hauteur entre 1649 et 1677, pour accueillir les clarisses de Santa Clara-a-Velha sur un terrain plus sec. Le bâtiment fut conçu par un professeur de mathématiques, João Turriano. Il abrite aujourd'hui en partie des services de l'armée. Dans l'église baroque, le tombeau en argent

Révisions dans le Jardim botânico

de santa Isabel occupe une place d'honneur. Installé en 1696, il a été payé par les habitants de Coimbra. Le tombeau primitif, une simple stèle, se trouve dans le chœur inférieur. Dans les nefs latérales, des panneaux en bois polychrome illustrent sa vie. Le grand cloître, conçu par le Hongrois Carlos Mardel, a été construit en 1733 par Dom João V.

🏰 Portugal dos Pequenitos

Santa Clara. **(** 239 801 170. **◯** t.l.j. **⚫** 25 déc. 🖼 ♿

L'ambiance de ce parc de loisirs pour enfants est radicalement différente de celle du reste de Coimbra. Dans un joli parc, un monde miniature permet aux enfants et aux adultes de découvrir des reproductions des célèbres monuments du Portugal, des villages représentatifs de l'architecture régionale et des pagodes et des temples issus des confins de l'ancien empire portugais.

Modèle réduit d'un manoir d'Algarve, Portugal dos Pequenitos

Université de Coimbra

Atlas de la Via Latina

En 1290, le roi Dinis fonda une université qui acquit du renom. Après des allées et venues entre Coimbra et Lisbonne, elle fut installée en 1537 dans le palais royal de Coimbra. Avant que les réformes de Pombal n'élargissent le programme des enseignements, vers 1770, on y étudiait surtout la théologie, la médecine et le droit. Nombre d'écrivains portugais du XIXᵉ siècle, comme Eça de Queirós (p. 55), y ont étudié. Plusieurs bâtiments ont été remplacés dans les années 40, mais les murs des édifices entourant le pátio das Escolas résonnent de sept siècles de cours.

Museu de Arte Sacra
Les quatre salles du musée présentent œuvres d'art religieux, vêtements sacerdotaux, calices et ouvrages de musique sacrée.

★ Capela de São Miguel
L'intérieur date des XVIIᵉ et XVIIIᵉ siècles. Les azulejos, le plafond décoré et même l'autel maniériste sont éclipsés par le superbe buffet d'orgue, décoré d'angelots célébrant la gloire du baroque.

Le portail
manuélin de la capela de São Miguel a été réalisé par Marcos Pires peu avant sa mort, en 1521.

Portrait de Dom João V (v. 1730)

À NE PAS MANQUER

★ Biblioteca Joanina

★ Capela de São Miguel

★ Biblioteca Joanina
La bibliothèque, qui doit son nom à Dom João V, date du début du XVIIIᵉ siècle. Les salles richement rehaussées de dorures et de bois exotique abritent plus de 300 000 ouvrages.

Le clocher, symbole de l'université, est visible de toute la ville. Depuis l'achèvement de la tour en 1733, la plus connue des trois cloches, *a cabra* (la chèvre), a rythmé la vie de générations d'étudiants.

MODE D'EMPLOI

Universidade de Coimbra, Paço das Escolas. 239 859 800.
1, largo da Portagem.
nov.–mars : 10 h–17 h 30 ; avr.–oct. : 9 h–19 h 20.
25 déc.

Sala Grande dos Actos
Cette salle, aussi appelée Sala dos Capelos, accueille les grands événements. Les bancs des professeurs bordent les murs, sous les portraits des rois portugais.

La Via Latina est une galerie à colonnades ajoutée au palais au XVIIIᵉ siècle. Les armoiries royales, au-dessus de l'escalier, sont surmontées d'une statue de la sagesse. Au-dessous, des représentations de la justice et du courage entourent le roi José Iᵉʳ, sous le règne (1750-1777) duquel Pombal modernisa l'université.

Vers la billetterie

Sala do Exame Privado
Le plafond exubérant, peint par José Ferreira Araújo en 1701, domine une frise de portraits des anciens recteurs.

LES TRADITIONS ESTUDIANTINES

À la fondation de l'université, les seules disciplines enseignées étaient le droit canon et le droit civil, la médecine et les lettres — grammaire et philosophie. Pour indiquer la faculté à laquelle ils appartenaient, les étudiants se mirent à porter des rubans de couleur : rouge pour le droit, jaune pour la médecine, bleu foncé pour les lettres. Aujourd'hui, les rites initiatiques, aux origines oubliées, se perpétuent. À la fin de l'année universitaire, les rubans sont brûlés lors de la Queima das Fitas.

Le brûler de rubans, une tradition universitaire

Porta Férrea
Cette porte en fer (1634) menant au pátio est flanquée de sculptures illustrant les facultés d'origine.

Conímbriga

Carte routière C3. 2 km au S. de Condeixa-a-Nova. ☎ 239 941 177. 🚌 de Coimbra. **Site** ◷ 9 h–13 h, 14 h–20 h (sept.–mars : 18 h) t.l.j. ● 25 déc. **Musée** ◷ 10 h–13 h, 14 h–19 h (sept.–mars : 18 h) mar.–dim. ● 25 déc. 🏞 ⌖ musée.

L e plus grand site romain du Portugal (p. 40-41), le long de la route qui reliait Lisbonne (Olisipo) et Braga (Bracara Augusta), a fait l'objet de fouilles complètes. Des vestiges indiquent un peuplement romain remontant au IIe siècle av. J.-C., mais c'est sous Auguste, vers 25 av. J.-C., que Conímbriga devint une ville importante ; des thermes, un forum et un aqueduc ont été mis au jour. Les plus beaux édifices datent toutefois du IIe et du IIIe siècle apr. J.-C.

Détail du sol d'une chambre, maison près de l'entrée

Le site est desservi par la voie romaine qui menait à la ville depuis l'est. Sur la gauche, on voit les vestiges de magasins, de thermes et de deux maisons luxueuses, aux superbes pavements de mosaïque.

Conímbriga comprend l'une des plus grandes villas découvertes dans l'Empire romain d'Occident : la casa de Cantaber, construite autour de bassins ornementaux dans de magnifiques jardins à colonnades, avec ses thermes

particuliers et son système de chauffage sophistiqué.

La casa das Fontes, de la première moitié du IIe siècle, est couverte d'un abri protecteur, mais des passerelles permettent de la voir. Ses mosaïques et ses fontaines témoignent de l'art de vivre romain. Les bassins de la ville et des *thermae* de Trajan étaient alimentés par une source située à 3,5 km, via un aqueduc essentiellement souterrain.

Les excavations officielles ont débuté en 1912, mais une grande partie de ce site de 13 hectares reste à explorer. Au IIIe ou au début du IVe siècle, les bâtiments furent pillés de leurs pierres pour construire des murailles défensives contre les Barbares. En 468 apr. J.-C., les Suèves mirent la ville à sac et assassinèrent ses habitants. Les squelettes qui ont été mis au jour pourraient dater de cette époque.

À l'écart des ruines, ne manquez pas la visite du musée, qui est intéressant. Vous verrez présentés l'histoire et l'aménagement du site, et exposés des mosaïques, des médailles et des bustes romains, ainsi que des objets celtes plus anciens. Pour vous détendre, vous trouverez également un restaurant et une aire de pique-nique.

Le jardin central de la Casa das Fontes à Conímbriga

Vue de l'église São Miguel dans l'enceinte du château à Penela

Penela ❿

Carte routière C3. 👥 620. 🚌 ℹ Praça do Município (239 561 132). 🎪 jeu.

L e **château** de Penela a été bâti en 1087 par Sisinando, gouverneur de Coimbra, pour défendre la vallée du Mondego. Ses tours offrent de belles vues sur le village et, à l'est, sur la Serra de Lousã. L'église dans l'enceinte du château, **São Miguel,** date du XVIe siècle. Plus bas, dans Penela, **Santa Eufémia,** datée de 1551 au-dessus du portail, possède un chapiteau romain utilisé comme fonts baptismaux.

AUX ENVIRONS : À 5 km à l'ouest, entre des plantations d'oliviers et de noyers, le village de **Rabaçal** produit un délicieux fromage à base de lait de chèvre et de brebis (p. 146). Certaines villageoises affinent toujours le fromage chez elles, dans des pièces sombres.

Lousã ⓫

Carte routière C3. 👥 9 000. 🚉 🚌 ℹ Câmara Municipal, Rua Dr João Cáceres (239 990 376). 🎪 mar. et sam.

I nstallée sur les rives boisées de l'Arouce, l'usine à papier de Lousã, fondée en 1716, continue à fonctionner. Le marquês de Pombal (p. 52) fit venir d'Italie et d'Allemagne des artisans du papier, qui amenèrent une prospérité dont témoignent les belles

Le château d'Arouce, blotti dans une vallée profonde près de Lousã

demeures du XVIIIe siècle. La plus élégante est le **palácio dos Salazares,** dans la rua Viscondessa do Espinhal. La **Misericórdia,** au portail Renaissance, mérite aussi un coup d'œil.

AUX ENVIRONS : De la bordure de Lousã, une route mène au **castelo de Arouce,** niché au fond d'une vallée, à 3 km au sud. Il aurait été bâti au XIe siècle par le roi Arunce qui fuyait des envahisseurs. Derrière le château de schiste sombre, trois sanctuaires cachés dans un plissement forment le **santuário da Senhora da Piedade.**

Sur la route tortueuse qui se dirige au sud, vers Castanheira de Pêra, une belle vue s'offre sur la vallée boisée. Une route allant vers l'est monte au **Alto do Trevim** (1 204 m), le point culminant de la Serra de Lousã.

Buçaco ⑫

Voir p. 210–211.

Luso ⑬

Carte routière C3. 🚶 *3 000.* 🚌
ℹ️ *rua Emídio Navarro (231 939 133).*
🛒 *lun.–sam.*

Au XIe siècle, Luso n'était qu'un petit village lié à un monastère de Vacariça, qui se transforma en station thermale animée au XVIIIe siècle,

lorsque les touristes s'intéressèrent à ses sources chaudes. Les eaux thermales, qui jaillissent d'une source sous la **capela de São João,** auraient des vertus thérapeutiques, soignant des maux aussi divers que les maladies circulatoires, les problèmes de tonus musculaire, les affections rénales et les rhumatismes.

La localité compte plusieurs hôtels, un peu décrépits. L'ancien casino est doté d'un élégant hall Art déco. Toutefois, le principal attrait réside dans les installations thermales. Les visiteurs apprécient aussi la proximité de la forêt de Buçaco.

AUX ENVIRONS : Entre Luso et Curia, **Mealhada** est une jolie petite localité, au cœur d'une région connue pour le fameux *leitão,* le cochon de lait *(p. 146).* Dans la région, plusieurs restaurants proposant ce plat font une publicité tapageuse.

Arganil ⑭

Carte routière D3. 🚶 *3 000.* 🚌
ℹ️ *avenida das Forças Armadas (235 204 823).* 🛒 *jeu.*

Une ville romaine appelée Argos se serait élevée ici jadis. Au XIIe siècle, Dona Teresa, mère d'Afonso Henriques *(p. 42-43),* fit don de la bourgade à l'évêché de Coimbra, dont le titulaire acquit également le titre de conde de Arganil. La localité ne présente pas de grand intérêt architectural, hormis l'église **São Gens,** l'igreja Matriz de la rua de Visconde de Frias, qui date probablement du XIVe siècle.

Menino Jesus de Mont'Alto, Arganil

AUX ENVIRONS : Le sanctuaire de Mont'Alto, à 3 km, abrite la **capela do Senhor de Ladeira** qui recèle une curiosité : le Menino Jesus, un Enfant Jésus coiffé d'un bicorne. La figurine est sortie pour les *festas,* mais, pour la voir, on peut aussi demander la clé de la chapelle dans la dernière maison sur la droite.

Curistes à la Fonte de São João, Luso

LES STATIONS THERMALES

L'engouement des Portugais pour les eaux thermales et les vacances-santé a donné naissance à quantité de stations thermales dans la moitié nord du pays, dont plusieurs dans les Beiras, près de Luso. Toutes proposent des installations sportives et des soins pour diverses affections, dans une atmosphère paisible. La plupart des stations ferment en hiver, mais Curia, à 16 km au nord-ouest de Luso, est ouvert toute l'année, offrant soins et détente. Luso produit l'eau minérale la plus connue du pays.

Buçaco @

**Point de vue
de la Cruz Alta**

Mi-forêt ancienne, mi-arboretum, la forêt nationale de Buçaco est un endroit magique. Dès le VIᵉ siècle, elle fut un lieu de retraite monastique, et en 1628, les carmes s'y installèrent et entourèrent la forêt d'un mur (l'accès avait été interdit aux femmes par le pape en 1622). Ils aménagèrent des promenades invitant à la contemplation, construisirent des chapelles et plantèrent des arbres. Les végétaux furent placés sous protection pontificale en 1632. Les 105 hectares abritent quelque 700 essences indigènes et exotiques, comme le vénérable « cèdre de Buçaco ». Le monastère a fermé ses portes en 1834, mais la forêt est restée, avec ses promenades ombragées, ses grottes d'ermites et l'étonnant Buçaco Palace Hotel.

★ Fonte Fria
Cette cascade, alimentée par l'une des six sources de la forêt, dévale dans un bassin bordé de magnolias.

**Porta dos Degraus
et marches
menant à Luso**

Vale dos Fetos
La vallée des Fougères est tapissée de spécimens luxuriants. Les superbes fougères arborescentes lui donnent un air tropical.

**Les portas
de Coimbra**
reproduisent les bulles pontificales interdisant l'accès du site aux femmes.

AVENIDA D

BUÇACO PALACE HOTEL

Le roi Carlos, qui commanda la construction de ce bâtiment extravagant en 1888, ne le vit jamais achevé. Son fils, Dom Manuel II, n'y séjourna que brièvement avant de partir en exil, en 1910 *(p. 55)* — notamment pour une escapade amoureuse avec la comédienne française Gaby Deslys. Ce palace, à l'excellente carte des vins, devint le rendez-vous de la haute société. On dit que pendant la Seconde Guerre mondiale, il était fréquenté par des espions. C'est aujourd'hui l'un des plus grands hôtels du pays *(p. 388)*.

**La comédienne Gaby
Deslys, qui aurait été la
maîtresse de Manuel II**

LÉGENDE

▬▬ Mur

- - - Tracé de la Via Sacra

P Parc de stationnement

⌂ Chapelle

☀ Point de vue

À NE PAS MANQUER

★ Buçaco Palace Hotel

★ Fonte Fria

Monastère

Il ne reste que les cloîtres, la chapelle et des cellules de moines tapissées de liège. Une plaque rappelle que Wellington dormit dans l'une d'elles.

La porta da Rainha fut construite pour Catherine de Bragança, mais sa visite de 1693 fut annulée, et la porte resta close pendant 11 ans.

Le Museu Militar, consacré à la guerre napoléonienne

Eucalyptus de Tasmanie (1876)

N234

RUA DA RAINHA

★ Buçaco Palace Hotel

Achevé en 1907, le pavillon de chasse néo-manuélin construit par Luigi Manini est décoré de peintures et d'azulejos. Ceux du hall représentent la bataille de Buçaco.

Le monument de la bataille de Buçaco commémore la victoire de Wellington le 27 septembre 1810. Cette bataille décisive arrêta la marche des Français sur Coimbra, comme cela est expliqué dans le Museu Militar voisin.

La Cruz Alta, le point culminant de la forêt, commande une belle vue.

Porta da Cruz Alta

Le cèdre de Buçaco, de 26 m de haut, aurait été planté en 1644.

Via Sacra

Des chapelles, installées par l'évêque de Coimbra en 1693 et abritant des personnages, marquent les Stations de la Croix le long du chemin.

0 ───── 250 m

Le village de Piódão, fondu dans le décor de granit de la Serra de Açor

Piódão ⓯

Carte routière D3. 🚶 60. 🚌 *pour Coja à 20 km.* ℹ️ *Arganil (235 204 823).*

La Serra de Açor est un lieu d'une beauté désolée, où les villages isolés sont cramponnés à des terrasses escarpées. Piódão est le plus impressionnant de ces hameaux d'ardoise et de schiste sombres. Jusqu'à la fin du XIXᵉ siècle, le village, qui paraît coupé de tout, se trouvait sur la principale route commerciale qui reliait Coimbra à Covilhã. Avec la construction de nouvelles voies de communication, le village sombra dans l'oubli. Il revit aujourd'hui grâce à l'aide de l'Union européenne ; des magasins ouvrent, les maisons affichent à nouveau les peintures traditionnelles et l'**igreja Matriz** blanche se détache dans son décor de pierres noires.

Oliveira do Hospital ⓰

Carte routière D3. 🚶 3 500. 🚌 ℹ️ *Casa da Cultura, rua do Colégio (238 609 269).* 📅 *2ᵉ lun. du mois.*

Ces terres appartenaient autrefois aux Hospitaliers, à qui elles furent données en 1120 par la mère d'Afonso Henriques. L'**igreja Matriz** du XIIIᵉ siècle, sur le largo Ribeira do Amaral, rappelle le temps des moines-soldats. L'un des fondateurs de la ville,

Domingues Joanes, y repose dans un grand tombeau surmonté d'une statue équestre.

Cette bourgade industrielle animée convient pour explorer les vallées du Mondego et de l'Alva.

Aux environs : À Lourosa, à 12 km au sud-ouest, l'église **São Pedro,** du Xᵉ siècle, est représentative de l'histoire du Portugal : le cimetière mis au jour sous l'église date des Romains, le porche est wisigoth. À l'intérieur, on découvre dix arcs reposant sur des colonnes romaines et une *ajimece* (fenêtre maure).

Caramulo ⓱

Carte routière C3. 🚶 1 700. 🚌 ℹ️ *avenida Dr Jerónimo de Lacerda (232 861 437).*

Cette bourgade montagnarde à l'air pur accueillait autrefois des sanatoriums. Aujourd'hui, elle

São Pedro de Lourosa, près d'Oliveira do Hospital

est plus connue pour ses deux musées, installés dans le même bâtiment.

La collection d'art du **Museu do Caramulo** rassemble des tapisseries flamandes du XVIᵉ siècle, des sculptures, de la porcelaine, de l'argenterie et des ivoires, mais aussi des bronzes égyptiens de 1580 à 900 av. J.-C. La peinture va des primitifs portugais au XXᵉ siècle, avec Chagall, Dalí, Picasso et l'artiste portugaise Maria Helena Vieira da Silva (1908-1992).

La collection du **Museu do Automóvel** est tout aussi éclectique : une Peugeot de 1899 en état de marche, des Bugatti, des Rolls-Royce et une Mercedes-Benz blindée de 1938, commandée par Salazar alors qu'il était Premier ministre *(p. 56-57)* et dont il ne se servit jamais.

🏛 **Museu do Caramulo (Fundação Abel de Lacerda) et Museu do Automóvel**
Caramulo. 📞 *232 861 270.* 🕐 *t.l.j. (fermé parfois plus tôt en hiver).* ⬤ *Pâques, 24 et 25 déc.* 📷

Aux environs : Du musée, la route serpente au sud-ouest et grimpe vers deux points de vue et des aires de pique-nique, dans la Serra do Caramulo. À 4 km environ, on découvre les prairies de **Cabeça da Neve**, à 970 m, parsemées de fleurs sauvages. Un peu plus loin, une pancarte indique, à l'ouest, la hauteur de **Caramulinho**, couverte d'éboulis (1 074 m).

Viseu ⑱

Carte routière D3. 🏠 19 500. 🚌
🚉 *avenida de Gulbenkian (232 420 950).* 🚢 *mar.*

Cette capitale régionale
animée au cœur de la
région vinicole du Dão *(p. 29)*
possède une vieille ville
passionnante. Dès l'époque
romaine, Viseu fut un
carrefour du nord du pays.

La visite de Viseu révèle
rapidement qu'un grand
artiste portugais du XVIᵉ siècle
vécut ici. Un hôtel, un musée
et même un vin portent le
nom de Grão Vasco.

Dans l'ouest de la vieille
ville, la **porta do Soar de
Cima** est un vestige des murs
d'origine. Sur la place principale, la **igreja dos
Terceiros de São Francisco**
(1773) présente une façade de
style italien et un intérieur
baroque. La mairie (1887)
possède un magnifique
escalier et des *azulejos*
illustrant l'histoire de la ville.
Au nord, la rue Augusto
Hilário rend hommage au
père du *fado* de Coimbra
(p. 66-67), né dans cette rue.

La façade du XVIIᵉ siècle de
la cathédrale de Viseu

🛈 Sé
Largo da Sé. 📞 *232 422 984.*
⏰ *t.l.j.* 💰 *pour le trésor.*
Au cours des siècles, la
cathédrale a subi diverses
transformations ; elle a été
notamment aménagée dans
divers styles, qui se marient
étonnamment bien. La façade
du XVIIᵉ siècle remplace
l'extérieur manuélin d'origine. À
l'intérieur, la voûte est soutenue
par des nervures torsadées du
XVIᵉ siècle s'appuyant sur des
colonnes du XIIIᵉ siècle. La

L'élégante façade rococo de l'église de la Misericórdia, Viseu

chapelle nord recèle de beaux
azulejos du XVIIIᵉ siècle ; ceux
du cloître à deux niveaux datent
du siècle précédent. La sacristie
présente un plafond peint
richement décoré et des
azulejos à motifs « en tapis »
(p. 22). Dans le chœur, les
stalles en jacaranda du Brésil
contrastent avec un autel
moderne, pyramide inversée en
granit poli et en acier. Le trésor
de la cathédrale recèle un
évangéliaire du XIIᵉ siècle et
un coffret de Limoges du XIIIᵉ
siècle. En face, l'église
Misericórdia affiche une
façade rococo et propose
une exposition temporaire
du musée Grão Vasco.

🏛 Museu de Grão Vasco
Largo da Sé. 📞 *232 422 049.*
⏰ *mar.–dim.* ⏰ *jusqu'à mai 2004.*
💰
L'ancien palais
épiscopal du XVIᵉ
siècle contigu à la
cathédrale abrite le
Museu de Grão Vasco,
le « grand Vasco » de
Viseu. Les peintures
de Vasco Fernandes
(v. 1475-1540) et
des primitifs de l'école de
Viseu sont appréciées
pour leur naturalisme,
leurs décors de
paysages, leurs drapés
et leur souci du détail.
Le traitement de la
lumière révèle une
nette influence des
peintres flamands.

Le niveau supérieur de ce
musée de trois étages expose les
chefs-d'œuvre qui ornaient
autrefois le retable du chœur de
la cathédrale. On admirera le
monumental *São Pedro,* de Grão
Vasco, ainsi que l'*Adoration des
Mages,* dans une série de 14
panneaux illustrant la vie du
Christ. Dans cette œuvre peinte
entre 1503 et 1505, l'un des Rois
mages *(p. 48)* est un Indien
du Brésil. D'autres panneaux
seraient dus à des artistes
de l'école de Viseu.

Parmi les chefs-d'œuvre du
musée, on compte la *Cène,* de
Gaspar Vaz, grand rival de Grão
Vasco. Les étages inférieurs
rassemblent des œuvres
d'artistes portugais du XIXᵉ et du
XXᵉ siècle, comme le talentueux
Columbano Bordalo Pinheiro.

São Pedro (1503-1505) de Vasco Fernandes
au Musée de Grão Vasco, Viseu

Sernancelhe ⑲

Carte routière D2. 🏚 1 100. 🚌
ℹ️ *avenida das Tílias (254 595 226)*.
🏠 *un jeu. sur deux.*

De petites maisons blanchies à la chaux se tassent au cœur de cette bourgade des Beiras, fondée au Xᵉ siècle. L'**igreja Matriz,** sur la praça da República, au centre, est romane. Vestiges du XIIᵉ siècle, les statues en granit des niches de la façade flanquent un portail dont une voussure est ornée d'un demi-cercle d'anges sculptés. De l'autre côté de la place, le pilori est daté de 1554.

La plus grande demeure est le **solar dos Carvalhos,** derrière l'église. Cet édifice baroque, dont les portails de granit sculptés se détachent sur des murs blancs, abritait la famille noble locale au XVIIIᵉ siècle. C'est

La porte principale menant à la vieille ville de Trancoso

Voussure du portail de l'igreja Matriz, Sernancelhe

toujours une propriété privée.

Sur l'éminence rocheuse dominant la place, il ne reste que quelques vestiges des murs du château, mais une petite maison crénelée y a été construite.

AUX ENVIRONS : La Serra da Lapa, au sud de Sernancelhe, abrite le **santuário da Nossa Senhora da Lapa.** On raconte qu'une jeune bergère muette trouva une statue de la Vierge sur un rocher et l'emporta chez elle. Sa mère jeta la statue au feu. La fillette se mit alors à parler miraculeusement : « Ne la brûle pas », dit-elle, « c'est la Senhora da Lapa. »

Une chapelle fut construite pour aménager le rocher en sanctuaire, et la statuette, au visage roussi, trône dans une niche ornementale. On y voit quantité d'images et d'offrandes laissées par les pèlerins.

Le château de **Penedono,** perché sur des rochers au milieu de la bourgade, à 17 km au nord-est de Sernancelhe, date au moins du Xᵉ siècle. Il est mentionné dans le conte médiéval d'un chevalier, appelé O Magriço, qui partit en Angleterre avec onze autres chevaliers, afin d'y jouter pour douze demoiselles anglaises. Si le château est fermé, la clé se trouve dans le magasin à côté du *pelourinho* (pilori), mais il n'y a pas grand-chose à y voir. Belle vue depuis les murs.

🏠 **Santuário da Nossa Senhora da Lapa**
Quintela da Lapa, 11 km au S.-O. de Sernancelhe. 📞 *232 688 993*. ⭕ *t.l.j.*

Trancoso ⑳

Carte routière D2. 🏚 6 000. 🚌
ℹ️ *avenida Heróis de São Marcos (271 811 147)*. 🏠 *ven.*

En 1283, le roi Dinis fit don de la ville à Isabel, son épouse *(p. 44-45),* comme cadeau de mariage. C'est aussi lui qui fit construire les murailles imposantes et qui créa, en 1304, la première foire librement accessible au Portugal. Après 1385, la localité devint un centre commercial animé. Trancoso comptait autrefois une importante communauté juive, et, dans l'ancienne *Judiaria,* on voit des maisons avec une porte large et une porte étroite, qui séparaient la vie domestique du commerce.

Depuis la porte sud, la rua da Corredoura mène à **São Pedro.** Dans l'église, une pierre tombale commémore Gonçalo Anes, qui écrivit vers 1580 sous le nom de Bandarra, les célèbres *Trovas,* prophétisant le retour du jeune roi Sebastião *(p. 107).*

AUX ENVIRONS : Les ruines qui s'étendent au-dessus du village sont les seuls vestiges de la citadelle médiévale de **Marialva,** située à 24 km au nord-est de Trancoso. Il émane des murs de granit, des fragments de pierre sculptée et du magnifique pilori du XVᵉ siècle une atmosphère de splendeur perdue. Probablement fondée par Ferdinand de León et de Castille au XIᵉ siècle et fortifiée par Sancho Iᵉʳ, Marialva aurait été abandonnée par ses habitants pour des terres plus fertiles.

Le château de Penedono, près de Sernancelhe, avec ses imposants remparts médiévaux

LE SERRA, UN SUCCULENT FROMAGE

Produit avec le lait des brebis de la Serra da Estrela *(p. 218-219)*, le serra est le meilleur fromage du Portugal. Fabriqué en hiver, sa préparation reposait autrefois sur la chaleur des mains des femmes qui travaillaient dans des cuisines de granit froides. Traditionnellement, le lait est coagulé avec de la *flor do cardo*, du chardon. Aujourd'hui, une appellation contrôlée garantit la qualité et l'authenticité des produits. Le serra jeune est doux et légèrement coulant, avec une croûte fine. Un affinage plus long permet d'obtenir un fromage plus sec au goût prononcé.

Berger et son troupeau sur les versants de la Serra da Estrela

Celorico da Beira ㉑

Carte routière D3. 🏠 *3 000*. 🚉 🚌
ℹ️ *estrada Nacional 16 Forno Telheiro (271 742 109)*. 🗓️ *mar. (marché), déc.–mai. : ven. (marché aux fromages)*.

Les pâturages entourant Celorico da Beira donnent depuis longtemps le célèbre serra. De décembre à mai, le marché aux fromages de la praça Municipal attire quantité de visiteurs, et tous les ans, au mois de février, Celorico accueille une foire aux fromages animée. Des maisons de granit aux fenêtres manuélines et aux portes gothiques sont tassées dans le vieux centre de Celorico, aux alentours de la rua Fernão Pacheco. Du **château** du Xe siècle, marqué par maints conflits frontaliers, il ne reste qu'une tour et les murs extérieurs. Il est moins spectaculaire vu de près. L'**igreja Matriz**, restaurée au XVIIIe siècle, possède un plafond à caissons peint. Pendant la guerre napoléonienne, l'église servit un temps d'hôpital de fortune.

Almeida ㉒

Carte routière E2. 🏠 *1 600*. 🚌
ℹ️ *Portas de São Francisco (271 574 204)*. 🗓️ *8 et dernier sam. du mois*.

D'imposantes fortifications en forme d'étoile à douze branches gardent cette petite bourgade frontalière délicieusement préservée.

Par le traité d'Alcañices, signé en 1297, les Espagnols reconnurent l'appartenance d'Almeida au Portugal, ce qui n'empêcha pas de nouvelles incursions. L'actuelle place forte rappelant le style de Vauban *(p. 297)* a été construite en 1641 par Antoine Deville, après que Philippe IV d'Espagne eut détruit les défenses protégeant la ville et son château médiéval.

En 1762, Almeida fut à nouveau espagnole. Puis, pendant la guerre napoléonienne, elle passa alternativement entre les mains des Français et des Britanniques. En 1810, un obus français toucha la poudrière, dont l'explosion détruisit le château.

Les **casemates** se visitent. Dans les Portas de São Francisco, un arsenal présente des souvenirs du passé militaire d'Almeida. La ville possède une église paroissiale du XVIIe siècle et une autre, la **Misericórdia**, de la même époque, adjacente à l'un des plus vieux hospices du Portugal. Une promenade sur les murs envahis par l'herbe permet d'admirer la ville.

Les fortifications complexes d'Almeida, bien visibles malgré l'offensive de l'herbe folle et des fleurs sauvages

Excursion : Châteaux frontaliers ㉓

Pour les premiers rois du Portugal, la défense des frontières était une priorité. De nombreux châteaux furent bâtis sous le règne du roi Dinis (1279-1325). Le long de la frontière, les incursions espagnoles étaient fréquentes et les loyautés partagées. Les châteaux étaient donc en permanence assiégés, pris et reconstruits. Les bâtiments préservés témoignent de cette période de conflits. Le paysage est essentiellement désolé et rocheux, surtout dans la Serra da Marofa, mais, près de Pinhel et au-delà de Castelo Mendo, la vallée de la Côa est superbe.

Castelo Rodrigo ②
Ce petit village fortifié est ceinturé de murailles construites en 1296 par le roi Dinis. Le magnifique palais de son seigneur, Cristóvào de Moura, qui pactisa avec les Espagnols, fut incendié à la Restauration, en 1640.

Figueira de Castelo Rodrigo ③
Dès le XVIIIᵉ siècle, Castelo Rodrigo fut abandonné au profit de Figueira, moins isolé, qui est devenue une bourgade renommée pour ses fleurs d'amandiers. Juste au sud, le point culminant de la Serra da Marofa (977 m) est surmonté d'un immense Christ-roi.

Almeida ①
Les défenses de la ville, en forme d'étoile, sont un exemple bien conservé des fortifications complexes et efficaces conçues par Vauban au XVIIᵉ siècle (p. 297).

Pinhel ④
Intégré aux défenses de la région depuis l'époque romaine, Pinhel était le pivot d'un réseau de forteresses. Au début du XIVᵉ siècle, le roi Dinis en fit une citadelle imposante. La plupart des murailles ont été bien préservées, ainsi que deux de ses tours.

LÉGENDE

▬▬ Circuit recommandé

═══ Autres routes

– ˙ – Frontière espagnole

🔆 Point de vue

CARNET DE ROUTE

Longueur : 115 km.
Où faire une pause ? On trouve des cafés partout et des restaurants à Pinhel et Almeida.
État des routes : Le circuit emprunte des routes en bon état, mais mieux vaut éviter les raccourcis (p. 444-445).

0 ──────── 10 km

Castelo Mendo ⑤
Au-delà de la porte principale, il reste peu de chose du château, dont l'emplacement explique aisément son importance stratégique.

L'intérieur majestueux de la cathédrale gothique de Guarda

🏛 **Museu de Guarda**
Rua Alves Roçadas 30. **[** 271 213
460. ◯ mar.–dim. ● jours fériés. 📷

Serra da Estrela ㉕

Voir p. 218–219.

Belmonte ㉖

Carte routière D3. 🏘 *3 600.* 🚊 🚌
ℹ *Castelo de Belmonte 18 (275 911
488).* ⊖ *1er et 3e lun. du mois.*

Guarda ㉔

Carte routière D3. 🏘 *20 000.* 🚊 🚌
ℹ *Praça Luis de Camões (271 205 530)
(271 221 817).* ⊖ *1er et dernier mer.
du mois.*

Perchée au nord-est de la
Serra da Estrela, Guarda est
la ville la plus haute du
Portugal (1 056 m). Elle fut
fondée en 1197 par Sancho Ier
pour garder la frontière.
Certaines rues de cette ville
peu engageante sont animées
et intéressantes, mais la grande
Sé, aux allures de forteresse,
avec ses contreforts, ses
pinacles et ses gargouilles et
sans charme. Parmi les grands
architectes qui ont œuvré à sa
construction (1390-1540),
citons Diogo Boytac (de 1504 à
1517) et les bâtisseurs de
Batalha *(p. 182-183).* Par
contraste, l'intérieur est
gracieux. Les cent personnages
sculptés au-dessus du retable
du chœur ont été réalisés par
Jean de Rouen, en 1552.

Non loin, le **Museu de
Guarda** présente des
peintures, des objets, des
trouvailles archéologiques et
une section consacrée au
poète de la ville, Augusto Gil
(1873-1929).

De la place de la cathédrale,
la rua do Comércio descend
vers l'église **Misericórdia,** du
XVIIe siècle, au portail
ornemental. L'intérieur recèle
un autel et des chaires
baroques. Au nord de la
cathédrale, l'église **São
Vicente,** du XVIIIe siècle, abrite

seize magnifiques panneaux
d'*azulejos* représentant la vie
du Christ.

Guarda possédait autrefois
une communauté juive
importante. Une serrurerie de
la rua Dom Sancho I
pourrait avoir servi
de synagogue. On
raconte que lors
d'une visite à
Guarda, João Ier
tomba amoureux
d'Inês Fernandes, la
fille d'un cordonnier
juif. Un fils, Afonso,
naquit de leurs
amours. En 1442, le
titre de premier duc
de Bragança fut conféré à
Afonso, et, 200 ans plus tard,
son descendant devint le
premier monarque de la lignée
des Bragança, João IV *(p. 299).*

Le Centum Cellas, une construction
romaine près de Belmonte

Des siècles durant,
Belmonte fut le fief des
Cabral, dont le nom est
associé à des exploits
héroïques. Les ancêtres de
Pedro Álvares Cabral, qui
découvrit le Brésil en 1500, se
battirent à Ceuta *(p. 48)* et à
Aljubarrota *(p. 183).* Fernão,
un parent encore plus éloigné
appelé le Géant des Beiras,
était renommé pour sa force
herculéenne. Les armoiries des
Cabral, qui
comportent une
chèvre (cabra),
apparaissent sur le
château et la
chapelle adjacente.
Le **château,**
commencé en
1266, possède
toujours un
donjon et une
magnifique fenêtre manuéline.
São Tiago, la petite église
voisine, a conservé sa sobriété
romane. Les fresques au-
dessus de l'autel et la pietà de
granit datent du XIIIe siècle. À
côté de l'église, la **capela dos
Cabrais,** du XVe siècle, recèle
les tombeaux familiaux.

De l'autre côté du village,
l'**igreja da Sagrada Família,**
de 1940, renferme une statue
de Nossa Senhora da
Esperança, qui aurait
accompagné Cabral lors de sa
découverte du Brésil.

**Armoiries des Cabral,
chapelle de Belmonte**

AUX ENVIRONS : Au nord-est
de Belmonte, le **Centum
Cellas,** une tour romaine, est
aussi appelée torre de
Colmeal. Les archéologues ont
envisagé maintes fonctions
pour cet édifice carré à trois
étages, de l'auberge à la base
militaire en passant par
l'habitation ou le temple.

Serra da Estrela ㉕

Fenaison, près de Linhares

L a « montagne de l'Étoile » est la plus haute chaîne du Portugal continental, une grande partie de la Serra dépassant 1 500 m d'altitude. Le point culminant, à 1 993 m, est surmonté d'une petite tour de pierre — la Torre — qui aide à dépasser le cap des 2 000 m. Seul l'élevage de moutons, qui fournissent de la laine pour l'industrie textile et du lait pour la production de fromage, peut être pratiqué sur le granit du haut de la Serra, et les huttes de bergers en pierre émaillent le paysage. Les sentiers de la réserve naturelle et la flore, étonnante, attirent les randonneurs et les passionnés de botanique, qui, en hiver, cèdent la place aux skieurs, sur les versants des environs de Torre.

Cabeça do Velho
L'érosion du granit a donné des formes étranges comme ce « vieil homme », près de Sabugueiro. Une « vieille femme » lui fait pendant au sud de Seia.

Valezim
compte plusieurs vieux moulins à eau d'un type rare au Portugal. Deux d'entre eux moulent encore le grain.

Seia est l'un des accès au parque natural da Serra da Estrela.

Fromagerie
Le meilleur serra, à la saveur riche (p. 215), est toujours fabriqué à la main. Les fermiers vendent leurs produits dans des foires ou dans des fromageries comme celle-ci, près de Torre.

Penhas de Saúde, ancienne station thermale, accueille des skieurs.

Torre
Lorsqu'il y a de la neige, les vacanciers skient, font de la luge ou s'amusent simplement sur les versants sous Torre.

À NE PAS MANQUER

★ **Vallée du Zêzere**

★ **Linhares**

★ Linhares

Gardé par les tours de son château médiéval, Linhares est un véritable musée. Le lieu où était rendue la justice au Moyen Âge a été conservé, de même que beaucoup de maisons du XVᵉ siècle.

MODE D'EMPLOI

Carte routière D3. 🅸 Marcado Municipal, Rua Pinto Lucas Marrão, Seia (238 317 762) ; Covilhã (275 319 560) ; Gouveia (238 492 185) ; Manteigas (275 981 129). 🚌 Covilhã, Guarda. 🚍 pour Covilhã, Seia et Guarda. Service local restreint dans le parc. 🏪 sam. en général. 🎭 fév. : carnaval et foires annuelles aux fromages ; déc. : Santa Luzia.

LÉGENDE

═══ Route principale

── Route secondaire

🅸 Information touristique

☼ Point de vue

Manteigas, au cœur de la Serra, est un centre textile. À l'ouest se trouve une pousada *(p. 309).*

★ Vallée du Zêzere

Près de sa source, le Zêzere, un affluent du Tage, traverse une vallée formée par un glacier. Le genêt est utilisé pour couvrir les toits des huttes.

CHIEN DE BERGER DE LA SERRA

Intelligent et courageux, le berger de la Serra da Estrela réunit toutes les qualités pour survivre dans cette région sauvage. Sa fourrure épaisse le protège de l'hiver, très rigoureux en altitude. Autrefois, sa force lui permettait de défendre les troupeaux contre les loups. Des élevages de chiens de berger de la Serra (qui auraient du sang de loup dans leurs veines) se trouvent près de Gouveia et à l'ouest de Manteigas.

Covilhã, bourgade importante, accueille le matin un marché animé. Elle est aussi connue pour ses textiles tissés avec la laine locale.

Poço do Inferno

Cette cascade d'une gorge du Leandros est spectaculaire, surtout en hiver, lorsqu'elle gèle.

Sabugal ㉗

Carte routière E3. 🚶 *2 500.* 🚌
ℹ️ *Câmara Municipal, praça da República (271 751 040).*
🔄 *1er jeu. et 3e mar. du mois.*

En 1296, la bourgade passa entre les mains du Portugal, et le château fut à nouveau fortifié par le roi Dinis *(p. 44)*. Ses imposantes murailles ponctuées de tours et son donjon pentagonal original ont survécu, malgré les pillages des villageois qui venaient s'y approvisionner en pierres.

Habitée depuis la préhistoire, Sabugal a conservé en partie ses murailles médiévales, renforcées au XVIIe siècle. Une **tour de l'horloge** en granit, reconstruite au XVIIe siècle, se dresse sur la praça da República.

AUX ENVIRONS : À 20 km plus à l'ouest, **Sortelha** est drapé dans ses murailles. Le donjon du magnifique château du XIIIe siècle offre des vues superbes. En face de l'entrée du château, un pilori du XVIe siècle est surmonté d'une sphère armillaire. La petite citadelle compte des rangées de maisons en granit, dont certaines abritent des restaurants *(p. 413)*.

Les noms des villages voisins, comme **Vila do Touro**, illustrent la passion pour la tauromachie *(p. 144-*

Le château de Sabugal, avec son donjon original

145). La *capeia,* une variante locale, consistait à faire charger le taureau dans une grande fourche de branches.

Penamacor ㉘

Carte routière D3. 🚶 *3 200.* 🚉 🚌
ℹ️ *Av. 25 de Abril (277 394 316).*
🔄 *1er et 3e mer. du mois.*

Cette ville frontalière, disputée par les Romains, les Wisigoths et les Maures, fut fortifiée au XIIe siècle par Gualdim Pais, maître de l'ordre des Templiers *(p. 184-185)*. Aujourd'hui, le château domine une bourgade paisible au cœur d'une région faiblement peuplée vouée à la chasse.

De la place principale, la route montant à la vieille ville dépasse l'ancienne mairie, construite sur une arcade médiévale. Plus loin se dressent le **donjon du château,** restauré, et l'**igreja da Misericórdia,** du XVIe siècle, dont le portail manuélin est surmonté de sphères armillaires, emblème de Manuel Ier.

AUX ENVIRONS : De Penamacor, on découvre la **reserva natural da Serra da Malcata.** Cette réserve boisée de 20 km² est peuplée de loups et de loutres, mais c'est surtout l'un des derniers refuges du lynx d'Espagne. Il est recommandé de s'adresser au centre d'information avant la visite.

🦌 **Reserva Natural da Serra da Malcata**
🚌 *pour Penamacor ou Sabugal.*
ℹ️ *rua dos Bombeiros Voluntários, Penamacor (277 394 467).* 📷 *sur r.-v.*

Monsanto ㉙

Carte routière E3. 🚶 *1 500.* 🚌
ℹ️ *Rua Marquês Graciosa (277 314 642).* 🔄 *3e sam.*

En 1938, Monsanto fut élu « le village le plus portugais du Portugal ». Il fait corps avec le granit sur lequel il est agrippé : ses ruelles se confondent avec la pierre grise, et les maisons se pressent entre d'immenses éboulis. De minuscules jardins jaillissent du granit, et les chiens boivent dans des écuelles… en granit.

Le **château** en ruine fut un peuplement lusitanien fortifié, et son emplacement lui valut maints sièges et batailles. Les voitures ne peuvent accéder au centre, mais la vue à elle

Les maisons de Monsanto, dominées par d'immenses éboulis de granit

seule mérite l'ascension.

On raconte qu'assiégés par les Maures, les villageois affamés conçurent une ruse désespérée. Ils jetèrent par-dessus les murailles leur dernier veau gavé de leurs dernières céréales. Découragés par tant de prodigalité, les Maures abandonnèrent leur siège. En mai, les villageois commémorent cette victoire, avec des chants et des danses.

Idanha-a-Velha ③⓪

Carte routière D3. 🏃 90. 🚌 🛈 *rua da Sé (277 914 280).*

Ce modeste hameau blotti centre des oliveraies résume l'histoire du Portugal. Des pancartes et des explications discrètes en portugais, en français et en anglais guident les visiteurs dans ce musée vivant.

Le roi wisigoth Wamba serait né ici, et le hameau eut son propre évêque jusqu'en 1199. La physionomie actuelle de la **cathédrale** est due à la restauration du XVIe siècle, mais l'intérieur recèle des pierres romaines sculptées et couvertes d'inscriptions.

Au centre, on découvre un pilori du XVIIe siècle et l'**igreja Matriz,** qui date de la Renaissance. Près d'un pressoir à olives du début du siècle, la **torre dos Templários,** en ruine, est une relique des Templiers, qui étaient établis à Idanha jusqu'au XVIe siècle *(p. 184-185).*

Escalier des Apôtres bordé de statues, jardim Episcopal

Castelo Branco ③①

Carte routière D4. 🏃 35 000. 🚉 🚌 🛈 *Alameda da Liberdade (272 330 339).* 🛒 *lun.*

Cette jolie ville ancienne, la plus grande localité de la Beira Baixa, est dominée par les vestiges d'un château des Templiers.

Sa principale attraction est l'extraordinaire **jardim Episcopal,** à côté de l'ancien palais épiscopal. Créé au XVIIIe siècle par l'évêque João de Mendonça, son originalité réside dans un foisonnement de statues baroques, souvent étranges. Des saints et des apôtres bordent les chemins, des lions se mirent dans les bassins et des monarques montent la garde le long des balustrades — remarquez la taille des rois espagnols abhorrés qui régnèrent sur le Portugal *(p. 50),* moitié plus petits que les autres… Le paço Episcopal, du XVIIe siècle, abrite le **Museu Francisco Tavares Proença Júnior,** qui rassemble des trouvailles archéologiques, des tapisseries du XVIe siècle et des œuvres de primitifs portugais. Castelo Branco est aussi connu pour ses couvre-lits brodés de soie, les *colchas,* dont le musée présente quelques spécimens.

En face, le convento da Graça, essentiellement du XVIIIe siècle, abrite un **Museu de Arte Sacra,** dont la collection comprend un Christ en ivoire. La rue, qui retourne vers le centre-ville, est bordée d'une croix du XVe siècle, le cruzeiro de São João.

🌿 **Jardim Episcopal**
Rua Bartolomeu da Costa. ◯ *t.l.j.* 🏷
🏛 **Museu Francisco Tavares Proença Júnior**
Rua Bartolomeu da Costa.
📞 *272 344 277.* ● *10 h–12 h 30 ; 14 h–17 h 30 mar.–dim.*
🏛 **Museu de Arte Sacra**
Rua Bartolomeu da Costa.
📞 *272 348 420.* ◯ *9 h–12 h 30 ; 14 h–18 h lun.–ven.* ● *jours fériés.* ♿

Le petit village historique d'Idanha-a-Velha, parmi les oliveraies bordant le Ponsul

Le Nord
du Portugal

IN QUO QUIS PIE MORIENS
CETERNUM NON PATIETUR
INCENDIUM

Le Nord d'un coup d'œil

Rurale et sauvage, la région au nord du Douro propose nombre de visites culturelles, de promenades et de sports nautiques. Au-delà de la vallée cultivée du Douro et du fertile Minho se déroule une région reculée au nom évocateur (Trás-os-Montes signifie « derrière les montagnes »), aux étendues solitaires mais émaillées de petites bourgades médiévales. La région entre le Minho et le Douro est le berceau de la nation portugaise. D'ailleurs, des villes historiques et fascinantes comme Porto, Bragança et Braga témoignent du passé.

Le parque nacional da Peneda-Gerês couvre des vallées boisées et des prairies fleuries. Les fermiers stockent leurs céréales dans de curieux espigueiros de pierre (p. 270-271).

Viana do Castelo, *à l'embouchure de la Lima, est une localité élégante (p. 274-275). Les bâtiments imposants de la praça da República, comme le Paços do Concelho (ancienne mairie), illustrent sa prospérité passée.*

Bom Jesus do Monte, *près de Braga, attire pèlerins, pénitents et touristes, qui gravissent tous l'escalier des Cinq Sens (p. 278-279), une construction baroque agrémentée de fontaines allégoriques représentant les sens.*

MINHO
(p. 262-281)

Douro Litoral

Porto, *installée au-dessus du Douro sur la Penaventosa, est la deuxième ville du pays (p. 236-247). Outre sa profusion de sites historiques et ses boutiques, la ville a aussi des ruelles médiévales escarpées qui descendent vers les quais animés. On peut y savourer du porto.*

◁ *Azulejos* de l'igreja do Carmo à Porto, représentant la fondation de l'ordre de Notre-Dame du Mont-Carmel

La casa de Mateus est bien connue des amateurs de vin : elle illustre l'étiquette du rosé mateus. Installé sur les collines dominant la vallée du Douro, ce manoir baroque est entouré de magnifiques jardins. Les pinacles qui le hérissent dominent les vergers et les vignobles alentour (p. 254-255).

Bragança, capitale du Trás-os-Montes, a donné son nom à la dernière maison royale portugaise, dont le règne fut aussi le plus long. Le donjon et les murailles de cette citadelle isolée du XIIe siècle dominent la vallée de la Fervença (p. 258-259).

Trás-os-Montes

DOURO ET TRÁS-OS-MONTES
(p. 232–261)

Alto Douro

0   25 km

La magnifique vallée du Haut Douro est le pays du porto. La visite d'une quinta, *ou propriété viticole, avec ses vignobles en terrasses qui s'étagent au bord du fleuve, est indispensable* (p. 252-253).

Les fêtes du Nord

Chaque ville, chaque bourgade et chaque village célèbre sa fête en l'honneur d'un saint. Ces manifestations sont essentiellement religieuses, surtout dans le Minho et dans le Nord, très pieux, mais elles sont aussi l'occasion d'oublier les soucis du quotidien. On dit souvent que la meilleure manière de célébrer un saint est de manger, boire, danser et s'amuser, tout en le vénérant. Les célébrations les plus solennelles et spectaculaires de la semaine sainte se tiennent dans le Nord, surtout à Braga *(p. 276-277)*, capitale religieuse du pays.

Habit de fête, semaine sainte

Procession de la festa das Cruzes, Barcelos

D'innombrables processions suivent les quatorze stations de la Croix, et les fidèles font pénitence en commémorant les souffrances du Christ. Dans certains villages, une effigie du Christ ensanglanté est portée dans les rues.

Le dimanche de Pâques, après la messe proclamant la Résurrection, le prêtre fait le tour de son village, tenant un crucifix sur une longue perche, et les paroissiens baisent les pieds du Christ. Tandis que le prêtre boit un verre de vin, les fidèles allument des cierges.

Début mai, la passion du Christ est célébrée à Barcelos *(p. 273)*. Des croix sont érigées le long d'un chemin tapissé de pétales, pour la **festa das Cruzes.**

L'allumage des cierges de Pâques, un moment solennel à Braga

PÂQUES

La semaine sainte, dont l'apogée est le dimanche de Pâques, est la principale fête religieuse. À Braga, des processions longent les murailles de la ville pour rejoindre la grande cathédrale, et chaque village célèbre sa fête.

La semaine débute le dimanche des Rameaux : des fidèles tenant des rameaux défilent dans les rues pour commémorer l'entrée du Christ à Jérusalem. Le vendredi saint est très solennel.

SÃO JOÃO

La Saint-Jean *(23-24 juin)*, qui coïncide avec le solstice d'été, est une des fêtes les plus exubérantes, en particulier à Porto. Les participants mangent, boivent et dansent toute la nuit, faisant mine de se frapper sur la tête avec des tiges d'ail géantes ou avec des marteaux en plastique. Des feux de joie sont allumés, et des feux d'artifice spectaculaires

Marteau de la São João

LES COSTUMES DU MINHO

Les fêtes contribuent, entre autres, à faire vivre les traditions. Les jeunes du Minho portent les mêmes habits que tous les jeunes Européens, mais les jours de fête ils revêtent fièrement l'habit traditionnel. Les costumes du Minho sont très colorés, avec des foulards magnifiquement brodés et des tabliers aux couleurs de chaque village. Des messages d'amour et d'amitié sont cousus sur les poches, et les corsages disparaissent presque sous des couches de bijoux de filigrane.

Colliers en or

Poches de tablier brodées

éclatent au-dessus du Douro. Depuis quelques années, une nouvelle manifestation est venue s'ajouter à la Saint-Jean : la régate annuelle des *barcos rabelos,* les bateaux qui transportaient le porto.

ROMARIAS

Toutes les célébrations ou fêtes sont des *festas.* En revanche, le terme de *romaria* implique une dimension religieuse. Dans le Nord, la plupart des *festas* sont ainsi des *romarias.* Elles commencent avec une messe, puis des statues de saints sont portées en procession dans les rues. Des bénédictions sont lancées dans toutes les directions — y compris aux voitures de pompiers et aux ambulances — , suivies d'un arrosage de vin mousseux de raposeira. Beaucoup de *romarias* se déroulent en été ; surtout en août, il est rare que quelques jours se

DANSE DES BÂTONS

Ces danses très anciennes sont sans doute associées à des rites de fertilité, et les bâtons ont peut-être remplacé des sabres. Les danseurs, appelés les *pauliteiros,* se produisent encore dans le Trás-os-Montes. La troupe la plus connue vient de Duas Igrejas, près de Miranda do Douro.

Danseurs lors d'une *festa*

Nossa Senhora da Agonia, Viana do Castelo

passent sans une fête. L'**Assomption** *(15 août)* est célébrée partout, avec des danses et de la musique. Les *gigantones,* des géants grotesques d'origine pré-chrétienne, se joignent aux processions, tandis que des feux d'artifice illuminent le ciel. Quelques jours plus tard, vers le 20 août, une *romaria* spectaculaire se tient à Viana do Castelo *(p. 274-275)* : **Nossa Senhora da Agonia.** Elle comprend une course de

taureaux et un après-midi consacré à une présentation des costumes régionaux, et réunit parfois plus de mille participants. Le soir, des feux d'artifice, tirés depuis le pont, retombent dans la Lima.

Les villageois de São Bartolomeu do Mar, sur la côte à l'ouest de Braga, à la fin de leur *romaria (22-24 août),* trempent leurs enfants dans la mer.

Géants menant un défilé de l'Assomption à Peso da Régua

NOËL ET L'HIVER

Le soir du réveillon, on déguste *bacalhau* (morue) et porto chaud et épicé, et on échange les cadeaux avant la messe de minuit.

Entre Noël et l'Épiphanie, les petits villageois du Trás-os-Montes revêtent d'incroyables costumes à franges pour le **dia dos Rapazes,** un rite de passage.

Les fêtes s'achèvent avec le **dia de Reis** *(6 janv.),* où l'on déguste le bolo rei, le « gâteau des rois » *(p. 33).*

Costumes et masques étranges portés pour le dia dos Rapazes

L'histoire du porto

Le porto a été « inventé » au XVIIᵉ siècle, lorsque des négociants britanniques eurent l'idée d'ajouter de l'eau-de-vie au vin du Douro pour le rendre plus transportable. On découvrit que plus le vin était fort et sucré, plus sa saveur devenait agréable. Au cours des années, les méthodes de vieillissement et d'assemblage ont été affinées. Le principal affréteur, Croft était anglais. Le négoce du porto est resté en grande partie aux mains des Britanniques, parfois de père en fils.

Barco rabelo (p. 250)
transportant du porto

PORTO • Vila Real • Tua • Sabor
Peso da Régua • Rinhão • Douro
Lamego

LA RÉGION DU PORTO

Le porto provient exclusivement d'une région délimitée de la haute vallée du Douro. Régua et Pinhão sont les principaux centres de production, mais les meilleurs vignobles appartiennent à des *quintas (p. 252-253)* sur les rudes terrains de l'est.

LES DIFFÉRENTS TYPES DE PORTO

Le porto vieilli en bouteille est d'une couleur plus sombre et se bonifie avec le temps, celui vieilli en fût est mis en bouteille déjà à maturité. Les portos ruby et tawny sont de qualité plus ordinaire, tandis que le blanc constitue une catégorie à part.

Vintage

Le vintage, fleuron de toute maison de porto, est un vin millésimé obtenu à partir des meilleurs cépages. Mis en bouteille après deux ans en fût de chêne, il vieillit très bien dans de grandes bouteilles noires.

LBV

Le LBV (Late Bottled Vintage) est un vin d'un seul millésime, embouteillé après 5 à 6 ans en fût de bois et prêt à être bu. Le LBV filtré ne nécessite aucune décantation mais n'a pas la finesse du LBV classique.

Aged Tawny

L'aged tawny, qui doit son nom à sa couleur ambrée, est un mélange de vins vieilli en fût. L'âge indiqué sur l'étiquette est approximatif. Plus il est vieux et pâle, plus il a perdu en fruité mais gagné en délicatesse, et plus il est cher.

Tawny

Le tawny sans indication d'âge n'a pas vieilli assez longtemps en fût pour développer les arômes complexes de l'aged tawny. Plus léger, il est aussi meilleur marché. C'est parfois même un mélange de cépages rouges et blancs.

Rouge

Le ruby doit son nom à sa couleur rouge vif. Il n'a vieilli que 2 ou 3 ans, en bouteille ou en fût, et a gardé sa saveur fruitée. Plus ordinaire que le LBV ou le vintage, il est aussi moins coûteux.

Blanc

Les deux portos blancs, doux et demi-sec, sont produits exclusivement à partir de cépages blancs. Ils se boivent frais, et surtout en apéritif. Certains contiennent un peu moins des 20° d'alcool habituels.

e raisin est récolté dans de grands paniers en osier

’ÉLABORATION DU PORTO

a saison des viticulteurs du Douro culmine fin septembre. es vendangeurs, venus des provinces voisines, affluent dans la vallée du Douro. Plus de quarante cépages sont utilisés mais les meilleurs ne sont que cinq.

e foulage du raisin dans des uves en pierres, ou lagares, se it encore au pied dans ertaines quintas. On pense que ela en améliore la qualité.

La fermentation en cuves de ciment ou d'acier est plus courante. Du dioxyde de carbone se forme dans la cuve, faisant remonter le moût fermenté jusqu'au sommet d'un tube. Le gaz s'échappe, et le moût retombe sur les pépins et les peaux, dans un processus qui s'apparente au foulage.

Lors du processus de fortification, le moût semi-fermenté est placé dans une deuxième cuve où l'on ajoute de l'eau-de-vie de raisin, pour stopper la transformation des sucres en alcool.

es milliers de bouteilles e vintage Graham's de 1977, 'un des meilleurs millésimes, se onifient dans les chais de Vila Nova de Gaia.

Le meilleur taverny est vieilli en fûts de chêne dans les chais à porto. Une fois mis en bouteille, ils peuvent être bus sans décantation.

Le vintage

Afin de préserver la qualité – et de ne pas saturer le marché –, les producteurs de porto ne « déclarent » pas systématiquement un « vintage » chaque année, cette décision fait l'objet d'une concertation au bout de 18 mois d'observation du vin. Les vins des années « sans » restent à vieillir en fût en vue de futurs mélanges en LBV ou tawny, ou sont embouteillés sous le label « single quinta », une sorte de vintage de moindre qualité. En moyenne ne sont guère déclarés que trois vintages par décennie, à des intervalles divers.

La maturation d'un bon vintage est au minimum de 15 ans de bouteille, parfois moins selon l'impatience des buveurs, témoin la mode récente du « vintage nouveau ». La liste des grands vintages est par définition en évolution constante, mais – les connaisseurs sont unanimes – celui de 1963 n'a jamais encore été dépassé.

Les vintages d'avant-guerre

1927, 1931, 1935 : exceptionnels et devenus des raretés.

Les vintages d'après-guerre

1945, 1947, 1948, 1955 : réservés aux *happy few* fortunés. *1963* : peut-être le plus grand de cette période. *1970* : sa cote est en hausse, bientôt l'égale du 1963. *1994* : un excellent vintage, surtout chez Dow, Taylor et Quinta do Noval. *1997* : autre excellent millésime. *2000* : une année pleine de promesses.

Un Taylor 1994

Cuisine : le Nord du Portugal

Noix

L e Minho est la région d'origine du *caldo verde*, un classique, mais aussi de plats à base de poissons. La lamproie et le saumon des rivières de la région sont d'ailleurs très appréciés. La morue *(bacalhau)*, très prisée, est quant à elle importée. Les épices, comme le cumin ou la cannelle, relèvent savoureusement nombre de plats. La cuisine robuste du Trás-os-Montes est à l'image des paysages austères : le plus souvent à base de porc, frais ou conservé, et des noix et des haricots secs ajoutent souvent de la consistance aux plats.

*La **broa** est un pain de maïs compact et doré, à la croûte épaisse.*

Chouriço, saucisse très épicée

Le *paio*, saucisson à base de filet de porc

Jambon de Lamego

*Le **monte**, du Trás-os-Montes, est un fromage crémeux au lait de vache et de brebis.*

La charcuterie *joue un rôle essentiel dans la cuisine du Nord. Les meilleurs jambons viennent de Lamego, mais le Trás-os-Montes produit d'excellents chouriços.*

*Le **bola** est une pâte à pain qui alterne avec diverses charcuteries pour former une sorte de gâteau.*

*Les **pastéis de bacalhau** sont des beignets qui se mangent froids en amuse-gueule, ou chauds en plat principal.*

*Le **caldo verde** doit sa couleur particulière à son ingrédient principal, la couve galega, un chou très vert.*

*La **sopa de castanhas piladas**, spécialité du Trás-os-Montes, contient châtaignes séchées, haricots et riz.*

*Le **bacalhau à Gomes de Sá** vient de Porto. Des couches de morue, de pommes de terre et d'oignons sont couvertes d'œuf.*

*La **truta de Barroso** est une truite farcie au jambon, cuite à la graisse de lard et servie avec des pommes de terre.*

La **feijoada,** *dont il existe des variantes, est un ragoût de haricots rouges ou blancs, de charcuterie et de viande.*

Le **vitela no espeto** *est du filet de veau grillé (ou à la broche) puis recouvert, avec un peu d'huile, pour faire sortir le jus.*

Le **rojões** *est un ragoût de porc épicé au cumin, cuit dans du vin et de l'ail. C'est un plat régional très apprécié.*

Chouriço

Morcela

Porc

Poulet

Bœuf

Le **cozido à portuguesa** *est un plat national originaire du Trás-os-Montes, où il est dégusté pour le carnaval. Divers légumes, viandes et saucisses sont servis dans leur bouillon.*

Morcela

Farinheira

Ces saucisses comptent parmi les nombreuses charcuteries utilisées dans des plats comme le cozido à portuguesa. La farinheira est à base de porc, de vin et de farine, tandis que la morcela est une saucisse de sang épicée (délicieuse à la poêle).

La **sopa dourada,** *une sorte de génoise recouverte d'amandes concassées, vient de Viana do Castelo.*

La **torta de Viana** *est une génoise fourrée de crème sucrée à l'œuf.*

Le **toucinho do céu,** le « lard céleste », est un gâteau au jaune d'œuf saupoudré de cannelle.

Les **papos de anjo** (jabots d'ange) doivent leur nom étrange à leur forme.

*Les **gâteaux** sont une véritable passion nationale. Les spécialités du Nord sont riches et très sucrées, souvent parfumées à la cannelle.*

LES BOISSONS

Hormis le vin, les cépages du Nord produisent la *bagaceira*, un marc, et l'*aguardente*, de l'eau-de-vie. La région a plusieurs stations thermales, comme Pedras Salgadas, qui donnent d'excellentes eaux minérales.

Eau minérale de Pedras Salgadas

Aguardente

Le **pudim Abade de Priscos,** *du nom de l'abbé qui l'inventa, est parfumé au porto, aux épices et au citron.*

DOURO ET TRÁS-OS-MONTES

En chemin vers l'Atlantique et la ville historique de Porto, le Douro, ou « fleuve d'Or », serpente dans des gorges profondes, où s'étagent des milliers de vignobles en terrasses. Au nord-est, les plateaux et les montagnes du Trás-os-Montes, littéralement « derrière les montagnes », constituent la région la plus sauvage du pays.

Dès le IXᵉ siècle av. J.-C., des marchands phéniciens arrivèrent dans l'estuaire du Douro. Bien plus tard, les Romains développèrent Portus et Cale, de part et d'autre du fleuve, avant que les deux noms ne se fondent en un — Portucale —, pour désigner la région entre le Minho et le Douro, qui fut le cœur du royaume du Portugal *(p. 42-43)*.

L'estuaire et la côte, le Douro Litoral, regroupent aujourd'hui des ports de pêche, des stations balnéaires et des zones industrielles. À l'embouchure, Portus devint Porto, capitale régionale et deuxième ville du pays. Prospère grâce à des siècles d'échanges, Porto la cosmopolite est à la fois moderne et ancrée dans le passé. Son bord de mer et ses venelles de guingois sont un enchantement. De sa colline, Porto est tournée vers le Douro et, plus loin, vers les chais à porto où se bonifie le précieux nectar.

Les coteaux bordant la rivière sont voués à la culture de la vigne. D'interminables vignobles sont parsemés de propriétés viticoles *(quintas)*.

Par contraste avec la vallée prospère du Douro, le Trás-os-Montes est isolé et sauvage. Dans le passé, il fut un refuge pour les exilés religieux et politiques, mais la dureté de la vie a dépeuplé la région.

Le Nord, rural, est la région la plus traditionnelle du pays. Cela se manifeste également dans les *festas* locales, qui comptent parmi les plus pittoresques du Portugal *(p. 226-227)*. Si l'influence de l'extérieur commence à se faire sentir dans le Trás-os-Montes, le visiteur découvre toujours une région de petits villages paisibles entre des champs de seigle et la lande, où le parc naturel de Montesinho s'étend de Bragança à la frontière espagnole.

Vignobles en terrasses tapissant les coteaux entre Pinhão et Alijó, dans la vallée du Haut Douro

◁ Dans le quartier de Barredo, à Porto, les maisons sont enserrées dans un dédale de ruelles

À la découverte du Douro et du Trás-os-Montes

Porto offre tant de merveilles à découvrir que peu de visiteurs s'aventurent au-delà. Toutefois, en remontant le cours du Douro, on découvre un paysage de vignobles en terrasses et de *quintas* prospères, vouées au vin et au porto. Outre Porto, les bons points de départ pour découvrir la région sont Peso da Régua et Lamego, ville de pèlerinage.

Le Trás-os-Montes est la région la plus méconnue du Portugal. Sa capitale isolée, Bragança, au riche passé, est installée à la lisière du parque natural de Montesinho. Entre Bragança et Chaves s'étend une région magnifique, à découvrir.

Éminences rocheuses dans le parque do Alvão

LA RÉGION D'UN COUP D'ŒIL

Le quai de Porto, le cais da Ribeira, au petit matin

LÉGENDE

≈≈≈	Autoroute
▬▬▬	Route principale
⋯⋯	Route secondaire
▬▬▬	Parcours pittoresque
⌒	Cours d'eau
❀	Point de vue

Le pays du porto, près de Pinhão, où les vignobles ourlent les rives du Douro

Orense

Tuela

RIO DE ONOR

N103

PARQUE NATURAL
DE MONTESINHO **18**

VINHAIS

BRAGANÇA

17

N218

N103

N206

Tuela

Zamora
Valladolid

N122 (E82)

HAVES

N213

N206

IP4 (E82)

Sabor

VALPAÇOS

VIMIOSO

N218

IP4 (E82) **16** MIRANDELA

Tua

IP2 (E802)

N216

Sabor

N219

MIRANDA DO DOURO **19**

DUAS
IGREJAS

MURÇA

N213

IP2 (E802)

MOGADOURO **20**

N221

SERRA DE MOGADOURO

LIJÓ

VILA FLOR

Sabor

N214

N215

Douro

IP2 (E802)

N221

TUA

21

TORRE DE MONCORVO

0   25 km

**VILA NOVA DE
FOZ CÔA**

N220

FREIXO DE
ESPADA À CINTA **22**

IP2
(E802)

VOIR AUSSI

Douro

N221

Guarda

- *Hébergement* p. 390–393

- *Restaurants* p. 413–416

Boticas :
p. 259

CIRCULER

En raison de la circulation, mieux vaut explorer le
centre de Porto en bus, en taxi ou à pied. De Porto,
les excursions en bateau sont un excellent moyen
de découvrir paisiblement les paysages du Douro.
Des trains relient Porto aux principales localités du
Nord, et desservent aussi la vallée du Douro. Les
liaisons sont moins fréquentes à l'intérieur des terres,
au-delà de Peso da Régua, mais les excursions le long
du Douro sont intéressantes. Dans le Trás-os-Montes, les
transports en commun sont limités, et la voiture reste le
meilleur moyen de découvrir cette région isolée, surtout
depuis que l'IP 4 (E82) relie Vila Real à Bragança.

Le Sabor près de Bragança, à la lisière sud
du parque natural de Montesinho

Porto ❶

Depuis l'époque où les Romains bâtirent un fort là où leur route marchande traversait le Douro, Porto a prospéré grâce au commerce. Prompte à chasser les Maures au XIe siècle et à tirer profit du passage des croisés, la cité a aussi exploité les richesses engendrées par les découvertes maritimes du Portugal, au XVe et au XVIe siècle. Un peu plus tard, le commerce du vin avec les Britanniques remplaça avec succès celui des épices. Deuxième ville du pays, Porto bénéficie tant d'une animation commerciale que d'une effervescence culuttrelle remarquée puisqu'elle a été élue Capitale européenne de la Culture en 2001 et héberge depuis nombre de manifestations.

L'aigle et le lion, rotunda da Boavista

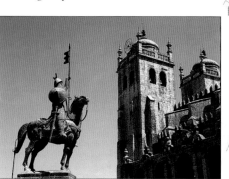

La cathédrale (Sé) et la statue de Vimara Peres *(p. 42)*

Quartier de la cathédrale

La cathédrale *(p. 240)* est juchée sur la partie haute de la ville. Les rues avoisinantes, bordées d'étals animés, regorgent de monuments comme l'église Renaissance Santa Clara *(p. 239)* et la gare de São Bento *(p. 239)* du début du siècle.

Au pied de la cathédrale s'étend le Barredo, un quartier animé qui ne semble pas avoir changé depuis le Moyen Âge. Des maisons ornées de balcons sont agglutinées les unes aux autres et agrippées au versant escarpé. D'ailleurs, certaines ruelles sont de véritables escaliers.

Ribeira

Ce quartier traditionnel, situé au bord de la rivière, est un dédale de ruelles ombragées et d'arcades. Du linge sèche aux fenêtres, et les façades sont pastel ou revêtues d'*azulejos* colorés. Le quartier de Ribeira, animé et convivial, est en cours de rénovation, et il compte de plus en plus de restaurants et de boîtes de nuit.

Le linge sèche aux fenêtres dans le quartier de Ribeira

Cordoaria

Les jardinss'étendent à l'abri de la torre dos Clérigos *(p. 241)*, tandis que les magasins envahissent les rues escarpées.

Magasin spécialisé en *bacalbau* (morue séchée)

Vue de l'avenue dos Aliados en direction de la Câmara Municipal

Mode d'emploi

Plan C2. 300 000.
Francisco Sá Carneiro
10 km au N. (229 413 141).
nationale et international :
Campanhã (225 364 141) ;
régionale : São Bento.
rua Alexandre Herculano ;
praça da Galiza, campo 24 de
Agosto ; Praceta Regulo
Megoanha. rua Clube dos
Fenianos 25 (223 293 472) ;
rua Infante Dom Henrique 63
(222 009 770). 10-29 juin :
Festas da Cidade ;
www.portoturismo.pt

Boavista

L'avenida da Boavista est bordée d'hôtels, de logements et de magasins. Sur la rotunda da Boavista, comme on appelle aussi la praça de Mouzinho de Albuquerque, la statue d'un lion (les forces anglo-portugaises) terrassant un aigle (les Français) commémore la fin de la guerre napoléonienne. Au sud se trouve un excellent centre commercial.

Les sites

Casa-Museu Guerra Junqueiro ⑭
Feitoria Inglesia ⑫
Igreja do Carmo ⑤
Igreja dos Clérigos ⑥
Igreja dos Congregados ⑦
Igreja da Misericórdia ⑧
Igreja Românica ①
Jardim do Palácio de Cristal ③
Museu Romântico ②
Museu Soares dos Reis ④
Museu dos Transportes e Comuniçãos ⑨
Palácio da Bolsa ⑩
Ponte de Dom Luís I ⑯
Santa Clara ⑮
São Francisco ⑪
Sé ⑬

Légende

	Quartier de la cathédrale
	Gare ferroviaire
	Gare routière
	Embarcadère
	Parc de stationnement
	Information touristique
	Église

Fruits et légumes du marché de Bolhão, très animé

Le quartier de la cathédrale pas à pas

Des fouilles archéologiques ont démontré que la Penaventosa, la colline sur laquelle est juchée la cathédrale, était déjà habitée voici 3 000 ans. Haut perchée, la cathédrale est un excellent point de repère pour s'orienter dans la ville, et sa terrasse offre une belle vue. La grande avenida de Vímara Peres, du nom du héros militaire qui expulsa les Maures en 868 apr. J.-C., se déroule vers le sud, en longeant les ruelles escarpées et les escaliers du Barredo. Vers le nord, la vue porte sur la gare São Bento, richement décorée, et le quartier commerçant très animé.

Rua das Flores
Les façades traditionnelles de la rue des Fleurs abritent les meilleurs bijoutiers et orfèvres de la ville.

Les étals près de la Sé proposent du poisson, des fruits et des légumes, mais aussi des appareils ménagers, du bric-à-brac et des souvenirs.

RUA DAS FLORES

R. MOUZINHO D. SILVEI

RUA ESCURA

CALÇADA DE VANDOMA

TERREIRO DA SÉ

RUA DE DOM HUGO

Terreiro da Sé
Cette grande terrasse offre une splendide vue panoramique sur la ville. Un pilori manuélin, doté de crochets, se dresse à un coin.

Ancien palais épiscopal

★ Sé
Bien qu'imposante et un peu austère, la cathédrale recèle quantité de trésors, notamment cette Cène dorée, du XVIIe siècle, qui se trouve dans la capela de São Vicente (p. 240).

La Casa-Museu Guerra Junqueiro est un charmant musée, installé dans la maison du poète du XIXe siècle (p. 240).

Ponte de Dom Luís I

Praça da Liberdade

Praça de Almeida Garrett
Les voitures se pressent sur cette place animée du centre-ville, ignorant sa richesse architecturale.

PRAÇA DE ALMEIDA GARRETT

RUA DO LOUREIRO

AVENIDA DOM AFONSO HENRIQUES

RUA CHÃ

RUA SARAIVA DE CARVALHO

★ **Gare São Bento**
Installée sur le site d'un monastère, la gare principale a été achevée en 1916. À l'intérieur, des azulejos de Jorge Colaço (p. 23) illustrent les transports, des fêtes champêtres et des scènes historiques.

Les murs Fernandins, du nom de Fernando Ier, furent construits au XIVe siècle. Il n'en reste que quelques vestiges, ici et sur le cais da Ribeira (p. 236).

Santa Clara
La façade sobre de Santa Clara, une église Renaissance, offre un contraste saisissant avec les boiseries dorées de l'intérieur.

0   50 m

LÉGENDE

— — — Itinéraire conseillé

À NE PAS MANQUER

★ Sé

★ Gare de São Bento

À la découverte de Porto

La prospérité qui fut celle de Porto dès le XVe siècle se manifeste un peu partout dans la ville. Le commerce de produits importés des colonies portugaises *(p. 48-49)* permit notamment à l'or et aux bois exotiques du Brésil d'inonder les églises. Les marchands aisés dépensèrent sans compter, commandant peintures et *azulejos*. L'extravagante Bourse, le palácio da Bolsa, et l'élégante feitoria Inglesa sont des témoignages plus récents de l'activité commerçante de Porto.

🏠 Sé

Terreiro da Sé. 222 059 028.
t.l.j. 8 h 30_12 h 30 ; 14 h 30–19 h.
jours fériés. pour les cloîtres.
Bâtie au XIIe et au XIIIe siècle comme une église-forteresse, la cathédrale a tant été remaniée qu'elle manque d'unité. Le seul vestige intéressant, du XIIIe siècle, est la rosace de la façade ouest. La petite chapelle, à gauche du chœur, abrite un retable en argent, masqué par un mur de plâtre élevé à la hâte à l'arrivée des troupes françaises en 1809. Le transept sud donne accès aux cloîtres,

Cruche à eau, Museu Guerra Junqueiro

du XIVe siècle, et à la capela de São Vicente. L'élégant escalier du XVIIIe siècle, de Niccoló Nasoni, mène à l'étage, où l'on verra un superbe panneau d'*azulejos* illustrant des scènes de la vie de la Vierge et des *Métamorphoses* d'Ovide. De là, la vue est superbe.

Les cloîtres gothiques de la face sud de la Sé

🏛 Casa-Museu Guerra Junqueiro

Rua de Dom Hugo 32. 222 053 644. mar.–sam. jours fériés.
La demeure du poète et révolutionnaire Guerra Junqueiro (1850-1923) est une merveille baroque. De la cour, on accède aux salles regroupant la collection privée de Junqueiro : céramiques et meubles portugais, tapisseries flamandes, sculptures anglaises en albâtre, etc. Dans la salle Dom João V, une collection de figurines chinoises est présentée sur des tables élégantes.

🏛 Casa do Infante

Rua da Alfândega 10. 222 056 025. 8 h 30–17 h du lun. au ven. jours fériés.
D'après la légende, cette demeure serait la maison natale du prince Henri le navigateur. Elle abrite aujourd'hui les archives municipales, dont le certificat de baptême du prince, une collection de photographies et les plus récentes trouvailles archéologiques.

🏛 Palácio da Bolsa

Rua Ferreira Borges. 223 399 000: mai–oct. : t.l.j. ; nov.–avr. : lun.–ven. jours fériés en hiver. obligatoire.
En 1842, les commerçants de la ville firent construire la Bourse à l'emplacement du monastère de São Francisco. Le tribunal do Comércio est

Le splendide Salon arabe, palácio da Bolsa

passionnant sur le plan historique. La petite galerie de peinture adjacente a son intérêt, mais le point culminant de la visite est le Salon arabe. Avec ses arabesques bleues et or, ce salon inspiré de l'Alhambra de Grenade est digne de Schéhérazade.

🏛 Museu de Etnografia e História

Largo de São João Novo 11. 222 002 010. en travaux.
Installé dans un palais du XVIIIe siècle, le musée est consacré à la vie et aux traditions de la région du Douro. Outre des trouvailles archéologiques et des céramiques locales, il présente des costumes traditionnels, des pièges, des pièces et des curiosités, comme le premier ascenseur de la ville (1910), mais aussi la reconstitution d'une cave à vin et d'un atelier de tissage.

🏠 Casa da Misericórdia

Rua das Flores 15. 222 000 941. lun.–ven. jours fériés.
Cet hospice religieux, le long de l'église, a été fondé au XVIe siècle. Son bien le plus précieux est la magistrale *Fons vitae* (fontaine de vie), don de Manuel Ier vers 1520. L'identité de l'artiste est incertaine : il pourrait s'agir de Van der Weyden ou d'Holbein. L'œuvre représente le roi, sa famille et des nobles devant le Christ crucifié.

L'ARBRE DE JESSÉ DE SÃO FRANCISCO

La représentation de scènes bibliques, sur des vitraux ou par des sculptures sophistiquées, permettait d'enseigner la Bible à une époque où peu de gens savaient lire. La généalogie du Christ, remontant jusqu'aux rois de Judée et d'Israël, était un motif très apprécié. Elle est souvent représentée sous forme d'arbre, de Joseph jusqu'à Jessé. L'arbre de São Francisco, en bois polychrome et doré, a été sculpté entre 1718 et 1721 par F. da Silva et A. Gomes. Ses branches et son tronc, jaillissant de Jessé étendu, soutiennent des personnages expressifs ; au sommet, le Christ entouré de Marie et de Joseph.

Vierge Marie

Jésus-Christ

Joseph

Salomon, qui succéda à son père, David, était connu par sa sagesse. C'est lui qui fit bâtir le temple de Jérusalem.

Jessé est représenté avec des racines jaillissant de son dos. Son plus jeune fils était David, l'adversaire de Goliath, qui devint roi d'Israël et de Judée.

Le roi David, reconnaissable à sa harpe

🔒 São Francisco

Rua do infante D. Henrique. 📞 *222 006 493.* ⏰ *9 h–17 h t.l.j.* **Catacombes** ⏰ *mai–sept. : lun.–sam.* 📷 *y compris catacombes*

Quoique São Francisco date du XIVe siècle, c'est son intérieur, du XVIIIe siècle, qui fascine. Sur le maître-autel, les colonnes et les piliers, plus de 200 kg d'or composent des chérubins, des guirlandes et des animaux gambadant, culminant dans l'arbre de Jessé sur le mur nord. La visite passe par les catacombes et les trésors du monastère, détruit en 1832.

🔒 Igreja dos Congregados

Rua da Sá da Bandeira 11. 📞 *222 002 948.* ⏰ *t.l.j.* ⏰ *jours fériés*

Les *azulejos* modernes de la façade de cette église du XVIIe siècle, qui représentent la vie de saint Antoine, sont de Jorge Colaço *(p. 23)*. Ils égayent un peu ce quartier en proie aux embouteillages.

🔒 Igreja dos Clérigos

Rua São Filipe Nery. 📞 *222 001 729.* ⏰ *jeu.–mar.* **Tour** ⏰ *t.l.j.* 📷

Cette église et sa tour sont l'un des symboles de la ville. Construite au XVIIIe siècle par Niccoló Nasoni, elle fut la première église à intérieur ovale du pays. La grande torre dos Clérigos, qui se dresse à 75 m, reste l'un des plus hauts bâtiments du Portugal. L'ascension vertigineuse des 240 marches en vaut la peine : la vue sur le fleuve, la côte et la vallée du Douro est magnifique.

La torre dos Clérigos offre une vue magnifique

L'intérieur extravagant de São Francisco

Détail du panneau d'*azulejos* du mur latéral de l'igreja do Carmo

🔒 Igreja do Carmo

Rua do Carmo. 📞 *222 078 400.*
🕐 *t.l.j.* ♿

Ce fleuron de l'architecture baroque portugaise a été construit par José Figueiredo Seixas entre 1750 et 1768. L'un des murs extérieurs est revêtu d'un immense panneau d'*azulejos*. Conçu par Silvestro Silvestri, il représente la fondation légendaire du Carmel, sur le mont Carmel. À côté, l'igreja das Carmelitas,

où se mêlent les styles classique et baroque, a été achevée en 1628. Elle fait aujourd'hui partie d'une caserne.

🏛 Museu Soares dos Reis

Rua Dom Manuel II. 📞 *223 393 770.*
🕐 *mar.–dim.* ⚫ *jours fériés.* 📷

L'élégant palais dos Carrancas, construit au XVIIIᵉ siècle, a été un atelier textile, un quartier général militaire pendant la guerre napoléonienne et une

résidence royale. En 1809, au moment du siège de Porto par les troupes françaises, le maréchal Soult et ses hommes étaient casernés ici, avant d'être évincés, lors d'une attaque surprise menée par Arthur Wellesley, le futur duc de Wellington.

Aujourd'hui, le palais offre un cadre superbe au musée qui porte le nom d'António Soares dos Reis, le grand sculpteur portugais du XIXᵉ siècle. Une place de choix est accordée à l'art portugais. On y voit notamment des œuvres de Frey Carlos, le maître du XVIᵉ siècle, et de l'impressionniste Henrique Pousão. Le musée présente aussi des paysages de Porto du Français Jean Pillement (1728-1808). La pièce maîtresse de la collection de sculptures est *O Desterrado* (*L'exilé*) par Soares dos Reis, œuvre en marbre (1874).

O Desterrado d
Soares dos Reis

Porto vu du fleuve

L e Douro, qui se déroule sur plus de 927 km depuis sa source en Espagne jusqu'à l'Atlantique, est lié à l'histoire de la ville de Porto. On dit qu'Henri le Navigateur *(p. 49)* serait né dans la casa do Infante, au bord de l'eau. Bien de l'eau a coulé sous les ponts depuis que les bateaux chargés de porto ou de richesses d'outre-mer venaient s'amarrer ici, mais la vie de la ville continue à s'articuler autour du fleuve. Une excursion sur le Douro permet de découvrir Porto sous un angle nouveau.

Plusieurs exploitants de vedettes sont installés sous le magnifique pont Dom Luís I, à deux tabliers, qui relie la ville à Vila Nova de Gaia sur la rive gauche. Conçu par un assistant de Gustave Eiffel, il fut inauguré en 1886. Le métro actuellement en construction, destiné à être largement aérien, empruntera le niveau supérieur du pont Dom Lúis I. Le nouveau pont Infante Dom Henrique, en amont du fleuve, est réservé aux voitures.

Vila Nova de Gaia abrite les chais à porto *(p. 247).*

Ponte da Arrábida

Quai, cais da Estiva

D'autres départements regroupent terres cuites portugaises, émaux de Limoges, porcelaines, etc. On admirera un buste en argent du XVᵉ siècle de São Pantaleão, saint patron de Porto, et une épée ayant appartenu à Dom Afonso Henriques.

🔒 Igreja Románica

Largo do Priorado. 📞 *222 000 635.* ⏰ *Appeler pour réserver.* ♿

Cette petite église de style roman, du XIIᵉ siècle, est supposée être la plus ancienne de la ville. Son nom pourrait venir d'une église antérieure, construite très rapidement (*cedo feita* signifie « vite fait ») sur ce site, lorsqu'au VIᵉ siècle saint Martin convertit au christianisme le roi suève Théodomir.

🏛 Museu Romântico

Rua de Entre-Quintas 220. 📞 *226 091 131.* ⏰ *mar.–sam. et dim. ap.-m.* ⏺ *jours fériés.* 📷

La quinta da Macieirinha fut la résidence du roi Carlo Alberto de Sardaigne (1798-1849) qui, après son abdication, passa ici les deux derniers mois de sa vie. En 1972, l'étage supérieur de la demeure a été

Exposition temporaire, salle de billard du Museu Romântico

transformé en musée. Les pièces qui donnent sur le fleuve, bien proportionnées, présentent avantageusement des meubles français, allemands et portugais délicatement travaillés, ainsi que des tapis, des céramiques et autres objets. Parmi les peintures à l'huile et les aquarelles, on voit des portraits du baron Forrester *(p. 252)* et du poète Almeida Garrett, auteur de théâtre et écrivain portugais.

Au rez-de-chaussée de la quinta da Macieirinha, l'institut du vin de porto exploite le Solar do vinho do Porto. Ce bar original, qui propose plus de 150 variétés de porto, permet de prendre un verre en admirant le Douro.

♣ Jardim do Palácio de Cristal

Rua Dom Manuel II. ⏰ *t.l.j.*

Inspiré par le Crystal Palace de l'exposition universelle de Londres en 1851, le palais de Cristal a été commencé en 1861. Dans les années 50, la construction en acier et en verre d'origine a été remplacée par le pavillon des Sports, surnommé « la demi-orange ». Il accueille parfois des concerts et, pendant les *festas,* une foire se tient dans les jardins.

Cyclistes dans le jardin du palais de Cristal

Le cais da Ribeira est l'un des quais où sont amarrés les bateaux.

Ancien palais épiscopal

Torre dos Clérigos *(p. 241)*

Sé *(p. 240)*

Ponte de Dom Luís I

Porto : En dehors du centre

L es environs de Porto recèlent une foule de centres d'intérêt. En traversant le pont Dom Luís I, on arrive à Vila Nova de Gaia, où se trouvent les chais à porto, et au mosteiro da Serra do Pilar, qui offre une vue magnifique sur la vieille ville. Les banlieues nord et ouest comptent plusieurs sites qui méritent le détour, comme l'église des Hospitaliers, à Leça do Bailio, au nord de Porto, et la casa de Serralves, qui présente de l'art portugais dans un cadre Art déco. Sur la côte, au-delà du château veillant sur l'embouchure, à Foz do Douro, s'étend Matosinhos, renommé pour ses fruits de mer. Les plages, comme celle d'Espinho, sont la principale attraction de la côte sud.

Un ancien tramway de Porto, Museu de Carro Eléctrico

🔒 Mosteiro da Serra do Pilar

Serra do Pilar. 📞 223 795 385. ☐ sur r.-v.

Le chemin qui mène à l'église en rotonde du XVIe siècle est ardu, mais il en vaut la peine. C'est de la terrasse que le futur duc de Wellington prépara l'attaque surprise contre les Français, en 1809. La vue porte sur les chais à porto, en contrebas, la courbe du Douro et la vieille ville, au loin.

🏛 Fundação de Serralves Museu de Arte Contemporânea

Rua Dom João de Castro 210. 📞 226 156 500. ☐ 10 h–19 h mar.–dim. (avr.–sept. : 10 h-22 h sam., dim ; oct.–mars : 10 h-22 h jeu). ● 1er janv., 25 déc. 📷 🌐 www.serralves.pt

Ouverte en 1989, cette fondation nationale majeure d'art contemporain réunit désormais dans un seul local les collections du Art Deco Casa de Serralves et du Museu de Arte Contemporânea. Sa longue nef blanche abrite une exposition permanente d'œuvres des années 1960, dont certaines par Christian Boltanski, Bruce Nauman et Julião Sarmento.

🏛 Museu do Carro Eléctrico

Alameda Basílio Teles 51. 📞 226 158 185. ☐ mar.–dim. 📷

Les tramways, dont le réseau fut jadis l'épine dorsale de la cité, ont pris leur retraite au musée. Parmi les stars exposées, le Nº 22, premier tram électrique de la péninsule Ibérique en 1895. Les amateurs pourront s'offrir une excursion pittoresque aller-retour le long du fleuve jusqu'à la Rua Infante Dom Enrique par le Nº 18, dernier tramway de Porto.

🏛 Casa-Museu Fernando de Castro

Rua Costa Cabral 716. 📞 225 094 625. ● t.l.j.

L'ancienne résidence de Fernando de Castro (1888-1950), homme d'affaires, collectionneur et poète, a été léguée à l'État par sa sœur. Sa collection réunit aussi bien des sculptures religieuses sauvées dans des églises que des œuvres modernes et une peinture de l'Enfant Jésus attribuée à Josefa de Óbidos (p. 51). On remarquera aussi les figurines du XIXe et du XXe siècle de Teixeira Lopes père et fils.

AUX ENVIRONS : Les forts de l'embouchure, comme le **castelo da Foz**, à Foz de Douro, et le **castelo do Queijo**, au nord, rappellent que, des siècles durant, la côte et les bateaux étaient menacés par les Espagnols et les pirates.

L'église **Bom Jesus**, près de Matosinhos, a été reconstruite par Niccoló Nasoni au XVIIIe siècle. En juin, des pèlerins viennent y honorer une statue du Christ en bois. Trouvée sur la plage au Xe siècle, elle serait l'œuvre du disciple Nicodème.

L'**igreja do Mosteiro,** église fortifiée du XIVe siècle à Leça do Bailio, à 8 km au nord de Porto, fut le siège de l'ordre des Hospitaliers au Portugal. Elle est ornée d'arcs gothiques, de chapiteaux sculptés et d'une splendide rosace.

Casa de Serralves, forum Art déco présentant l'art moderne

◁ *Barcos rabelos* ancrés sur le quai de Vila Nova de Gaia

Vila Nova de Gaia

om Afonso III, en conflit avec l'évêque de Porto sur les péages des bateaux, créa un nouveau port à Vila Nova de Gaia. Mais, en 1253, ils s'entendirent sur un partage des prélèvements. Aujourd'hui, le centre-ville est toujours voué au vieillissement et au transport du porto *(p. 252-253)*. Malgré la levée de la réglementation, en 1987, imposant que le porto ne pouvait être produit qu'ici, la ville a gardé son rôle. Toutes les rues sont bordées de chais (lodges, ou *armazéns*).

Porto Taylor

Les visites permettent de découvrir l'élaboration du porto (p. 228-229) et s'achèvent souvent par une *dégustation*.

CHAIS DU PORT

Barros ④	Graham ①
Borges ⑩	Ramos Pinto ⑥
Cálem ⑨	Sandeman ⑧
Cockburn ③	Taylor ⑦
Ferreira ②	Vasconcelos ⑤

Les chais sont omniprésents. Plus de cinquante maisons de porto sont installées ici, assemblant et faisant vieillir la majeure partie du porto consommé dans le monde, sous des toits rouges affichant des noms connus.

DÉCOUVRIR LES CHAIS

Visite : Les chais indiqués proposent des visites. Les réservations ne sont généralement pas nécessaires. Contactez-les pour obtenir les horaires. Adresses et numéros de téléphone à l'Office du tourisme, avenida Diogo Leite 242 (223 773 080).

Horaires : Variables. Généralement lun.-ven., parfois le week-end ; souvent fermés les jours fériés.

LÉGENDE

🚤	Embarcadère
🅿	Parc de stationnement
ℹ	Information touristique
✝	Église

0   250 m

L'ancien monastère São Bento, à Santo Tirso, abrite aujourd'hui une école

Santo Tirso ❷

Carte routière C2. 🏠 *12 000.* 🚉
🚌 **i** *praça 25 de Abril (252 830 411).* 🛒 *lun.*

Santo Tirso, surtout connu pour son industrie textile, s'étend au bord de l'Ave. Fondé par les bénédictins au VIIIᵉ siècle, l'ancien monastère de **São Bento** a été reconstruit, puis modifié au XVIIᵉ siècle. Les paires de colonnes du cloître gothique du XIVᵉ siècle sont ornées de chapiteaux richement sculptés. Le cloître abrite aujourd'hui une école d'agriculture et le **Museu Abade Pedrosa**, où vous pourrez voir des trouvailles archéologiques locales : haches de pierre, bracelets de bronze, céramiques, etc.

🏛 **Museu Abade Pedrosa**
Rua Unisco Godiniz. **☎** *252 830 400.* 🕐 *mar.–dim.* ⬤ *jours fériés.*

Sanctuaire Nossa Senhora da Piedade, Penafiel

AUX ENVIRONS : À Roriz, à 13 km à l'est, l'église romane **São Pedro** domine la vallée de la Vizela. Une date, 1228, est gravée sur le porche, mais on pense qu'une église se dressait ici dès le VIIIᵉ siècle. Une belle rosace orne la façade. À côté se trouvent un joli clocher et les ruines du cloître du monastère.

Sanfins de Ferreira, à 5 km plus à l'est, est le site d'une *citânia,* une citadelle de l'âge du fer, probablement habitée dès le VIᵉ siècle av. J.-C. On peut voir les vestiges d'une vaste muraille protégeant une centaine de huttes. Le site compte également un petit musée. Le gardien, qui vit à côté, vous laissera entrer sans problème les jours fériés.

🏠 **Sanfins de Ferreira**
Sanfins, indiqué depuis la N 209.
☎ *255 862 029.* 🕐 *mar.–dim.*

Penafiel ❸

Carte routière C2. 🏠 *8 000.* 🚌
i *avenida Sacadura Cabral 92 (255 712 561).* 🛒 *le 10 et le 20 du mois.*

Cette bourgade granitique domine la Sousa. Outre son élégante **igreja Matriz,** de style Renaissance, elle possède aussi un sanctuaire, **Nossa Senhora da Piedade,** construit en 1908 dans un mélange de styles néo-gothique et byzantin. Penafiel est surtout connu comme centre régional de la production de *vinho verde* (p. 28-29).

AUX ENVIRONS : La **quinta da Aveleda,** juste au nord de Penafiel, est l'un des principaux producteurs de *vinho verde* de la région.

Boelhe, à 17 km au sud, mérite un détour pour son église du XIIᵉ siècle, São Gens. Il s'agirait de la plus petite église romane du Portugal (10 m de haut sur 7 m de large et de long). La sobriété de son architecture ajoute encore à son charme.

L'église São Salvador du XIIIᵉ siècle, à **Paço de Sousa,** à 8 km au sud-ouest de Penafiel, abrite le tombeau d'Egas Moniz. Ce personnage d'une loyauté légendaire était le conseiller du premier roi du Portugal, Dom Afonso Henriques (1139-1185).

🍷 **Quinta da Aveleda**
Indiqué depuis la N 115. **☎** *255 711 041.* 🕐 *lun.–ven.* ⬤ *jours fériés.*
📷 ♿ 🎫 *obligatoire.*

La petite église São Gens à Boelhe, au sud de Penafiel

Amarante ❹

Carte routière D2. 🏠 *10 000.* 🚌
🚌 **i** *Alameda Teixeira de Pascoaes (255 420 246).* 🛒 *mer. et sam.*

Cette ville est l'un des joyaux du Nord. Des rangées de demeures du XVIIᵉ siècle, aux balcons en bois peints de couleurs vives, bordent les ruelles, et les terrasses des restaurants dominent la rivière. Les origines de la ville sont mal connues, mais le premier peuplement remonterait à 360 av. J.-C. La ville a presque été totalement incendiée en 1809, après le siège des troupes françaises conduites par le maréchal Soult. São Gonçalo était un saint très populaire né à la fin du XIIe siècle. On raconte quantité d'histoires sur les bals et les fêtes qu'il organisait pour protéger les femmes de la tentation en leur trouvant des maris. Faiseur de mariages, il est associé à la fertilité. Le premier week-end de juin, la festa de São Gonçalo commence par des prières pour trouver un conjoint, puis se poursuit avec des danses, de la musique et des dons de gâteaux de São Gonçalo, de forme phallique.

Lorsque le vieux pont romain, qui enjambait la Tâmega, s'effondra au XIIIe siècle, on dit que São Gonçalo le reconstruisit. L'actuel pont rejoint la **Igrega de São Gonçalo,** du XVIe siècle. Dans la chapelle, à gauche du chœur, l'image ornant son tombeau, vénérée par des milliers de fidèles souhaitant son intercession, s'est effacée.

Le **Museu Amadeo de Sousa-Cardoso** présente deux objets curieux, un couple de diables, liés à un culte de fertilité, qui serait antérieur à São Gonçalo. Le *diabo* et la *diaba* sont deux diables de bois noir, qui sont venus remplacer, au XIXe siècle, un couple plus ancien détruit durant la guerre napoléonienne. Cependant, l'évêque de Braga menaça de les brûler, car ils étaient l'objet d'un rite de fertilité. Toutefois,

Le ponte de São Gonçalo enjambe la Tâmega, Amarante

le *diabo* fut tout simplement « châtré ».

Le musée présente également une collection d'œuvres de la période cubiste de l'artiste Amadeo de Sousa-Cardoso (1887-1918), l'un des grands peintres portugais du XXe siècle, qui est né à Amarante.

Les amateurs de danses folkloriques ne manqueront pas l'*arraial*, soirée de danse paysanne, qui se tient tous les jeudis et samedis, à Amarante, entre juin et octobre.

🛉 **Igrega de São Gonçalo**
Praça da República. 📞 255 422 050.
◐ t.l.j. ♿

🏛 **Museu Amadeo de Sousa-Cardoso**
Alameda Teixeira de Pascoães.
📞 255 420 272. ◐ mar.–dim.
◑ jours fériés. 🖼

Cinfães ❺

Carte routière D2. 🏘 *4 000.* 🚌
🛈 *rua Dr Flávio Resende 43 (255 563 571).* ⛵ *le 10 et le 26 du mois.*

Cinfães, blotti sous les contreforts de la Serra de Montemuro qui se dresse à plus de 1 000 m, domine le Douro. La ville, entourée de paysages verdoyants, est une porte d'accès vers Lamego et le Haut Douro à l'est *(p. 252-253)*. Cinfães est un centre agricole et artisanal, proposant des tissages, des dentelles, de la vannerie et des *rabelos* miniature, ces bateaux qui descendaient la rivière jusqu'à Porto, chargés de porto *(p. 250)*.

AUX ENVIRONS : Tarouquela, situé à 16 km environ à l'ouest, abrite une église du XIIe siècle, **Santa Maria Maior.** Celle-ci possède de belles colonnes romanes qui flanquent le portail. Les différents ajouts ultérieurs, comme le mausolée gothique, datent du XIVe siècle.

Entre Cinfães et Lamego, le village de **Cárquere** compte également une église dédiée à la Vierge. Selon la légende, le jeune Afonso Henriques, futur roi du Portugal, fut guéri à Cárquere par Egas Moniz. Vers 1110, guidé par un rêve, Moniz déterra une statue de la Vierge et fit ériger une église en son honneur. Son jeune protégé guérit alors de façon miraculeuse. L'église actuelle date du XIVe ou du XVe siècle. Son plus beau trésor est une sculpture en ivoire de la Vierge, non datée.

Nossa Senhora de Cárquere, église du XIIe siècle, près de Cinfães

Panneaux du plafond de São Nicolau, igreja Matriz de Mesão Frio

Mesão Frio ⑥

Carte routière D2. 🏘 *700.* 🚌
ℹ *avenida Conselheiro José Maria Alpoim (254 890 100).* 🎉 *ven.*

Le village jouit d'un bel emplacement, à l'entrée de la région du porto. Autour, les gradins de la Serra do Marão forment un écran climatique naturel pour les vignobles. Mesão Frio est surtout renommé pour ses vanneries et ses *falachas,* des gâteaux aux châtaignes.

Reconstruite en 1877, l'igreja Matriz **São Nicolau** a conservé son magnifique plafond orné de panneaux peints représentant des portraits de saints, de la fin du XVᵉ siècle. L'Office du tourisme et la mairie sont installés dans les **cloîtres** du XVIIIᵉ siècle d'un ancien monastère franciscain.

À l'ouest du village, la **casa da Rede,** d'un baroque somptueux, s'admire depuis la route, mais ne se visite pas.

Peso da Régua ⑦

Carte routière D2. 🏘 *5 500.* 🚉 🚌
ℹ *rua da Ferreirinha (254 312 846).*
🎉 *mer.*

Né au XVIIIᵉ siècle de Peso et de Régua, Peso da Régua, ou Régua, est le principal nœud des transports de la région.

En 1756, Régua fut désignée centre de la région délimitée du porto par le marquês de Pombal. C'est d'ici que partaient les *rabelos,* les bateaux à voile traditionnels chargés de fûts de porto qui traversaient les gorges dangereuses pour rejoindre Vila Nova de Gaia *(p. 247).* Ces bateaux continuèrent à naviguer après 1880, alors que la ligne ferroviaire du Douro était plus rapide et plus sûre. Régua subit à plusieurs reprises des crues graves, qui menacent toujours la ville. Toutefois, la construction de barrages, dans les années 70 et 80, a limité le danger.

Les visiteurs en route pour le pays du porto *(p. 252-253)* ne font qu'une courte halte à Régua. Pourtant, la **casa do Douro,** siège administratif de l'Institut du porto, mérite une visite. Ses vitraux modernes, de Lino António, illustrent l'histoire et l'élaboration du porto. On y voit aussi une belle carte de la vallée du Douro, établie au XIXᵉ siècle par le baron Forrester *(p. 252).*

🏠 Casa do Douro
Rua dos Camilos. 📞 *254 320 811.*
🕐 *lun.–ven.* 🔴 *jours fériés.*

AUX ENVIRONS : De belles *quintas,* ces propriétés produisant du porto, s'étendent à perte de vue. L'une des plus proches est la magnifique **quinta da Pacheca,** à Cambres, à 4 km au sud-ouest. Dans un village sur la route de Mesão Frio, l'**Enoteca de Granjão** organise des visites de chais. Sur demande, les visiteurs sont pris à leur hôtel, à la gare ou à la gare routière de Régua.

🍷 Enoteca de Granjão
Granjão (sur N 108). 📞 *254 322 788.*
🕐 *10–19 h t.l.j.* 🔴 *jours fériés.*

Vitrail de la casa do Douro, représentant des *rabelos,* Peso da Régua

Lamego ⑧

Carte routière D2. 🏘 *12 000.* 🚌
ℹ *avenida Visconde Guedes Teixeira (254 612 005).* 🎉 *jeu.*

Cette jolie bourgade de la région du porto produit aussi d'autres vins, comme le raposeira, un excellent mousseux. La région est également renommée pour ses fruits et ses jambons.

Lamego s'enorgueillit d'avoir accueilli, en 1143, les premières *cortes,* qui reconnurent Dom Afonso Henriques comme le premier roi du Portugal. La ville connut une expansion économique à partir du XVIᵉ siècle, quand elle se tourna vers la production viticole et le textile. Les belles maisons baroques témoignent de cette époque prospère. Lamego est devenue aujourd'hui une importante ville de pèlerinage.

Vignobles de la Serra do Marão, aux environs de Mesão Frio

Le grand escalier menant à Nossa Senhora dos Remédios, Lamego

🔒 Nossa Senhora dos Remédios

Monte de Santo Estêvão. ⬤ t.l.j.
Dédiée à l'origine à saint Stéphane, en 1391, une petite chapelle se mit à attirer les pèlerins rendant hommage à la Vierge, et en 1761 Nossa Senhora dos Remédios fut construite sur ce site spectaculaire. Elle est desservie par un double escalier majestueux, semblable au Bom Jesus de Braga *(p. 278-279)*. Ses 686 marches et ses neuf terrasses, décorées d'*azulejos* et d'urnes, montent jusqu'au pátio dos Reis, bordé de figures de granit au pied de l'église. Celle-ci ne présente pas grand intérêt, mais elle offre une belle vue (bien méritée) sur la ville, le Douro et ses affluents.

Début septembre, les pèlerins arrivent par milliers pour la romaria de Nossa Senhora dos Remédios de Lamego *(p. 32)*.

🔒 Sé

Largo da Sé. 📞 254 612 766. ⬤ t.l.j.
La cathédrale gothique, fondée en 1129, a conservé sa tour carrée d'origine. Le reste est le fruit de modifications apportées entre le XVIᵉ et le XVIIIᵉ siècle, y compris un beau cloître Renaissance avec une dizaine d'arcs joliment proportionnés.

🏛 Museu Lamego

Largo de Camões. 📞 254 600 230.
⬤ mar.–dim. ⬤ jours fériés.
L'un des meilleurs musées locaux occupe l'ancien palais épiscopal. L'œuvre maîtresse en est la *Criação dos Animais* (création des animaux), qui fait partie d'une série de panneaux d'autel magistraux, attribués à Grão Vasco, le grand peintre du XVᵉ siècle *(p. 213)*. Parmi les belles tapisseries flamandes du XVIᵉ siècle, on remarquera une Vie d'Œdipe.

AUX ENVIRONS : À 4 km à l'est, la **capela de São Pedro de Balsemão,** sans doute la plus vieille église du pays, a conservé son sanctuaire wisigothique. Par ailleurs, Afonso Pires, évêque de Porto au XVIᵉ siècle, y repose dans un magnifique tombeau. La statue de Nossa Senhora do Ó, représentant la Vierge enceinte, date du XVᵉ siècle.

À 16 km au sud de Lamego, le monastère **São João de Tarouca,** du XIIᵉ siècle, fut le premier établissement cistercien au Portugal. L'intérieur de l'église est embelli de superbes *azulejos,* du XVIIIᵉ siècle, comme ceux du chœur évoquant la fondation du monastère, et ceux de la sacristie, où aucun des 4 709 carreaux de faïence n'affiche le même motif. L'église recèle un magnifique *Saint Pierre* de Grão Vasco. Le tombeau du comte de Barcelos, fils bâtard du roi Dinis, est orné de scènes de chasse au sanglier.

Au nord-est, **Ucanha** est connu par son péage et son pont fortifiés, vestiges imposants du XIIᵉ siècle.

🔒 São João de Tarouca

Indiqué depuis la N 226.
⬤ mar.–dim. ⬤ 3ᵉ w-e du mois ♿

L'église du monastère São João de Tarouca, dans son cadre paisible

Le pays du porto ❾

L e porto qui se bonifie dans les chais de Vila Nova de Gaia *(p. 247)* provient des propriétés viticoles *(quintas)* du Haut Douro *(p. 228-229)*. Des siècles de dur labeur sur le schiste aride ont donné naissance à des milliers de terrasses, certaines d'à peine 2 m de large. Récemment, un partie a été rendue accessible aux tracteurs, mais les plus anciennes sont protégées comme patrimoine culturel. Beaucoup de *quintas* traditionnelles accueillent des visiteurs. Le début de l'automne est la meilleure période pour découvrir la région : les vendangeurs chantent en travaillant, et fêtent les vendanges, *la vindima*.

Bouteilles de Graham's

Le village de Vale de Mendiz et les vignobles alentour

Peso da Régua ①

Peso da Régua est devenu la capitale administrative du porto en 1756 et, plus tard, du vin de la région. Les *rabelos* ancrés ici rappellent que le précieux nectar était transporté par bateau jusqu'aux chais de Vila Nova de Gaia.

VILA REAL

São Martinho

Paradela de Guiães

N322

Estrada

Galafura

IP3

N2

Corgo

Quinta São Domingos

PORTO

N108

Duroro

N108

N222

N2

IP3

N313

Quinta do Crasto

Ferr

N222

Quinta São Luís

Folgosa

0   5 km

LÉGENDE

▬ Circuit conseillé

═ Autres routes

— Voie ferrée

❋ Point de vue

JOSEPH JAMES FORRESTER, BARON DU PORTO

Joseph Forrester débarqua, en 1831, à Porto pour y travailler avec son oncle, dans le secteur du porto. L'homme fut à l'origine d'une véritable révolution dans cette industrie. Dans son traité *A word or two on port,* de 1844, il dénonça les exportateurs qui frelataient le vin. Il étudia aussi l'oïdium, établit des cartes très détaillées de la vallée du Douro et fut même un aquarelliste talentueux. En 1855, Dom Pedro V lui conféra d'ailleurs le titre de barão pour son travail considérable. En 1862, le bateau de Forrester fit naufrage à Cachão de Valeira. Tiré vers les profondeurs par sa ceinture pleine d'argent, il périt noyé.

Pinhão ②

Les *quintas* de la plupart des grands noms du porto se trouvent non loin de cette petite ville, où la gare est décorée de 24 panneaux d'*azulejos*, illustrant des scènes locales et traditionnelles.

CARNET DE ROUTE

Longueur : 125 km. Après Pinhão, la progression est plus lente sur les routes escarpées.
Où faire une pause ? Le trajet le long du Douro offre plusieurs beaux points de vue. Alijó, Régua ou Sabrosa sont de bonnes haltes pour passer la nuit (p. 390-393). Beaucoup de quintas proposent visites et dégustations.

Sabrosa ③

Installé dans les vignobles, le village, qui domine le cours du Pinhão, compte une profusion de maisons du XVᵉ siècle. C'est d'ailleurs dans l'une d'elles que naquit, vers 1480, Magellan (p. 48).

Sanfins do Douro

Cheires

Pinhão

Quinta do Bucheiro

Quinta do Portal

Vale de Mendiz

São Mamede de Ribatua

Tua

MIRANDELA

N214

Alijó ④

La localité a été fondée officiellement en 1226, mais plusieurs *castros* (forts) de la région témoignent de peuplements beaucoup plus anciens. La *pousada* de barão de Forrester (p. 390) porte le nom du réformateur.

Linbares

Quinta do Castelinho

Cachão de Valeira

Quinta da Foz

ta de Rosa

Valença do Douro

Quinta do Panascal

São João da Pesqueira ⑦

São Salvador do Mundo, le point de vue de São João da Pesqueira, commande une belle vue sur la vallée et les vignobles, surtout lorsque les amandiers sont en fleurs.

VILA NOVA DE FOZ CÔA

Tabuaço

Tua ⑤

Installé dans une région connue par ses oranges et ses figues, Tua est depuis longtemps une étape sur la ligne ferroviaire du Douro. Ces trains peu fréquents sont un moyen agréable d'admirer les vignobles.

Barragem de Valeira ⑥

Jusqu'à la fin du XVIIIᵉ siècle, le Douro n'était pas navigable au-delà de Cachão de Valeira. Cette zone resta dangereuse même lorsque le plus périlleux des rapides fut contourné. C'est ici que mourut le baron Forrester. Les eaux furent finalement maîtrisées en 1976, grâce au barrage de Valeira.

Casa de Mateus

La bibliothèque lambrissée de bois recèle des ouvrages précieux

L e manoir, qui orne l'étiquette du rosé mateus *(p. 28)*, est un fleuron de l'architecture baroque portugaise. Il fut construit au début du XVIIIe siècle, sans doute par Niccoló Nasoni, pour António José Botelho Mourão, le 3e morgado de Mateus. Le manoir est toujours habité par ses descendants, mais les visiteurs peuvent découvrir une partie de la maison, les jardins et acheter les produits du domaine ; le vin de mateus n'en fait pas partie.

Armoire anglaise du XVIIe siècle, Salon de thé

Le manoir
L'extérieur et l'intérieur ont été conçus autour de perspectives soigneusement orchestrées, mais aussi de plusieurs séries d'images en miroir. Le bassin, ajouté dans les années 30, reflète l'imposante façade principale et les deux ailes.

Armoiries du plafond du hall d'entrée

La visite commence dans le hall d'entrée du premier étage, orné de deux chaises à porteurs et d'un superbe plafond en bois. Le Salon de thé recèle, entre autres, une armoire anglaise du XVIIe siècle et une horloge assortie, tandis que le Salon des quatre saisons doit son nom à ses œuvres du XVIIIe siècle. Beaucoup de peintures sont d'ailleurs des contributions personnelles de l'oncle du 4e morgado, archidiacre à Rome, qui est également l'auteur des jardins. La bibliothèque, réaménagée au milieu du XXe siècle, recèle des volumes datant, pour certains, du XVIe siècle. L'ouvrage le plus précieux se trouve toutefois dans le petit musée : un exemplaire du poème épique de Camões *Os Lusíadas (p. 188)*, de 1817, comportant des gravures d'artistes renommés. C'est l'une des éditions limitées publiées par le petits-fils du 3e morgado. Le musée présente également des correspondances de la famille avec des personnalités, comme Frédéric le Grand et le duc de Wellington.

Les jardins
Sous l'escalier de l'entrée, un passage sombre entre les écuries conduit à une cour intérieure et aux jardins. Il ne reste pas grand-chose des jardins originaux aménagés par l'archidiacre, passionné d'horticulture. Les jardins, qui datent pourtant des années 30 et 40, font plutôt penser à une époque plus romantique. Les parterres et les massifs aux dessins complexes composent une tapisserie vivante, qui font parfaitement pendant à la symétrie de la

La façade symétrique de la casa de Mateus, hérissée de pinacles, se reflète dans un bassin rectangulaire

MODE D'EMPLOI

Carte routière D2. Mateus, 3 km au N.-E. de Vila Real. 📞 259 323 121. 🚌 pour Vila Real. 🚗 ☐ mars–nov. : 9 h–13 h, 14 h–18 h (juil.–sept. : 19 h) t.l.j. ; déc.–fév. : 10 h–13 h, 14 h–17 h t.l.j. ⚫ 25 déc. 📷 ☐ obligatoire dans la maison. 🎫 ☐ mars–nov. 🎵 juil.–sept. : Encontros de Música.

Les parterres de fleurs tirés au cordeau de la casa de Mateus

maison. En hiver, les majestueux camélias, vestiges du XIXe siècle, sont le clou du jardin. Toutefois, l'élément qui marque le plus les visiteurs est sans doute l'immense tunnel de cèdres, chef-d'œuvre incontesté de l'art de la taille des arbres. Derrière les jardins s'étendent les vergers et les champs du domaine.

LE TUNNEL DE CÈDRES

Dans le jardin de la casa de Mateus, ce tunnel de cèdres, planté en 1941, mesure 35 m de long et 7,5 m de haut. Les promeneurs traversent cette galerie végétale dense et délicieusement parfumée. Pour le tailler, les jardiniers utilisent de grandes échelles faites sur mesure.

Vila Real ⓫

Carte routière D2. 🏛 14 000. 🚉 🚌 ℹ avenida Carvalho Araújo (259 322 819). 🛒 mar. et ven.

Perchée au-dessus des gorges au confluent du Cabril et du Corgo, Vila Real est une ville commerçante animée. Nœud de communication du Haut Douro, c'est un bon point de départ pour explorer la vallée du Douro au sud et le parc natural do Alvão au nord-ouest. En juin et en juillet, le circuit automobile de Vila Real accueille d'importantes manifestations.

Dans la rue principale, l'avenida Carvalho Araújo, la cathédrale gothique du XVe siècle, la Sé était, à l'origine, l'église d'une confrérie dominicaine. Les autres bâtiments monastiques furent détruits par un incendie au milieu du XIXe siècle, dans des circonstances mystérieuses.

Au sud de l'avenue, une plaque au n° 19 indique le lieu de naissance de Diogo Cão, l'explorateur qui découvrit l'embouchure du Congo en 1482 (p. 48-49).

Non loin, l'**igreja dos Clérigos,** dans la rua da Portela, est aussi appelée capela Nova ou capela de São Pedro. Sa jolie façade baroque est attribuée à Niccoló Nasoni. L'intérieur est embelli d'azulejos bleu et blanc.

AUX ENVIRONS : Le petit village de **Bisalhães**, à 6 km à l'ouest, est renommé pour ses terres cuites noires originales

(p. 25). On peut en acheter lors de la festa de São Pedro, qui se tient tous les ans à Vila Real, les 28 et 29 juin, de même que de belles broderies d'Agarez, situé non loin.

Parque Natural do Alvão ⓬

Carte routière D1. 🚌 pour Ermelo via Campeã. ℹ praceta do Tronco, Cruz das Almas, Vila Real (259 302 830).

Paysage du parque natural do Alvão

La réserve, qui s'étend sur 72 km² entre le Corgo (affluent du Douro) et la Tâmega, regroupe des plaines verdoyantes et des hauteurs rocheuses culminant à 1 339 m à l'**Alto das Caravelas**. On y voit toujours des faucons, des cincles et des loutres, malgré la réduction de leur habitat et les chasseurs. Entre les hameaux d'**Ermelo** et de **Lamas de Olo**, où le maïs est stocké dans des espigueiros (p. 271), l'Olo forme une cascade spectaculaire, les **fisgas d'Ermelo**. Du **Alto do Velão**, au sud-ouest du parc, le panorama de la vallée de la Tâmega est magnifique.

Vila Real vue des gorges du Corgo et du Cabril

Un fermier et son bœuf près de Carvalhelhos, Serra do Barroso

Serra do Barroso ⓭

Carte routière D1. 🚌 *pour Montalegre ou Boticas.* 🛈 *praça do Município, Montalegre (276 510 200).*

Au sud-est du parque nacional da Peneda-Gerês *(p. 270-271)* s'étend la Serra do Barroso, sauvage et isolée. Mais les paysages de bruyère sont coupés par l'immense barragem do Alto Rabagão, le plus grand réservoir de la région, dû à l'implantation d'une usine hydro-électrique. En effet, l'eau joue un rôle central dans l'économie locale ; les précipitations, importantes, permettent la culture d'une terre pauvre, et les lacs artificiels attirent les visiteurs. La source d'une eau minérale très appréciée jaillit à **Carvalhelhos.**

Non loin, le village de **Boticas** produit une boisson plus originale. L'histoire commence en 1809, lorsque les villageois enterrèrent leurs réserves de vin pour les préserver des envahisseurs français. Une fois l'ennemi parti, ils déterrèrent le vin et constatèrent qu'il s'était bonifié. Les bouteilles furent appelées *mortos* (« morts »), d'où le nom du vin : *vinho dos mortos.* Les bouteilles sont ainsi cachées pour deux ans.

La bourgade principale de la région est **Montalegre,** sur un plateau au nord. Son château du XIVᵉ siècle, en ruine, possède un donjon imposant de 27 m de haut.

L'élevage bovin est pratiqué dans la Serra, et des *chegas dos bois,* combats de bœufs très prisés, opposent les villages. Le combat, qui dure généralement moins d'une demi-heure, s'achève lorsque le plus faible des bœufs bat en retraite.

Chaves ⓮

Carte routière D1. 🏛 *18 000.* 🚌 🛈 *terreiro da Cavalaria (276 340 661).* 🌐 *www.rt.atb.pt* 📧 *mer.*

Chaves est joliment situé dans une plaine fertile, au bord de la Tâmega. Le nom de Chaves (« clés ») pourrait venir des clés du Nord, données à Nuno Álvares Pereira, héros d'Aljubarrota *(p. 183),* ou bien, ce qui est plus probable mais moins pittoresque, d'une corruption du nom latin « Flaviae ».

Les sources thermales et les gisements d'or ont incité les Romains à fonder sur ce site Aquae Flaviae, en 78 apr. J.-C. Cet emplacement stratégique fut occupé par les Suèves, les Wisigoths et les Maures, avant que les Portugais ne s'y installent définitivement en 1160. Chaves est connue par son centre historique, ses eaux thermales et son jambon fumé. Les terres cuites noires originales *(p. 25)* sont fabriquées à Nantes, non loin.

La vieille ville s'ordonne autour de la praça de Camões, dominée par le **donjon** du XIVᵉ siècle, seul vestige du château donné à Nuno Álvares Pereira par Dom João Iᵉʳ. L'**igreja Matriz,** avec son beau portail roman, borde le côté sud de la place. En face, l'église **Misericórdia,**

Église Misericórdia de Chaves

baroque, recèle de magnifiques *azulejos* du XVIIIᵉ siècle. Les grands panneaux attribués à Policarpo de Oliveira Bernardes *(p. 22)* représentent des scènes du Nouveau Testament.

Donjon du XIVᵉ siècle du château de Chaves, dans son jardin soigné

🏛 **Museu Militar et Museu da Região Flaviense**
Praça de Camões. ☎ *276 340 500.* ◯ *mar.–ven., sam. et dim. a.-m.* ● *jours fériés.* 🎟 *billet combiné.*
Le donjon abrite un petit Musée militaire, qui présente, entre autres, armures, uniformes et objets illustrant la résistance de la ville contre l'attaque des royalistes venus d'Espagne, en 1912. Le jardin entourant le donjon, qui regorge de fleurs, présente quelques pièces archéologiques découvertes à Chaves. Toutefois, la plupart d'entre elles se trouvent au Museu da Região Flaviense, situé derrière le donjon, dans le paço dos Duques de Bragança. Le musée abrite divers objets archéologiques locaux, comme des vestiges romains : bornes, médailles, un char à bœufs et un habit de paille porté par les bergers pour se protéger de la pluie et du soleil.

⚜ Ponte Romana

Le pont romain à seize arches, qui enjambe la Tâmega, a été achevé vers 100 apr. J.-C., sous Trajan. Chaves, qui servait de relais sur la route reliant Braga à Astorga (au nord-ouest de l'Espagne), connut alors une nette expansion. Sur le pont, des bornes romaines rappellent que les fonds nécessaires à sa construction furent collectés ici.

⚜ Sources thermales

Largo Tito Flávio Vespasiano.
📞 276 332 445. ⏰ t.l.j. ♿
À quelques minutes de marche du centre jaillit l'une des sources les plus chaudes d'Europe : l'eau sort de terre à 73° C. Les installations thermales attirent vacanciers et curistes *(p. 209)*. L'eau a des vertus curatives pour des maux aussi divers que les rhumatismes, les dysfonctionnements rénaux et l'hypertension.

La gigantesque pedra Bolideira, près de Chaves

AUX ENVIRONS : Non loin de Soutelo, à 4 km au nord-ouest de Chaves (suivre les indications), se trouve le **rocher d'Outeiro Machado,** de 50 m de long. Il est couvert de hiéroglyphes et de symboles inconnus, qui pourraient être celtiques. Un autre rocher géant, la **pedra Bolideira,** s'étend près de Bolideira, à 16 km à l'est de Chaves. La pierre est fendue en deux. Une légère poussée sur la plus grande partie suffit pour lui imprimer un mouvement de balancier.
Vidago, à 17 km au sud-ouest de Chaves, est connu par ses eaux thermales et son grand hôtel : le Vidago Palace Hotel *(p. 393),* jadis fréquenté par les rois. Il a été rénové, mais le parc, les lacs et la buvette ont conservé leur charme d'antan.

Chapelle Misericórdia de Murça, avec ses piliers ornés de vigne

Murça ⑮

Carte routière D2. 🏠 *3 000.* 🚌
ℹ️ *Alameda do Paço. 259 510 120*
📅 *13 et 28 du mois.*

Cette bourgade est connue par son miel, son fromage de chèvre et ses saucisses. Sa principale attraction, dans le jardin de la place principale, est sa **porca,** une truie en granit de l'âge du fer, d'une circonférence de 2,8 m *(p. 40)*. La signification de ces animaux, les *berrões,* reste inconnue. Ils pourraient avoir été liés à des rites de fertilité. On trouve également des spécimens plus petits à Bragança, Chaves et ailleurs. La porca de Murça est mise à contribution lors des élections : les partis gagnants la peignent à leurs couleurs.
La chapelle **Misericórdia,** situé dans la rue principale, possède une façade du début du baroque, joliment ornée de motifs de vigne et de raisin.

Mirandela ⑯

Carte routière D1. 🏠 *8 000.* 🚌 〰️
ℹ️ *praça do Mercado (278 200 272).*
📅 *3, 14 et 25 du mois.*

Mirandela possède de jolis jardins, qui descendent jusqu'à la Tua, et un élégant pont romain à vingt arches asymétriques. Bâti pour le passage des soldats et du minerai local, le pont a été reconstruit au XVIe siècle. Il est réservé aux piétons.
Le **Museu Municipal Armindo Teixeira Lopes** présente des sculptures, des gravures et des peintures, dont des vues de Lisbonne et de Mirandela réalisées par l'artiste dont le musée porte le nom.
Le bâtiment de la **mairie,** du XVIIe siècle, appartenait autrefois aux Távoras. Accusés de tentative de régicide en 1759, toute trace de leur présence fut effacée.

🏛 Museu Municipal Armindo Teixeira Lopes

Rua Coronel Sarmento Pimente.
📞 *278 201 590.* ⏰ *lun.–ven. ;*
mai–oct. : aussi sam. et dim. a.-m. ⚫
jours fériés.

AUX ENVIRONS : Romeu est blotti dans une jolie vallée, à 15 km au nord-est. Son **Museu das Curiosidades** réunit divers objets, du début du siècle jusqu'à nos jours. La collection de la famille Menéres comprend des Ford modèle T, des boîtes à musique et des équipements photographiques anciens. Le fameux restaurant Maria Rita *(p. 415)* se trouve à côté.

🏛 Museu das Curiosidades

Jerusalém do Romeu. ⏰
12 h–16 h ; mar.–dim. ⚫ *jours fériés.*

La Tua à Mirandela, avec son pont romain et ses parcs bordant la rivière

Bragança : la citadelle ⑰

L e site accueillit plusieurs forts avant que Fernão Mendes, beau-frère du roi Afonso Henriques, ne fasse construire ici, en 1130, une citadelle, qui fut appelée Brigantia. L'enceinte abrite toujours le château de Dom Sancho Iᵉʳ, de 1187, avec ses tours de guet, son donjon et la Domus Municipalis pentagonale du XIIᵉ siècle, à côté de l'église Santa Maria.

La ville a donné son nom à la dernière maison royale portugaise, issue d'un fils bâtard de Dom João Iᵉʳ, qui devint en 1442 le premier duc de Bragança (p. 299).

La citadelle de Bragança, ceinturée de murailles

Porta da Traição

Le Museu Militar, dans l'imposant donjon gothique de 33 m, présente des souvenirs de la campagne africaine (1895) d'un régiment local.

Le pilori médiéval semble clouer la malheureuse *porca,* une truie de pierre préhistorique *(p. 40),* à son piédestal.

★ **Château**
La torre da Princesa accueillit Dona Sancha, l'infortunée épouse de Fernão Mendes, et servit de prison à d'autres femmes.

Porta da Vila

RUA DOM FERNÃO O BRAVO

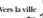
Vers la ville ←

Porta de Santo António

Santa Maria
Le superbe portail sculpté de l'église date de la restauration du XVIIIᵉ s.

★ **Domus Municipalis**
C'est le seul vestige d'architecture romane civile au Portugal. Les homens boms *(« hommes bons ») y réglaient les litiges. La citerne de la ville se trouvait au-dessous.*

À NE PAS MANQUER

★ **Château**

★ **Domus Municipalis**

LÉGENDE

— — Itinéraire conseillé

0 _____ 50 m

Porta do Sol

Maisons de la citadelle
*Au XVᵉ siècle, Bragança
s'était étendue au-delà de
l'enceinte où abondent les
petites maisons.*

Trouvailles archéologiques aux jardins du Museu Abade de Baçal

Au-delà de la citadelle

Au XVᵉ siècle, Bragança s'était développée sur les rives de la Fervença. Le quartier juif de la rua dos Fornos est un vestige de l'époque, où des juifs d'Espagne et d'Afrique du Nord s'installèrent ici et créèrent l'industrie de la soie.

Cependant, la ville ne parvint pas à surmonter son isolement, même les monarques de Bragança lui préférant Vila Viçosa (p. 298-299). Mais l'argent des émigrés, aujourd'hui rentrés au pays, et l'achèvement de l'autoroute reliant Porto à l'Espagne vont sans doute lui donner un nouveau souffle, tout comme la cathédrale inaugurée en 1996 pour le « nouveau millénaire ». Près de la vieille cathédrale, un marché couvert propose délicieux jambons fumés et *alheiras* (saucisses de poulet).

🏛 Museu Abade de Baçal

Rua Abílio Bessa 27. 273 331 595.
mar.–dim. jours fériés.
L'abbé de Baçal (1865-1947), dont le musée porte le nom, était un érudit dont les recherches sur l'histoire et les traditions de la région, y compris de sa communauté juive, ont été publiées en onze volumes.

La collection de peintures inclut le *Martyre de saint Ignace*, un triptyque non signé du XVIᵉ siècle, et des aquarelles d'Aurélia de Sousa (1865-1922), avec notamment *À sombra* (À l'ombre). Une autre section présente des costumes de *pauliteiros* colorés (p. 227) et des instruments de torture. Le jardin abrite diverses trouvailles archéologiques, comme des *porcas* et des tablettes comportant des inscriptions luso-romaines.

🏛 São Bento

Rua de São Francisco.
horaires variables.
Fondée en 1590, l'église possède deux plafonds très différents : dans le chœur, un beau dais à sculptures géométriques d'influence mauresque et, dans la nef, un trompe-l'œil du XVIIIᵉ siècle aux splendides couleurs.

🏛 São Vicente

Largo do Principal. horaires variables.
C'est ici qu'aurait eu lieu, en 1354, le mariage secret d'Inês de Castro et de Dom Pedro (p. 179). L'église d'origine, du XIIIᵉ siècle, a été reconstruite au XVIIᵉ siècle et enrichie de somptueuses dorures. Le panneau d'*azulejos* à droite de la porte principale représente le général Sepúlveda en 1809, exhortant les habitants de Bragança à bouter l'occupant français.

Cette rue du vieux quartier juif dévale jusqu'à la rivière

Les paysages du parque natural de Montesinho

Parque Natural de Montesinho ⑱

Carte routière E1. 🚌 *pour Rio de Onor et Vinhais.* 🛈 *bairro Salvador Nunes Teixeira 5, Bragança (273 381 234).*

Cette réserve s'étend sur 70 000 hectares entre Bragança et l'Espagne. Dans la Terra Fria (pays froid), les montagnes, qui culminent à 1 481 m, dominent des paysages de bruyère et de genêts, puis des forêts de chênes, d'aulnes et de saules.

À la lisière sud du parc, **Vinhais** commande une magnifique vue sur les paysages sauvages, qui attirent randonneurs, cyclistes et cavaliers. Des locations de VTT et de chevaux sont d'ailleurs proposées sur place.

La population se concentre dans les plaines, laissant la Serra à des espèces rares comme les loups et les aigles royaux, et aux sangliers, aux loutres et aux faucons.

À **França** et **Montesinho**, quasiment inchangés depuis le Moyen Âge, on voit des maisons en pierre aux balcons en bois et des rues pavées typiques. Des pratiques ancestrales comme la médecine par les plantes et le culte du surnaturel sont restées vivaces. À **Rio de Onor**, l'espagnol et le portugais se sont fondus en un dialecte, le rionorês.

Salle de ferme, Museu da Terra de Miranda

Miranda do Douro ⑲

Carte routière E1. 🏠 *3 000.* 🚌 🛈 *largo do Menino Jesus da Cartolinha (273 431 132).* 🛒 *1ᵉʳ du mois.*

Cet avant-poste médiéval se dresse en haut des gorges du Douro, à la frontière espagnole. Son emplacement stratégique et la création d'un évêché, en 1545, en firent le centre culturel et religieux du Trás-os-Montes. Toutefois, en 1762, l'explosion de la poudrière, qui fit 400 morts et détruisit le château (il ne reste que le donjon), allait changer le cours de son destin. Cette catastrophe, aggravée par le transfert de l'évêché à Bragança, amorça le long déclin économique de la ville, inversé récemment par les nouveaux liens commerciaux avec la côte et l'Espagne.

La jolie **Sé** à deux tours date du xvıᵉ siècle. Les belles sculptures sur bois du retable, dans le chœur, représentent notamment les Apôtres et la Vierge entourée d'anges. L'élément le plus original est une sculpture en bois de l'Enfant Jésus, dans le transept sud. Le Menino Jesus da Cartolinha représente un enfant qui serait apparu durant un siège des Espagnols, en 1711, pour rassembler les Portugais qui remportèrent miraculeusement la victoire. Des fidèles habillèrent la statue en costume du xvıᵉ siècle et la coiffèrent, plus tard, d'un haut-de-forme (*cartolinha*).

Le superbe **Museu da Terra de Miranda** abrite notamment des trouvailles archéologiques, des costumes traditionnels et la reconstitution d'une salle de ferme de Mirandês.

🏛 Museu da Terra de Miranda

Largo Dom João III. 📞 *273 431 164.* 🕐 *mar.–sam. et dim. a.-m.* ⬤ *jours fériés.* 📷

AUX ENVIRONS : Au sud-ouest, **Duas Igrejas** est connu par sa fameuse danse des bâtons, exécutée par les *pauliteiros* lors de fêtes locales et à l'étranger (*p. 227*). La tradition se perd, mais lors de la festa de santa Bárbara, qui a lieu le troisième dimanche d'août, les danseurs revêtent leurs costumes noir et blanc et s'exécutent au son des tambours et des *gaitas de foles* (cornemuses).

Un pigeonnier, typique des environs de Montesinho

LES PIGEONNIERS DE MONTESINHO

Les pigeons, mets succulent, fournissent également un excellent engrais. Cette région compte nombre de pigeonniers (*pombal*) traditionnels en fer à cheval, aujourd'hui peu utilisés. Les oiseaux, qui nichent dans les compartiments des murs blanchis à la chaux, entrent et sortent par le toit d'ardoises ou de tuiles. Ils sont nourris par une petite porte surélevée.

Mogadouro et son église, vus des ruines du château du XIIIe siècle

Mogadouro ⑳

Carte routière E2. 🏠 *3 000.* 🚌
ℹ️ *Largo de Santo Cristo Bemposta (279 343 756).*

Hormis la tour, il ne reste que peu de vestiges du château fondé par le roi Dinis et donné aux Templiers en 1297. Cette petite ville de marché, qui paraît assoupie, est connue par son artisanat, et surtout pour ses articles en cuir, en soie, en lin et en laine.

L'**igreja Matriz** du XVIe siècle est dotée d'une tour du XVIIe siècle. Des retables richement dorés du XVIIIe siècle ornent les autels.

Torre de Moncorvo ㉑

Carte routière E2. 🏠 *2 500.* 🚌
ℹ️ *Travessa Dr. Camos Monteiro 21 (279 252 289).* 🎪 *8 et 23 du mois.*

Moncorvo est renommé pour les amandiers qui fleurissent dans les vallées au début du printemps (les *amêndoas cobertas*, des dragées, se dégustent à Pâques). La ville offre de charmantes promenades dans ses ruelles médiévales. Son nom serait dû à un noble de la région, Mendo Curvo, ou à son corbeau *(corvo)*.

L'**igreja Matriz** du XVIe siècle, la plus grande du Trás-os-Montes, abrite un retable du XVIIe siècle représentant la vie du Christ.

Aux environs : En 1996, le projet de construction d'un barrage dans la vallée de la Côa, au sud de Moncorvo, a définitivement été abandonné pour préserver la superbe collection de gravures de l'âge de pierre en plein air. Découvertes en 1933, ces œuvres d'art rupestre représentent des taureaux, des chevaux, des poissons et un homme nu, l'homem de Pisco. Des visites du **Parque Arqueológico do Vale do Côa** sont proposées depuis Vila Nova de Foz Côa.

🏛 Parque Arqueológico do Vale do Côa

Avenida Gago Coutinho 19a, Vila Nova de Foz Côa. 📞 *279 768 260.* ⭕ *mar.–dim.* ⬤ *jours fériés.* 📷🎫

L'intérieur orné de l'igreja Matriz à Freixo

Freixo de Espada à Cinta ㉒

Carte routière E2. 🏠 *2 300.* 🚌
ℹ️ *avenida do Emigrante (279 653 480).* 🎪 *2e sam. du mois.*

L'étrange nom de « frêne du sabre à la sangle » pourrait venir des armoiries d'un noble espagnol, d'un Wisigoth appelé Espadacinta, ou de la fondation de la ville, au XIVe siècle, par le roi Dinis, ayant attaché son sabre à un frêne.

La **torre do Galo,** heptagonale, est un vestige des fortifications du XIVe siècle. Elle commande une vue magnifique, surtout au printemps, lorsque les amandiers sont en fleurs. La bourgade, qui compte aussi des élevages de vers à soie, attire alors les visiteurs.

L'**igreja Matriz** possède un somptueux portail du XVIe siècle qui mène à une magnifique version miniature du mosteiro dos Jerónimos de Belém *(p. 106-107)*. Une belle *Annonciation* forme un panneau du retable, attribué à Grão Vasco *(p. 213)*.

♣ Torre do Galo

Praça Jorge Álvares. ⭕ *mar.–ven.* ⬤ *jours fériés.*

LE MINHO

Berceau de la nation, la région compte deux villes historiques majeures : Guimarães, la première capitale du Portugal, et Braga, son principal centre religieux. Dans cette région très attachée à ses traditions, l'agriculture prospère grâce aux pluies abondantes qui en font la partie la plus verte du pays.

Deux fleuves baignent cette région verdoyante — le Douro au sud et le Minho au nord — où l'on ne compte plus les vestiges du néolithique, en particulier les forts de pierre *(castros)*, perchés sur les collines. D'ailleurs, les Celtes qui occupèrent le Minho au premier millénaire av. J.-C., les transformèrent en *citânias* (peuplements), comme celui de Briteiros.

Au IIe siècle av. J.-C., les légions romaines qui conquirent la région introduisirent la viticulture et construisirent un réseau routier. Des bornes romaines sont toujours visibles dans le parc national de Peneda-Gerês. Lorsque l'Empire romain se convertit au christianisme, au IVe siècle, Braga devint un centre religieux majeur, ce qu'il est resté. Au Ve siècle, les Romains furent délogés par les Suèves, suivis par les Wisigoths qui durent fuir à leur tour devant l'invasion maure en 711. Le Minho ne fut repris aux Maures qu'au IXe siècle et la région ne gagna de l'importance qu'au XIIe siècle sous Dom Afonso Henriques *(p. 42-43)*. Le premier roi du Portugal installa sa capitale à Guimarães.

Depuis des siècles, les fermes et les terres fertiles du Minho se transmettent de génération en génération, chaque héritier recevant une part de terre. Mais la multiplication des parcelles, trop petites pour être rentables, a entraîné une forte émigration dans les années 60. Néanmoins, l'économie du Minho, où le taux de chômage est élevé, repose sur les petites et moyennes entreprises de la région de Braga et de Guimarães. L'agriculture permet notamment de produire les fameux *vinhos verdes,* ou vins verts. Malgré le développement du tourisme, le Minho est resté très attaché à ses traditions. Les carnavals et les marchés sont omniprésents.

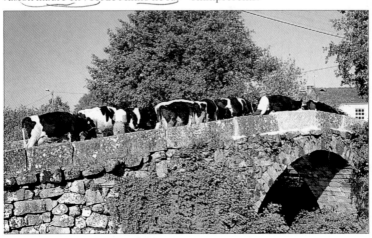

Troupeau traversant un pont, près du palais de Brejoeira, au sud de Monção

◁ **Le sanctuaire de Nossa Senhora da Peneda, dans le parque nacional da Peneda-Gerês**

À la découverte du Minho

L es deux plus grandes villes de la région,
Braga et Guimarães, riches en sites
historiques, se trouvent dans le sud du Minho.
Braga est un bon point de départ pour
rejoindre le Bom Jesus, splendeur baroque,
et les ruines de Citânia de Briteiros, site majeur
de l'âge du fer. Barcelos, entre Braga et la côte,
est connu par son marché hebdomadaire.
Vers le nord, la jolie ville de Viana do Castelo
est une bonne base pour explorer la côte.
À l'intérieur des terres, la pittoresque ville de
marché de Ponte de Lima, au bord de la Lima,
propose des hébergements en manoir
traditionnel, nombreux dans le Minho.
Au nord, le fleuve Minho forme la frontière
avec l'Espagne, et les villes fortifiées sur
les rives offrent une belle vue sur le pays
voisin. Au nord-est, les randonneurs
et les amateurs de nature
apprécieront les magnifiques
montagnes du parc
nacional da
Peneda-Gerês.

Poulain dans le parc national
da Peneda-Gerês

VOIR AUSSI

- *Hébergement* p. 393 – 394

- *Restaurants* p. 416 – 417

Portail manuélin de l'église paroissiale
du xvie siècle, Vila do Conde

MONÇÃO

Vigo
Pontevedra

VALENÇA DO MINHO

VILA NOVA DE
CERVEIRA

Minho

CAMINHA

VILA PRAIA
DE ÂNCORA

PAREDES DE COURA

ARCOS DE VALDEVE

PONTE DA BAR

BRAVÃES

PONTE DE LIMA

Lima

VIANA DO CASTELO

N13

N103

ESPOSENDE

BARCELOS

BRAG

Cávado

VILA NOVA DE
FAMALICÃO

A7 (IC

PÓVOA DE
VARZIM

VILA DO CONDE

Ave

Porto

Porto

LES SITES

Vignobles de *vinho verde,* près de Monção

CIRCULER

L'infrastructure routière est bonne notamment grâce aux autoroutes qui relient Porto à Braga, à Guimãraes, à Valença à la frontière espagnole et à Viana do Castelo sur la côte. Mieux vaut prévoir du temps pour emprunter les routes pittoresques serpentant dans les montagnes, à l'est de la région, car les ornières sont nombreuses sur les voies secondaires. Des trains relient Porto à Barcelos et Viana do Castelo. Des lignes distinctes desservent Guimarães et Braga depuis Porto. Les principales bourgades sont desservies régulièrement par car, mais les liaisons sont moins fréquentes pour les destinations plus isolées, surtout dans l'est.

ORENSE

MELGAÇO

N202

CASTRO LABOREIRO

SERRA DA PENEDA

SOAJO

LINDOSO

Lima

N203

PARQUE NACIONAL DA PENEDA-GERÊS

CALDAS DO GERÊS

SERRA DO GERÊS

N308

TERRAS DE BOURO

05-3

Cávado

N103

Chaves

VIEIRA DO MINHO

N304

TOURÉM

BOM JESUS DO MONTE

N205

N311

CITÂNIA DE BRITEIROS

CABECEIRAS DE BASTO **14**

N101

GUIMARÃES **12**

FAFE

N206

N210

MONDIM DE BASTO

CELORICO DE BASTO

Vila Real

N210

Amarante

Tamega

0   10 km

LÉGENDE

▰▰▰	Autoroute
▰▰▰	Route principale
▰▰▰	Route secondaire
▰▰▰	Parcours pittoresque
～～	Cours d'eau
	Point de vue

Cafés de la praça do Conselheiro Silva Torres, place principale de Caminha

Caminha ❶

Carte routière C1. 🏠 *2 000.* 🚉 🚏
🚌 ℹ *rua Ricardo Joaquim de Sousa (258 921 952).* ⛴ *mer.*

Cette bourgade fortifiée offre une belle vue sur l'Espagne. Occupée aux époques celtique et romaine en raison de sa situation, Caminha resta un port important jusqu'au XVIe siècle, où son activité fut transférée à Viana do Castelo. Aujourd'hui, son petit port assure une liaison quotidienne avec A Guarda, en Espagne.

Sur la place principale se dressent la tour de l'Horloge du XVe siècle, la **torre do Relógio,** et le **paços do Concelho** du XVIIe siècle, avec sa jolie loggia. En traversant la place, on passe devant la fontaine Renaissance avant d'arriver au **solar dos Pitas,** du XVe siècle, avec ses sept fenêtres manuélines.

La rua Ricardo Joaquim de Sousa mène à l'**igreja Matriz,** de style gothique. Commencée à la fin du XVe siècle, elle possède un superbe plafond incrusté de panneaux sculptés mudéjars. Les sculptures Renaissance, au-dessus des portes latérales, représentent les apôtres, la Vierge et plusieurs personnages aux poses cavalières, dont un homme au derrière nu tourné vers l'Espagne.

AUX ENVIRONS : À 5 km au sud-ouest de la ville se trouve Foz do Minho, à l'embouchure du Minho. De là, des pêcheurs amènent des groupes (sur rendez-vous) à la forteresse de **Forte da Ínsua,** en ruine. **Vila Nova de Cerveira,** à 12 km au nord-est sur la route de Valença, possède un château rénové du XVIe siècle, qui abrite la pousada Dom Dinis *(p. 394).* L'atmosphère paisible invite à la flânerie dans les ruelles bordées de demeures du XVIIe et du XVIIIe siècle, mais aussi le long de la rivière, où un car-ferry rejoint Goián, en Espagne.

Valença do Minho ❷

Carte routière C1. 🏠 *3 000.* 🚏 🚌
ℹ *avenida de Espanha (251 823 329).* ⛴ *mer. et 2e dim. du mois.*

Dominant le cours du Minho, Valença est une jolie bourgade frontalière avec deux places fortes à double enceinte en forme de couronnes, reliées par une chaussée. Sous le roi Sancho Ier (1185-1211), la ville fut baptisée *Contrasta,* en raison de son emplacement en face de la ville espagnole de Tui.

Les **forts** qui datent du XVIIe et du XVIIIe siècle ont été conçus selon les principes de Vauban. Les remparts offrent une belle vue sur la Galice. Quoique brièvement occupée

par les troupes de Napoléon, en 1807, la ville résista aux bombardements et aux attaques venant de l'autre rive, en 1809.

Les ruelles pavées du vieux quartier sont bordées de magasins de linge de maison, de vannerie, de terre cuite et d'artisanat, destinés aux milliers d'Espagnols qui traversent le pont pour faire leurs achats.

Sur la praça de São Teotónio, la **casa do Eirado** (1448) présente un toit crénelé et des fenêtres du gothique tardif, portant la signature du bâtisseur. La **casa do Poço,** du XVIIIe siècle, possède des fenêtres symétriques et des balcons en fer forgé.

Coin paisible du vieux quartier de Valença do Minho

AUX ENVIRONS : À 5 km à l'est sur la N 101, le **convento de Ganfei,** reconstruit au XIe siècle par un prêtre normand, a conservé de beaux éléments romans, en particulier des motifs de végétaux et d'animaux, et des vestiges de fresques médiévales. Pour visiter la chapelle, demandez la clé dans la maison en face.

Les murs et les remparts entourant Valença do Minho

Monção ❸

Carte routière C1. 🚶 *2 500*. 🚌
ℹ️ *Largo de Loreto (251 652 757)*.
🎪 *jeu*.

Cette charmante bourgade isolée faisait autrefois partie des forts gardant la frontière, au nord du Minho. Les deux places principales au pavement de mosaïques, bordées de maisons anciennes, sont plantées de châtaigniers et de fleurs.

L'**igreja Matriz** du XIIIe siècle, dans la rua João de Pinho, présente un beau portail roman, orné de fleurs d'acanthe sculptées. À l'intérieur, à droite du transept, le cénotaphe de Deu-la-Deu Martins a été érigé par l'un de ses descendants. Une avenue verdoyante, à l'est, mène aux sources d'eau chaude utilisées pour le traitement des rhumatismes.

La Fête-Dieu, en juin, s'accompagne de la pittoresque festa da Coca, où saint Georges incite le dragon (*coca*) à un combat rituel comique, avant de l'achever.

AUX ENVIRONS : Les *quintas* alentour produisent un excellent *vinho verde (p. 29)*. L'une des propriétés les plus connues est le **palácio de Brejoeira**, un palais néo-classique situé à 5 km au sud.

À 7 km au sud-est de Monção, le monastère **São João de Longos Vales**, de style roman, date du XIIe siècle.

Pont enjambant la Lima, avec Ponte da Barca à l'arrière-plan

Les chapiteaux extérieurs et l'abside intérieure sont décorés de sculptures fantastiques, mais aussi de serpents et de singes. Des visites sont organisées par l'Office du tourisme de Monção.

Melgaço, à 24 km à l'est de Monção, est l'un des accès du parc national de Peneda-Gerês.

Parque Nacional da Peneda-Gerês ❹

Voir p. 270–271.

Ponte da Barca ❺

Carte routière C1. 🚶 *2 000*. 🚌
ℹ️ *largo da Misericórdia (258 452 899)*.
🎪 *un mer. sur deux*.

Ponte da Barca (pont du bateau) doit son nom au joli pont du XVe siècle qui remplaça les bateaux transportant les pèlerins. Une promenade dans le centre paisible permet de découvrir le pilori (surmonté d'une sphère et d'une pyramide), les belles arcades et les élégantes demeures du XVIe et du XVIIe siècle. Le jardin dos Poetas (jardin des Poètes) et les parcs bordant la rivière invitent au pique-nique. Le gigantesque marché en plein air, au bord de l'eau, mérite également une visite.

Relief sculpté du tympan de l'église de Bravães

AUX ENVIRONS : L'église du XIIIe siècle de **Bravães**, à 4 km à l'ouest de Ponte da Barca, présente quelques-unes des plus belles sculptures romanes du Portugal. Singes, bœufs et oiseaux de proie agrémentent les colonnes du portail principal, et le tympan représente le Christ en majesté.

Arcos de Valdevez, à 5 km au nord de Ponte da Barca, est blotti sur les rives du Vez, non loin du parc national de Peneda-Gerês. L'église **Nossa Senhora da Lapa** a été bâtie en 1767 par André Soares. Ce chef-d'œuvre baroque est ovale à l'extérieur et octogonal à l'intérieur.

Les amateurs de randonnée demanderont à l'office du tourisme les indications pour emprunter un circuit passant par des points de vue haut perchés et des villages, et partant de **São Miguel**, à 11 km à l'est de Ponte da Barca.

DEU-LA-DEU MARTINS

En 1368, alors que l'armée espagnole assiégeait Monção et l'avait presque réduite à la famine, la vaillante Deu-la-Deu Martins (qui signifie « Dieu l'a donnée ») utilisa les dernières réserves de farine de la cité pour fabriquer de petits pains qu'elle jeta par-dessus les murs. Estimant qu'ils perdaient leur temps à poursuivre le siège d'une ville dont les habitants se permettaient tant de prodigalité, les soldats se retirèrent. Deu-la-Deu figure sur les armoiries de la ville, une miche de pain dans chaque main. Autrefois, des *pãezinhos* (petits pains) *de Deu-la-Deu* étaient faits en son honneur, mais la tradition s'est perdue.

L'héroïque Deu-la-Deu Martins, armoiries de Monção

Parque Nacional da Peneda-Gerês ❹

Genêt de Peneda

Ce parc naturel, l'un des principaux du pays, s'étend des monts de Gerês, au sud, jusqu'à la chaîne de Peneda et la frontière espagnole, au nord. Créé en 1971, il couvre environ 700 km² de paysages sauvages, avec des pics balayés par les vents et des vallées tapissées de chênes, de pins et d'ifs. Sa faune, très riche, comprend des espèces rares, notamment des loups et des aigles royaux. Dans les villages du parc, la vie quotidienne est restée traditionnelle.

Lamas de Mouro entrée nord du parc possède un centre d'information et propose des hébergements.

Castro Laboreiro est connu pour les chiens de berger qui portent son nom. Le village abrite les ruines d'un château médiéval.

★ Nossa Senhora da Peneda
Entouré d'imposants rochers, ce magnifique sanctuaire est une réplique du Bom Jesus (p. 278-279). Début septembre, les pèlerins affluent de toute la région.

Castelo Lindoso, dans le village frontalier de Lindoso, est un beau château rénové du XIIIe siècle qui abrite une galerie d'art.

Soajo
Entouré de versants en terrasses, le village de Soajo est connu pour ses espigueiros. La fête du village se déroule mi-août.

0   5 km

Vilarinho das Furnas
Joliment installé dans un paysage rocheux, le réservoir de Vilarinho das Furnas est dû au barrage de l'Homem. On peut se promener sur ses rives, mais aussi s'y baigner.

Caldas do Gerês, connu depuis l'époque romaine pour ses eaux thermales, est un centre d'information et une base pour les excursions.

Monastère de Pitões das Júnias
Les ruines du monastère, bâti en 1147, s'étendent à 3 km environ au sud de la route menant au village de Pitões das Júnias.

MODE D'EMPLOI

Carte routière C1. 🚌 de Braga à Caldas do Gerês ; d'Arcos de Valdevez à Soajo et Lindoso ; de Melgaço à Castro Laboreiro et Lamas de Mouro. 🛈 Caldas do Gerês : sur la route principale (253 390 910) ; Lamas do Mouro : à côté du camping ; Arcos de Valdevez : rua Padre Manuel Himalaia (258 515 338). Informations sur les campings, les randonnées et le trekking à dos de poneys disponibles à ces bureaux et à Montalegre (p. 256). **Castelo Lindoso** ◯ mar.–dim. ● jours fériés. 🖭

Inverneiras à Sedra
Certains villages pratiquent toujours la transhumance, les maisons d'hiver étant quittées pour les brandas, abris de pierre situés haut dans les montagnes.

★ Voie romaine
Le long de la vallée de l'Homem, on aperçoit par endroits des tronçons de la route qui reliait Braga à Astorga, en Espagne.

À NE PAS MANQUER

★ **Nossa Senhora da Peneda**

★ **Voie romaine**

LES ESPIGUEIROS

L'architecture de ces greniers, en bois ou en granit, rappelle celle des tombeaux. On en trouve dans plusieurs régions du parc, en particulier à Lindoso et à Soajo. Perchés sur des colonnes et dotés de lamelles d'aération, ils permettent ainsi la conservation du blé et des céréales à la bonne hygrométrie, hors de portée des poules et des rongeurs. Surmontés d'une croix ou d'une pyramide, les *espigueiros* ont peu changé depuis le XIXᵉ siècle.

Espigueiro à Lindoso

LÉGENDE

═══ Route

– – Sentier de grande randonnée

—·— Frontière espagnole

🛈 Information touristique

☀ Point de vue

Ponte de Lima ❻

Carte routière C1. 🏠 *3 200.* 🚌
🛈 *praça da República (258 942 335).*
🕒 *un lun. sur deux.*

Cette jolie bourgade, qui doit son nom au pont qui enjambait le Lima — large et sablonneuse —, joua un rôle-clé, au Moyen Âge, dans la défense du Minho contre les Maures.

Le **pont** romain n'a conservé que cinq arches de pierre d'origine, les autres ayant été reconstruites aux XIVe et XVe siècles. L'église Santo António, du XVe siècle, abrite le **Museu dos Terceiros**, un musée d'Art sacré. Le **Museu Rural** est une ferme équipée à l'ancienne : de la cuisine aux jardins.

Les vestiges des fortifications médiévales comprennent l'ancienne tour, qui servait de prison, et le **palácio dos Marqueses de Ponte de Lima,** du XVe siècle, l'actuelle mairie.

Le marché est installé sur la rive gauche de la rivière. À la mi-septembre, les visiteurs affluent à Ponte de Lima pour les *feiras novas* (fêtes nouvelles), qui mêlent célébration religieuse et marché folklorique.

🏛 **Museu Rural**
Largo da Arnado. 📞 258 900 414.
🕒 *14 h–18 h mar.–sam.* 🔴 *jours fériés.*

Viana do Castelo ❼

Voir p. 274–275.

Sculpture de pierre, Museu dos Terceiros

L'ancien dortoir du mosteiro de Santa Clara, Vila do Conde

Vila do Conde ❽

Carte routière C2. 🏠 *21 000.* 🚇
🚌 🛈 *rua 25 de Abril 103 (252 248 473).* 🕒 *ven.*

À l'âge des Découvertes, Vila do Conde fut un centre de construction navale prospère.

Aujourd'hui, c'est un port de pêche paisible, dont le principal centre d'intérêt est le **mosteiro de Santa Clara,** fondé en 1318. Le dortoir du XVIIIe siècle abrite un centre d'éducation surveillée pour adolescents. Toutefois, l'église et les cloîtres sont ouverts au public. L'église gothique, qui comporte des ajouts Renaissance, recèle les tombeaux du fondateur du couvent, Dom Afonso Sanches (fils du roi Dinis), et de son épouse. Non loin se trouvent les vestiges de l'imposant aqueduc de 5 km, construit entre 1705 et 1714, qui repose sur 999 arches.

Au cœur du centre historique, la praça Vasco da Gama possède un pilori original, en forme de bras brandissant une épée — mise en garde éloquente pour les malfaiteurs. L'**igreja Matriz** du XVIe siècle, dont le portique manuélin superbement décoré est attribué à João de Castilho, borde la place, près du pilori.

La ville est connue par ses dentelles au fuseau *(rendas de bilros).* À l'**escola de Rendas** (école de dentellerie), on peut voir les dentellières à l'ouvrage et acheter leurs créations. Le bâtiment abrite aussi le Museu de Rendas (musée de la Dentelle).

🏠 **Mosteiro de Santa Clara**
Largo Dom Afonso Sanches. 📞 052 631 016. 🕒 *lun.–ven.* 🔴 *jours fériés.*
🏛 **Escola de Rendas**
Rua de São Bento 70. 📞 252 248 411. 🕒 *mi-juin–sept. : t.l.j. ; oct.–mi-juin : lun.–ven.* 🔴 *jours fériés.*

AUX ENVIRONS : Póvoa de Varzim, à 3 km au nord, est une station balnéaire avec des plages de sable, des divertissements et une vie nocturne animée.

À Rates, à 10 km au nord-est, l'église **São Pedro de Rates,** du XIIIe siècle, présente un portail surmonté de statues de saints finement sculptées, et une rosace. À Rio Mau, l'église **São Cristóvão de Rio Mau** a été achevée en 1151. Au-dessus du portail, un évêque (ou saint Augustin) est entouré de ses aides.

Le pont romain de Ponte de Lima, qui mène à l'église Santo António

LA LÉGENDE DU COQ DE BARCELOS

Un pèlerin galicien qui quittait Barcelos pour rejoindre Saint-Jacques-de-Compostelle fut accusé d'avoir volé un propriétaire terrien et condamné à mort par pendaison. Dans une ultime tentative pour sauver sa vie, le prisonnier demanda un entretien au juge, qui s'apprêtait à manger un coq rôti. Le Galicien déclara qu'en signe de son innocence, le coq allait se redresser dans le plat et chanter. Le juge écarta le plat et ignora la requête. Au moment de la pendaison, le coq se redressa et chanta. Réalisant son erreur, le juge se précipita au gibet, pour constater que le Galicien avait survécu grâce à un nœud desserré. La légende veut que des années plus tard, le Galicien revint pour sculpter le cruzeiro de Senhor do Galo, aujourd'hui au Museu Arqueológico de Barcelos.

Coq de Barcelos

Miracle de la faux de Saint Benoît, *azulejos,* Nossa Senhora do Terço

Barcelos ❾

Carte routière C1. 🏠 10 000. 🚉
🚌 🛈 *Torre de Menagem, largo da Porta Nova (253 811 882).* 🛒 *jeu.*

Cette jolie ville fluviale, capitale régionale de l'artisanat et de la céramique, est la patrie du célèbre coq, qui est devenu l'emblème national. Fondé à l'époque romaine, Barcelos acquit une forte influence politique au XVᵉ siècle, lorsqu'elle devint la résidence du premier duc de Bragança. C'est aujourd'hui un centre agricole prospère, dont la principale attraction est la feira de Barcelos, gigantesque marché hebdomadaire qui se tient sur le campo da República. On y trouve de tout, des vêtements au bétail.

Les amateurs de terres cuites n'auront que l'embarras du choix.

Au nord de la place se dresse **Nossa Senhora do Terço,** l'église du XVIIIᵉ siècle d'un ancien couvent bénédictin. L'extérieur sobre contraste avec l'intérieur magnifiquement décoré d'*azulejos* illustrant la vie de saint Benoît.

À l'angle sud-ouest de la place, l'**igreja do Senhor da Cruz** est couronnée d'un magnifique dôme. L'église fut construite vers 1705 à l'endroit où, deux siècles plus tôt, un cordonnier, João Pires, eut une vision miraculeuse d'une croix gravée dans le sol. Début mai, la festa das Cruzes (fête des Croix) commémore l'événement. Des fleurs sont alors répandues par milliers dans les rues, pour accueillir une procession qui se rend à l'église. La fête s'accompagne de danses, d'une magnifique présentation de costumes folkloriques et de feux d'artifice.

Les autres bâtiments historiques sont regroupés dans un coin paisible, près du pont de granit du

XVᵉ siècle jeté sur le Cávado. Construit en 1448, le **solar dos Pinheiros,** qui est une propriété privée, est une belle demeure de la rua Duques de Bragança. Le personnage barbu sculpté sur la tour sud est appelé le barbadão (barbu). Ce juif entra dans une telle colère lorsque sa fille eut un enfant d'un gentil (le roi João Iᵉʳ) qu'il jura de ne plus se raser.

Un beau pilori gothique se dresse en face du palais des Comtes, ou paço dos Condes, qui fut détruit par le séisme de 1755. Ses ruines accueillent le **Museu Arqueológico** qui présente, en plein air, des croix de pierre, des blasons sculptés, des sarcophages et le célèbre cruzeiro do Senhor do Galo, une croix commémorant la légende du coq de Barcelos. À côté, l'**igreja Matriz,** au roman mâtiné de gothique, date du XIIIᵉ siècle. Elle est ornée d'une admirable rosace et, à l'intérieur, d'*azulejos* du XVIIIᵉ siècle. Le **Museu de Olaria,** non loin, retrace l'histoire de la céramique.

🏛 **Museu Arqueológico**
Paço do Duque. 📞 *253 809 600.*
⬜ *t.l.j.* ⬛ *jours fériés.*

🏛 **Museu de Olaria**
Rua Cónego J. Gaiolas. 📞 *253 824 741.* ⬜ *mar.–dim.* ⬛ *jours fériés.*
📷 ♿

Pilori du XVIᵉ siècle sur la terrasse dominant le Cávado, Barcelos

Viana do Castelo pas à pas ❼

Viana do Castelo est installée sur un joli site, dans l'estuaire de la Lima. Au XVᵉ siècle, elle devint un centre de pêche important. Au XVIᵉ siècle, elle fournit des bateaux et des navigateurs pour les grandes Découvertes maritimes. C'est d'ici que João Velho prit la mer pour explorer le Congo et qu'Álvares Fagundes partit pêcher à Terre-Neuve. Le commerce avec l'Europe et le Brésil apporta des richesses qui permirent de bâtir les nombreuses demeures de style manuélin, Renaissance ou baroque. Aujourd'hui, les ruelles tortueuses et les petites places du centre, à découvrir à pied, constituent le principal attrait.

La fontaine, construite en 1553 par João Lopes le Vieux, est le point de mire de la place.

La casa dos Lunas était habitée par les Lunas

Gares ferroviaire et routière

Le palacete Sá Sotto Mayor date de la Renaissance.

P R A Ç A
D A
R E P Ú B L I C A

B. DOS FORNOS

RUA SACADORA CABRAL

VIELA DOS FORNOS

Museu Municipal, Nossa Senhora da Agonia

RUA DA PICOTA

RUA DO POÇO

RUA DO TOURINHO

PRAÇA DA ERVA

RUA HOSPITAL VELHO

T. DO HOSPITAL VELHO

VIELA DA PARENTA

Misericórdia
Les arcades de ce superbe bâtiment Renaissance, de 1598, sont soutenues par de magnifiques caryatides.

★ Praça da República
Les arches gothiques du paços do Concelho, l'ancienne mairie, dominent la place principale. Parmi les motifs manuélins, on voit les armoiries de Dom João III.

À NE PAS MANQUER
★ **Igreja Matriz**
★ **Praça da República**

L'hospital Velho, qui fut un hospice pour les pèlerins, abrite aujourd'hui l'Office du tourisme de l'Alto Minho.

0   50 m

LÉGENDE

– – –   Itinéraire conseillé

MODE D'EMPLOI

Carte routière C1. 🚗 25 000.
🚉 largo da Estação.
🚌 avenida Capitão Gaspar
de Castro. 🛈 Praça da Erva
(258 822 620). 🚢 ven.
📅 2ᵉ dim. de mai : Festa das
Rosas ; mi-août : Romaria de
Nossa Senhora da Agonia.

Praça da República, pivot de la vie quotidienne de Viana

**Casa da Praça, une belle
demeure baroque**

**La casa de João
Velho,** du XVᵉ siècle,
aurait appartenu
au célèbre
navigateur.

À la découverte de Viana do Castelo

Viana do Castelo, qui est à la fois un port de pêche actif et une station balnéaire, est dominé par le pic du monte de Santa Luzia. La ville accueille des fêtes animées et possède un artisanat florissant.

🏛 Museu Municipal

Largo de São Domingos. 📞 258 820 377. ◯ mar.–dim. ● jours fériés. 📷 🚻 nouvelle aile seulement.
Le Museu Municipal de Viana, installé dans le palacete dos Barbosas Maciéis, du XVIIIᵉ siècle, présente céramiques, mobilier, pièces archéologiques et peintures. Dans l'une des salles de l'étage supérieur, les murs sont tapissés d'*azulejos* représentant des allégories des continents. La chapelle en est ornée d'autres signée par Policarpo de Oliveira Bernardes *(p. 22),* du XVIIIᵉ siècle. On y voit un magnifique cabinet indo-portugais du XVIIᵉ siècle, incrusté d'ivoire, et des faïences de Porto, venant de Massarelos, délicatement travaillées au pinceau.

**Céramique du
XIXᵉ siècle, Museu
Municipal**

🔒 Nossa Senhora da Agonia

Campo de Nossa Senhora da Agonia.
📞 258 824 067. ◯ t.l.j. 🚻
Au nord-ouest du centre, la chapelle Nossa Senhora da Agonia, du XVIIIᵉ siècle, recèle une statue de Notre-Dame-de-la-Douleur *(agonia).* La chapelle, dont la façade et l'autel sont dus à André Soares, attire une foule de fidèles pour la *romaria* de Nossa Senhora da Agonia, qui se tient en août et dure trois jours *(p. 227).* La statue est alors portée en procession dans la ville, entre les célébrations.

AUX ENVIRONS : Pour jouir de vues exceptionnelles, les visiteurs empruntent la route qui zigzague jusqu'à **Monte de Santa Luzia,** à 3 km au nord du centre-ville (un funiculaire part à intervalles réguliers de la gare). La basilique, achevée en 1926 et inspirée du Sacré-Cœur de Paris, est un lieu de pèlerinage sans intérêt particulier. Toutefois, l'ascension au sommet du dôme offre des vues magnifiques. Derrière l'église, on peut se promener sur des sentiers de forêt ou découvrir l'imposante *pousada* de Santa Luzia *(p. 394).* De là, une courte marche conduit au sommet de la colline, où s'étendent des vestiges celtibères *(citânia).*

La belle plage, **Praia do Cabedelo,** qui se trouve au sud de la ville, est accessible par la route, en empruntant le pont, ou par le ferry (compter 5 minutes de trajet) qui part du quai de l'avenida dos Combatentes da Grande Guerra. Au nord, **Vila Praia de Âncora** est une autre station balnéaire appréciée.

★ **Igreja Matriz**
Le portail *ouest* de la cathédrale du XVᵉ siècle, une véritable forteresse, est orné de reliefs gothiques représentant les apôtres.

Braga ⓾

Appelée Bracara Augusta à l'époque romaine, Braga s'enorgueillit d'une longue histoire comme centre religieux et commerçant. Au XIIᵉ siècle, la ville devint le siège des archevêques du Portugal et la capitale religieuse du pays. Bien qu'elle ait perdu de l'influence au XIXᵉ siècle, elle est restée la capitale spirituelle du pays, et la ville principale du Minho. Il n'est donc pas étonnant que Braga accueille des fêtes religieuses hautes en couleurs. La Semana santa (semaine sainte) est célébrée par des processions solennelles et spectaculaires. Les églises, les majestueuses demeures du XVIIIᵉ siècle et les jolis jardins font le charme du centre de Braga. La fête de São João, en juin, s'accompagne de danses, de foires et de feux d'artifice.

La façade ouest de la Sé, avec son porche du XVᵉ siècle

Notre-Dame-au-Lait, symbole de la ville

À la découverte de Braga

Le centre historique commence **praça da República,** où se dresse la **torre de Menagem** du XIVᵉ siècle, unique vestige des fortifications d'origine. Une courte promenade mène à la rua do Souto, une rue piétonne étroite bordée de magasins et de cafés élégants, comme le **café Brasileira.** Vers la fin de la rue, on arrive à la **Sé,** l'impressionnante cathédrale. D'autres églises méritent aussi une visite, comme la petite **capela dos Coimbras,** du XVIᵉ siècle, et **Santa Cruz,** église baroque du XVIIᵉ siècle. Quantité de belles demeures datent de l'époque baroque, comme le **palácio do Raio** et la **Câmara Municipal** (mairie). Les deux bâtiments sont attribués à un architecte du XVIIIᵉ siècle, André Soares da Silva.

La façade ornée d'*azulejos* bleus, du palácio do Raio aussi appelé casa do Mexicano

🔒 Sé

Rossio da Sé. ◯ t.l.j.
Museu de Arte Sacra
📞 253 263 317. ◯ t.l.j. 📷

La construction de la cathédrale a été entamée au XIIᵉ siècle, lorsqu'Henri de Bourgogne décida d'ériger une église sur le site d'une maison du culte plus ancienne, détruite au VIᵉ siècle. Le bâtiment, qui a subi maints changements, notamment l'ajout d'un porche à la fin du XVᵉ siècle, affiche aujourd'hui toute une palette de styles, du roman au baroque. On admirera, près du portail ouest, la chapelle qui abrite le tombeau du XVᵉ siècle du premier fils de Dom João Iᵉʳ *(p. 46-47)*, Dom Afonso, qui mourut enfant. Le chœur supérieur, avec ses stalles de bois sculptées, et le buffet d'orgue baroque doré méritent aussi un coup d'œil.

La cathédrale abrite le **Museu de Arte Sacra,** qui réunit une riche collection d'objets liturgiques, de statues, de sculptures et d'*azulejos*.

La cour et le cloître comptent plusieurs chapelles, notamment la capela dos Reis, qui recèle les tombeaux des fondateurs, Henri de Bourgogne et son épouse, Dona Teresa, ainsi que la dépouille de Dom Lourenço Vicente, archevêque au XIVᵉ siècle.

De la rua de São João, on peut admirer la statue de Nossa Senhora do Leite (Notre Dame au Lait), symbole de Braga, abritée par un baldaquin gothique.

🏛 Antigo Paço Episcopal

Praça Municipal. 📞 253 601 135.
Bibliothèque ◯ lun.–ven.

Non loin de la cathédrale se trouve l'ancien palais épiscopal. Les façades datent du XIVᵉ, du XVIIᵉ et du XVIIIᵉ

Le jardin de Santa Bárbara, près des murs de l'antigo paço episcopal

siècle, mais l'intérieur fut ravagé par le feu au XVIIIe siècle. Le palais abrite une bibliothèque et les archives. À côté s'étend un jardin, le jardin de Santa Bárbara.

🚍 Palácio dos Biscainhos

Rua dos Biscainhos. 📞 253 204 650. ⏰ mar.–dim. ● 1er janv., Pâques, 1er mai, 24 juin, 25 déc. 🎫

À l'ouest du centre-ville se dresse le palácio dos Biscainhos. Construite au XVIe siècle puis remaniée, cette demeure possède de magnifiques jardins et des salons aux plafonds en stuc. Elle abrite le Museu Etnográfico e Artístico (Musée ethnographique et artistique) qui présente du mobilier portugais et étranger. Remarquez le sol pavé à rainures, permettant aux voitures attelées d'entrer dans le bâtiment afin d'y déposer les invités et continuer jusqu'aux écuries.

AUX ENVIRONS : À 3,5 km au nord-ouest de Braga, la chapelle **São Frutuoso de Montélios,** très sobre, est l'un des rares exemples conservés d'architecture pré-romane au Portugal. Construite vers le VIIe siècle, elle fut détruite par les Maures et reconstruite au XIe siècle. À 4 km à l'ouest du

Les écuries du palácio dos Biscainhos

MODE D'EMPLOI

Carte routière C1. 🚌 160 000. 🚉 largo da Estação. 🚏 praça da Galiza. 🛈 avenida da Liberdade 1 (253 262 550). ⛵ mar. 🎉 sem. sainte (sem. avant Pâques) ; 23–24 juin : Festa de São João.

centre de Braga, sur la route de Barcelos, se trouve l'ancien **mosteiro de Tibães** bénédictin. Ce superbe complexe architectural du XIe siècle, avec ses jardins et ses cloîtres, a été reconstruit au XIXe siècle. Il est en cours de réaménagement pour accueillir un centre historique.

À Falperra, à 6 km au sud-est de Braga, l'église **Santa Maria Madalena** a été conçue par André Soares da Silva en 1750. Elle est renommée pour la richesse de son extérieur, peut-être la plus belle manifestation du rococo portugais.

🛐 São Frutuoso de Montélios

Av. São Frutuoso. 📞 (office de tourisme) 253 262 550. ⏰ 9 h–12 h 30 ; 14 h–17 h mer.–dim. ; 14 h–17 h mar. 🎫

🏛 Mosteiro de Tibães

Lugar de Tibães. 📞 253 622 670. ⏰ mar.–dim. 🎫 pour le musée. ♿

CENTRE-VILLE DE BRAGA

Antigo Paço Episcopal ⑤
Câmara Municipal ③
Capela dos Coimbras ⑧
Jardim de Santa Bárbara ⑥
Marché ①
Palácio dos Biscainhos ②
Palácio do Raio ⑩
Santa Cruz ⑨
Sé ④
Torre de Menagem ⑦

LÉGENDE

🚌 Gare routière

🅿 Parc de stationnement

🛈 Information touristique

🛐 Église

0   250 m

Bom Jesus do Monte

Fontaine de l'escalier des Trois Vertus

Sur un versant boisé, à l'est de Braga, se dresse le sanctuaire religieux le plus étonnant du pays. En 1722, l'archevêque de Braga conçut l'immense escadaria (escalier) baroque de Bom Jesus, pour desservir le petit sanctuaire existant. Mais l'escalier et l'église du même nom ne furent achevés qu'en 1811 par Carlos Amarante. La partie basse comprend une voie sacrée escarpée avec des chapelles illustrant les quatorze stations du chemin de croix. L'escadório dos Cinco Sentidos, au centre, représente les cinq sens, avec des fontaines murales et des statues de personnages bibliques, mythologiques et symboliques. Il est suivi par l'escalier des Trois Vertus, lui aussi allégorique. Au sommet, l'esplanade offre une superbe vue et permet d'accéder à l'église. Non loin se trouvent plusieurs hôtels, un café et un lac caché entre les arbres où on peut faire du bateau. Lieu de pèlerinage, le sanctuaire est devenu attraction touristique.

★ **Escadaria**
Le granit de l'escalier est souligné par les murs blanchis à la chaux. Les marches représentent une élévation spirituelle.

Portail d'entrée
Au pied de l'escalier géant se dresse un portail affichant les armoiries de Dom Rodrigo de Moura Teles, l'archevêque qui commanda l'ouvrage.

Chapelle de la Crucifixion

Chapelle de Jésus devant Pilate

Chapelle de la route du Calvaire

Chapelle de la flagellation

★ **Funiculaire**
Le funiculaire (elevador) hydraulique date de 1882. Il permet de monter à la terrasse, à côté de l'église, en trois minutes.

Chapelle de l'agonie du Christ au jardin

Chapelle de la Cène

Chapelle du baiser de Judas

Chapelle des Ténèbres

L'Hotel do Elevador *(p. 393)* se trouve près du sommet du funiculaire.

Hotel do Parque

Fontaine au pélican

MODE D'EMPLOI

Carte routière C1. 5 km à l'E. de Braga. 253 676 636. *funiculaire pour le sommet.* *t.l.j.* *t.l.j.*

L'église de Bom Jesus a été construite sur le site d'un sanctuaire du XVe siècle. Devant s'élèvent les statues de huit personnes qui ont condamné le Christ, comme Hérode et Pilate.

Chapelle de la descente de la croix, *qui abrite aussi des personnages composant une scène du chemin de croix.*

L'escalier des Cinq Sens est orné de cinq fontaines représentant respectivement la vue, l'ouïe, l'odorat, le goût et le toucher.

Les statues, les symboles et les inscriptions reprennent le thème des sens.

Chapelle de Simon le Cyrénéen

Escalier des Trois Vertus *Le dernier tronçon représente l'acquisition de la Foi, de l'Espérance et de la Charité, symbolisées par des fontaines et des allégories.*

Chapelle de la couronne d'épines

0 _____ 25 m

Fontaine des Cinq Plaies du Christ *Les fontaines installées à différentes étapes de la longue ascension symbolisent l'eau de la vie et la purification du corps et de l'esprit. Dans la fontaine au pied de l'escalier des Cinq Sens, de l'eau coule des cinq besants de l'écusson du Portugal, qui symbolisent les plaies du Christ.*

À NE PAS MANQUER

★ **Escadaria**

★ **Funiculaire**

Guimarães ⑫

L a ville, entourée de collines, est considérée comme le berceau de la nation portugaise. Lorsque Dom Afonso Henriques se proclama roi du pays, en 1139 (p. 42-43), il choisit Guimarães pour capitale. La silhouette de son château figure sur l'écusson du Portugal. Les ruelles étroites du quartier médiéval bien préservé, au centre, se prêtent parfaitement à une visite à pied. La rua de Santa Maria, une rue pavée bordée de maisons anciennes ornées de magnifiques statues, part de la place principale, le largo da Oliveira, et dépasse

Chandelier baroque, paço dos Duques

le paço dos Duques pour monter jusqu'au château. Pour revivre l'animation qui régnait ici au Moyen Âge, on visitera la ville la première semaine d'août lors des festas Gualterianas, un festival d'art et costumes médiévaux.

⚜ Castelo de Guimarães

Rua Conde Dom Henrique. ☎ 253 412 273. ◯ t.l.j. ● 1er janv., 25 avr., 1er mai, 25 déc.

Le grand donjon carré, entouré de huit tours crénelées, domine la ville. Construit au Xe siècle pour contrer les attaques des Maures et des Normands, il fut agrandi deux siècles plus tard par Henri de Bourgogne. Il s'agirait du lieu de naissance de Dom Afonso Henriques. Les fonts baptismaux où il aurait été baptisé sont préservés dans la minuscule église romane **São Miguel.**

⚜ Paço dos Duques

Rua Conde Dom Henrique. ☎ 253 412 273. ◯ t.l.j. ● 1er janv., 25 avr., 1er mai, 25 déc.

De style architectural bourguignon, le paço dos Duques, construit au XVe siècle par Dom Afonso (le premier

duc de Bragança), rappelle les nombreux voyages que le souverain effectua en Europe. Le palais tomba en désuétude lorsque les Bragança s'installèrent à Vila Viçosa (p. 298-299). Mais en 1933 (p. 56-57), l'édifice fut rénové pour devenir une résidence officielle de Salazar.

Dans le palais, un petit musée rassemble des tapis persans, des tapisseries flamandes et des peintures, comme le magnifique *O coreiro pascal* (Agneau pascal), de Josefa de Óbidos (p. 51). Hommage original aux exploits maritimes du Portugal, le plafond en châtaignier de la salle des banquets imite la coque retournée d'une caravelle.

⛪ Museu de Alberto Sampaio

Rua Alfredo Guimarães. ☎ 253 423 910. ◯ mar.–dim. ● 1er janv., Pâques, 1er mai, 25 déc.

Installé dans le cloître et les salles voisines de Nossa Senhora da Oliveira, ce musée présente des œuvres d'art religieux, des *azulejos* et des céramiques de la région. Les pièces maîtresses du musée sont la tunique que João Ier portait à la bataille d'Aljubarrota, en 1385 (p. 183), et un retable en argent du XIVe siècle, avec un triptyque de la Visitation, de l'Annonciation et de la Nativité, qui aurait été pris au roi d'Espagne. La salle de Santa Clara recèle des sculptures dorées ornant autrefois le couvent Santa Clara, qui abrite aujourd'hui la mairie.

Largo da Oliveira, au cœur de la vieille ville

⛪ Nossa Senhora da Oliveira

Largo da Oliveira. ☎ 253 416 144. ◯ t.l.j.

Cet ancien monastère fut fondé par Dom Afonso Henriques, puis l'église fut restaurée par Dom João Ier, pour remercier Notre-Dame de l'Olivier de la victoire d'Aljubarrota (p. 183). La tour manuéline date, quant à elle, de 1515. En face se dresse le padrão do Salado, un sanctuaire gothique du XIVe siècle supportant une croix. Il rappelle la légende qui donna son nom à l'église et à la place. Un olivier fut planté pour alimenter en huile la lampe de l'autel, mais il dépérit. En 1342, une croix fut placée sur l'arbre qui reprit vie. L'arbre actuel, planté pour perpétuer la tradition, ne date que de 1985.

Les remparts imposants entourant le donjon du castelo de São Miguel

🏛 **Museu Martins Sarmento**

Rua Paio Galvão. 📞 *253 414 011.*
🕐 *mar.–dim.* ⬤ *jour fériés.* 📷

Le musée porte le nom de
l'archéologue qui mit au jour
des sites de l'âge du fer,
comme Citânia de Briteiros.
Il est installé dans le cloître
gothique du couvent São
Domingos, du XIVe siècle.
Spécialisé dans la préhistoire,
le musée abrite des pièces
archéologiques, ethnologiques
et numismatiques. On y voit
deux guerriers lusitaniens en
granit, un char à bœufs votif
en bronze et les pedras
Formosas, deux blocs de
pierre sur lesquels sont gravés
des personnages. La pièce la
plus remarquable est le
colosse de Pedralva, un
personnage de pierre de 3 m
de haut.

🔒 **São Francisco**

Largo de São Francisco. 📞 *253 512
517.* 🕐 *mar.–dim.* ⬤ *jours fériés.*

Bâtie en 1400 en style
gothique, l'élégante église São
Francisco a été reconstruite au
XVIIIe siècle. Son chœur est
tapissé de magnifiques
azulejos du XVIIIe siècle,
représentant des scènes de la
vie de saint Antoine.

AUX ENVIRONS : Fondé en
1154, l'ancien monastère
Santa Marinha da Costa se
dresse à 5 km au sud-est de
Guimarães. Il abrite une
pousada (p. 379) renommée.
Seuls les jardins et la chapelle
sont ouverts au public.

Fontaine de pierre Renaissance du
monastère Santa Marinha da Costa

Huttes reconstruites sur le site de l'âge du fer de Citânia de Briteiros

Citânia de Briteiros ⓭

Carte routière C1. 15 km au N. de
Guimarães, en partant de la N 101.
📞 *253 415 969.* 🚌 *de Guimarães et
Braga.* 🕐 *mai–sept. : 9 h–19 h 30
t.l.j. ; oct.–avr. : 9 h–18 h t.l.j.* 📷

Le peuplement de l'âge
du fer de Citânia de
Briteiros est un site
archéologique majeur.
Les vestiges de 150
maisons de pierre ont
été mises au jour par
Martins Sarmento au XIXe
siècle. Seules quelques-
unes ont été restaurées.

Le site fut habité par
des Celtibères entre le IVe
siècle av. J.-C. et le IVe
siècle apr.
J.-C., mais il fut
probablement sous
domination romaine à
compter de 20 av.
J.-C. Un réseau de
chemins permet de
découvrir, entre
autres, les citernes
souterraines, les rues
pavées, les égouts. Le Musée
Martins Sarmento de
Guimarães présente plusieurs
objets provenant de ce site.

*Le basto
de Cabeceiras
de Basto*

Cabeceiras de Basto ⓮

Carte routière D1. 🏠 *17 000.* 🚌
🛈 *paços do Concelho, Praça da
República (253 669 100).* 🛒 *lun.*

Les Terras de Basto, qui
furent un refuge durant
l'invasion maure, s'étendent à
l'est de Guimarães. Des

bastos, qui représenteraient
des guerriers celtes, ont été
trouvés en différents lieux,
où ils servaient à délimiter des
territoires. La principale
attraction de la ville est le
mosteiro de Refojos. Cette
construction baroque,
couronnée d'un dôme de
33 m, est entourée de
statues des apôtres et
surmontée d'une statue
de l'archange Michel. La
ville possède aussi le
plus beau *basto*, affublé
d'une tête française
installée par des soldats
en guise de plaisanterie,
pendant la guerre
napoléonienne.

AUX ENVIRONS : La
région, qui se couvre
de fleurs au
printemps, est
appréciée des
randonneurs. Bien
d'autres villages sont
intéressants à visiter.
Mondim de Basto,
qui domine la Tâmega
à 25 km au sud de
Cabeceiras, est une bonne
base pour faire l'ascension du
mont Farinha (966 m), le
point culminant de la région.
La montée au sommet de
l'église Nossa Senhora da
Graça vaut la peine, pour le
panorama des alentours.

Au-delà de la Tâmega,
Celorico de Basto a un petit
château et plusieurs manoirs
privés installés aux environs.
Mais certains, comme la **casa
do Campo** *(p. 393)*, font
partie du réseau du Turismo
de Habitação *(p. 376)* et
proposent un hébergement.

Le Sud
du Portugal

Le Sud du Portugal d'un coup d'œil

Au sud du Tage, les champs de blé et les plaines desséchées de l'Alentejo s'étendent à perte de vue. La région possède un riche héritage, remontant jusqu'à la préhistoire. Toutefois, les visiteurs d'Elvas, de Beja ou d'Évora, classée patrimoine de l'Humanité, ne seront pas gênés par l'afflux des touristes — jusqu'à la côte sud. En effet, beaucoup de vacanciers ne connaissent du Portugal que les stations balnéaires de l'Algarve. Toutefois, les centres-villes historiques, comme celui de Faro, et l'arrière-pays plus paisible méritent aussi d'être découverts.

Évora, ville universitaire, possède des monuments remontant jusqu'aux Romains. Les arcades blanches et les magnifiques balcons de fer forgé rappellent que pendant plus de 450 ans, jusqu'en 1165, Évora fut habitée par les Maures (p. 302-305).

Beja prospéra sous les Maures. Son musée est installé dans un ancien couvent décoré d'azulejos, comme ceux de la salle capitulaire (p. 311).

Baixo Alentejo

ALGARVE
(p. 314–331)

Lagos, la principale ville de l'ouest de l'Algarve, compte de jolies plages, comme Praia de Dona Ana, qui attirent quantité de vacanciers (p. 320-321).

0   25 km

◁ La plage de sable et les eaux calmes de la station balnéaire d'Albufeira

Alto Alentejo

Marvão, *proche de l'Espagne, est haut perché sur la Serra de São Mamede, telle une forteresse miniature. Les murailles de granit, qui entourent la bourgade, se confondent avec la pierre. Elles ont protégé Marvão au cours de siècles de conflits* (p. 294).

Elvas *a des fortifications parfaitement préservées* (p. 297). *Au centre de la vieille ville, cernée de murailles, la praça da República, pavée de mosaïques, est dominée par l'ancienne cathédrale.*

ALENTEJO
(p. 290–313)

Vila Viçosa *devint le siège des ducs de Bragança au XV*e *siècle. Ils y bâtirent leur vaste paço Ducal* (p. 298-299), *devant lequel trône une statue équestre en bronze du 8*e *duc, qui devint en 1640 le roi João IV.*

Faro, *avec son aéroport international, est la porte de l'Algarve. La ville est pourtant boudée par bien des visiteurs, malgré le charme de son centre historique, situé près du port. Au printemps, le parfum des fleurs des orangers* (p. 326-328) *embaume la ville.*

Les plages de l'Algarve

Tournée vers l'Afrique du Nord au sud et exposée à l'Atlantique à l'ouest, la côte est très variée. Le Barlavento (côté du vent) comprend les côtes ouest et sud, presque jusqu'à Faro. Autour du promontoire de Sagres, les plages sont bordées de hautes falaises. Sur la côte ouest, nombre de plages sont peu fréquentées, car la mer est plus froide et plus agitée que sur la côte sud, avec des courants dangereux. Entre Sagres et Lagos s'égrène un chapelet de belles criques, ponctuées de grottes et dominées par des stations balnéaires bondées. À l'est de Faro, le *Sotavento* (côté sous le vent) a de longues plages de sable baignées d'eaux calmes et chaudes.

Bain de soleil sur la plage

Arrifana ①

La jolie plage incurvée d'Arrifana, blottie au pied de falaises élevées, est l'une des plus belles de la côte ouest. La route qui la dessert offre une vue magnifique *(p. 318)*.

Beliche ③

Installée au « bout du monde », Beliche est abritée par le cabo de São Vicente. La plage de sable est bordée de grottes et de formations rocheuses fascinantes *(p. 320)*.

Castelejo ②

Cette longue plage de sable fin, isolée et calme, n'est desservie que par une piste, à emprunter à deux-roues, en voiture ou en jeep *(p. 319)*.

Aljezur

N268 · N120

Vila do Bispo

Lagos ⑥ · Portimão ⑦ · Lagoa · Armação de Péra · Albufeira ⑩

Sagres

0   10 km

LÉGENDE

≈≈≈	Autoroute
▬▬▬	Route principale
▬▬▬	Route secondaire

Légende des symboles, voir 2ᵉ rabat.

Martinhal ④

Cette étendue de sable abritée, à l'est de Sagres, est appréciée pour les sports aquatiques. La plage propose du parachute ascensionnel, du ski nautique et de la planche à voile *(p. 320)*.

Dona Ana ⑤

Cette petite crique sur la route de Ponta da Piedade est l'une des plus jolies plages de l'Algarve, mais elle est bondée en été. À ne pas manquer : la visite en bateau des cavernes et des grottes *(p. 321)*.

Meia Praia ⑥

Cette étendue de sable abritée de 4 km est l'une des plus longues plages de l'Algarve. Facilement accessible par la route, elle est aussi desservie, en été, par bateau depuis Lagos *(p. 321)*.

Praia da Rocha ⑦

Bordée de falaises et baignée d'eaux calmes, cette grande plage est renommée. On peut y pratiquer des sports nautiques sur une mer plus calme qu'au sud-ouest, et trouver de quoi pourvoir à tous ses besoins *(p. 322)*.

Ilha de Tavira ⑪

En été, des bateaux partent de Quatro Águas pour Ilha de Tavira. Les eaux tournées vers la côte sont calmes, tandis que les plages du côté de l'océan sont appréciées des véliplanchistes et des nageurs *(p. 330)*.

Carvoeiro ⑧

Ce village de pêcheurs a une crique minuscule. Une promenade le long des falaises ou un trajet en bateau vous amène à de magnifiques plages de sable qui invitent à la baignade et à la plongée avec tuba.

A22 (E1) N125 *Castro Marim* ⑫

A22 (E1) N125 N2 *Vilamoura* *Quarteira* N2 *Tavira* ⑪ N125 *Olhão* *Faro*

Monte Gordo ⑫

Avec son eau chaude, son climat doux et ses longues étendues de sable bordées de pins, Monte Gordo est une station balnéaire très appréciée.

Senhora da Rocha ⑨

Senhora da Rocha, qui doit son nom à la chapelle de son promontoire oriental, compte trois petites plages protégées, blotties au pied des falaises. Comme nombre de plages de la région, elles sont desservies par des marches abruptes.

São Rafael ⑩

Cette petite plage, appréciée pour son sable fin et son eau peu profonde, offre de multiples cavernes et formations rocheuses. Si vous n'êtes pas en voiture, un chemin descend depuis l'arrêt de bus sur la route principale *(p. 323)*.

Cuisine : le Sud du Portugal

Tous les fruits de mer sont succulents, mais le thon et les sardines sont exceptionnels. À l'intérieur des terres, le poisson cède la place au chevreau, à l'agneau et au cochon nourri de glands, mitonnés en délicieux ragoûts cuits avec du vin local. Cette cuisine recourt beaucoup à la *cataplana*, un plat qui se scelle, où les aliments cuisent dans leur jus. Toute la région produit quantité d'amandes, d'oranges, de figues et d'olives.

Poivrons

Nisa   Évora

Les fromages de brebis *sont fabriqués dans tout l'Alentejo. Parmi les meilleurs : l'Évora et le Nisa, piquant.*

Chouriço

Linguiça épicé

Presunto

Salpicão, à base de porc

Empadas de Galinha (tourtes au poulet)

Le pão alentejano, *pain qui accompagne la plupart des repas, entre aussi dans la préparation de certains plats.*

Le porc *est très utilisé dans l'Alentejo, qui produit une grande variété de saucisses et de jambons fumés. La tourte au poulet est une spécialité d'Évora.*

La sopa alentejana, *à l'ail, à la coriandre et à l'huile d'olive, est une soupe à base de pain, avec un œuf poché.*

Le gaspacho, *toujours servi froid, est une soupe de tomates à l'ail, au concombre, au poivron et à l'huile d'olive.*

La salada mista *est composée de salade, de tomates et d'oignons assaisonnés à l'huile et au vinaigre.*

L'atum de cebolada, *un plat de l'Algarve, est un steak de thon frais, cuit sur un lit d'oignons avec une sauce tomate.*

Les sardinhas assadas, *sardines grillées, sont une véritable institution en bord de mer ; en été, ce plat est un régal.*

Les lulas recheadas *sont des calmars farcis de charcuteries et de riz, puis cuits dans de l'oignon et de la tomate.*

La caldeirada *est un ragoût à base de différents poissons et de pommes de terre, très apprécié dans le Sud.*

Le porco à alentejana, *qui marie le porc aux palourdes, est souvent cuit dans une* cataplana, *qui conserve les saveurs.*

L'ensopado de borrego, *très répandu dans l'Alentejo, est un ragoût d'agneau servi sur du pain, pour absorber le jus.*

Le coelho em vinho *est un plat régional à base de lapin, où la viande est cuite dans du vin, très apprécié dans tout le Portugal..*

Le cabrito assado *est du chevreau rôti au paprika, à l'ail, au vin et à la graisse de porc qui garde la viande juteuse.*

L'huile d'olive *est présente dans la plupart des plats.*

Bolo podre (« gâteau pourri »), gâteau au miel sombre et épicé

Doces de amêndoa, pâte d'amandes

Figos cheios, figues fourrées aux amandes

Queijada, gâteau au fromage de l'Alentejo

Ameixas de Elvas, prunes d'Elvas, ou de délicieux pruneaux

Amandes

Figues séchées

Les douceurs du Sud reflètent la richesse de la récolte de figues et d'amandes de l'Algarve.

LES FRUITS

Le climat convient à la culture des fruits, surtout du raisin et des agrumes. L'Algarve produit les meilleures figues, oranges et fraises du pays.

Oranges

Raisin

LES LIQUEURS

Les meilleurs vins du Sud proviennent de l'Alentejo *(p. 28-29),* et l'Algarve donne deux liqueurs locales : l'*amarguinha* aux amandes amères, délicieuse sur de la glace, et la *medronheira,* faite avec le fruit de l'arbousier.

Amarguinha, un alcool d'amandes

Medronheira, liqueur sucrée au miel

L'ALENTEJO

Installé entre le Tage et l'Algarve, l'Alentejo couvre quasiment un tiers du Portugal. Cette région écrasée par le soleil offre aux visiteurs ses vastes plaines vallonnées tapissées de blé doré et d'oliviers argentés, ses villages blancs, ses mégalithes et ses châteaux, sans oublier ses grands espaces et sa tranquillité.

Des cercles de pierres, des dolmens et d'autres vestiges de l'âge de pierre émaillent les plaines de l'Alentejo, surtout autour d'Évora, joyau historique au centre du pays.

À l'instar de Beja, Vidigueira et d'autres villes, Évora a été fondée par les Romains, qui appréciaient cette terre au-delà du Tage (*além Tejo*) pour ses champs de blé. Pour combattre l'aridité du sol, ils introduisirent des systèmes d'irrigation ingénieux. D'immenses propriétés agricoles, où étaient cultivées des céréales pour l'Empire romain, furent créées. Ces propriétés, ou *latifúndios*, existent toujours, et certaines sont aujourd'hui gérées comme des coopératives.

Outre les céréales, les vastes plaines fournissent du liège et des olives — Elvas est connu pour ses olives et ses prunes *(p. 289)*. Les vignobles des environs de Reguengos et de Vidigueira donnent des vins puissants, et l'Alentejo possède plusieurs régions viticoles délimitées *(p. 28-29)*. Depuis son entrée dans la Communauté européenne, en 1986, le Portugal s'est modernisé et a effectué d'importants investissements, mais la région est toujours faiblement peuplée, avec dix pour cent seulement de la population. La propriété des terres a toujours constitué un problème dans la région, et le communisme y compte de nombreux partisans — les Alentejans furent de fervents défenseurs de la révolution de 1974 *(p. 57)*.

Nombre de villes et de villages portent les traces de la longue présence maure, qui transparaît à travers les maisons blanches cubiques. Au nord et à l'est, les plaines cèdent la place aux paysages rocheux, parsemés de villages fortifiés et de terres où paissent les moutons.

Maison alentejane d'Odemira, avec les décors bleus traditionnels typiques de la région

◁ Chênes-lièges et oliviers entrecoupant les champs de blé des plaines de l'Alentejo

À la découverte de l'Alentejo

Installée au cœur de l'Alentejo, la ville d'Évora, avec son centre historique exceptionnel, est un point de départ idéal pour explorer cette belle région. Au nord-est se trouvent les villes blanches d'Estremoz et Vila Viçosa, où le marbre local a donné de fabuleuses façades, et Alter do Chão, la patrie du cheval royal portugais, l'Alter Real. Plus près de la frontière espagnole, objet de nombreux conflits, les villes et les villages sont toujours protégés par d'imposantes fortifications. À mesure qu'on progresse vers le sud, l'héritage maure est de plus en plus manifeste, et devient omniprésent à Beja et Mértola.

Plus près de la frontière espagnole, objet de nombreux conflits, les villes et les villages sont toujours protégés par d'imposantes fortifications. À mesure qu'on progresse vers le sud, l'héritage maure est de plus en plus manifeste, et devient omniprésent à Beja et Mértola.

La côte ouest possède des plages agréables, avec de longues étendues, en partie préservées du tourisme.

Le cromlech d'Almendres, site préhistorique dans les environs d'Évora

LA RÉGION D'UN COUP D'ŒIL

Les fermes et les vergers de la région fertile du nord de l'Alentejo, vus d'Estremoz

Tejo

N18

IP2 (E802)

NISA

CASTELO
DE VIDE

N246

N246

② MARVÃO

①

Cáceres

FLOR DA ROSA

Ribeira
de Sor

CRATO ⑤

NTE DE SOR

PORTALEGRE

SERRA DE SÃO MAMEDE

IP2 (E802) ③

④

N246

ALTER DO CHÃO ⑥

N245

ARRONCHES

AVIS

N370

N246

CAMPO MAIOR ⑦

N371

IP2 (E802)

A6 (E90)

ESTREMOZ ⑫

BORBA

N4

Guadiana

ELVAS ⑧

Badajoz
Mérida

ÉVORAMONTE

⑬

VILA VIÇOSA ⑨

ARRAIOLOS ⑭

ALANDROAL ⑩

REDONDO ⑪

TERENA

(E90)

ÉVORA ⑯

⑰

MEGALITHS
OUR

IP2

N254

N381

N256

(E802)

MONSARAZ ⑱

REGUENGOS DE MONSARAZ

MOURÃO

N9

IANA DO ALENTEJO

ALVITO

N258

N384

VIDIGUEIRA ⑳

Barragem
de Alqueva

CUBA

IP2 (E802)

N255

MOURA ㉑

NOUDAR

BARRANCOS

㉓

BEJA

(E802)

㉒

SERPA

N260

Sevilla

N265

Changa

Guadiana

MINAS
DE SÃO
DOMINGOS

N122

MÉRTOLA ㉘

N122

LMODÔVAR

N2

Ribeira do Vascão

Huelva

Faro

Nossa Senhora de Guadalupe, d'une
blancheur aveuglante au soleil, Serpa

LÉGENDE

	Autoroute
	Route principale
	Route secondaire
	Parcours pittoresque
	Cours d'eau
☀	Point de vue

0   25 km

Océan de blé entourant une ferme près de Moura

Serra de São Mamede ❶

Carte routière D4. 🚍 pour Portalegre. 🚶 Portalegre.

La diversité géologique et le climat de ces montagnes isolées, serrées entre l'Atlantique et la Méditerranée, expliquent la richesse de la faune et de la flore. En 1989, 320 km² ont été classés *parque natural*. Des vautours fauves et des aigles de Bonelli y vivent, ainsi que des cerfs et des sangliers. Les cours d'eau sont peuplés de loutres et de batraciens. La réserve abrite aussi l'une des plus grandes populations de chauve-souris d'Europe.

Le vide apparent de la Serra est trompeur ; la présence de nombreux mégalithes indique que l'endroit était habité à la préhistoire, comme en témoignent les peintures rupestres que l'on voit au sud de la réserve, dans la Serra de Cavaleiros et la Serra de Louções. Marvão domine la ville romaine d'Amaia (São Salvador de Aramenha), et des routes romaines desservent toujours les jolis villages blancs, offrant des vues magnifiques.

De Portalegre, la route grimpe sur 15 km pour atteindre le Pico de São Mamede (1 025 m). Une petite route conduit au sud à Alegrete, un village fortifié couronné d'un château du XIVᵉ siècle en ruine.

Moutons dans les pâturages de la Serra de São Mamede

Marvão ❷

Carte routière D4. 🚶 650. 🚉 🚍 🚶 Largo de Santa Maria (245 993 886). 🎪 jeu.

Ce paisible hameau médiéval jouit d'un site spectaculaire, perché à 862 m face à l'Espagne. Ses murailles du XIIIᵉ siècle et ses contreforts du XVIIᵉ siècle en font une forteresse inexpugnable. Aux Romains, qui baptisèrent l'affleurement Herminius Minor, succédèrent les Maures — le nom actuel vient sans doute de Marvan, le chef maure évincé à grand-peine en 1166.

Les murailles entourent des maisons blanchies à la chaux, une *pousada (p. 395)* et l'**igreja Matriz** du XVᵉ siècle. La rua do Espírito Santo passe devant l'ancienne maison du gouverneur (qui abrite aujourd'hui une banque), avec son balcon en fer forgé du XVIIᵉ siècle, et une fontaine baroque, avant de rejoindre le **château.**

Construit par le roi Dinis vers 1299, il domine le village. Ses murailles, qui renferment deux citernes et un donjon, offrent une magnifique vue sur la Serra de São Mamede au sud et à l'ouest, et sur la frontière espagnole à l'est.

Dans l'ancienne église Santa Maria est installé le **Museu Municipal,** qui a conservé le maître-autel et qui présente une collection ethnologique, mais aussi des trouvailles archéologiques, allant du paléolithique à l'époque romaine.

🏛 **Museu Municipal**
Largo de Santa Maria. 📞 245 909 132. 🕐 t.l.j. 🌑 25 déc. 🈂 ♿

Portalegre ❸

Carte routière D4. 🚶 15 000. 🚉 🚍 🚶 Rossio (245 331 359). 🎪 mer. et sam. (alimentation) ; 2ᵉ mer. du mois (vêtements). 🌐 www.rtsm.pt

Cette ville d'origine romaine se dresse à un emplacement stratégique. Fortifiée par le roi Dinis *(p. 44-45)*, elle acquit le statut de cité en 1550.

Au XVIᵉ et au XVIIᵉ siècle, l'industrie du textile, de la tapisserie et de la soie apporta une prospérité qui se reflète dans les belles demeures Renaissance et baroques de la rua 19 de

Vue sur la plaine depuis le château de Marvão

Junho, la rue principale de la vieille ville. Près du Rossio, la place principale de la ville nouvelle, un ancien monastère jésuite abrite la dernière manufacture de tapisseries. La production du liège est une autre tradition de Portalegre.

La **Sé** se dresse sur les hauteurs. Construite en 1556, elle se dota d'une façade baroque et de pinacles jumeaux au XVIIIe siècle. L'intérieur, de la fin de la Renaissance, recèle des peintures d'artistes portugais anonymes et la sacristie est ornée de panneaux d'*azulejos* bleu et blanc, du début du XVIIe siècle, représentant des scènes de la vie de la Vierge et la fuite de la Sainte Famille en Égypte.

La demeure voisine, du XVIIIe siècle, accueille le petit **Museu Municipal**, dont la collection éclectique réunit art religieux et céramiques portugaises.

La maison du poète et dramaturge José Régio (1901-1969) se trouve près de la praça da República. Elle abrite aujourd'hui le **Museu José Régio** et présente l'art populaire, ainsi que la reconstitution d'une cuisine alentéjane.

🏛 **Museu Municipal**
Rua José Maria da Rosa.
📞 245 300 120. ◯ mer.–lun. ◯ jours fériés. 🖼

🏛 **Museu José Régio**
Rua José Régio. 📞 245 203 625.
◯ mar.–dim. ◯ jours fériés. 🖼

Crucifix, Museu José Régio, Portalegre

Le monastère crénelé de Flor da Rosa près de Crato, qui abrite une *pousada*

Castelo de Vide ❹

Carte routière D4. 🏠 *3 000.* 🚌 🚉
ℹ *rua Bartolomeu A. da Santa 81 (245 901 361).* 🛍 *ven. (vêtements).*

Étalée sur un versant vert de la Serra de São Mamede, cette jolie bourgade thermale, appréciée des Romains, est bien préservée. La ville basse, autour de la praça Dom Pedro V, a conservé son église baroque, **Santa Maria,** sa mairie et son pilori du XVIIIe siècle, ainsi que de jolies demeures. Sur le largo Frederico Laranjo jaillit l'une des sources curatives, la **fonte da Vila,** une fontaine de pierre sculptée coiffée d'un baldaquin à piliers. Plus haut s'étend la **Judiaria,** quartier dédaléen. On y trouve une **synagogue** du XIIIe siècle et de belles portes gothiques. La plus vieille chapelle de la ville, **Salvador do Mundo,** sur l'estrada de Circunvalação, date du XIIIe siècle. Elle abrite une très belle *Fuite en Égypte* du XVIIIe siècle.

Dans la ville haute, la petite **Nossa Senhora da Alegria** recèle une profusion d'*azulejos* polychromes aux motifs floraux, du XVIIe siècle. Elle s'élève à l'intérieur des murs du **château,** auquel la ville doit son nom. Ce dernier fut reconstruit en 1310 par le roi Dinis, qui y négocia son mariage avec Isabelle d'Aragon, puis gravement endommagé par une explosion, en 1705.

Toits de tuiles, Castelo de Vide

Crato ❺

Carte routière D4. 🏠 *2 000.* 🚌 🚉
ℹ *rua 5 de Outubro (245 331 359).* 🛍 *3e jeu. du mois.*

Les modestes maisons coiffées d'immenses cheminées de Crato ne laissent pas deviner son passé glorieux. Donné par Dom Sancho II aux Hospitaliers, Crato devint le siège de cet ordre puissant en 1350. Dom Manuel Ier et Dom João III y célébrèrent leurs noces, et le neveu de Dom João III en fut le grand prieur.

En 1662, les forces espagnoles mirent à sac et incendièrent la ville, qui ne s'en remit jamais. Le château des Hospitaliers est resté en ruine, et sur la praça do Município, le **varanda do Grão-Prior** du XVe siècle marque l'entrée de ce qui fut la résidence du grand prieur.

La rua de Santa Maria mène à l'**igreja Matriz,** remaniée depuis le XIIIe siècle. Dans le chœur, des *azulejos* illustrent des scènes de pêche, de chasse et de voyages.

AUX ENVIRONS : Au nord de Crato se trouvent le monastère et l'église de **Flor da Rosa.** Construit en 1356 par le grand prieur de Crato, le père de Nuno Álvares Pereira *(p. 183),* le monastère a été restauré. Aujourd'hui, une *pousada* y est installée *(p. 395).* Dans la salle à manger, se voit une tapisserie représentant le monastère entouré de pins.

Alter do Chão ❻

Carte routière D4. ⚑ 2 700. 🚌
ℹ️ *Temporairement : Edificio Cine-Teatro Largo os Doze Melhore de Alter (245 610 004).* 🛍️ *1er jeu. du mois.*

Les Romains créèrent Elteri (ou Eltori) en 204 av. J.-C., mais sous l'empereur Hadrien ses habitants furent accusés de déloyauté et la localité fut rasée. Elle ne revit le jour qu'au XIIIe siècle.

Le **château** (fermé pour restauration) à cinq tours avec son portail gothique, construit en 1359 par Dom Pedro Ier, domine la bourgade. Ses murs imposants contrastent avec la place du marché fleurie, le largo Doze Melhores de Alter, à son pied.

Au nord-ouest du château, les rues sont bordées de jolies demeures baroques. L'élégant **palácio do Álamo** (fermé jusqu'en 2004), du XVIIIe siècle, où est installé l'Office du tourisme, contient une galerie d'art et une bibliothèque.

⚜️ Château

Largo Barreto Caldeira. 🕐 *juin–sept. : horaires variables.*

AUX ENVIRONS : Alter est renommé pour la **coudelaria de Alter,** haras fondé en 1748 pour élever des Alter Real. Avec ses écuries blanches et ocre, aux couleurs royales, le domaine s'étend sur 300 hectares.

Le **ponte de Vila Formosa,** à six arches, enjambe la Seda, à 12 km à l'ouest. La voie romaine reliant Lisbonne à Mérida empruntait ce pont.

⛫ Coudelaria de Alter

3 km au N.-O. de la ville. 📞 245 610 060. 🕐 *mar.–dim.* 📷 ♿

La capela dos Ossos, macabre et saisissante, Campo Maior

Campo Maior ❼

Carte routière E5. ⚑ 8 500. 🚌
ℹ️ *Praça da Republica (268 680 300).* 🛍️ *2e sam. du mois.*

Selon la légende, la bourgade acquit son nom lorsque trois familles s'établirent sur le *campo maior,* le « champ principal ». Le roi Dinis fortifia la ville en 1310, et la monumentale porta da Vila fut ajoutée en 1646.

En 1732, un éclair mit le feu à une poudrière, détruisant la citadelle et faisant 1 500 victimes. Les morts auraient servi à la construction de la **capela dos Ossos,** recouverte d'ossements humains. Datée de 1766, elle comporte une inscription sur la mort, réalisée à l'aide de clavicules.

Au mois de septembre, pour la festa das Flores, les rues sont décorées de fleurs en papier.

⛪ Capela dos Ossos

Largo Dr Regala. 📞 268 686 168.
🕐 *t.l.j. (si fermé, demander au prêtre).*

Elvas ❽

Carte routière D5. ⚑ 15 000. 🚉
🚌 ℹ️ *praça da República (268 622 236).* 🛍️ *un lun. sur deux.*

Cette ville étendue, située à 12 km de l'Espagne, est à l'origine d'une importante circulation transfrontalière. Les fortifications de la vieille ville sont parmi les mieux préservées d'Europe. À l'intérieur des murailles, l'architecture et les noms des rues rappellent que cinq siècles durant la ville fut aux mains des Maures.

Elvas fut libérée de ceux-ci en 1230, mais durant six siècles les attaques des Espagnols alternèrent avec la signature de traités de paix.

Malgré son passé mouvementé, Elvas est aujourd'hui surtout associée, dans l'esprit des Portugais, aux prunes d'Elvas *(p. 289).*

Ces roses égayent une rue d'Elvas

L'ALTER REAL, LE CHEVAL DES ROIS

La plupart des lusitaniens sont gris, mais les Alter Real (« real » signifie royal) sont bais ou alezans. Désireux de créer un cheval portugais de qualité, le roi José (1750-1777) fit importer des juments andalouses, dont on tira le bel Alter Real. La statue de la praça do Comércio, à Lisbonne *(p. 65),* représente Dom José chevauchant Gentil, son Alter préféré. Le haras prospéra jusqu'aux guerres napoléoniennes (1807-1815), où les vols de chevaux et des croisements anarchiques causèrent le déclin du cheval royal. En 1930, il avait presque disparu, mais des années d'efforts ont permis de renouveler la race.

LES FORTIFICATIONS D'ELVAS

Une promenade sur les remparts offre une belle vue sur la vieille ville et permet d'admirer la conception judicieuse des fortifications. Reposant sur les principes de Vauban, un ensemble de bastions pentagonaux et de ravelins avancés forme une étoile à plusieurs branches, protégeant les murailles sous tous les angles. Les vestiges datent surtout du XVIIᵉ siècle, où les fortifications tinrent à distance les Espagnols lors de la guerre d'Indépendance *(p. 50-51)*. Elvas servit également de base à Wellington pour assiéger Badajoz, au-delà du Guadiana.

Deux forts satellites préservés révèlent la position stratégique d'Elvas : le **forte de Santa Luzia** (1641-1687), au sud-est, et le **forte de Graça** du XVIIIᵉ siècle, au nord.

Château

Ravelin, protégeant les murailles

Portas da Olivença, la porte principale

Demi-lune, protégeant le bastion

Bastion

0   250 m

⚜ Château

Parada do Castelo. ◻ *t.l.j.*

Le château d'origine romano-mauresque, qui domine les rues escarpées, a été reconstruit pour Dom Sancho II, en 1226. Il subit maints remaniements, surtout sous le règne de Dom Dinis, puis, à la fin du XVᵉ siècle, sous celui de Dom João II, dont les armoiries ornées d'un pélican figurent au-dessus de l'entrée. Le grand donjon date de 1488. Jusqu'à la fin du XVIᵉ siècle, le château fut la résidence des maires d'Elvas.

⛪ Nossa Senhora da Assunção

Praça da República. 🕿 268 625 997. ◻ *lun.–ven.* ● *jours fériés.* &

L'église, construite au début du XVIᵉ siècle par Francisco de Arruda, à qui on doit aussi l'aqueduc, fut la cathédrale jusqu'en 1882. Quoique modifiée plusieurs fois, son majestueux portail sud manuélin a été préservé. Les *azulejos* de la nef datent du XVIIᵉ siècle.

🏛 Museu Arqueológico et Biblioteca

Largo do Colégio. 🕿 268 622 402. ◻ *t.l.j. (bibliothèque : lun.–sam.).* ● *1ᵉʳ janv., Pâques, 25 déc.* 🎫 *pour le musée.*

Le Musée archéologique, sur le point de s'installer Rua do Alcoves, présente une collection allant d'objets préhistoriques à des cruches à eau romaines. La bibliothèque rattachée au musée, desservie par un porche original couvert d'*azulejos*, abrite plus de 50 000 livres, dont quelques ouvrages anciens rares.

⛪ Nossa Senhora dos Aflitos

Largo do Pelourinho.

◻ *mar.–dim.*

La sobriété apparente de cette petite église du XVIᵉ siècle cache bien la richesse de l'intérieur. Son plan octogonal provient d'une église des Templiers antérieure, mais son attrait vient surtout des colonnes de marbre et des magnifiques *azulejos* jaune et bleu ajoutés au XVIIᵉ siècle, qui tapissent les murs et montent jusqu'à la coupole. Derrière l'église, la porta da Alcáçova est un vestige des fortifications maures. À côté, le pilori du largo do Dr Santa Clara, toujours doté de crochets, est sculpté de motifs manuélins.

Arches du grand aqueduc

♐ Aqueduto da Amoreira

Jusqu'au XVIᵉ siècle, le puits d'Alcalá était la seule source d'eau potable. Lorsqu'il commença à se tarir, les habitants conçurent le projet d'un aqueduc pour transporter l'eau de la source d'Amoreira, à 8 km. Les travaux qui commencèrent en 1498 ne furent achevés qu'en 1622. Les grands contreforts circulaires et les arcs de l'architecte Francisco de Arruda traversent toujours la vallée et approvisionnent en eau la fontaine du largo da Misericórdia. L'aqueduc compte 843 arches au total et par endroits cinq étages. Certaines parties dépassent 30 m.

Le largo de Dr. Santa Clara avec son pilori

Vila Viçosa : Paço Ducal

L e luxueux palais de Vila Viçosa, dont
la construction fut entamée par Dom
Jaime en 1501, fut la résidence favorite
des ducs de Bragança. Quand le 8ᵉ duc
devint roi, en 1640, une grande partie
du mobilier le suivit à Lisbonne, mais
les appartements du premier étage, de
la sala de Cabra-Cega, où avaient lieu
les parties de colin-maillard, à la sala de
Hercule, sont restés splendides. Les
salles du roi Carlos et de son épouse,
plus intimes, sont quasiment telles que
le souverain les a laissées la veille de
son assassinat, en 1908.

Chapelle
*Malgré plusieurs
modifications, la
chapelle a conservé
son plafond à caisson
et d'autres éléments du
XVIᵉ siècle. C'est ici que
le 3 décembre 1640, le
8ᵉ duc apprit qu'il
allait devenir roi.*

**Salle à
manger**

1ᵉʳ étage

La grande cuisine, où
étaient préparés les repas
pour les centaines de
convives, contient
plus de 600
casseroles et
poêles en
cuivre.

★ **Sala dos Duques**
*Le plafond de la salle des
Ducs est orné des portraits
de tous les ducs de
Bragança, réalisés par
l'Italien Domenico Dupra
(1689-1770). Sur les murs,
des tapisseries de Bruxelles
représentent la vie d'Achille.*

**Sala de
Cabra-Cega**

**Les dépôts
d'armes,** dans des
salles voûtées, recèlent
épées, arbalètes,
hallebardes et armures.

**Rez-de-
chaussée**

**La
bibliothèque**
recèle de précieux
ouvrages anciens,
collectionnés par le roi
Manuel II en exil (p. 57).

Jardins
*Le jardim da Duquesa et celui do Bosque
sont en partie entourés par les murs du
palais, mais on les voit des fenêtres de la
salle à manger. Leur agencement
géométrique fait pendant au palais.*

Entrée

À NE PAS MANQUER

★ **Sala dos Duques**

MODE D'EMPLOI

Terreiro do Paço. **☎** 268 980
659. **☉** mar.–ven. : 9 h 30–13 h
et 14 h 30–16 h sam.–dim.
(dernière admission une heure
avant fermeture)
☉ jours fériés.
🖼 📷 obligatoire.

LÉGENDE DU PLAN

☐ Appartements royaux

☐ Bibliothèque

☐ Chapelle

☐ Dépôts d'armes

☐ Cuisine

☐ Trésor

▨ Circulations et services

SUIVEZ LE GUIDE !

*La visite guidée, d'environ
une heure, passe dans les
appartements royaux, la
cuisine, les dépôts d'armes, le
trésor et la bibliothèque. L'accès
au musée des Carrosses, côté
nord du palais, s'effectue
avec un billet différent.
Certaines parties
peuvent être fermées
pour travaux et
certaines salles
closes sans
préavis.*

Vila Viçosa ➒

Carte routière D5. **👥** 10 000. **🚌**
ℹ praça da República (268 881
101). **🏪** mer.

Après l'expulsion des
Maures, en 1226, cette
ville installée sur une colline
fut baptisée Val Viçosa —
« vallée fertile ». Au XVᵉ
siècle, elle devint la
résidence de campagne des
ducs de Bragança. Lorsque
le 8ᵉ duc devint roi, Vila
Viçosa fut agrandie pour
recevoir les nobles et les
ministres. Les maisons
imposantes en marbre blanc
témoignent de ce passé royal.

La ville fourmille de
souvenirs des Bragança. La
façade du **paço Ducal**, de
plus de 110 m, domine la face
ouest du terreiro do Paço. Les
visiteurs du palais franchissent
la **porta do Nó**, un portail en
marbre et en schiste formant
des nœuds, le symbole des
Bragança.

Sur la place, la statue
équestre de Dom João IV est
tournée vers l'**igreja dos
Agostinhos** (fermée au
public). Fondée en 1267 et
reconstruite au XVIIᵉ siècle,
elle devait être la dernière
demeure des ducs, mais la
plupart des monarques de la
maison de Bragança, malgré
leur attachement à Vila
Viçosa, reposent à Lisbonne, à
São Vicente de Fora *(p. 72)*.

Vue du château de Vila Viçosa,
en direction du paço Ducal

Sur le côté sud de la place,
le **convento das Chagas**
abrite les tombeaux des
épouses des Bragança. Fondé
en 1530 par la deuxième
femme du 4ᵉ duc, le couvent a
été transformé en *pousada*.

Longeant le paço Ducal, un
mur de 18 km entoure la
tapada real, ou chasse
royale. Le terreiro do Paço est
dominé par le **château**, bâti
par le roi Dinis, qui fut la
résidence des Bragança
jusqu'en 1461.

Non loin, l'église **Nossa
Senhora da Conceição**, du
XIVᵉ siècle, abrite une Vierge
gothique, qui viendrait
d'Angleterre. Durant les *cortes*
de 1646, Dom João IV la
couronna pour en faire la
sainte patronne du royaume,
après quoi plus aucun
monarque ne porta de
couronne.

♣ Château

Avenida Duques de Bragança.
☎ 268 980 128. **☉** mar.–dim.
☉ jours fériés. **🖼**

LA MAISON ROYALE DE BRAGANÇA

Afonso, fils bâtard de Dom João Iᵉʳ,
fut fait en 1442 duc de Bragança,
premier membre d'une dynastie
influente. Dom Fernando, le 3ᵉ
du nom, fut exécuté en 1483 par
son cousin, Dom João II. Dom
Jaime, le 4ᵉ, enferma son épouse
dans le château de Bragança
(p. 258) avant de la tuer à Vila
Viçosa. C'est lui qui commença la
construction du palais de Vila
Viçosa. C'est à contrecœur que le
8ᵉ duc monta sur le trône *(p. 50)*.

**Catherine, née à Vila
Viçosa en 1638**

Les Bragança régnèrent sur le Portugal pendant 270 ans,
accumulant les richesses et forgeant des alliances
(Catherine, fille de Dom João IV, épousa Charles II
d'Angleterre), mais la consanguinité affaiblit la lignée royale
(p. 165). Le dernier monarque, Dom Manuel II, partit en
exil en 1910, deux ans après l'assassinat de son père et de
son frère par des Républicains. Le duc actuel se consacre
paisiblement à l'agriculture, près de Viseu.

La porta do Nó ornée de nœuds
sculptés, symbole des Bragança

Alandroal, entouré de chênes-lièges

Alandroal ❿

Carte routière D5. 🚶 *2 100.*
🚌 **ℹ** *largo da Misericordia (268 440 045).* 🔷 *mer.*

L a petite bourgade, blottie
autour des ruines du
château, a été construite par
les chevaliers d'Avis, qui s'y
installèrent en 1220. Une
plaque indique que le
château, dont les vestiges
sont maigres, fut achevé en
1298. L'**igreja Matriz,** entre
les murs, date du XVIᵉ siècle.

L'église **Misericórdia,** près
des murailles, contient de
magnifiques *azulejos* qui
seraient dus à Policarpo de
Oliveira Bernardes (1695-1778).

AUX ENVIRONS : Terena, à 10
km au sud, est connue par ses
terres cuites. Quant au
sanctuaire de **Nossa Senhora
de Boa Nova,** du XIVᵉ siècle, il
recèle des fresques de 1706,
représentant des saints et des
rois portugais. Pour y accéder,
adressez-vous à la maison en
face de l'église.

LE MARBRE, OR BLANC DE L'ALENTEJO

Le Portugal est le 2ᵉ exportateur de marbre du monde, et
même l'Italie, le principal producteur, lui en achète. Environ
90 % du marbre, soit plus de 500 000 tonnes par an,
provient des carrières des environs d'Estremoz. Le marbre
d'Estremoz et de Borba, non loin, est blanc ou rose, tandis

Carriers travaillant d'énormes blocs de marbre près d'Estremoz

que celui de Viana
do Alentejo est vert.
Cette roche est
utilisée depuis
l'époque romaine.
Dans des villes
comme Évora
(p. 302-305) et Vila
Viçosa *(p. 298-299),*
tout, des palais aux
modestes portes, resplendit
d'« or blanc ».

Redondo ⓫

Carte routière D5. 🚶 *3 600.* 🚌
ℹ *praça da República (266 909 100).*
🔷 *2ᵉ jeu. du mois.*

C ette bourgade médiévale,
au centre d'une région
viticole *(p. 29),* est renommée
pour ses terres cuites. Des
entreprises familiales
produisent des cruches à eau
de style romain, des cocottes
et des jattes *(p. 25).* Elles sont
vendues dans les petites
maisons blanches qui montent
vers le **château,** fondé par le
roi Dinis.

AUX ENVIRONS : À 10 km au
nord s'élève le **convento de
São Paulo,** bâti en 1376.
Catherine de Bragança y vécut
après la mort de son époux,
Charles II d'Angleterre. Le
bâtiment, qui a conservé ses
magnifiques *azulejos* datant
du XVIᵉ au XVIIIᵉ siècle, abrite
aujourd'hui un hôtel de luxe
(p. 396).

Estremoz ⓬

Carte routière D5. 🚶 *8 000.* 🚌
ℹ *Largo da República 26 (268 333 541).* 🔷 *sam.*

B astion important lors de la
guerre de Restauration
(p. 50), puis durant la guerre
des Deux Frères *(p. 54),*
Estremoz est perché sur une
colline.
La ville haute médiévale,
blottie entre d'imposants
remparts, est dominée par un
donjon de marbre du XIIIᵉ
siècle, appelé la **torre das
Três Coroas,** tour des Trois
Couronnes, en hommage aux
trois rois — Dom Sancho II,
Dom Afonso III et Dom Dinis
— sous le règne desquels il
fut construit. Le château
voisin, bâti pour Dona Isabel,
a été restauré et accueille une
pousada (p. 395). La reine
sainte Isabel *(p. 45)* y mourut
d'ailleurs en 1336. À noter, la
capela da Rainha Santa, qui
est tapissée d'*azulejos*
illustrant sa vie.
Le marché hebdomadaire,
qui se tient sur le Rossio, offre
un aperçu vivant de la vie
locale. De l'autre côté de la
place se trouvent les vestiges

du palais du roi Dinis et le **Museu Municipal,** où sont exposés des objets archéologiques, ainsi que des reconstitutions de salles et une collection de *bonecos* — figurines en terre cuite *(p. 25).*

🏛 Museu Municipal
Largo Dom Dinis. 📞 268 339 200. ⬜ *mar.–dim.* ⬛ *jours fériés.* ⬛

🔒 Capela da Rainha Santa
Largo Dom Dinis. (entrée par la galerie adjacente Design Gallery) ⬜ *avr.–sept. : mar.–dim.* ⬛ *jours fériés.*

Évoramonte ⑬

Carte routière D5. 🏠 *1 000.* ▦ 🅸 *Junta de Freguesia (268 950 200).*

« Cordage » de pierre ornant les murs du château d'Évoramonte

Au-dessus du n° 41 de l'unique rue d'Évoramonte, une plaque rappelle qu'ici, le 26 mai 1834, Dom Miguel céda le trône, mettant fin au conflit l'opposant à son frère aîné *(p. 54).*

Le superbe **château,** dont les murs sont enserrés dans des « cordages » de pierre, a remplacé un bâtiment plus ancien détruit en 1531. Ses murs du XVIe siècle ont fait l'objet d'une « restauration » à grand renfort de béton, fort controversée.

♠ Château
⬜ *mer.–dim.* ⬛ *jours fériés.* ⬛

Arraiolos ⑭

Carte routière D5. 🏠 *2 400.* ▦ 🅸 *praça Lima e Brito (266 490 254).* 🅰 *1er sam. du mois (grand marché).*

La fondation d'Arraiolos vers 300 av. J.-C. serait due aux Celtes ou peut-être à des tribus locales. Le **château,** du XIVe siècle, semble écrasé par les imposantes murailles de la ville et l'**igreja do Salvador.** Les maisons, basses et blanches, sont peintes d'une décoration bleue pour chasser le diable. Derrière la rue principale, on aperçoit les brodeuses de tapis en laine penchées sur leur ouvrage dans l'ombre de leur maison. Ces tapis fameux ornent d'innombrables demeures portugaises. Cet artisanat aurait été introduit par les Maures. Parmi ces tapis, très recherchés, ceux à motifs floraux du XVIIIe siècle sont les plus précieux. Les boutiques d'artisanat en proposent ainsi de plus modernes, aux motifs plus simples.

AUX ENVIRONS : Pavia, à 18 km au nord, possède une minuscule chapelle bâtie dans un dolmen, l'anta de São Dinis. Si elle est fermée, demandez les clefs au café à côté.

Montemor-o-Novo ⑮

Carte routière C5. 🏠 *7 000.* ▦ 🅸 *largo Calouste Gulbenkian (266 892 071).* 🅰 *2e sam. du mois.*

Montemor a été fortifié par les Romains, puis par les Maures. C'est d'ailleurs le guerrier musulman al-Mansur qui a donné son nom à la rivière voisine, l'Almançor. Reprise

Vue d'ensemble de la nef de l'igreja Matriz à Montemor-o-Novo

aux Maures sous Dom Sancho Ier, la ville reçut sa première charte en 1203. Les ruines du **château** couronnent la colline.

Largo São João de Deus s'élève l'**igreja Matriz** du XVIIe siècle. L'ordre des Hospitaliers de Saint-Jean-de-Dieu, fondé par le saint, naquit des soins qu'il prodiguait aux malades, surtout aux enfants trouvés et aux prisonniers.

Le **Museu de Arqueologia** et le **Museu Regional** sont installés dans un ancien couvent. Le premier abrite des pièces archéologiques, des outils agricoles anciens, le second des salles thématiques sur la poterie et l'art sacré.

🏛 Museu de Arqueologia
Convento de São Domingos, largo Professor Dr Banha de Andrade. 📞 266 890 235. ⬜ *mar.–dim.* ⬛ *1er janv., 25 déc.* ⬛

Le château et l'igreja do Salvador dominent Arraiolos

Évora pas à pas 🔟

La ville d'Évora, ceinturée de murailles, se dresse dans la plaine de l'Alentejo. Elle se développa sous les Romains et prospéra durant le Moyen Âge comme foyer d'enseignement et centre artistique. Évora fut une résidence appréciée des monarques, jusqu'à l'annexion du Portugal par l'Espagne en 1580. Son influence diminua encore après la fermeture de l'université jésuite, au XVIIIe siècle. Aujourd'hui, les étudiants emplissent à nouveau les rues, se mêlant aux visiteurs. L'héritage d'Évora a été reconnu officiellement en 1986, lorsqu'elle fut déclarée patrimoine mondial de l'humanité par l'UNESCO.

★ **Temple romain**
Ce temple, qui aurait été dédié à la déesse Diane, a été construit au IIe ou au IIIe siècle apr. J.-C. Il servit successivement d'arsenal, de théâtre et d'abattoir, avant d'être mis en valeur en 1870.

Rua 5 de Outubro
Ces magasins vendent de l'artisanat, allant de chaises peintes au liège sculpté.

RUA DO SALVADOR
RUA DE DONA ISABEL
RUA DAS CASAS PINTADAS
PRAÇA DO SERTÓRIO
RUA DE VASCO DA GAMA
RUA JOÃO DE DEUS
RUA NOVA
RUAS DE OUTUBRO

0   50 m

LÉGENDE

— — — Itinéraire conseillé

PRAÇA DO GIRALDO

Informations touristiques

RUA DA REPÚBLICA

Praça do Giraldo
Sur la place principale, une fontaine (1571) a remplacé une construction en marbre, qui recevait l'eau de l'aqueduc de la ville (p. 305).

Vers gares routière et ferroviaire

À NE PAS MANQUER
★ Sé
★ Temple romain
★ Museu d'Évora

Convento dos Lóios
Ce monastère du XVe siècle abrite une luxueuse pousada, *où les hôtes dorment dans des cellules et mangent dans les cloîtres* (p. 395). *L'église à façade blanche, appelée Os Lóios ou São João Evangelista, possède des azulejos du XVIIIe siècle.*

MODE D'EMPLOI

Plan D5. 55 000. *largo da Estação.* Estrada da Lisboa. *praça do Giraldo (266 730 030).* sam. et 2e mar. du mois. juin : Festa de São João ; fin sept. les années impaires : show en plein air.

Vieille université
(p. 304)

Murailles
romaines

RUA DO COLÉGIO

L. DO
ONDE DE
ILA FLOR

RUA DA FREIRA DE CIMA

RUA DA FREIRA DE BAIXO

L. DE
MIGUEL DE
PORTUGAL

LARGO DA
MISERICÓRDIA

RUA DA MISERICÓRDIA

LARGO
DE ÁLVARO
VELHO

★ **Museu d'Évora**
Ce musée (p. 304) *présente des œuvres d'artistes ayant peint à Évora, comme les* Deux Évêques-Saints *du maître de Sardoal, du début du XVIe siècle.*

Casa de Garcia de Resende
La maison du poète et diplomate Garcia de Resende (1470-1536) est décorée d'une superbe fenêtre manuéline.

★ **Sé**
La cathédrale (p. 304), *dont la construction dura plus de 50 ans, ressemble à une forteresse. Son portail est flanqué de deux tours différentes.*

Largo do Marquês de Marialva

L'igreja da Misericórdia
recèle des panneaux d'*azulejos* du début du XVIIIe siècle *(p. 22).*

Nossa Senhora da Graça
Au-dessus de la façade palladienne de l'église du XVIe siècle, quatre personnages athlétiques, surnommés Os Meninos, « les enfants », *portent des globes.*

À la découverte d'Évora

Enserrées dans des murailles romaines, médiévales et du XVIIᵉ siècle, les ruelles d'Évora sont une merveille architecturale. De la cathédrale, une promenade dans la rua 5 de Outubro, bordée de boutiques d'artisanat, mène à la praça do Giraldo. Cette place principale, fort animée, est ornée d'arcades qui affichent une influence mauresque. La ferveur religieuse se traduit par le nombre et la diversité de ses églises — plus de vingt maisons du culte et monastères, dont une chapelle d'ossements. Dans un registre plus gai, les restaurants sont excellents, et la promenade est agrémentée par la lecture des noms de rues évocateurs, comme la ruelle de l'homme non rasé ou la rue du tailleur de la comtesse.

Azulejos de la vieille université, représentant Aristote instruisant Alexandre

🏠 Sé

Largo do Marquês de Marialva.
📞 266 759 330. ⭘ t.l.j. (musée mar.–dim.). 🏛 cloître et musée.
Santa Maria, dont la construction commença en 1186, fut consacrée en 1204 et achevée en 1250. Le style roman s'y mêle au gothique. Entre les deux tours asymétriques, l'une à tourelles et l'autre couronnée d'un cône bleu, de magnifiques sculptures des apôtres flanquent le portail. Le maître-autel et le chœur en marbre du XVIIIᵉ siècle sont dus à J. F. Ludwig, l'architecte du monastère de Mafra (p. 52-53). Le portail Renaissance du transept nord est de Nicolas Chantereine. Des statues les évangélistes montent la garde à chaque coin des cloîtres.

La pièce la plus étonnante du trésor est une Vierge en ivoire du XIIIᵉ siècle, dont le corps se transforme en triptyque illustrant des scènes sculptées de la vie de la Vierge.

🏛 Museu de Évora

Largo do Conde de Vila Flor.
📞 266 702 604. ⭘ mar.–dim.
● certains jours fériés. 🏛
Ce palais du XVIᵉ siècle abrite aujourd'hui le Musée régional. Sa collection recouvre aussi bien des colonnes romaines que des sculptures modernes en marbre. Parmi ces pièces, une belle fenêtre mauresque qui ornait l'ancienne mairie et une frise de pierre provenant probablement du temple romain. À l'étage supérieur, on remarquera en particulier la *Vie de la Vierge*, un

Sculptures des apôtres ornant l'entrée gothique de la Sé

polyptyque flamand en treize panneaux du XVIᵉ siècle, et des œuvres du Maître de Sardoal, comme les *Deux Évêques-Saints* et une *Nativité*.

🎓 Université

Largo dos Colegiais. 📞 266 740 800. ⭘ lun.–sam. ● jours fériés. 🏛 sam.–dim.
Avec la création du Colégio do Espírito Santo jésuite, Évora devint un lieu d'enseignement. Inaugurée en 1559 par le cardinal Henrique, frère de Dom João III, l'université dut fermer ses portes en 1759, lors du bannissement des jésuites par Pombal (p. 53).

L'établissement, aujourd'hui intégré à l'université d'Évora, possède un magnifique cloître et de beaux *azulejos* — dans les salles de classe, ils représentent des scènes d'étude, comme le cours de Platon (1744-1749). La chapelle baroque du XVIIIᵉ siècle, qui abrite aujourd'hui la Sala dos Actos, sert aux cérémonies de remise des diplômes.

🎓 Praça do Giraldo

La place principale est bordée, à l'ouest, de gracieuses arcades mauresques. Le nom de Giraldo viendrait, dit-on, de Geraldo Sem-Pavor (sans peur), qui chassa les Maures en 1165 pour le roi Afonso Henriques. La place fut également le théâtre d'événements sanglants ; en 1483, Dom João II y assista à la décapitation de son beau-frère, le duc de Bragança, et, en 1573, des hérétiques y furent brûlés par ordre de l'Inquisition. Aujourd'hui, c'est avant tout un lieu convivial, surtout les jours de marché.

🏠 São Francisco

Praça 1ᵉ de Maio. 📞 266 704 521.
⭘ t.l.j. 🏛 Capela dos Ossos.
L'élément le plus fascinant de cette église du XVᵉ siècle est la Capela dos Ossos, la chapelle créée au XVIIᵉ siècle contenant les ossements de 5 000 moines. Deux corps, dont celui d'un enfant, sont suspendus à une chaîne, et à l'entrée on peut lire : *Nós ossos que aqui estamos, pelos vossos esperamos* (Nous, les os qui gisons en ce lieu, attendons les vôtres).

Le largo da Porta de Moura, avec son étonnante fontaine Renaissance

⚜ Largo da Porta de Moura

L'entrée ouest de la place est gardée par les vestiges d'une porte maure. La casa Soure, surmontée d'un dôme, et les arcades géminées du belvédère de la casa Cordovil, de l'autre côté, révèlent une influence arabe. La fontaine centrale, avec sa sphère futuriste, date étonnamment de 1556. Au sud de la place, le portail du convento do Carmo est orné du nœud qui indique qu'il appartenait autrefois aux Bragança *(p. 299).*

⚘ Jardim Público

◯ *t.l.j.* ♿

Le jardin public d'Évora est installé sur le site du grandiose palácio de Dom Manuel, construit pour Dom Afonso V (1438-1481) et embelli par les rois successifs. Il accueillit de somptueux banquets et cérémonies, mais tomba en ruine et finit par disparaître en 1895. Il n'en reste que la magnifique galeria das Damas, une reconstruction d'une galerie et d'un pavillon bâtis pour Dom Manuel Iᵉʳ (1495-1521).

♠ Murailles

Les fortifications forment deux cercles concentriques incomplets. L'anneau romain intérieur, dont il ne reste que des fragments, daterait du Iᵉʳ siècle apr. J.-C. Les deux tours, des ajouts maures et médiévaux, ont donné son nom au largo da Porta de Moura entourant une porte arabe.

De nouvelles murailles furent construites au XIVᵉ siècle. Achevées sous Dom Fernando Iᵉʳ, elles comptaient quarante tours et dix portes.

Lorsque Dom João IV accéda au trône en 1640 *(p. 50)*, d'imposantes fortifications furent bâties sur cet anneau extérieur, en prévision des attaques espagnoles. La crainte des attaques était justifiée, et les murs résistèrent à bien des assauts des Espagnols, qui assiégèrent la ville en 1663. Ce sont ces murailles qui sont les plus visibles aujourd'hui.

Arches de l'aqueduc d'Évora du XVIᵉ siècle

♪ Aqueduto da Água de Prata

L'aqueduc d'Évora, au nom évocateur d'« eau d'argent », a été construit entre 1531 et 1537 par le grand architecte Francisco de Arruda. Ce chef-d'œuvre est même décrit dans *Os Lusíadas*, de Luís de Camões *(p. 188)*. À l'origine, il permettait le transport de l'eau jusqu'à la praça do Giraldo. Mais, à l'instar des murailles, il fut endommagé au XVIIᵉ siècle, pendant la Restauration. Toutefois, un tronçon de 9 km a été préservé au nord-ouest. La rua Cândido dos Reis offre une belle vue de l'ouvrage.

LES ROMAINS DANS L'ALENTEJO

Lorsque les Romains occupèrent la Lusitanie *(p. 40-41)*, ils transformèrent l'Alentejo en un vaste champ de blé : le nom de la ville principale lui-même — Ebora Cerealis (Évora) — l'on atteste. Les *latifúndios*, de grandes propriétés créées par les Romains, se sont maintenues jusqu'à nos jours, tout comme les mines de cuivre et de fer romaines. L'utilisation du marbre est attestée depuis cette époque, et des vestiges romains sont éparpillés dans toute la région, en particulier à Évora et Beja *(p. 311)*, mais aussi dans des sites plus isolés, comme São Cucufate, près de Vidigueira *(p. 310)*, et Miróbriga, près de Santiago do Cacém *(p. 312)*.

Pont romain enjambant l'Odivelas, près de Vidigueira

Excursion : les mégalithes ⑰

D'après les archéologues, les *pedras talhas,* ou pierres taillées, des environs d'Évora dateraient de 4000 à 2000 av. J.-C. Leur symbolisme reste néanmoins mystérieux. Les dolmens seraient des sépultures pour les hommes du néolithique, enterrés avec leurs biens. Les grands menhirs phalliques dressés dans les oliveraies font penser à des rites de fertilité, tandis que les cromlechs, pierres taillées disposées en groupes, avaient sans doute une signification religieuse. Mais on rencontre davantage de mégalithes à l'est, près de Monsaraz. Vous pourrez admirer des trouvailles de la région au musée de Montemor-o-Novo *(p. 301).*

Menhir d'Almendres ②
Cette pierre solitaire de 2,5 m, à l'écart d'un cromlech, se dresse dans une oliveraie, derrière de grands conteneurs de la Cooperativa Agrícola.

Cromlech d'Almendres ③
Ces 95 pierres elliptiques dessinant un ovale seraient un sanctuaire voué à un culte du soleil. Le chemin qui y mène est indiqué depuis la N 114.

Grutas do Escoural ⑥
Découvertes en 1963, ces grottes recèlent des peintures réalisées voici 15 000 à 20 000 ans.

Évora ①
Plus de 150 sites mégalithiques ont été découverts dans les environs d'Évora *(p. 302-305).*

Dolmen de Zambujeiro ④
Le plus grand dolmen du Portugal possède un passage d'entrée de 14 m menant à une salle bâtie avec d'énormes rochers. Le dolmen est situé à l'écart de la route venant de Valverde.

LÉGENDE

▬ Circuit recommandé

⎓ Autres routes

0   5 km

Dolmen-chapelle de São Brissos ⑤
Cette petite chapelle, derrière Brissos, a été créée à partir d'une *anta,* ou dolmen. On en trouve une autre à Pavia *(p. 301).*

CARNET DE ROUTE

Longueur : 80 km.
Accès aux sites : Escoural est le seul site gardé. Les grottes ferment à l'heure du déjeuner, le lundi et à d'autres moments. L'accès s'effectue souvent par de simples pistes, et les indications ne sont pas toujours claires (p. 444-445).

Course de taureaux dans les ruelles de Monsaraz

Monsaraz ⑱

Carte routière D5. 👥 *150.* 🚌
ℹ️ *largo Dom Nuno Álvares Pereira 5 (266 557 136).*

Cette minuscule bourgade médiévale domine le Guadiana. Reprise aux Maures en 1167 par l'intrépide Geraldo Sem-Pavor, la ville fut remise aux Templiers. Proche de la frontière, elle resta néanmoins exposée aux attaques espagnoles ; mais, en 1381, elle subit un assaut inattendu. Des soldats du comte de Cambridge, allié du Portugal, attaquèrent Monsaraz, furieux de ne pas être payés et de voir rompues les fiançailles du comte et de la fille de Dom Fernando Ier.

L'accès principal s'effectue par l'imposante porta da Vila. La rua Direita, rue principale, mène au château. Construit par Dom Afonso III et Dom Dinis au XIIIe siècle pour défendre la frontière, il fut renforcé au XVIIe siècle. Le donjon offre une vue magnifique. La cour de garnison, à son pied, sert d'arènes à l'occasion.

L'**igreja Matriz** du XVIe siècle mérite une visite, pour ses grands autels dorés et ses colonnes peintes. Les maisons du XVIIe et du XVIIIe siècle de la rue sont écussonnées. Le paço da Audiência, un bâtiment gothique abritant le Museu de Arte Sacra, présente une collection de vêtements sacerdotaux, de sculptures et

de livres religieux. Une fresque originale, *O bom e o mau juiz* (le bon et le mauvais juge), rappelle que l'édifice abritait autrefois un tribunal.

🏛 Museu de Arte Sacra
Largo Dom Nuno Álvares Pereira.
🕐 *mar.–dim.* 🈁

Aux environs : À 16 km à l'ouest, **Reguengos de Monsaraz** est installé au cœur de l'une des régions viticoles délimitées de la région *(p. 29)*. Son église, du XIXe siècle, Santo António, a été construite en style néo-gothique flamboyant par l'architecte des arènes de Lisbonne *(p. 120)*.

Plusieurs mégalithes se dressent près de Monsaraz. Le spectaculaire **menhir d'Outeiro**, de 5,6 m de haut, et le **menhir de Bulhôa,** comportant des inscriptions étranges, sont indiqués depuis Telheiro, au nord de Monsaraz. À 4 km au sud se trouve le **cromlech de Xerez,** un menhir encadré de pierres plus petites.

Mourão, situé 8 km plus loin, se signale par les grandes cheminées ajourées de ses petites maisons. Le château du XIVe siècle domine le Guadiana.

Viana do Alentejo ⑲

Carte routière D6. 👥 *3 500.* 🚌
ℹ️ *Praça da República (266 930 112).*
📅 *2e et dernier jeu. du mois.*

Depuis l'époque romaine, les sources de Viana do Alentejo dispensent de l'eau, au cœur de l'Alentejo aride. La construction du **château** débuta en 1313, sur les plans du roi Dinis. La hauteur du mur extérieur fut calculée précisément pour protéger les soldats des attaques des lanciers. Les tours cylindriques dénotent une influence maure et les remaniements ultérieurs datent essentiellement du règne de Dom João II.

Seuls les créneaux et les pinacles de l'**igreja Matriz,** du XVIe siècle, font écho aux murailles du château. Le portail manuélin sculpté s'ouvre sur un intérieur majestueux, à trois nefs.

Une promenade de dix minutes vers l'est mène à l'église **Nossa Senhora de Aires,** du XVIIe siècle. À l'intérieur, le baldaquin doré du chœur contraste avec les ex-voto dépouillés des pèlerins.

Aux environs : À 10 km au sud s'élève le château de style maure d'**Alvito**, bâti en 1482 pour le barão de Alvito. Il abrite aujourd'hui une *pousada (p. 395).*

Les toits bas et les cheminées ajourées de Mourão, près de Monsaraz

Course de taureaux au pied du donjon du château de Monsaraz ▷

Les vignobles des environs de Vidigueira dans la lumière du soir

Vidigueira ⓴

Carte routière D6. 🏃 *2 800.* 🚌
ℹ️ *Piscinas Municipais (284 434 492).*
📅 *2e sam. du mois.*

On ignore souvent que Vasco da Gama était conde de Vidigueira. Sa dépouille, qui repose au mosteiro dos Jerónimos *(p. 106-107),* se trouva, de 1539 à 1898, dans le convento do Carmo. Une statue, peu réussie, de l'explorateur se dresse sur la place fleurie qui porte son nom. Le principal intérêt de cette bourgade est l'église **Misericórdia** de 1620, ainsi que la tour de l'horloge, datant de l'époque de Vasco da Gama. Les excellents vins de Vidigueira en font l'un des grands centres viticoles de l'Alentejo.

AUX ENVIRONS : Un site romain extraordinaire, **São Cucufate,** du nom d'un monastère ultérieur, est situé à 4 km à l'ouest. On peut voir une voûte qui appartenait à une villa du IVe siècle. Par ailleurs, des fouilles ont mis au jour les bains d'une maison du IIe siècle, avec un pressoir à vin, un réservoir et un temple.

Moura ⓑ

Carte routière D6. 🏃 *12 000.* 🚌
ℹ️ *largo de Santa Clara (285 251 375).*
📅 *1er sam. du mois.*

La ville porte le nom de Salúquia, la fille d'un gouverneur maure, qui se serait précipitée du haut de la tour du château lorsqu'elle apprit la mort de son fiancé. Dans le vieux quartier maure, les ruelles étroites sont bordées de maisons basses blanchies à la chaux.

Après la Reconquête, au XIIe siècle, la ville, par sa situation géographique, resta exposée aux attaques espagnoles. En 1657, pendant la Restauration *(p. 50-51),* elle fut en grande partie détruite, à l'exception du **château** du XIIIe siècle. Mais ce dernier ne résista pas à l'attaque espagnole de 1707 ; il ne reste aujourd'hui que des vestiges du donjon et des murs.

Près du château, **Nossa Senhora do Carmo,** fondé en 1251, fut le premier couvent de carmes du pays. Son cloître de deux étages révèle des influences gothique et Renaissance, et les fresques du plafond du chœur datent du début du XVIIIe siècle.

Vue sur le quartier maure de Moura

Serpa ⓚ

Carte routière D6. 🏃 *4 800.* 🚌
ℹ️ *largo Dom Jorge de Melo 2–3 (284 544 727).* 📅 *der. mar. du mois.*

Dans les paysages paisibles d'oliviers, les murailles imposantes de Serpa sont une surprise. À côté de la monumentale **porta de Beja** se trouve une *nora,* ou roue hydraulique arabe. Prise aux Maures en 1232, Serpa résista à la domination étrangère jusqu'à la brève occupation espagnole de 1707. Aujourd'hui, Serpa est devenue une bourgade agricole, qui produit un succulent fromage de brebis. Les jolies places et les ruelles bordées de maisons blanches sont dominées par le **château** d'origine maure, reconstruit à la fin du XIIIe siècle. Dans la rua de Ladeira, le **convento de Santo António,** du XVe siècle, est connu par ses *azulejos* du XVIIIe siècle.

La porta de Beja, Serpa

AUX ENVIRONS : Serpa n'est qu'à 35 km de la frontière. Les Maures, et plus tard les Espagnols, tentèrent de contrôler la région, avant de la céder au Portugal en 1295. Tours de guet et forteresses, témoignage de ces longues périodes de conflits, s'éparpillent sur les collines. Par exemple, le fort de **Noudar** a été construit en 1346. Même dans cet endroit reculé, des vestiges d'habitations pré-romaines ont été découvertes.

À **Barrancos,** à la frontière, on parle un étonnant mélange d'espagnol et de portugais. Goûtez la spécialité du lieu : la *perna preta* (jambe noire), jambon de cochons noirs.

LETTRES D'AMOUR D'UNE RELIGIEUSE

Les *Lettres portugaises,* publiées en français en 1669, sont un chef-d'œuvre de la littérature. Ces lettres d'amour passionnées auraient été écrites par une religieuse, Mariana Alcoforado, abandonnée par son amant français, le marquis de Chamilly, qui participa à la guerre de Restauration. L'authenticité des lettres a été mise en doute, mais l'histoire de la religieuse est restée — Matisse fit même son portrait imaginaire. Les visiteurs du couvent de Nossa Senhora da Conceição de Beja admirent toujours la « fenêtre de Mariana ».

Fenêtre de Mariana

Beja ㉓

Carte routière D6. 🏠 *18 000.* 🚌 🚉 *rua Capitão João Francisco de Sousa 25 (284 311 913).* 🛒 *sam.*

Capitale du Baixo Alentejo, Beja est une ville majeure aux plans historique et social. C'est aussi un centre de production de blé, d'olives et de liège. Son histoire commence au temps de l'Empire romain, lorsqu'elle devint capitale régionale et fut baptisée Pax Julia par Jules César après qu'il eut conclu en ce lieu la paix avec les Lusitaniens *(p. 40).* La praça da República est d'ailleurs installée sur le site du forum romain. Mais ce sont les Maures qui donnèrent à la cité son nom actuel.

Plus récemment, Beja a été le théâtre de luttes contre l'oppresseur. En 1808, les soldats français mirent la ville à sac et massacrèrent ses habitants. Bien plus tard, en 1962, au temps de Salazar *(p. 56-57),* le général Delgado y mena un soulèvement infructueux.

Depuis le donjon, la vieille ville, avec ses ruelles étroites, s'étend au sud-est jusqu'au couvent de São Francisco, du XIIIᵉ siècle, qui abrite une magnifique *pousada (p. 395).*

🏛 Museu Regional Rainha Dona Leonor

Largo da Conceição. 🕿 *284 323 351.* 🕐 *mar.–dim.* 🔴 *jours fériés.* 🖼

Ce musée, installé dans l'ancien couvent de Nossa Senhora da Conceição, présente surtout des peintures et des écussons. L'édifice est un mélange architectural étonnant, avec un portail d'église gothique, des fenêtres manuélines et une magnifique chapelle baroque. Ses *azulejos* sont particulièrement beaux, comme les carreaux de faïence hispano-arabes de la salle capitulaire et ceux du début du XVIᵉ siècle, dans le cloître. À l'étage, on verra une salle d'archéologie locale et la « fenêtre de Mariana ».

Un petit ossuaire en marbre recèle les ossements de la première abbesse du couvent.

♙ Torre de Menagem

Largo do Lidador. 🕿 *284 311 800.* 🕐 *mar.–dim.* 🔴 *jours fériés.* 🖼

Le donjon, emblème de la ville, délimite le vieux quartier au nord-ouest. Créé par le roi Dinis à la fin du XIIIᵉ siècle, il se dresse à 36 m. La montée des 183 marches vaut la peine pour le magnifique panorama des environs.

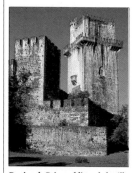

Donjon de Beja, emblème de la ville

🏛 Museu Visigótico

Largo de Santo Amaro. 🕿 *284 323 351.* 🕐 *mar.–dim.* 🔴 *jours fériés.* 🖼 *billet commun avec le Museu Regional.*

Derrière le donjon se trouve la plus vieille église de Beja, Santo Amaro, dont les colonnes rappellent son origine wisigothique. Elle sert d'espace d'exposition au Museu Regional et présente une collection de cette période lointaine mais importante de l'histoire portugaise.

AUX ENVIRONS : Les vestiges de la luxueuse **villa romaine** de Pisões, à 10 km au sud-ouest, datent du Iᵉʳ siècle apr. J.-C. Les fouilles sont loin d'être achevées, mais des mosaïques, des fragments de murs décorés, des bains, une piscine et un hypocauste ont été mis au jour.

♙ Villa romaine

Herdade de Almocreva, estrada de Aljustrel (suivre les indications). 🕐 *mar.–sam.*

La salle capitulaire de l'ancien couvent de Beja abrite le Museu Regional

Igreja Matriz, Santiago do Cacém

Santiago do Cacém ❷❹

Carte routière C6. 🚶 6 000. 🚌
ℹ️ largo do Mercado (269 826 696).
🏛 2ᵉ lun. du mois.

L e château maure a été reconstruit par les Templiers *(p. 184-185)*, en 1157. Les murailles qui entourent le cimetière de l'**igreja Matriz** offrent un beau panorama de la Serra de Grândola. La place principale est bordée de demeures du XVIIIᵉ siècle, bâties par de riches propriétaires fuyant la canicule de la plaine.

Le **Museu Municipal** a conservé des cellules de l'époque où il abritait une prison, sous Salazar. On y voit, entre autres, des pièces romaines de Miróbriga.

🏛 Museu Municipal
Largo do Município. 📞 269 827 375.
⭕ mar.–ven., sam. et dim. (après-midi seulement). ⬤ jours fériés.

AUX ENVIRONS : À l'est, le site de la ville romaine de **Miróbriga** s'étend sur une colline. Un forum, deux temples, des thermes et un cirque pouvant accueillir 25 000 spectateurs ont été mis au jour.

🏛 Miróbriga
Indiqué depuis la N 121. 📞 269 825 148. ⭕ mar.–dim. ⬤ jours fériés. 🈺

Sines ❷❺

Carte routière C6. 🚶 9 300. 🚌 🚂
ℹ️ Castelo de Sines (269 634 472).
🏛 1ᵉʳ jeu. du mois.

L a ville natale de Vasco da Gama *(p. 108)* est devenue un grand port industriel et pétrolier. Passé la zone industrielle, on rejoint la vieille ville, avec ses plages de sable, mais il n'est pas toujours possible d'échapper au halo de pollution.

Le modeste **château** médiéval, dominant la plage, a été restauré au XVIᵉ siècle par le roi Manuel Iᵉʳ. C'est ici que Vasco da Gama, le fils de l'*alcaide-mor*, le maire, serait né en 1469. Un musée consacré au grand navigateur devrait bientôt s'installer dans le donjon du château. Une statue moderne de Vasco da Gama est tournée vers la baie.

Le **Museu Arqueológico** présente de superbes bijoux, peut-être d'origine phénicienne, trouvés non loin de là.

🏛 Museu Arqueológico
Rua Francisco Luís Lopes 38. 📞 269 632 330. ⭕ mar.–dim. ⬤ jours fériés.

AUX ENVIRONS : Au nord et au sud se déroulent de belles plages. À 10 km au sud, **Porto Covo** est un village pittoresque avec un fort dominant une crique. Plus au sud, à quelques minutes de bateau, se dresse l'**ilha do Pessegueiro**, l'île du pêcher. Dépouillé d'arbres et venteux, l'îlot, qui abrite les ruines d'un fort, est moins romantique que son nom ne le laisse supposer.

Deux lagunes bleues, la **lagoa de Santo André** et la **lagoa de Melides**, sont plus attrayantes. À 20 km au nord de Sines, elles attirent quantité de campeurs, mais les amateurs de solitude y trouvent aussi de grands espaces.

Maisons présentant la décoration bleue traditionnelle à Porto Covo, au sud de Sines

Vila Nova de Milfontes ❷❻

Carte routière C6. 🚶 3 200. 🚌 ℹ️
rua A. Mantas 7643 (283 996 599).
🏛 2ᵉ et 4ᵉ sam. du mois à Brenheiras.

L 'endroit où la Mira se jette dans la mer est l'un des endroits les plus charmants de la côte ouest. Cette station balnéaire modeste et sans prétention offre quantité d'hébergements. Le petit château dominant la baie, qui protégeait autrefois la côte des pirates, abrite un hôtel. Le fleuve paisible contraste avec les jolies plages où viennent se briser de grandes vagues, qui attirent en été les surfeurs.

AUX ENVIRONS : À 10 km au sud s'étend la plage d'**Almograve**, adossée à d'impressionnantes falaises.

La côte ensoleillée près de Vila Nova de Milfontes

Zambujeira do Mar ㉗

Carte routière C7. 🏠 *1 000*. 🚌
🛈 *rua Miramar (283 961 144)*.

Ce village solitaire est installé sur une étroite bande de terre qui sépare l'Alentejo de l'Atlantique. Ses falaises sombres rehaussent encore la blancheur de sa jolie plage. Aux familles qui viennent traditionnellement y passer le dimanche sont venus se joindre récemment des campeurs et des touristes aventureux.

Mértola ㉘

Carte routière D6. 🏠 *1 200*. 🚌
🛈 *Rua Alonso Gomes (286 610 109)*.
📅 *1er jeu. du mois*.

Cette jolie bourgade est une *vila museu*, une ville-musée, où des *núcleos* présentent des découvertes de différentes époques. L'Office du tourisme fournit des détails sur chaque *núcleo*.

Les origines de Mértola remontent aux Phéniciens, qui fondèrent sur le Guadiana un port fluvial prospère, utilisé plus tard par les Romains et les Maures. Le **Núcleo Romano**, découvert sous la mairie, présente essentiellement des objets de

L'église originale de style mauresque domine le Guadiana à Mértola

l'époque romaine.

La période post-romaine est présentée dans le **Núcleo Visigótico**, ainsi que dans la **basilique** paléochrétienne, dont les ruines bordent la voie romaine menant à Beja *(p. 311)*. L'héritage laissé par plusieurs siècles de domination maure est visible au **Núcleo Islâmico**, qui réunit une magnifique collection d'art islamique :

céramiques, pièces et bijoux. L'**igreja Matriz**, qui était autrefois une mosquée, est unique au Portugal, car elle a été très peu modifiée. Parmi les caractéristiques arabes, on remarquera en particulier le plan à cinq nefs, ainsi que les quatre arcs en fer à cheval et un *mihrab*, ou niche à prière.

Sur la colline, le **château** en ruine, dont le donjon date de 1292, domine Mértola. Le site commande une belle vue sur la vallée du Guadiana.

AUX ENVIRONS : Les mines de cuivre de **Minas de São Domingos**, à 16 km à l'est, furent la principale source d'emploi de la région entre 1858 et 1965, date à laquelle le filon s'épuisa. Les mineurs vivaient et travaillaient dans des conditions épouvantables. Aujourd'hui, la population du village est passée de 6 000 à 800 personnes. Seuls le réservoir et les alentours verdoyants parviennent à égayer l'atmosphère de ville fantôme qui y règne. Autour de Mértola, 600 km² de la vallée sauvage du Guadiana ont été classés **parque natural**, séjour des cigognes noires, des pies bleues et des milans royaux.

LE LIÈGE, MATÉRIAU POLYVALENT

Les chênes-lièges approvisionnent une industrie prospère. C'est Dom Pérignon, le moine-vigneron, qui remit, au XVIIᵉ siècle, les bouchons de liège au goût du jour. Grand producteur de liège, le Portugal compte presque 7 000 km² de plantations et produit environ 30 millions de bouchons par jour. Ce matériau sert aussi à réaliser des récipients alimentaires, étanches et isolants, traditionnels.

La récolte du liège exige un savoir-faire spécifique ; elle est effectuée en été, tous les dix ans, sur des arbres arrivés à maturité. En attendant que la nouvelle écorce repousse, les arbres arborent une belle couleur rouge.

Chêne-liège rouge écorcé dans une plantation de l'Alentejo

L'ALGARVE

....

Bordée au nord par des montagnes, l'Algarve jouit d'un climat, d'une culture et de paysages très différents du reste du Portugal. Son littoral superbe et son climat doux toute l'année, dû à la mer chaude et aux courants atmosphériques venus d'Afrique du Nord, en font une destination très prisée.

Le sol fertile de l'Algarve, ses promontoires stratégiques et ses rivières attirent les visiteurs depuis l'époque phénicienne. Cinq siècles de domination arabe, à partir de 711, ont laissé des traces, qui se manifestent dans l'architecture, les cheminées ajourées, les *azulejos,* les orangeraies et les amandiers. Les noms de lieu commençant par Al sont également d'origine maures ; par exemple, Al-Gharb (« l'ouest ») désignait la bordure occidentale de l'empire musulman. Lorsque l'Algarve fut reprise par les chrétiens, en 1249, les souverains portugais prirent le titre de rois « du Portugal et des Algarves », distinguant la région du reste du pays. Toutefois, c'est l'Algarve qui mit le Portugal en vue au XVᵉ siècle, lorsqu'Henri le Navigateur *(p. 49)* créa une école de navigation à Sagres, ouvrant ainsi l'ère des explorations.

Son destin allait basculer en 1755, car l'épicentre du séisme *(p. 62-63)* se trouvait au sud de Lagos, alors capitale de la région. Quasiment toutes les localités furent détruites ou gravement endommagées, ce qui explique le faible nombre de bâtiments antérieurs au séisme.

Depuis l'ouverture de l'aéroport de Faro, dans les années 60, le tourisme est devenu la principale activité de la région. Quelques zones du littoral sud-ouest abritent aujourd'hui des tours aménagées pour recevoir des touristes toute l'année. Néanmoins, toute la façade ouest, exposée à l'Atlantique, et les lagunes, à l'est de Faro, sont encore moins affectées par le développement. Les excursions à l'intérieur des terres, vers le joli village d'Alte ou la localité frontalière d'Alcoutim, à l'est, rappellent que, par endroits, la vie rurale traditionnelle se poursuit en Algarve.

Assiettes de céramique colorées devant une boutique d'artisanat local, Alte

◁ Promenade sur la praia da Rocha, près de Portimão

Découvrir l'Algarve

L'Algarve est un véritable enchantement toute l'année. En été, la côte entre Faro et Lagos attire des milliers de visiteurs, mais même près de stations balnéaires très fréquentées, on échappe facilement à la foule. Délaissé par les touristes, Faro mérite pourtant une visite. Pittoresque, Tavira est une base idéale pour découvrir les lagunes de l'est, tandis que Lagos permet de rejoindre les plages de la côte sud-ouest. De paisibles villages, entourés d'une végétation luxuriante, émaillent les collines. On fera d'agréables promenades dans la Serra de Monchique.

Versants boisés entourant le grand lac créé par le barrage de Bravura, au nord de Lagos

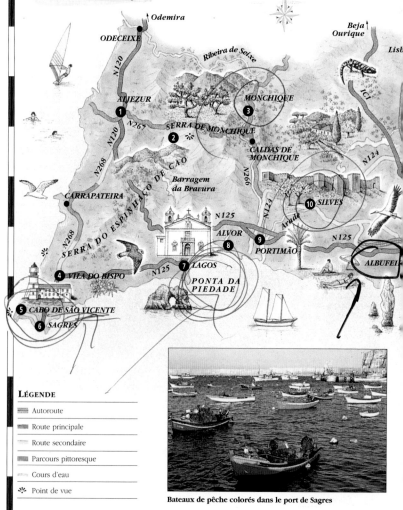

LÉGENDE

▨	Autoroute
▨	Route principale
⋯	Route secondaire
▨	Parcours pittoresque
	Cours d'eau
❉	Point de vue

Bateaux de pêche colorés dans le port de Sagres

LA RÉGION D'UN COUP D'ŒIL

Albufeira ⓫   Olhão ⓲
Alcoutim ㉔   Parque natural
Aljezur ❶   da Ria Formosa ⓳
Almancil ⓮   Portimão ❾
Alte ⓬   Sagres ❻
Alvor ❽   Serra de
Cabo de São Vicente ❺   Monchique ❷
Cacela Velha ㉑   Silves ❿
Castro Marim ㉓   Tavira ⓴
Estoi ⓰   Vila do Bispo ❹
Faro p. 326–328 ⓱   Vilamoura ⓭
Lagos ❼   Vila Real Santo António ㉒
Loulé ⓯
Monchique ❸

une des jolies criques de sable, près d'Albufeira

Mértola

Beja
Castro Verde

AMEIXIAL

CACHOPO

Ribeira do Vascão   N124

N122   **ALCOUTIM** ㉔

N122.1

FOZ DE ODELEITE

ODELEITE

Barragem
de Beliche

Sevilla

Ribeira de Odeleite   N397

**BARRANCO
VELHO**

N124

**SÃO BRÁS
DE ALPORTEL**

CASTRO MARIM ㉓

A22(E1)

**VILA REAL SANTO
ANTÓNIO** ㉒

㉑ **CACELA VELHA**

ALTE

SERRA DO CALDEIRÃO

N2

N270

N125

⓯ **LOULÉ**

ALMANCIL

⓭
VILAMOURA

⓮

N2

⓰ **ESTOI**

A22 (E1)

⓴ **TAVIRA**

N125

**ILHA DE
TAVIRA**

FARO

⓱

OLHÃO

⓲

**ILHA DE
ARMONA**

ILHA DE FARO

⓳ **PARQUE NATURAL DA RIA FORMOSA**

CIRCULER

La A22 (E1), qui relie Albufeira à
l'Espagne, permet de décharger
la N 125, très encombrée en été.
Des routes bifurquent vers les
plages, les bourgades côtières et
l'arrière-pays. Les localités
principales sont desservies par le
train, un peu lent. Un
inconvénient : les gares sont
parfois excentrées. Les cars pour
les stations balnéaires et
l'intérieur sont fiables, mais lents.

0 ——————— 10 km

VOIR AUSSI

• *Hébergement* p. 396–399

• *Restaurants* p. 418–421

**Maison chaulée et cheminée
ajourée de Cacela Velha**

Paysage vu du château maure d'Aljezur

Aljezur ❶

Carte routière 7C. 🏘 2 500. 🚌
ℹ largo do Mercado. 🗓 3e lun. du mois.

Ce village est dominé par un **château maure,** que l'on rejoint par le vieux quartier. Quoiqu'en ruine, il a conservé sa citerne et ses tours, et il offre une belle vue sur la Serra de Monchique.

L'**igreja Matriz,** reconstruite en grande partie après le séisme de 1755 (p. 62-63), abrite un beau retable néo-classique, de 1809 environ, qui proviendrait de l'atelier de José da Costa de Faro.

AUX ENVIRONS : D'Aljezur, on explore facilement les plages sauvages de la côte ouest. Mais une voiture est indispensable. La **praia de**

Arrifana, à 10 km au sud-ouest, et la **praia de Monte Clérigo,** à 8 km au nord-ouest, sont adossées à des falaises et exposées aux courants de l'océan. Située à la limite de l'Alentejo, la **praia d'Odeceixe** est une crique protégée, très appréciée des surfeurs.

Serra de Monchique ❷

Carte routière 7C. 🚌 Monchique.
ℹ Monchique.

Cette chaîne de montagnes volcanique, qui sépare l'Algarve du nord du Portugal, assure à la région son climat doux méridional. Son point culminant est Fóia, à 902 m. Toutefois, cet endroit est moins joliment boisé que **Picota,** deuxième sommet de la chaîne, qui se dresse à 773 m. De Monchique, une magnifique randonnée — paysages agrémentés de châtaigniers et de champs de fleurs sauvages — permet de rejoindre ce pic (distance : 4 km). La vue, spectaculaire, porte sur Ponta de Sagres (p. 320) et la chaîne de montagnes. À pied ou en voiture, on découvre une végétation très riche : rhododendrons, mimosa, châtaigniers, pins, chênes-lièges, etc., dans des vallées

Les montagnes de la Serra de Monchique dominent des champs de fleurs sauvages

où les parcelles de terres fertiles sont cultivées en terrasses. Récemment ont été plantés des eucalyptus, choisis pour leur croissance rapide, mais très inflammables. Ils sont responsables, en partie, des incendies qui ravagent régulièrement la Serra.

De Nave, un trajet de 68 km sur la N 267 rejoint Aljezur, à l'ouest, en traversant une partie de la Serra. Les beaux paysages sont un mélange de forêts et de landes, rendus fertiles par l'eau abondante. Sittelles et pics épeichettes peuplent les chênes-lièges.

Monchique ❸

Carte routière 7C. 🏘 7 000. 🚌
ℹ largo dos Choroes (282 911 189).
🗓 2e ven. du mois.

Portail manuélin de l'igreja Matriz de Monchique

Cette petite ville de marché est connue pour son altitude (458 m) et son panorama, ainsi que pour ses meubles en bois, notamment les chaises pliantes, qui dateraient de l'époque romaine.

L'**igreja Matriz,** du XVIe siècle, dans la rua da Igreja derrière la place principale, présente un étonnant portail manuélin, dont les colonnes torses s'achèvent par des nœuds ornementaux. Au-dessus de la ville se trouve un monastère en ruine, **Nossa Senhora do Desterro.** Les maigres vestiges de cet établissement franciscain, fondé en 1632 par Dom Pero da Silva, méritent néanmoins une visite, au moins pour le panorama du pic de Picota.

AUX ENVIRONS : À 6 km au sud, **Caldas de Monchique** est une ravissante petite station thermale sur les contreforts boisés de la Serra, qui permet d'agréables promenades.

Les eaux chaudes aux vertus curatives sont renommées depuis l'époque romaine. Bien que Dom João II soit mort peu après en avoir bu, en 1495, leur réputation est restée intacte. En été, on vient y soigner des troubles dermatologiques, digestifs et rhumatismaux. Les bars servent également l'eau-de-vie locale, la *medronheira*.

La place principale ombragée possède un grand centre artisanal.

Vila do Bispo ❹

Carte routière 7C. 🏛 7 000. 🚍
🛈 *Sagres (282 624 873).* 🕙 1er *jeu. du mois.*

La « ville de l'évêque » est une bourgade paisible, où les foules et l'agitation du centre de l'Algarve paraissent bien lointaines. Son nom remonte au XVIIe siècle, époque à laquelle elle fut donnée à l'évêché de Faro. L'église **Nossa Senhora da Conceição** recèle un bel intérieur décoré du sol au plafond d'*azulejos* du XVIIIe siècle. Le plafond, quant à lui, est en bois peint, et un retable baroque date de 1715.

AUX ENVIRONS : Les plages de la région sont intactes. Depuis le village, on peut accéder à la **praia do Castelejo**, à 5 km à l'ouest, par une piste qui traverse des landes. Située au

Retable baroque de Nossa Senhora da Conceição, Vila do Bispo

Le promontoire du cabo de São Vicente s'avance dans l'Atlantique

pied des falaises, cette grande plage a de belles vagues. Mais les plus intrépides parcourront les 6 km les séparant de la **torre d'Aspa**, un obélisque à 156 m de hauteur offrant une vue spectaculaire sur l'océan. Attention ! La piste est en mauvais état ; mieux vaut effectuer les deux derniers kilomètres à pied.

Cabo de São Vicente ❺

Carte routière 7C. 🚍 *pour Sagres, puis taxi.* 🛈 *Sagres (282 624 823).*

Les Romains baptisèrent ce cap venteux, à la pointe sud-ouest de l'Europe, *Promontorium Sacrum* (promontoire sacré). Au Moyen Âge, il passait pour le bout du monde. Avec ses falaises de 60 m de hauteur tournées vers l'Atlantique, il offre un spectacle impressionnant. Les vagues ont créé de longues plages de sable et creusé des grottes profondes dans les falaises.

Depuis le XVe siècle, le cabo de São Vicente est un point de repère pour les navigateurs, et son phare, d'une portée de 95 km, serait le plus puissant d'Europe. Depuis plus longtemps encore, l'endroit est associé à la religion. Selon la légende, la dépouille de saint Vincent aurait échoué ici, au IVe siècle. Le prince Henri le Navigateur *(p. 49)* y aurait vécu une grande partie de sa vie ; mais toute trace de la vila do Infante a disparu. Plusieurs grandes batailles navales se sont déroulées au

large du cap, comme la défaite de la flotte espagnole face aux amiraux britanniques Jervis et Nelson, en 1797.

De Sines au nord à Burgau à l'est, la côte est classée réserve naturelle depuis 1988. Des aigles de Bonelli, des crécerelles, des cigognes blanches, des hérons et d'autres oiseaux s'y reproduisent. Une colonie de loutres de mer vit également dans la réserve.

Thym parfumé, près du cabo de São Vicente

FLEURS DE L'OUEST DE L'ALGARVE

Les promontoires du cabo de São Vicente et de Sagres sont connus des botanistes pour leurs fleurs aux couleurs et aux parfums exceptionnels, qui se montrent de février à mai. Le climat, la roche et l'isolement de ces lieux ont donné une apparence chétive à la végétation locale. On y trouve une grande diversité d'espèces, comme des cistes, un œillet endémique, des genièvres, des narcisses, de la lavande, de la réglisse sauvage, des scilles et quantité d'autres végétaux magnifiques.

L'immense rosa dos Ventos de Ponta de Sagres

Sagres ❻

Carte routière 7C. 🏛 *3 500.* 🚌
ℹ *Rua Comandante Matoso (282 624 873).* 🏪 *1er ven. du mois.*

Hormis son port pittoresque, Sagres n'a pas grand-chose à offrir. C'est surtout une bonne base pour découvrir les magnifiques plages *(p. 286)* et les péninsules isolées à l'ouest de la ville. Henri le Navigateur *(p. 49)* construisit une forteresse sur ce promontoire battu par les vents et, dit-on, une école de navigation, ainsi qu'un atelier naval. C'est d'ici qu'il réalisa son rêve « de voir ce qu'il y avait au-delà des Canaries et du cap Bojador… et de se lancer dans la découverte de choses cachées aux hommes ». Entre 1419 et 1460, il investit toute son énergie, ainsi que l'argent de l'ordre du Christ *(p. 185),* dans les expéditions, envoyant ses marins parcourir les océans inconnus.

En 1434, Gil Eanes, de Lagos, fut le premier navigateur à doubler le redoutable cap Bojador, dans la région du Sahara occidental. Il ouvrit ainsi la côte ouest de l'Afrique aux explorateurs *(p. 48-49).*

Il ne reste peu de vestiges de la forteresse d'origine du prince Henri. La gigantesque rose des vents, la **rosa dos Ventos,** de 43 m de diamètre, qui lui aurait servi, existe toujours. C'est lui également qui fit construire la chapelle **Nossa Senhora da Graça.** Tout le site, tourné vers le cabo de São Vicente et l'océan Atlantique, est fascinant.

AUX ENVIRONS : Sagres permet d'atteindre plusieurs plages magnifiques. Certaines, comme **Telheiro,** à 9 km à l'ouest de Sagres, et **Ponta Ruiva,** à 2 km sur la côte ouest, sont accessibles uniquement en voiture. Plus près de Sagres, **Beliche** est étonnamment abritée ; **Tonel,** installée à la pointe du promontoire, a de belles vagues, et **Martinhal,** à 1 km à l'est, a une école de sports nautiques.

São Gonçalo, Santa Maria, Lagos

Lagos ❼

Carte routière 7C. 🏛 *20 000.* 🚉
🚌 ℹ *Sitio de São João (282 763 031).* 🏪 *1er sam. du mois.*

Installé dans l'une des plus grandes baies de l'Algarve, Lagos est une ville attrayante et animée. Au VIIIe siècle, elle fut conquise par les Arabes,

Arche mauresque menant à l'av. dos Descobrimentos, Lagos

dont les fortifications furent étendues au XVIe siècle. Une partie bien préservée des murs et une porte se trouvent près de la rua do Castelo dos Governadores, où se dresse un monument au navigateur Gil Eanes.

Initiées par Henri le Navigateur, dont la statue scrute la mer, les découvertes du XVe siècle *(p. 48-49)* ont fait de Lagos un important centre naval. À la même époque s'ouvrit un chapitre terrible de l'histoire, avec l'arrivée des premiers esclaves, amenés du Sahara en 1441 par Nuno Tristão, explorateur d'Henri le Navigateur. Une plaque indique l'endroit du premier **marché aux esclaves** d'Europe, dans la rua da Senhora da Graça. La ville fut la capitale de l'Algarve entre 1576 et 1756. En raison des importants dommages provoqués par le séisme de 1755 *(p. 62-63),* le centre est surtout composé de beaux bâtiments du XVIIIe et du XIXe siècle. Les habitants de Lagos continuent à vivre de la pêche, ce qui a permis à la ville de rester indépendante du tourisme.

Située à l'est de la ville, la jolie marina, récente, est le premier mouillage sûr de la côte sud pour les bateaux arrivant de l'Atlantique.

⚓ Forte Ponta da Bandeira

Avenida dos Descobrimentos.
📞 *282 761 410.* ⏰ *mar.–dim.*
⏰ *jours fériés.* 📷
En bord de mer se dresse la forteresse du XVIIe siècle qui défendait l'entrée du port. Ses remparts imposants offrent de belles vues sur la ville et la baie.

⛪ Santa Maria

Praça Infante Dom Henrique.
📞 *282 762 723.* ⏰ *t.l.j.* ♿
L'église paroissiale de Lagos, du XVIe siècle, a conservé son portail Renaissance. On remarquera la statue de São Gonçalo de Lagos, un fils de pêcheur né en 1360, qui devint moine augustin et prédicateur et qui composa de la musique religieuse.

⛪ Santo António

Rua General Alberto Silveira. 📞 *282
762 301.* ⬜ *mar.–dim.* ⚫ *jours fériés.*

Cette église du XVIIIᵉ siècle est
un joyau d'architecture locale.
Le bas des murs est tapissé
d'*azulejos* bleu et blanc, et le
reste est orné de boiseries
sculptées, dorées et peintes,
fleuron du baroque
exubérant. Des chérubins, des
animaux, des fleurs et des
scènes de pêche et de chasse
entourent huit panneaux
peints représentant les
miracles de saint Antoine.

Une statue du saint se
dresse au-dessus de l'autel,
entourée de piliers dorés et
d'arcs ornés d'anges et de
vigne. Saint Antoine était le
patron et le commandant
honoraire du régiment local.
Selon la légende, cette statue
accompagna le régiment lors
de la guerre napoléonienne
(1807-1811) *(p. 54).*

Près de l'autel se trouve le
tombeau de Hugh Beatty, un
colonel irlandais qui
commanda le régiment de
Lagos durant les guerres
contre l'Espagne, au XVIIᵉ
siècle.

🏛 Museu Regional

Rua General Alberto Silveira.
📞 *282 762 301.* ⬜ *mar.–dim.*
⚫ *jours fériés.* 📷 ♿

Près de l'église Santo António,
un musée ethnographique
éclectique expose de
l'artisanat local, divers objets,
des costumes traditionnels et
une étrange collection de
monstres, tel un chevreau à
huit pattes. Le conservateur
fournit des explications aux
visiteurs.

Rochers de grès ocre de la plage de la praia de Dona Ana, Lagos

AUX ENVIRONS : Le **ponta da
Piedade,** un promontoire qui
protège la baie de Lagos au
sud, possède de magnifiques
formations rocheuses, ainsi
que des grottes et de calmes
eaux cristallines. Accessible
par la route et par la mer, cet
endroit, superbe au coucher
du soleil, mérite d'être
découvert. La plus jolie plage
est **praia de Dona Ana,**
située à 25 minutes à pied du
centre-ville. La **praia do
Camilo,** qui s'étend au-delà
de la pointe du promontoire,
est souvent moins fréquentée.
La longue **Meia Praia** s'étend
sur 4 km à l'est de Lagos. Des
autocars partent régulièrement
du centre-ville.

À 10 km au nord de Lagos,
on peut rejoindre l'immense
réservoir du **barragem de
Bravura.**

Alvor ❽

Carte routière 7C. 🏚 *7 000.* 🚉 🚌
🛈 *Rua Dr Afonso Costa (582 457
540).* 🛒 *2ᵉ mar. du mois.*

Cette jolie localité de
pêcheurs, appréciée des
vacanciers, déploie tout son
charme en basse saison. Elle
fut un port romain, puis une
ville maure, appelée Al-Bur.
Au XVIᵉ siècle, elle connut une
nouvelle prospérité, mais elle
fut endommagée lors du
séisme de 1755. Les pierres du
château maure furent alors
utilisées pour rebâtir la ville.

L'église **Divino Salvador,**
du XVIᵉ siècle, possède un
portail manuélin sculpté de
feuilles, de lions et de
dragons. La voussure
extérieure ressemble à un
tentacule de pieuvre.

L'église Divino Salvador dominant des maisons blanchies à la chaux et le port d'Alvor

Nossa Senhora da Conceição, Portimão

Portimão **9**

Carte routière 7C. 🚶 *40 000.* 🚉 📍 *Avenida Zeca Afonso (282 470 717).* 🕑 *1er lun. du mois.*

Cette ville importante n'est pas renommée pour sa beauté, mais son port a une riche histoire. Les Romains s'y installèrent, attirés par le site naturel du grand estuaire du Rio Arade.

Portimão s'est dotée d'une nouvelle machine et d'un centre commercial dans sa banlieue en pleine expansion. Le centre, du XVIIIe siècle, compte de nombreux commerces et un grand marché animé. Il s'étend autour de la **rua Vasco da Gama,** piétonne, aux nombreux magasins spécialisés dans les articles en cuir. Dans la rua Diogo Tomé, l'église **Nossa Senhora da Conceição** est installée sur une petite hauteur. Reconstruite après le séisme de 1755 *(p. 62-63),* elle conserve quelques vestiges du XIVe siècle, comme le portail aux chapiteaux sculptés. L'intérieur recèle des panneaux d'*azulejos* du XVIIe et du XVIIIe siècle. Les bancs du largo 1º de Dezembro sont décorés de faïences multicolores du XIXe siècle. Le front de mer est toujours animé, et des restaurants servent des sardines et du loup de mer frais.

AUX ENVIRONS : À 3 km au sud s'étend la **praia da Rocha,** une série de criques de sable entre des rochers rouges et ocre. La **fortaleza da Santa Catarina,** un château construit au XVIe siècle pour protéger Portimão et Silves, se dresse à l'extrémité orientale. De là, on a une superbe vue sur la jolie plage bordée de falaises de 70 m de hauteur et dominée par plusieurs hôtels. En effet, les complexes hôteliers se multiplient, et, en pleine saison, la plage est bondée.

Silves **10**

Carte routière 7C. 🚶 *10 000.* 🚉 📍 *rua 25 de Abril 26–28 (282 442 255).* 🕑 *3e lun. du mois.*

L'emplacement de Silves en a fait un site fortifié parfait. Les Romains y construisirent un château, mais c'est sous la domination maure que la ville connut une grande prospérité, devenant Xelb, la capitale maure. Au XIIe siècle, le géographe arabe Idrisi loua sa beauté et ses figues « superbes et succulentes ». Dans l'Al-Gharb maure, Silves fut un foyer culturel renommé, jusqu'à la prise de la ville par l'ordre de Santiago en 1242 *(p. 42-43).*

Aujourd'hui, à côté du château dont les murailles rouges se détachent contre le ciel, la **Fábrica di Inglès** abrite un musée du Liège, le **Museu da Cortiça.**

🏛 **Museu da Cortiça**
Rua Gregorio Mascarentas. 📞 *282 440 440.* 🕑 *t.l.j.* 📷

Une paisible rue pavée de Silves

♣ **Château**
Castelo de Silves. 📞 *282 445 624.* 🕑 *t.l.j.* 📷 🚻 *(jardin seul.)*
Le château de grès rouge date essentiellement de l'époque maure, mais il sert aussi de forteresse chrétienne et, plus récemment, de prison. C'est ici que se dressait le palais des Verandahs, la résidence d'Al-Mu'tamid.

Les imposants remparts polygonaux offrent une vue magnifique de la ville et des environs. À l'intérieur des murs et de vastes jardins, la grande **cisterna da Moura Encantada** (citerne de la Maure enchantée), qui est voûtée, contenait les réserves d'eau de la ville.

Le château et la ville de Silves se dressent dans une vallée fertile plantée d'orangers

🛐 Sé

Largo da Sé. ○ *t.l.j.* ○ *jours fériés.*
La cathédrale construite sur le
site d'une mosquée date du
XIIIe siècle, mais elle a
beaucoup été modifiée. Dans
le chœur, la lumière, qui
pénètre par des fenêtres
ornées de vitraux, vient
éclairer la statue de Nossa
Senhora da Conceição, du XIVe
siècle. En face de la Sé,
l'église **Misericórdia**, du XVIe
siècle, possède un portail
latéral manuélin et un retable
Renaissance.

🏛 Museu Arqueológico

Rua das Portas de Loulé. 📞 *282 444 832.* ○ *lun.-sam.* ○ *jours fériés.* 🎟
Installé en bas de la colline de
la cathédrale, le musée a ouvert
en 1990. Il présente des outils
de l'âge de pierre et de l'âge du
fer, des chapiteaux romains
sculptés, des instruments
chirurgicaux du Ve au VIIe siècle,
une ancre du XIIIe siècle et des
céramiques du XVIIIe siècle. Le
musée est aménagé autour
de sa pièce maîtresse, un
puits-citerne arabe du XIIe
siècle environ,
découvert en 1980.
Un escalier descend
à 15 m, jusqu'au fond
du puits.

AUX ENVIRONS : La **Cruz
de Portugal**, une croix
en granit du XVIe siècle,
se trouve à 1 km à l'est.
Elle aurait été donnée à
la ville par Dom Manuel Ier,
lors du transfert de la
dépouille de Dom João II
de la cathédrale de
Silves *à Batalha (p. 182-183)*. Une face
représente la Crucifixion,
l'autre une Pietà.

Cruz de Silves

Albufeire ⓫

Carte routière 7C. 🏠 *20 000.* 🚉
🚌 🛈 *rua 5 de Outubro (289 585 279).* 🗓 *1er et 3e mar. du mois.*

Il n'est pas surprenant que
cette charmante ville de
pêcheurs, qui domine une
plage protégée, soit devenue la
capitale touristique de
l'Algarve. Les Romains, qui
l'appréciaient aussi, y
construisirent un château. Les
Arabes appelèrent la ville Al-
Buhar (le château sur la mer)

et la firent prospérer grâce aux
échanges avec l'Afrique du
Nord. Les chevaliers de
Santiago *(p. 43)* la prirent au
XIIIe siècle, mais le manque à
gagner commercial qui s'en
suivit manqua de ruiner la
ville. En 1833, elle fut
incendiée par des
partisans de Dom
Miguel, pendant la
guerre des Deux
Frères *(p. 54).* Le centre-
ville est en grande partie
piéton, notamment le plus
vieux quartier, autour de la
rua da Igreja Velha, où
certains bâtiments ont
encore des arcs
mauresques. L'église São
Sebastião, sur la praça
Miguel Bombarda, a un
portail manuélin. La rua
5 de Outubro passe sous
un tunnel pour mener à
la **praia dos Barcos,** appréciée
des pêcheurs. De la **praia de
São Rafael**, à 2 km à l'ouest
d'Albufeira, jusqu'à la **praia da
Oura**, à l'est, la région est
ponctuée de criques de sable,
entre des rochers ocre.

Alte ⓬

Carte routière 7C. 🏠 *500.* 🚉 🚌
🛈 *Estrada da Ponte 17 (289 478 666).*
🗓 *3e jeu. du mois.*

Perché sur une colline, Alte
est l'un des plus jolis
villages d'Algarve. L'arrivée
par l'est, sur la N 124, est la

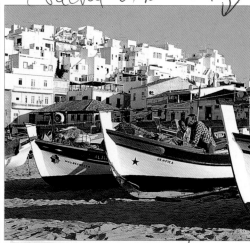
Bateaux de pêche colorés sur la plage d'Albufeira

plus pittoresque. Le point de
mire de ce village blanc est
**Nossa Senhora da
Assunção**, du XVIe siècle, avec
son portail manuélin, ses fonts
baptismaux et son beau
retable doré célébrant
l'Assomption. La chapelle São
Sebastião est décorée de rares
azulejos sévillans du XVIe
siècle.

De l'église, une promenade
de 10 minutes à pied mène à
une rivière bien indiquée,
l'Alte, sur laquelle se
penchent des arbres, et à une
source, la **Fonte Grande.**
L'endroit est parfait pour
pique-niquer. À 700 m
environ du village, sur les
versants escarpés, on trouve
un moulin (transformé en
restaurant) et une cascade,
la **queda do Vigário.**

**L'une des nombreuses cheminées
ajourées ornant les toits d'Alte**

Vilamoura ⑬

Carte routière C7. 🏠 9 000. 🚐
ℹ️ *Praça do Mar, Quarteira (289 389 209).*

L a côte entre Faro et Lagos compte d'innombrables hôtels et villas, et Vilamoura devrait devenir le premier complexe de loisirs d'Europe. Ses 1 600 hectares comportent trois terrains de golf, des courts de tennis, un centre hippique, des installations de pêche et de tir, et même une petite piste d'atterrissage. Les hôtels et les immeubles s'étendent encore, et le complexe, déjà bien avancé, devrait être achevé en l'an 2000.

La vie s'articule autour de la **marina**, bordée de restaurants, de cafés et de magasins. C'est une excursion divertissante, et il paraît que l'on y trouve même des Portugais qui viennent y passer le dimanche après-midi… À l'est s'étend la **Praia da Marina**, bordée. On peut aussi visiter les ruines romaines de **Cerro da Vila,** non loin, qui datent du Ier siècle apr. J.-C. et comptent des thermes et une maison ornée de mosaïques représentant des poissons.

⌂ Cerro da Vila
Avenida Cerro da Vila. 📞 289 312 153. ⭘ t.l.j. (museum).
📷 ♿

L'élégante marina de Vilamoura où sont ancrés hors-bord et yachts luxueux

Panneaux d'*azulejos* du XVIIIe siècle et l'autel de São Lourenço, Almancil

Almancil ⑭

Carte routière D7. 🏠 2 000. 🚐 ℹ️ *Loulé.* 🗓️ *1er et 4e dim. du mois, brocante 2e dim.*

À l'extérieur de la ville, de peu d'intérêt touristique, se trouve l'une des merveilles de l'Algarve, l'**igreja Matriz de São Lourenço,** du XVIIIe siècle. L'intérieur décoré de panneaux d'*azulejos* est un chef-d'œuvre. L'église a été dédiée par les habitants de la région à saint Laurent, qui avait exaucé leurs prières demandant de l'eau.

Les innombrables *azulejos* bleu et blanc, probablement réalisés par des maîtres artisans de Lisbonne, recouvrent la coupole, les murs du chœur et de la nef, et la voûte. Les panneaux des murs représentent des scènes de la vie de saint Laurent : d'un côté de l'autel, on le voit guérissant deux aveugles et, de l'autre, distribuant de l'argent aux pauvres. Le long des arches de la nef, les scènes montrent le saint parlant au pape Sixte II, exposant sa foi à l'empereur romain Valérien et refusant d'abandonner sa croyance. L'histoire culmine avec son martyre. Sur le dernier panneau, à droite, le saint placé sur un gril pour être brûlé est réconforté par un ange. La voûte de la nef représente le *Couronnement de saint Laurent,* tandis que la coupole est ornée de trompe-l'œil décoratifs d'une qualité exceptionnelle. Les derniers *azulejos* ont été posés en 1730.

Le retable, d'environ 1735, est dû à Manuel Martins. À noter que le séisme de 1755 (*p. 62-63*) n'a fait tomber que cinq *azulejos* de la voûte.

Aujourd'hui, connue pour être le royaume des agences immobilières et touristiques ainsi que des entreprises du bâtiment, Almancil est aussi commodément située à proximité de quelques-uns des meilleurs restaurants de l'Algarve.

Loulé ⑮

Carte routière D7. 🏠 20 000. 🚐
🚆 ℹ️ *edificio do Castelo (289 463 900).* 🛒 *sam.*

L oulé est une ville de marché et un centre artisanal agréable. Le clocher de l'église São Clemente révèle les origines maures de la localité. Le **château,** lui aussi d'origine maure, fut reconstruit au XIIIe siècle. Des vestiges des murailles s'offre une vue d'ensemble de la ville.

Au cœur de celle-ci, au sud de la praça da República, se trouve le marché animé, couronné d'un dôme rose. Le samedi, lorsque se tient aussi le marché en plein air des gitans, le quartier est particulièrement vivant. De la rua 9 de Abril à l'igreja Matriz, on peut voir des artisans sculpter du bois, tisser des chapeaux, réaliser des dentelles, décorer de la sellerie et peindre des terres cuites et des *azulejos*.

Sur le largo da Silva, l'**église São Clemente,** du XIIIᵉ siècle, a été sérieusement endommagée par trois séismes, dont le dernier remonte à 1969, mais la triple nef, délimitée par des arcs gothiques, a été préservée. Deux jolies chapelles latérales datent du début du XVIᵉ siècle. La capela de Nossa Senhora da Consolação est entièrement décorée de superbes panneaux d'*azulejos* bleu et blanc. La capela de São Brás possède une arche manuéline et un retable baroque bleu et or.

Les autres églises intéressantes sont l'**igreja da Misericórdia,** dans l'avenida Marçal Pacheco, avec un portail manuélin, et la chapelle **Nossa Senhora da Conceição,** proche de la praça da República, avec un retable baroque (1745) de Miguel Nobre de Faro.

AUX ENVIRONS : Nossa Senhora da Piedade, une chapelle du XVIᵉ siècle perchée sur une colline, à 2 km à l'ouest de Loulé, est décorée d'*azulejos*. Derrière se dresse une église moderne du même nom, qui ne devint jamais un lieu de culte très fréquenté. Elle offre une belle vue.

Fontaine décorée d'*azulejos* du patamar da Casa do Presépio, Estoi

Estoi ⑯

Carte routière D7. 🏘 *4 300.* 🚌
🛈 *Faro (289 803 604).* 🕓 *t.l.j.*

Ce village paisible compte deux curiosités, séparées l'une de l'autre par quelques minutes de marche mais par 1 800 ans d'histoire. Non loin de la place principale se trouve le **palácio de Estoi,** un joli palais rococo, création d'un noble qui mourut peu après le début des travaux, vers 1845. Le palais fut racheté plus tard par un autre noble de la région, qui l'acheva en 1909. En reconnaissance de l'argent et de l'énergie investis dans l'ouvrage, il fut fait vicomte d'Estoi. Les travaux furent supervisés par l'architecte

Domingos da Silva Meira, qui était passionné de sculpture.

Le palais appartient aujourd'hui au conseil municipal de Faro.

L'intérieur, débauche de pastel et de stucs, est restauré progressivement.

♣ Jardins du palais

Rua do Jardim. 📞 *289 991 620.*
🕓 *mar.–sam.* ⬤ *jours fériés.* ♿
Les jardins parsemés d'orangers et de palmiers méritent une visite, mais ils peuvent être fermés en raison de la restauration du palais (appeler avant). Sur la terrasse basse se dresse la casa de Cascata, un pavillon orné d'*azulejos* bleu et blanc, qui abrite une copie des *Trois Grâces* de Canova.

La principale terrasse, plus haut, le patamar da Casa do Presépio, possède un pavillon avec des vitraux, des fontaines ornées de nymphes et des niches tapissées d'*azulejos*.

Détail de la mosaïque de poissons de la piscine romaine, Milreu

⋔ Milreu

N 2-6. 🕓 *mar.–dim.* ⬤ *jours fériés.*
De l'autre côté de la place principale, une promenade de dix minutes mène au deuxième site d'Estoi, le complexe romain de Milreu, du Iᵉʳ ou du IIᵉ siècle apr. J.-C. Ce fut certainement une grande ferme, transformée au IIIᵉ siècle en une luxueuse villa.

Des mosaïques représentant des poissons ornent toujours la piscine, le long des quartiers d'habitation, mais la plupart des trouvailles archéologiques ayant pu être déplacées se trouvent au Museu Municipal de Faro *(p. 327)*. Les vestiges d'un temple révèlent l'importance de la villa, qui pourrait avoir appartenu à un riche patricien. Le temple a été transformé en basilique chrétienne au Vᵉ siècle.

Façade rococo rose du palácio de Estoi

Faro ⑰

Capitale de l'Algarve depuis 1756, Faro a souvent changé de physionomie par suite des invasions successives et du séisme de 1755. Le village de pêcheurs préhistorique devint un port et un centre administratif important à l'époque romaine, appelé Ossonoba. Pris aux Maures par Dom Afonso III en 1249, Faro prospéra jusqu'en 1596, avant d'être mis à sac et incendié par le comte d'Essex, favori d'Élisabeth Iʳᵉ d'Angleterre. La nouvelle ville née des cendres fut ravagée par le séisme de 1755 *(p. 62-63)*. Bien qu'il reste des vestiges des vieilles murailles, les plus beaux bâtiments datent surtout de la fin du XVIIIᵉ et du XIXᵉ siècle.

Crucifix en *azulejos*, chapelle de Nossa Senhora do Pé da Cruz

Statue de Dom Francisco Gomes de Avelar, largo da Sé

À la découverte de la vieille ville

Le centre est agréable et s'explore aisément à pied. Il s'étend du petit port vers la vieille ville, au sud-est, qui est en partie ceinturée de murailles et dont l'accès s'effectue par l'**arco de Vila.** Cet arc a été construit au XIXᵉ siècle à l'emplacement d'un portail de château médiéval, pour l'évêque Dom Francisco Gomes do Avelar, qui avait entrepris de remanier la ville. Le portique est d'origine maure, et une statue de saint Thomas d'Aquin, saint patron de Faro, veille sur le site. Au cœur de la vieille ville, le largo da Sé est une place paisible, plantée d'orangers. Elle est bordée par l'élégant séminaire du XVIIIᵉ siècle et le **paço Episcopal** (palais épiscopal), fermé au public. Une autre porte d'origine maure, l'arco do Repouso, permet de rejoindre, à l'extérieur, l'église **São Francisco**, du XVIIIᵉ siècle, superbement décorée d'*azulejos*. Plus au nord, Nossa Senhora do Pé da Cruz, du XVIIᵉ siècle, contient de belles peintures représentant des scènes de la Genèse. À l'arrière se trouve une intéressante chapelle extérieure, ou *humilhadero*.

🔒 Sé

Largo da Sé. 📞 *289 806 632.* ⏰ *t.l.j.* ⬤ *sam. après-midi et jours fériés.*
La première église de Faro, construite à l'emplacement d'une mosquée, a été détruite lors d'une attaque anglaise, en 1596. La base du clocher, son portail médiéval et deux chapelles ont été préservés. La longue reconstruction s'est traduite par un mélange de styles Renaissance et baroque.

Vers 1640, un bâtiment plus majestueux vit le jour, avec un chœur décoré d'*azulejos*, et la capela de Nossa Senhora dos

Orangers bordant le palais épiscopal du XVIIIᵉ siècle, largo da Sé

Prazeres, parée de magnifiques sculptures dorées. L'époustouflant orgue, qui date du XVIIIe siècle, est orné de motifs chinois. Son vaste registre s'étend du son d'une corne au chant du rossignol. De grands organistes européens sont venus jouer sur l'orgue de la cathédrale.

⬛ Museu Arqueológico

Largo Dom Afonso III. 📞 289 897 400. ⬤ lun.–sam. ⬤ jours fériés. 🖼

Depuis 1973, le musée est installé dans l'ancien couvent Nossa Senhora da Assunção, fondé pour les clarisses par Dona Leonor, sœur de Dom Manuel Ier. Son emblème, un filet de pêche, orne le portique. Diverses trouvailles archéologiques y sont présentées, en partie dans le ravissant cloître Renaissance de deux étages construit en 1540. La collection comprend notamment des sculptures et

Le chœur du XVIIe siècle, Sé de Faro

des statues romaines, médiévales et manuélines. La pièce la plus intéressante est toutefois le vaste pavement de mosaïques romaines, qui représente un magistral portrait du dieu Neptune (IIIe siècle apr. J.-C.).

MODE D'EMPLOI

Carte routière D7. 🏠 40 000. ✈ 5 km au S.-O. 🚉 largo da Estação. 🚌 avenida da República. 🅸 rua da Misericórdia 8-12 (289 803 604). ⬤ t.l.j. 🎉 7 sept. : Dia da Cidade.

⬛ Museu Marítimo

Rua da Comunidade Lusíada. 📞 289 894 990. ⬤ lun.–ven. (a.-m.). ⬤ jours fériés. 🖼

Le Museu Marítimo est installé dans la capitainerie. Sa curieuse petite collection maritime comprend essentiellement des maquettes de bateaux depuis l'époque des Découvertes (p. 46-49), dont une *nau* à voiles carrées, prototype du galion. On y voit le *São Gabriel* de Vasco da Gama, le vaisseau amiral de son voyage aux Indes en 1498. Le musée présente aussi des méthodes de pêche traditionnelles utilisées dans la région.

CENTRE-VILLE DE FARO

Arco da Vila ⑤
Igreja do Carmo ①
Museu Etnográfico ⑩
Museu Marítimo ④
Museu Arqueológico ⑧
Paço Episcopal ⑥
Palácio Bivarin ③
São Francisco ⑨
São Pedro ②
Sé ⑦

LÉGENDE

🚉 Gare ferroviaire
🚌 Gare routière
🅿 Parking
🅸 Information touristique
✝ Église
━━ Voie ferrée
▨▨ Murailles de la ville

0   250 m

À la découverte de Faro

Le centre animé, autour de la rua de Santo António, est un élégant quartier piéton avec des magasins, des bars et des restaurants. Entre ce quartier et le largo do Carmo se dressent de beaux édifices du XVIIIe siècle, comme le **palácio Bivarin.** Un marché se tient le matin sur le largo de Sá Carneiro, au nord. De là, on montera à l'**ermida de Santo António do Alto,** d'où le panorama de Faro, de la mer et des marais salants est superbe.

🏛 Museu Etnográfico

Praça da Liberdade 2. 📞 289 827 610. ⬤ lun.–ven. ⬤ jours fériés. 📷

Le musée offre un aperçu de la vie traditionnelle en Algarve, avec des céramiques, des métiers à tisser et de la sellerie décorative. Des photographies illustrent les techniques agricoles du passé, recourant aux ânes et aux bœufs. On y voit également la charrette du dernier marchand d'eau d'Olhão, utilisée jusqu'en 1974.

L'imposante façade à deux tours de l'igreja do Carmo, édifice baroque

🔒 Igreja do Carmo

Largo do Carmo. 📞 289 824 490. ⬤ lun.–sam. 📷 Capela dos Ossos.

La construction de la façade a commencé en 1713. À l'intérieur, la décoration est résolument baroque. Le moindre détail est couvert d'or du Brésil. Contraste lugubre, la capela dos Ossos (chapelle des Os), de 1816, présente des murs tapissés de crânes et de grands os provenant du cimetière. Elle rappelle que la vie est éphémère.

Somptueuse décoration baroque du retable de São Pedro

🔒 São Pedro

Largo de São Pedro. 📞 289 805 473. ⬤ t.l.j.

L'église paroissiale est dédiée au saint patron des pêcheurs. Restaurée avec des colonnes de style italien après le séisme de 1755, elle a néanmoins gardé des décorations baroques d'origine, comme le retable (1689).

La chapelle du Santíssimo Sacramento contient un éblouissant retable (v. 1745) orné d'un bas-relief de la Cène et une sculpture de sainte Anne enseignant la lecture à la Vierge. L'autel de la capela das Almas est entouré de magnifiques *azulejos* (v. 1730) représentant la Vierge et d'autres saints tirant des âmes du purgatoire.

✝ Cemitério dos Judeus

Estrada da Penha. 📞 282 416 710. ⬤ lun.–ven. (matin). ⬤ jours fériés. ♿

À l'extrémité nord-ouest de la ville s'étend le cimetière créé pour la communauté juive installée ici au XVIIIe siècle par le marquês de Pombal (p. 52-53) pour relancer l'économie. Le cimetière est aménagé selon le plan séfarade traditionnel, les enfants reposant près de l'entrée, les femmes au centre et les hommes au fond. Il fut utilisé de 1838 à 1932, où 60 familles vécurent dans la région. Aujourd'hui, la communauté juive de Faro est pour ainsi dire inexistante.

Olhão ⓲

Carte routière D7. 🏠 15 000. 🚉 🚌 ℹ largo Sebastião Martins Mestre 6A (289 713 936). 🐟 t.l.j. (poissons) ; sam.

Olhão est voué à la pêche depuis le Moyen Âge. C'est aujourd'hui un grand port de pêche et une conserverie de thon et de sardine. En 1808, le village acquit le statut de ville, lorsque 17 pêcheurs traversèrent l'Atlantique sans cartes, pour transmettre au roi João VI, exilé à Rio de Janeiro, la nouvelle que les soldats de Napoléon avaient été chassés.

La place d'Olhão, les maisons blanchies à la chaux avec leurs toits plats en terrasse et les cheminées massives rappellent l'architecture maure. La plus belle vue s'offre du clocher de l'église paroissiale, **Nossa Senhora do Rosário,** sur la praça da Restauração. Cette dernière fut construite entre 1681 et 1698 grâce aux dons des pêcheurs. En 1758, le prêtre de la paroisse nota d'ailleurs la grande dévotion des pêcheurs à « Notre-Dame du Rosaire dans leur affliction et pour se protéger du danger en mer, surtout en été, lorsque les pirates nord-africains naviguent au large de la côte ». Le gardien laisse entrer les visiteurs par la porte donnant sur la nef. À l'arrière de l'église se trouve une chapelle extérieure, **Nossa Senhora dos Aflitos.**

De là, les ruelles piétonnes descendent vers le front de mer, bordé de

Chapelle Nossa Senhora dos Aflitos, derrière l'église paroissiale d'Olhão

La grande lagune du parque natural da Ria Formosa

magasins, où se tient un marché animé et pittoresque. Sur le marché aux poissons couvert, la prise arrivée le matin est vendue bruyamment, et le samedi des étals bordent le quai, où les fermiers des environs vendent fruits, noix, miel et poulets vivants.

Boutique de vannerie locale, Olhão

AUX ENVIRONS : À l'extrémité est du quai, des bateaux transportent les visiteurs vers les îles d'**Armona** (15 mn), **Culatra** (30 mn) et **Farol** (45 mn). Ces bancs de sable, qui appartiennent au Parque Natural da Ria Formosa, protègent la ville et constituent d'excellentes plages, en particulier sur la face tournée vers l'océan.

Parque Natural da Ria Formosa ⑲

Carte routière D7. 🏛 *Centro de Educação Ambiental de Marim, Marim (289 704 134).* 🚌 *à l'est de Olhão sur la N 125.* 🚏 *de Faro, Olhão et Tavira.*

Le parc naturel, qui s'étend de la praia de Faro à Cacela Velha *(p. 331),* longe 60 km de côte. Il a été créé en 1987 pour préserver l'écosystème menacé par l'urbanisme sauvage, l'extraction de sable et la

pollution, dus au développement massif du tourisme. La zone des lagunes, avec ses marécages, ses marais salants et ses îlots, est protégée de la mer par une chaîne d'îles, qui sont en réalité des dunes de sable dépassant de la mer. Des ouvertures entre ces îles permettent aux marées de pénétrer dans la lagune et de se retirer.

Les eaux chaudes et riches en nutriments regorgent de fruits de mer, comme des huîtres, des coques et des palourdes. Ces coquillages y sont aussi élevés, et représentent 80 % des exportations de mollusques. La douceur du climat et la richesse du milieu en poisson attirent quantité d'oiseaux sauvages, mais aussi serpents, crapauds et caméléons.

La **Centro de Educação Ambiental**, à 3 km environ à l'est d'Olhão, est un centre d'information sur l'environnement. Plusieurs projets sont installés sur ses 60 ha de dunes et de pinèdes, dont une ferme restaurée, un moulin à marée et un centre d'accueil pour les oiseaux blessés. Un élevage a permis de préserver de l'extinction le chien d'eau portugais, aux pattes palmées, très utilisé autrefois par les pêcheurs. À l'extrémité orientale du parc, on trouve des bassins romains où l'on salait le poisson avant de le transporter.

🦆 Quinta de Marim
Marim. 📞 *289 704 134.* ⬜ *t.l.j.* ⬤ *1er janv., 25 déc.* 🏛 🦆

LES OISEAUX AQUATIQUES DE LA RIA FORMOSA

C'est un lieu de reproduction pour les hérons garde-bœufs et pourpres, les nettes rousses. Dans les zones plus sèches, on trouve des perdrix de mer et des gravelots à collier interrompu. D'autres espèces, comme le canard siffleur et le bécasseau variable, hivernent ici. Mais le symbole du parc est la poule sultane, très rare.

Le héron garde-bœuf s'installe souvent sur le dos des bovins, pour y picorer mouches et insectes.

La poule sultane est un parent foncé de la poule d'eau. Elle court très vite, grâce à ses longues pattes, mais elle vole mal.

La nette rousse est un canard aux couleurs vives, du centre de l'Europe.

Maisons coiffées de toits pyramidaux, les « telhados de quatro águas », au bord de la Gilão à Tavira

Tavira ⑳

Carte routière D7. 🏘 *10 000.* 🚉
🚌 ℹ *rua da Galeria 9 (281 322 411).* 🛒 *3ᵉ sam. du mois.*

Cette jolie ville, aux églises anciennes et aux belles demeures ornées de balcons en filigrane, s'étend sur les deux rives du Gilão, reliées par un **pont** d'origine romaine. L'ouvrage faisait partie de la voie romaine reliant Castro Marim et Faro (*p. 326-328*). L'ascension de Tavira commença avec les Maures dont c'était une des principales colonies en Algarve avec Silves et Faro. Elle fut prise en 1242 par Dom Paio Peres Correia, après l'assassinat, lors d'une trêve, de sept de ses chevaliers par les Maures.

Tavira prospéra jusqu'au XVIᵉ siècle, où commença un lent déclin, renforcé par une épidémie de peste (1645-1646) et l'envasement du port. La ville s'est tournée

Plage de l'ilha de Tavira, l'une des îles de la côte est de l'Algarve

depuis alors vers le tourisme, sans que sa physionomie ou son ambiance en pâtissent.

La plus belle vue s'offre du haut des murs du **château maure,** dans le vieux quartier arabe. De là, on voit parfaitement les toits à quatre faces qui bordent la rua da Liberdade. Ces toits pyramidaux auraient été inventés à Tavira, probablement pour permettre aux pluies torrentielles de s'évacuer rapidement. Des murs du château, la tour de l'horloge voisine de l'église **Santa Maria do Castelo** sert de point de repère. L'église est installée à l'emplacement d'une mosquée, qui fut la plus grande de l'Algarve. Sa façade a conservé un portail et des fenêtres gothiques. L'intérieur, restauré au XIXᵉ siècle, recèle les tombeaux de Dom Paio Peres Correia et des sept chevaliers. Santa Maria do Castelo et l'Igleja da Misericórdia sont les deux seules des églises de Tavira à rester ouvertes en dehors des services religieux. Sous le château, l'église **Nossa Senhora da Graça,** qui fut construite en 1569 pour l'ordre des augustins.

L'architecture Renaissance se découvre en montant vers le château, avec l'**igreja da Misericórdia** (1541-1551), au ravissant portail surmonté de saint Pierre et saint Paul, et le **palácio da Galeria** (expositions temporaires). La rua da Liberdade et la rua José Pires Padinha foisonnent de maisons du XVIᵉ siècle. La rivière est bordée de demeures du XVIIIᵉ siècle.

AUX ENVIRONS : L'**ilha de Tavira,** de 11 km sur 500 m, est agréable pour la baignade. En été, c'est un endroit très apprécié, desservi par ferry depuis Quatro Águas.

Maisons blanches Cacela Velha

Cacela Velha ㉑

Carte routière D7. 🏘 *50.* ℹ *Junta de Vila Nova de Cacela (281 951 228).*

On atteint ce hameau perché sur une falaise en traversant des champs et des oliveraies. Cet endroit paisible est épargné par le tourisme. De jolies maisons de pêcheurs bleues et blanches sont agglutinées autour d'une église du XVIIIᵉ siècle blanchie à la chaux et des vestiges d'un fort.

La plage, protégée par une bande de sable, est parsemée de bateaux de pêche. Les Phéniciens, puis les Maures, s'installèrent dans ce joli site protégé, qui fut ensuite pris par les chevaliers de Santiago (*p. 43*) en 1240.

Vila Real de Santo António ㉒

Carte routière D7. 🏘 *10 000.* 🚉
🚌 ℹ *Rua Dr. Teófilo Braga, Centro Cultural António Aleixo (281- 542 100).* 🗓 *3ᵉ dim. du mois.*

Construite en 1774 sur des plans du Marquês de Pombal, Vila Real de Santo António est, en miniature, une sorte de Baixa de Lisbonne *(p. 81-71),* elle aussi reconstruite sous les auspices de Pombal après le tremblement de terre de 1775. Même quadrillage de larges rues aux noms logiquement ordonnés, mêmes immeubles égaux aux façades régulières, à l'image du sens pratique et de l'idéologie politique de son fondateur. C'est aujourd'hui l'un des plus importants ports de pêche de l'Algarve et une ville frontalière tournée vers le commerce avec l'Espagne. La grandeur de son centre-ville paraît un peu disproportionnée avec le reste, mais rend l'ensemble d'autant plus intéressant à visiter.

L'église Matriz (Vila Real), célèbre pour ses vitraux.

Castro Marim ㉓

Carte routière D7. 🏘 *4 000.* 🚌
ℹ *praça 1° de Maio 2 (281 531 232).*

Castro Marim, qui domine le Guadiana, attire les « visiteurs » depuis l'Antiquité. Les Phéniciens, les Grecs et les Romains s'y installèrent. Le site était également la porte d'entrée de l'Al-Gharb maure. Plus tard, différents rois chrétiens lui accordèrent des privilèges, pour accroître la population de ce lieu stratégique. L'endroit fut un sanctuaire pour ceux qui

Château maure et l'église Misericórdia désaffectée, Castro Marim

fuyaient l'Inquisition *(p. 51).* Le **château** aux tourelles rondes est d'origine maure. Mais les murailles sont un ajout du XIIIᵉ siècle.

AUX ENVIRONS : Les *salinas* des environs font aujourd'hui partie de la **reserva natural do Sapal,** créée en 1975, qui abrite une faune et une flore précieuses. La zone humide de 2 090 ha, au sud et à l'est de Castro Marim, regroupe des marécages et des marais salants avec quantité de plantes et d'animaux.

Alcoutim ㉔

Carte routière D7. 🏘 *1 300.* 🚌
ℹ *Rua 1ᵉʳ de Maio (281 546 179).*

Ce ravissant petit village est situé à 15 km de la limite de l'Alentejo et sur le Guadiana, frontière naturelle avec l'Espagne. Le trajet sur la N 122-2, qui longe parfois le Guadiana, offre de magnifiques vues sur les paysages et, au-delà de la rivière, sur l'Espagne. La taille de la localité n'est pas à l'image de son histoire. Ce port fluvial jouissant d'un emplacement stratégique a été pris par les Phéniciens, les Grecs, les Romains et les Maures, qui y restèrent jusqu'à la Reconquête, en 1240. C'est ici qu'en 1371, le roi Fernando Iᵉʳ signa la paix d'Alcoutim avec Enrique II de Castille, sur un bateau à mi-chemin d'Alcoutim et de Sanlúcar de Guadiana, en Espagne. À la fin du XVIIᵉ siècle, la bourgade se fit une nouvelle réputation : elle devint un lieu de contrebande du tabac d'Espagne.

Les murs du **château** du XIVᵉ siècle commandent une belle vue sur le village et son cadre idyllique. Près de la place principale se dresse **San Salvador,** une église du XVIᵉ siècle qui est un modèle de sobriété.

AUX ENVIRONS : Des bateaux de pêcheurs proposent une jolie excursion de 15 km, jusqu'à **Foz de Odeleite,** en traversant des vergers et des orangeraies. À Álamo, on peut voir un barrage romain.

Sur le Guadiana, Sanlúcar en Espagne vu d'Alcoutim

LES ÎLES
PORTUGAISES

Les îles d'un coup d'œil

Jadis avant-postes éloignés d'un empire maritime, Madère et les Açores sont aujourd'hui desservies par avion depuis le Portugal continental. Avec leur flore subtropicale et leurs montagnes, Madère (Madeira) et Porto Santo, à 600 km des côtes africaines, sont des destinations de vacances prisées. Les Açores s'égrènent plus à l'ouest, près de la dorsale médio-atlantique. Le climat y est plus tempéré, et les volcans y ont façonné des paysages lunaires et des cratères verdoyants.

LES AÇORES

MADÈRE

Terceira, île relativement plane, est renommée pour ses courses de taureaux originales, appelées « touradas à corda ». Sur la côte sud, l'église São Mateus, flanquée de deux tours, domine le port de São Mateus. Elle date du début du siècle.

Corvo

Flores

LES AÇORES
(p. 358–371)

Graciosa

São Jorge

Faial

Pico

Pico est le sommet d'un volcan aux flancs abrupts jaillissant de la mer. Au bas des versants qui plongent vers l'océan, les champs sont sillonnés de murs de pierres sèches, construits en basalte volcanique noir.

◁ **Les pâturages verdoyants se déroulent vers les cônes volcaniques et la mer, à Faial**

MADÈRE
(p. 340–357)

Funchal, capitale de Madère, est connue par ses fleurs exotiques, vendues dans la rue principale, l'avenida Arriaga, qui est bordée de hauts jacarandas.

Porto Santo

Madère

Ilhas Desertas

0   20 km

Le Pico Ruivo est le point culminant (1 861 m) de l'île. Ses versants couverts de bruyère offrent une vue magnifique.

Terceira

0   50 km

São Miguel

São Miguel est renommé pour ses bassins d'eau minérale chaude, aux vertus thérapeutiques. À Caldeira das Furnas, à l'ouest, des sources de boue jaillissent en bouillonnant.

Santa Maria

Paysages et fleurs de Madère

L e climat doux et humide de Madère se traduit par la présence d'une flore très riche. À première vue, les fleurs et la végétation semblent parfaitement intégrées à leur environnement, mais les botanistes avisés décèlent rapidement l'étrange assortiment de plantes issues des quatre coins du monde. Au cours des derniers siècles, quantité de fleurs de la région du Cap, en Afrique du Sud, et de plantes exotiques d'Amérique du Sud ont été introduites ici.

Echium fastuosum

JARDINS DE MADÈRE

Le climat subtropical et le mélang de plantes endémiques et importé donnent naissance à des jardins qui font pâlir d'envie tous les horticulteurs du mond Les espaces verts, comme le jardin botanique de Funcha *(p. 346),* regorgent de couleurs toute l'année. Voici quelques végétaux étonnants.

Fleur de magnolia

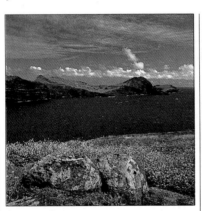

SUR LA CÔTE
Beaucoup de régions côtières sont bordées de falaises spectaculaires, comme ici à Ponta de Sào Lourenço *(p. 350).* Malgré le climat sec et le sol rocheux, on y trouve une flore variée, importée ou indigène.

La figue des Hottentots, plante côtière originaire d'Afrique du Sud.

Le Lampranthus spectabilis est un végétal sud-africain qui fleurit sur la côte, de mai à juillet.

Les dattiers des Canaries sont répandus, surtout sur la côte sud, plus ensoleillée.

CHAMPS ET BORD DES CHEMINS
Un système d'irrigation reposant sur des cana appelés *levadas,* comme celui-ci près de Curra das Freiras *(p. 354),* permet aux insulaires de cultiver des zones ingrates. Les bordures des terres agricoles sont souvent fleuries.

Les mimosas se développent bien dans parties boisées de l'île, ils fleurissent en hiver.

Le clianthe donne de grandes fleurs originales, en mars et en avril.

L'Hibiscus syriacus, qui vient du Moyen-Orient, fleurit de juin à octobre.

Les sabots de Vénus, qui existent dans une grande diversité de couleurs, sont très appréciés des amateurs.

Les orchidées Cymbidium d'Asie du Sud-Est croissent en des lieux protégés et dans la pénombre.

Les érythrines à corail, originaires du sud du Brésil, fleurissent, à Madère, de janvier à mars.

Les camélias peuvent atteindre la taille d'un arbuste.

La Protea cynaroides vient d'Afrique du Sud, où elle est appelée Cape artichoke ou protéa royale.

SUR LES HAUTEURS
La vue qu'offre le sommet du Pico Ruivo, point culminant de l'île *(p. 354)*, est spectaculaire. Les hauteurs abritent davantage d'espèces endémiques que les plaines.

CULTURES EN TERRASSES
Les plantations, comme ces bananiers près de Calheta *(p. 356)*, sont installées sur des terrasses creusées dans la montagne. Elles sont destinées à la consommation locale ou à l'exportation.

L'**Isoplexis sceptrum,** qui porte des fleurs jaunes, est un arbuste indigène de Madère.

Les châtaigniers, qui croissent bien sur cette île, fournissent en automne une récolte abondante.

Les fleurs de genêt sont appréciées des insectes pollinisateurs.

Le papayer, originaire d'Amérique du Sud, donne des fruits toute l'année.

Le **genévrier** est un arbuste à feuilles épineuses couvert de baies rouges.

Cet aloès, aux feuilles piquantes, est utilisé pour délimiter les plantations.

Les Açores, des îles volcaniques

Située de part et d'autre de la dorsale médio-atlantique, l'archipel des Açores est le fruit de vingt millions d'années d'activité volcanique. À mesure que les plaques de la croûte terrestre se sont écartées, des éruptions volcaniques ont entraîné la formation d'une chaîne de montagnes sous l'Atlantique. Par endroits, la dorsale est coupée par des failles perpendiculaires, appelées failles transformantes. La roche en fusion (magma) a traversé ces failles, formant les Açores. Les paysages spectaculaires de ces îles, qui ont émergé voici moins de cinq millions d'années, sont toujours en cours de formation.

La dorsale médio-atlantique est une ligne de volcans sous-marins qui traverse l'Atlantique.

Terceira est installée sur une importante faille transformante

Corvo

Graciosa

Flores

Faille transformante

La dorsale médio-atlantique est située au point de séparation des plaques africaine, eurasienne et américaine de la croûte terrestre.

Faial

Cette poche est une accumulation de manteau partiellement fondu qui a été poussée vers le haut. Le magma cherche des fissures à travers lesquelles s'échapper.

Pico

São Jorge

São Miguel compte plusieurs caldeiras et des sources chaudes.

Santa Maria

LES RESSOURCES VOLCANIQUES

L'archipel dispose d'importantes ressources naturelles. Les sources chaudes, les matériaux de construction solides et les sols fertiles sont le fruit de son activité volcanique. Le climat humide et tempéré entraîne une lente décomposition de la roche volcanique, donnant une terre fertile. Les sols les plus anciens accueillent une luxuriante végétation et se prêtent bien à l'agriculture. Ce n'est pas le cas des plus récents.

Ces maisons de pierre, à Pico, sont bâties avec le basalte omniprésent, qui fait un excellent matériau de construction.

À Furnas (São Miguel), les sources d'eau sulfureuse et de boue sont utilisées pour les bains et à des fins curatives.

épassant des nuages, le Pico Alto, toujours
n activité, domine l'île de Pico, qui est le sommet
'un gigantesque volcan sous-marin. Culminant
2 350 m au-dessus du niveau de la mer, le Pico
lto est la plus haute montagne du Portugal.

GÉOLOGIE DES AÇORES

es Açores sont établies sur des failles
ransformantes, qui sont des fissures de la
roûte terrestre coupant la dorsale médio-
tlantique, à travers lesquelles s'échappe le
magma. Les éruptions successives ont formé
des centaines de montagnes sous-
marines, dont les neuf îles des
Açores sont les plus
hautes. Elles ont émergé
grâce au renflement de
la poche de manteau
sous la croûte
océanique, qui soulève
le fond de la mer et le
rapproche de la surface.

Croûte océanique mince

Océan Atlantique

Le manteau supérieur, couche
de roche dense, forme avec la
croûte la lithosphère, plaques
semi-rigides en mouvement.

Le manteau inférieur est une couche
de roche partiellement fondue qui
entoure le noyau central.

es murs de pierres sèches en lave basaltique
britent la vigne et protègent le sol de l'érosion, à
*ico. Le sol volcanique, relativement récent,
onvient à peu de cultures, hormis la vigne.

FORMATION D'UNE CALDEIRA

Une caldeira est un grand cratère qui se forme
durant ou après une éruption, quand le toit de
la chambre magmatique s'effondre sous le
poids du volcan. L'eau qui s'accumule dans la
cuvette de la caldeira crée parfois un lac.

Caldeira das Sete Cidades sur l'île de São Miguel

Gaz et cendres
volcaniques

Couches de lave
et de cendres
volcaniques

Conduit

Chambre
magmatique

Volcan en activité. La chambre magmatique, sous
le cône, est remplie de roche en fusion. La pression
fait remonter dans le conduit le magma qui est
expulsé à la surface, causant une éruption.

Explosion
de magma

Effondrement
du cône du
volcan

Chambre
magmatique
agrandie

À mesure que le magma est expulsé, le niveau
baisse dans la chambre magmatique. Le cratère
sommital s'effondre alors sous son propre poids,
formant une cuvette caractéristique, ou caldeira.

Lac de la caldeira

Pierre chaude
résiduelle

Cratère
érodé

Lorsque le volcan est éteint et érodé, la caldeira
peut se remplir d'eau et former un lac. La pierre
chaude résiduelle, près de la chambre magmatique,
continue parfois à chauffer l'eau du fond du lac.

MADÈRE

adère (Madeira) est une île subtropicale paradisiaque d'origine volcanique, qui est radicalement différente du Portugal continental. Dotée d'un climat clément qui, dans la journée, ne varie guère que de quelques degrés au-dessus ou au-dessous de 20° C, elle est agréable toute l'année.

L'archipel n'est qu'un petit point dans l'Atlantique, à 608 km du Maroc et à presque 1 000 km de Lisbonne. Néanmoins, Madère et Porto Santo figuraient déjà sur une carte génoise de 1351. Personne ne les revendiqua jusqu'en 1418, où João Gonçalves Zarco fut entraîné dans l'Atlantique par une violente tempête, alors qu'il explorait la côte africaine. Il arriva sain et sauf à Porto Santo, où il planta le drapeau portugais avant de rentrer à Lisbonne. Un an après, il entreprit un nouveau voyage d'exploration financé par Henri le Navigateur *(p. 49)*. En 1420, il passa l'hiver à Porto Santo, puis il mit le cap sur les terres auréolées de brume qui se détachaient à l'horizon. Il accosta sur une belle île boisée (*madeira* signifie bois), riche en eau douce. Sept ans plus tard, une colonie de pionniers y mettait à profit le sol

« Oiseau de paradis »
(Strelitzia reginae)

fertile et le climat chaud pour cultiver la canne à sucre. Les insulaires firent fortune avec l'« or blanc » et des esclaves furent amenés pour travailler la terre et aménager les terrasses et les canaux d'irrigation *(levadas)* qui existent toujours. Malgré l'inclinaison du sol, le moindre arpent de terre y est exploité, et la vigne, les bananes et les fleurs exotiques jouent un rôle déterminant dans l'économie locale.

À la fin du XIXe siècle, Madère devint une villégiature hivernale très prisée. Le lancement de vols commerciaux, en 1964, permit aux touristes de découvrir Madère. Aujourd'hui, l'île est appréciée des randonneurs, des passionnés de botanique et des amateurs de soleil, bien qu'elle soit privée des plages de sable de Porto Santo, l'île sœur.

Maisons triangulaires typiques de Santana, sur la côte nord de Madère

◁ **Chemin traversant les spectaculaires paysages de montagne du Pico do Arieiro**

À la découverte de Madère

Funchal est la capitale de l'île et sa seule grande localité. C'est ici que se trouvent la plupart des musées et bâtiments historiques, ainsi que les meilleurs hôtels, restaurants et magasins. Les cultures se trouvent surtout sur la côte sud, ensoleillée et fertile. La côte nord, plus fraîche et humide, compte davantage de pâturages. L'arrière-pays, volcanique et montagneux, est resté sauvage, et certaines parties ne sont accessibles qu'à pied. Le Pico Ruivo, le plus haut sommet, est très apprécié des randonneurs.

Terrasses près de Boa Ventura, entre Santana et São Vicente

15 PORTO MONIZ

ACHADAS DA CRUZ

R101

PONTA DO PARGO

Ribeira Janela

SEIXAL

R101

PONTA DELGADA

BOA VENTURA

14 *SÃO VICENTE*

Ribeira de São Vicente

RABAÇAL WALKS **13**

RABAÇAL

R101

R110

PRAZERES

12

PAÚL DA SERRA

R104

R110

SERRA DE ÁGUA

R222

CURRAL DAS FREIR...

16 *CALHETA*

R209

R101

PONTA DO SOL

Ribeira dos So...

ESTREITO DE CÂMARA DE LOBOS

R229

0 ___ 5 km

RIBEIRA BRAVA **17**

CABO GIRÃO

R101

CÂMARA DE LOBOS **18**

Vue au petit matin sur les toits de Funchal, avec les montagnes à l'arrière-plan

CIRCULER

Le seul aéroport international de Madère, Santa Catarina, se trouve à Santa Cruz, à 18 km au nord-est de Funchal. De la capitale partent des cars vers toutes les régions de l'île. Toutefois, leurs itinéraires ne sont pas conçus pour les touristes. Les voitures de location offrent plus d'indépendance ; Madère ne mesure en effet que 19 km du nord au sud et 56 km d'est en ouest. Cependant, sur cette île montagneuse, les temps de transport sont longs. L'île voisine de Porto Santo est desservie par avion, de Santa Cruz, ou par ferry, reliant Funchal à Porto Abrigo (p. 444-445).

Porto Santo 19

CAMACHA

VILA BALEIRA
(PORTO SANTO)

ILHÉU DE CIMA

ILHÉU DE
FERRO

PONTA

ILHÉU DE BAIXO

THE AZORES

MADEIRA

Les falaises de Ponta de São Lourenço,
près de Caniçal

SÃO JORGE

101

7 SANTANA

FAIAL

PORTO DA CRUZ

R103

R108

ICO RUIVO

Ribeira Sêca

8 RIBEIRO FRIO

R108

R109

6 CANIÇAL

PONTA DE
SÃO LOURENÇO

9 PICO DO
ARIEIRO

R202

R202

R103

R214

5 MACHICO

Ribeira de Santa Cruz

R101

R102

SANTA CRUZ

ONTE 3

4 CAMACHA

2 QUINTA DO PALHEIRO
FERREIRO

R229

1 FUNCHAL

R101

D'UN COUP D'ŒIL

Calheta 16
Camacha 4
Câmara de Lobos 18
Caniçal 6
Curral das Freiras 11
Funchal p. 344–347 1
Machico 5
Monte 3
Paúl da Serra 12
Pico do Arieiro 9
Pico Ruivo 10
Porto Moniz 15
Porto Santo 19
Quinta do Palheiro
  Ferreiro 2
Ribeira Brava 17
Ribeiro Frio 8
Santana 7
São Vicente 14

Excursions
Randonnées de Rabaçal 13

LÉGENDE

Route principale

Route secondaire

Parcours pittoresque

Cours d'eau

Point de vue

VOIR AUSSI

• **Hébergement** p. 399–400

• **Restaurants** p. 421–423

Funchal pas à pas

Azulejos, palácio do Governo Regional, avenida M. Arriaga

Le profond port naturel de Funchal a attiré les colons au XVe siècle. Le cœur historique de la localité domine toujours le port, avec de beaux bâtiments officiels et d'imposantes demeures du XVIIIe siècle aux cours ombragées et aux balcons en fer forgé. Funchal est souvent appelé la « petite Lisbonne », avec ses rues pavées escarpées, ses portes en basalte noir sculpté et l'atmosphère de splendeur qui y règne.

L'igreja do Colégio (église collégiale) a été fondée par les jésuites en 1574. L'extérieur sobre contraste avec le maître-autel décoré, encadré de bois sculpté et doré (1641-1660).

La rua da Carreira et la rua do Surdo sont bordées d'élégantes maisons d'origine, ornées de balcons.

Église São Pedro

Le Museu Municipal abrite un aquarium, très apprécié des enfants.

RUA DAS PRETAS

RUA DO SURDO

RUA DA CARREIRA

RUA S. FRANCISCO

AVENIDA M. ARRIAGA

RUA DAS FONTES

Adegas de São Francisco (p. 347)

Le monument de Zarco, l'homme qui revendiqua Madère pour le Portugal, a été réalisé par Francisco Franco, en 1927.

Espace Toyota
L'extérieur est enrichi d'azulejos du XXe siècle représentant des scènes locales, comme le célèbre toboggan de Monte (p. 348).

Le palácio de São Lourenço, du XVIe siècle, abrite le quartier général militaire de Madère.

0   50 m

Marina
Bordée de restaurants de fruits de mer, la marina de l'avenida do Mar invite à la promenade du soir. Le môle offre une belle vue.

Avenida do Mar

À NE PAS MANQUER

★ **Sé**

★ **Praça do Município**

Câmara Municipal
La cour de la mairie, demeure du XVIIIᵉ siècle, est ornée d'une fontaine représentant Léda et le cygne. *Un petit musée y retrace l'histoire de Funchal en photographies.*

Le Museu de Arte Sacra
réunit art religieux, peintures flamandes, habits sacerdotaux brodés et statues *(p. 346)*.

Arrêt de bus

RUA DO ALJUBE

RUA DA ALFÂNDEGA

JOÃO TAVIRA

Palácio do Governo Regional

L'Alfândega Velha
(ancienne douane), construite en 1477, accueille désormais le parlement régional.

MODE D'EMPLOI

🏠 120 000. ✈ Santa Catarina 18 km au N.-E. 🚢 Porto do Funchal. 🚌 rua do Esmeraldo 50. 🛈 avenida Arriaga 16 (291 211 902). 🗓 lun.–sam. 🎉 avr. : fête des fleurs ; mi-sept. : fête du vin ; 31 déc. : feu d'artifice. **Museu Municipal** Rua da Moraria 31. ☎ 291 229 761. 🗓 mar.–dim. ⊘ 25 déc., 1ᵉʳ janv. ♿

★ Praça do Município
Des pierres noires et blanches pavent le sol de cette jolie place. La câmara Municipal se dresse du côté nord-est.

Rua do Aljube
Le long de la Sé, des marchands vendent des fleurs exotiques très colorées.

★ Sé
São Tiago (saint Jacques) est l'un des nombreux personnages dorés ornant les magnifiques stalles en bois sculptées de la cathédrale du XVᵉ siècle (p. 346).

À la découverte de Funchal

Funchal s'étend en forme de croissant le long de la baie du même nom : à l'est, la Zona Velha – la vieille ville –, un dédale d'anciennes maisons de pêcheurs ; à l'ouest, le quartier touristique, avec les principaux hôtels et restaurants. Entre les deux, un pittoresque cœur historique autour de la gracieuse Avenida Arriaga, une marina animée et un port où les bateaux de pêche accostent à l'ombre des paquebots de ligne. Dès qu'on s'éloigne de la mer, on sort de l'agglomération et les toits de tuiles rouges des maisons s'estompent vite dans une ceinture de verdure subtropicale.

Lions sculptés de style manuélin, jardin de la quinta das Cruzes

🏛 Quinta das Cruzes

Calçada do Pico 1. 📞 291 740 670. ⭘ mar.–dim. ⬤ jours fériés. 📷
On dit que Zarco, qui revendiqua Madère pour le Portugal (p. 341), construisit sa maison à l'emplacement de la quinta. L'élégante demeure du XIXᵉ siècle abrite le musée des Arts décoratifs, meublé comme une maison de marchand, avec des tentures murales en soie indiennes, des buffets de style Regency et des tapis d'Orient. Le sous-sol présente des meubles faits de caisses en acajou, utilisées au XVIIIᵉ siècle pour transporter le sucre, puis transformées en coffres et en armoires à la fin du commerce du sucre.

Le jardin est parsemé de vieilles tombes et de vestiges architecturaux, comme deux fenêtres de 1507 sculptées de cordages, de personnages et de lions, dans une variante madérienne du style manuélin (p. 20-21).

🏠 Sé

Largo da Sé. 📞 291 228 155. ⭘ t.l.j.
La cathédrale, achevée en 1514, est l'un des rares bâtiments d'origine quasiment conservés en l'état. Vers 1490, le roi Manuel Iᵉʳ (p. 46-49) envoya Pêro Anes construire la cathédrale de la colonie.

Le plafond et les stalles du chœur sont remarquables. Toutefois, ils sont difficiles à observer dans l'obscurité. Le transept sud, où filtre assez de lumière pour éclairer les motifs complexes, est le meilleur endroit pour admirer le plafond de bois en marqueterie. Les stalles représentent des saints, des prophètes et des apôtres en habits du XVIᵉ siècle. Les décorations des accoudoirs et des sièges illustrent la vie locale : un chérubin porte un régime de bananes, un autre une outre remplie de vin.

Tour de l'horloge, Sé de Funchal

🏛 Museu de Arte Sacra

Rua do Bispo 21. 📞 291 228 900. ⭘ mar.–sam. et dim. matin. ⬤ jours fériés. 📷
Les marchands de Madère, qui s'enrichirent avec le commerce du sucre, s'efforcèrent d'assurer leur salut en commandant pour leurs églises des peintures, des statues, des habits sacerdotaux brodés et des livres de cantiques enluminés. Ce musée installé dans l'ancien palais épiscopal, qui date de 1600, réunit une vaste collection contenant quelques chefs-d'œuvre, comme la croix processionnelle de style gothique tardif, don du roi Manuel Iᵉʳ, et des œuvres religieuses de grands artistes flamands du XVᵉ et du XVIᵉ siècle. Certaines comprennent des portraits de leurs donateurs. *Saint Jacques et saint Philippe* est un tableau du XVIᵉ siècle représentant Simão Gonçalves de Câmara, petit-fils de Zarco (p. 341).

🏠 Convento de Santa Clara

Calçada de Santa Clara. 📞 291 742 602. ⭘ t.l.j.
En face de la quinta se trouve le convento de Santa Clara, fondé en 1496 par João Gonçalves de Câmara, un petit-fils de Zarco. Ce dernier repose sous le maître-autel et son beau-fils, Martim Mendes Vasconcelos, est enterré à l'arrière de l'église. D'éblouissants *azulejos* du XVIIᵉ siècle couvrent les murs.

🌿 Jardim Botânico

Quinta do Bom Sucesso, caminho do Meio. ⭘ t.l.j. ⬤ 25 déc. 📷
Ouvert au public en 1960, il présente des végétaux de toutes les régions du monde : cactées du désert, orchidées des forêts tropicales, protéas sud-africaines et dragonniers endémiques. Il réunit des jardins à la française, de paisibles bassins à carpes et des zones plus sauvages.

Le jardin à la française, aux motifs complexes, du Jardim Botânico

⍭ Adegas de São Francisco

Avenida Arriaga 28. ☎ *291 740 110.*
◯ *lun.–ven., sam. matin.*
⬤ *jours fériés.* 🎫 ✓ *obligatoire.*

Dans les cours pavées du chai de Saint-François, les visiteurs sont accueillis par l'odeur du bois et du madère. Certains édifices de ce dédale réunissent des ateliers de tonneliers, de chais et de salons de dégustation datent du XVIIe siècle, alors que le site appartenait à la confrérie franciscaine. On peut y découvrir des vins de plus de 150 ans, ainsi que des crus plus récents (et moins chers). La visite guidée comprend la découverte des étuves où « cuit » le vin de Madère (*p. 349*).

Dégustation de vin de Madère à l'adegas de São Francisco

⍭ Mercado dos Lavradores

Rua dos Lavradores. ☎ *291 222 584.*
◯ *lun.–sam.* ⬤ *jours fériés.*

Horticulteurs, vanniers, fermiers et pêcheurs de toute l'île viennent vendre leurs produits au mercado dos Lavradores. Ce marché couvert, installé sur trois niveaux autour d'une cour, est plein d'animation. Les vendeurs font goûter aux passants des morceaux de mangue ou d'autres délices. Au sous-sol, des tables en marbre sont couvertes de grands morceaux de thon et de poisson-épée à la peau noire, aux grands yeux et aux dents acérées.

Le vendredi, le marché déborde dans les rues de la Zona Velha (vieille ville), l'ancien quartier des pêcheurs, où se trouvent aujourd'hui des petits magasins et

Maison et jardin de la quinta do Palheiro Ferreiro

des terrasses de cafés et de bars. Les maisons simples à l'extrémité orientale de la rua Dom Carlos Ier, piétonne, dateraient du XVe siècle. La petite chapelle Corpo Santo, bâtie au XVIe siècle par des pêcheurs, en l'honneur de leur patron, saint Pierre, serait la plus vieille de Funchal.

⚓ Fortaleza de São Tiago

Rua do Portão de São Tiago. ☎ *291 213 340.* **Musée** ◯ *lun.–sam..*
⬤ *jours fériés.*

Sur le front de mer se dresse la fortaleza de São Tiago, construite en 1614 et remaniée en 1767. L'édifice restauré récemment offre de magnifiques vues sur Funchal. Il abrite le musée d'Art contemporain et un restaurant.

Poissonnier débitant des darnes de thon, mercado dos Lavradores, Funchal

Quinta do Palheiro Ferreiro ❷

Sitio do Balançal, Sâo Gonçalo. ☎ *291 793 044.* 🚌 ◯ *9 h–12 h 30 lun.–ven.* ⬤ *1er janv., Pâques; 1er mai, 25 déc.* 🎫 ♿

Cette quinta, qui a le plus beau jardin de Madère, est un but de visite indispensable pour les amateurs de fleurs. Un paysagiste français a aménagé ces jardins au XVIIIe siècle pour le riche comte de Carvalhal, qui a également fait construire l'élégante demeure (fermée aux visiteurs) dominant le jardin et la chapelle baroque. Le domaine a été acheté en 1885 par les Blandy, une famille anglo-madérienne installée depuis longtemps sur l'île, ce qui explique le nom de jardin de Blandy. Des espèces végétales d'Afrique du Sud, de Chine et d'Australie ont été introduites ici, composant un espace alliant le formalisme de la fin du XVIIIe siècle au style anglais, avec quantité d'herbacées. On trouve aussi des espèces originaires de zones tempérées et tropicales. Outre son intérêt horticole, le jardin est un endroit riche en contrastes entre la régularité du Ladies' Garden et l'aspect tropical du ravin qualifié d'« Inferno » (Enfer).

Les murs blancs de Nossa Senhora do Monte contrastent avec le basalte

Monte ❸

🏛 10 000. 🚋 ℹ️ *Caminho de Ferro, Junta da Freguesia 182 (291 782 555).*

Monte est très prisé des visiteurs depuis la fin du XIXe siècle, où un chemin de fer à crémaillère fut construit pour transporter, depuis Funchal, les passagers des paquebots sur les hauteurs. Pour descendre, ils empruntaient le célèbre **toboggan de Monte.** On peut accéder au Monte par le nouveau funiculaire qui conduit du Jardim do Almirante Reis, au pied de la vieille ville, au Caminho das Babosas.

L'ascension à travers les jardins du palais dure 15 minutes, et la ligne est ouverte tous les jours de 10 h à 18 h. Le chemin de fer a fermé en 1939, mais la gare et un viaduc sont restés, faisant aujourd'hui partie du **jardim do Monte.** Une courte promenade à travers le jardin mène à l'église **Nossa Senhora do Monte**, qui domine la capitale. Cet édifice à deux tours a été construit en 1818 à l'emplacement d'une chapelle bâtie en 1470 par Adam Gonçalves Ferreira.

Le 15 août (Assomption), les pèlerins rendent hommage à la Vierge du Monte, la sainte patronne de l'île. Des pénitents gravissent alors à genoux les 74 marches de l'église. Ils vénèrent une petite statue de la Vierge, conservée dans le tabernacle en argent du maître-autel.

À gauche de la nef, une chapelle abrite la dépouille du dernier empereur des Habsbourg, Charles Ier. Déposé en 1918, il partit en exil à Madère, où il mourut en 1922 à 35 ans.

Les « conducteurs » de toboggans, coiffés de chapeaux de paille, attendent les passagers près du caminho do Monte, proposant la descente (trajet payant) jusqu'à Livramento et

Funchal. Depuis les marches de l'église, après le coin des conducteurs, les indications « Jardim do Monte » sur la gauche mènent au **Monte Palace Tropical Gardens**. À l'entrée, des magnifiques jardins aménagés en 1894, qui font le bonheur des enfants, avec leur débauche de chemins, de ponts, de folies, de fontaines, de cascades et de cygnes noirs apprivoisés. Ils s'étendent sur 7 hectares, plantés d'espèces locales, de protéas sud-africaines, de végétaux japonais et chinois, d'azalées, de camélias et d'orchidées.

🌿 Monte Palace Tropical Gardens

Caminho do Monte 174. 📞 291 782 339. ⬜ t.l.j. 🖼️

Vannier de Camacha réalisant une table

Camacha ❹

🏛 9 000. 🚋 ℹ️ *Junta da Freguesia, Complexo de Habitação dos Casais de Além 2 (291 922 466).*

La majeure partie de la vannerie vendue à Funchal est réalisée à Camacha et aux environs. La seule attraction de ce village plongé dans une douce torpeur est un grand magasin de vannerie : cadres, bois de lit, berceaux, fauteuils, etc. On y voit des artisans à l'ouvrage, pliant l'osier autour d'un cadre pour réaliser divers objets, allant de la corbeille à linge au cache-pot. Une arche de Noé remplie de couples d'animaux est exposée à l'étage du milieu, de même qu'un galion, toutes voiles déployées.

LE TOBOGGAN DE MONTE

Installés dans un traîneau en osier monté sur des patins en bois, les passagers parcourent en 10 minutes les 2 km séparant Monte de Funchal. Tous les ans, ils sont des milliers à effectuer ce trajet, fascinés par cette expérience qu'Hemingway qualifiait de « grisante ». Un siège rembourré amortit les chocs, et les passagers sont transportés en toute sécurité par les conducteurs, installés derrière le traîneau, qui le poussent et le dirigent, freinant avec leurs bottines à semelles en caoutchouc. Ce mode de transport date d'environ 1850.

Sur le célèbre toboggan de Monte

Le vin de Madère

Bouteille de madère

Au XVIᵉ siècle, les navires faisant escale à Funchal embarquaient souvent du vin de l'île. Comme celui-ci tournait à l'aigre pendant le voyage, les marins lui ajoutèrent de l'eau-de-vie pour en améliorer la conservation, et remarquèrent que la chaleur de la longue traversée en faisait un véritable nectar. On se mit alors à envoyer le vin en voyage autour du monde plutôt que de le laisser vieillir en chais. Cette méthode plutôt coûteuse fut ensuite remplacée par celle de l'*estufa*, encore en usage aujourd'hui :

le vin est « cuit » à 30-50 °C pendant trois mois à un an – un peu plus longtemps et à une température plus basse pour la qualité supérieure et, pour les meilleurs madères, très lentement à la chaleur du soleil dans des greniers.

La plupart des madères sont produits à partir du cépage Tinta Negra Mole. Le produit fini est souvent le résultat d'un mélange des quatre qualités ci-dessous.

Fabrication de tonneaux, Funchal

LES QUATRE TYPES DE MADÈRE

Le sercial est produit avec du raisin blanc cultivé à mille mètres d'altitude. Le bon sercial, d'une couleur ambrée, est âgé d'au moins 10 ans. Ce vin sec se boit frais, surtout en apéritif ou pour accompagner la soupe.

Le verdelho provient de vignobles cultivés un peu plus bas et sous un climat plus frais. Ce vin ambré demi-sec se boit aussi en apéritif. Plus doux que le sercial, il est également délicieux avec le gâteau de madère, inventé par les Anglais à cet usage.

Les tonneaux des adegas de São Francisco (p. 347), où le madère est chauffé, exigent des réparations fréquentes, tout comme les planchers.

Le bual ou boal, à base de raisin récolté dans les vignobles de basse altitude où il fait plus chaud, est un vin sombre et riche au goût de noisette. Mi-doux, il se consomme comme le porto, à température ambiante. Il accompagne à merveille fromages et desserts.

Le malmsey est fait avec le cépage malvasia, qui est cultivé dans des vignobles protégés par des falaises, dont le rôle est d'absorber la chaleur et de réchauffer le raisin la nuit. Ce vin réputé, riche et sombre, se boit en digestif.

Les fûts de verdelho vieillissent après l'ajout d'eau-de-vie. Le vintage, millésimé, doit passer au moins vingt ans en fût et deux ans en bouteille.

Du madère millésimé de toutes les décennies, depuis le milieu du XIXᵉ siècle, est disponible. Toutefois, la plus vieille bouteille date de 1772.

Machico ❺

🏃 22 000. 🚌 🛈 Forte do Amparo, rua Dr José A. Almada (291 962 289). 🐟 lun.–ven. (poissons).

La localité tirerait son nom de Robert Machim, un marchand anglais qui enleva une aristocrate, Anne de Hertford. Pris dans une tempête, les deux amants échouèrent à Madère, où ils moururent. Ils furent enterrés dans l'île. Le reste de l'équipage répara le bateau et rentra à Lisbonne. Leur récit incita Henri le Navigateur (p. 49) à envoyer João Gonçalves Zarco (p. 341) à la recherche de cette mystérieuse île boisée.

Machico est la deuxième localité de Madère depuis le début de la colonisation, où l'île fut divisée en deux régions : Zarco régnait sur l'ouest depuis Funchal, tandis que Tristão Vaz Teixeira dominait l'est depuis Machico. Son emplacement et son port permirent à Funchal de s'ériger en capitale, alors que Machico devenait une paisible bourgade agricole.

L'**igreja Matriz,** largo do Município, date du XVe siècle. Le maître-autel est surmonté d'une statue de la Vierge, don de Dom Manuel Ier (p. 46-49), de même que les trois colonnes en marbre utilisées pour la construction du portail sud, de style gothique. À l'intérieur, la capela de São João Baptista présente un bel exemple d'architecture en pierre de style manuélin. Son arc est décoré des armoiries de Teixeira, avec un phénix jaillissant des flammes.

Maître-autel de la capela dos Milagres, Machico

Sur le largo dos Milagres, après la rivière Machico, se trouve la **capela dos Milagres** (chapelle des Miracles), de 1815. Elle a été bâtie à l'emplacement de la première église de l'île, où auraient été enterrés Machim et Anne de Hertford. Cet édifice, de 1420, fut détruit par une tempête en 1803, mais son crucifix du XVe siècle fut retrouvé en mer. Tous les ans, le 8 octobre, Machico célèbre le retour de sa croix par une procession.

Vue du promontoire à ponta de São Lourenço, à l'est de Caniçal

Caniçal ❻

🏃 5 000. 🚌 🛈 serrado da Igreja (291 961 755).

Caniçal fut le centre baleinier de Madère. C'est ici qu'ont été tournées des scènes du film Moby Dick (1956) de John Huston. La chasse à la baleine n'a été abandonnée qu'en 1981. Depuis, les eaux de Madère sont un sanctuaire pour les mammifères marins. Les pêcheurs travaillent désormais pour la Société de protection des mammifères marins, aidant les biologistes à comprendre les migrations des baleines.

Le siège de la société abrite aujourd'hui le **Museu da Baleia** (musée de la Baleine), qui présente une vidéo de 45 minutes sur la chasse à la baleine, commentée par des pêcheurs à la retraite.

Sur la plage rocailleuse de Caniçal, vous verrez sans doute des pêcheurs de thon réparer leur bateau coloré.

🏛 **Museu da Baleia**
Largo da Lota. 📞 291 961 407. 🕐 mar.–dim. ⬛ jours fériés. 📷 ♿

Aux environs : La pointe orientale de Madère, **ponta de São Lourenço,** possède de spectaculaires falaises de 180 m de hauteur, battues par les vagues. Les sentiers qui serpentent de l'une à l'autre, où des fleurs poussent dans des creux protégés, ravissent les randonneurs. Le paysage privé d'arbres contraste avec l'intérieur boisé de l'île.

De la route de Caniçal à Ponta de São Lourenço, la baie de **Prainha,** la seule plage de sable naturelle de l'île, est indiquée.

Bateaux de pêche hissés sur la plage de Caniçal

Santana **❼**

🏠 10 500. **🚌** **ℹ** *Câmara Municipal, sítio do Serrado (291 572 113).*

Santana (du nom de sainte Anne, la mère de la Vierge) compte plus de cent maisons triangulaires à toit de chaume, dont plusieurs, restaurées et peintes de couleurs vives, sont ouvertes au public. Les collines dominant la vaste vallée sont parsemées d'établies elles aussi triangulaires et à toit de chaume. Les vaches sont attachées pour éviter qu'elles ne s'aventurent sur les chemins étroits, risquant de se blesser ou d'abîmer les cultures.

Dans la vallée, on cultive des fruits, des légumes et de l'osier, utilisé par les vanniers de Camacha *(p. 348).*

Ribeiro Frio **❽**

🏠 45. **🚌** *de Funchal.*

Pont enjambant une *levada* entre Ribeiro Frio et Balcões

Ribeiro Frio est un endroit ravissant avec deux restaurants, un magasin et un élevage de truites, installé sur la « rivière froide » qui a donné son nom à la localité. L'élevage, dans un joli jardin, est le point de départ de deux très belles randonnées de *levadas (p. 355).* L'itinéraire de 12 km, qui rejoint **Portela** (sur la droite en descendant, en dépassant le restaurant), traverse des paysages de montagne spectaculaires. Attention ! il est réservé aux randonneurs expérimentés, en raison des longs tunnels et des passages proches du vide.

Lever de soleil sur les montagnes, vu du Pico de Arieiro

La promenade de 20 minutes partant sur la gauche (en descendant) vers **Balcões** (balcons) est plus facile. L'endroit offre une vue panoramique au-delà de la vallée de l'Ametade, jusqu'au Penha de Águia (rocher de l'aigle).

Pico do Arieiro **❾**

🚌 *pour Camacha, puis taxi.* **Pousada do Pico do Arieiro** **☎** *291 230 110 (réservations : 291 765 658).*

De Funchal, l'ascension du Pico do Arieiro, troisième montagne de l'île (1 810 m), demande environ 30 minutes en voiture. Le trajet traverse des paysages escarpés, couverts d'eucalyptus et de lauriers. À 900 m environ, on dépasse les nuages pour rester quelques minutes dans la brume, voire parfois la pluie, avant de déboucher dans un paysage de roches volcaniques baigné de soleil. Au sommet, la vue porte sur les nuages de la vallée et les montagnes hérissées de pics aiguisés. Par temps dégagé, on voit le Pico Ruivo *(p. 354),* relié au Pico do Arieiro par un sentier de 10 km. Depuis la pousada do Pico do Arieiro, installée au sommet, ne manquez pas le lever du soleil, extraordinaire.

LES MAISONS TRIANGULAIRES DE SANTANA

Constructions simples bâties avec deux cadres en bois en forme de A, ces maisons triangulaires qu'on ne trouve qu'ici possèdent un intérieur lambrissé en bois et un toit de chaume. Elles sont mentionnées pour la première fois au XVIe siècle, mais la plupart d'entre elles ont moins de cent ans. Aujourd'hui, portes et fenêtres sont souvent peintes en rouge, jaune ou bleu. Sur cette île où le climat est doux toute l'année, on cuisine et on mange à l'extérieur. Ces maisons triangulaires servent essentiellement à se protéger de la pluie et à dormir. Dans ces intérieurs étonnamment spacieux, la salle de séjour est située en bas, tandis que l'on dort à l'étage.

Vue panoramique des montagnes, depuis le sommet du Pico Ruivo

Pico Ruivo ❿

🚂 *pour Santana ou Faial, puis taxi pour Achada do Teixeira, puis à pied.*

La plus haute montagne de Madère, le Pico Ruivo (1 861 m), n'est accessible qu'à pied. La meilleure solution consiste à emprunter un sentier bien balisé qui part d'Achada do Teixeira et qui conduit au sommet en 45 mn.

On peut également suivre un sentier partant du haut du Pico do Arieiro *(p. 351),* extrêmement spectaculaire, dans des paysages de montagne époustouflants. Cet itinéraire de 10 km, qui s'effectue en deux ou trois heures, ne convient qu'aux randonneurs expérimentés et bien équipés. Les personnes sujettes au vertige éviteront de prendre ce sentier qui franchit des passages étroits, avec le vide de part et d'autre.

Curral das Freiras ⓫

🚶 *3 000.* 🚌 ℹ️ *Câmara de Lobos (291 943 470).*

Curral das Freiras (« refuge des religieuses ») doit son nom aux religieuses du couvent de Santa Clara, qui se réfugièrent ici lorsque des pirates attaquèrent Funchal, en 1566. On découvre la localité d'un point de vue appelé l'**eira do Serrado,** perché à 800 m au-dessus du village.

Le site est entouré de toutes parts de pics montagneux. Jusqu'en 1959, seul un sentier escarpé en zigzag y menait. Mais aujourd'hui, des tunnels routiers rendent le voyage plus facile, et ils permettent également aux habitants de transporter leurs produits à la capitale.

Les châtaigniers qui poussent à profusion aux environs servent à confectionner du pain aux châtaignes, délicieux tiède lorsqu'il sort du four, et de la *licor de castanha,* une liqueur du même fruit. Les cafés du village permettent de goûter à ces deux spécialités.

Paúl da Serra ⓬

🚂 *pour Canhas, puis taxi.*

Moutons sur le vaste plateau du paúl da Serra, à l'est de Rabaçal

Le Paúl da Serra (« marécage élevé ») est un vaste plateau marécageux, qui s'étend sur 17 km de long et 6 km de large. La plaine contraste avec les montagnes déchiquetées du reste de Madère. Des turbines à vent y produisent l'électricité alimentant le nord de l'île. Seuls des ajoncs et de l'herbe y croissent, et le sol volcanique spongieux est un réservoir naturel pour l'eau de pluie. L'eau traverse la roche, alimentant des sources qui approvisionnent le système de *levadas.*

LES *LEVADAS*

Madère est doté d'un système d'irrigation unique, qui permet de distribuer les pluies abondantes du nord de l'île dans le sud sec et ensoleillé. L'eau de pluie, stockée dans des lacs et des réservoirs, et les sources alimentent un

Levada do Risco, l'un des nombreux sentiers de randonnée

réseau de *levadas* qui sillonne l'île. Ces canaux transportent l'eau pour irriguer plantations de bananiers, vignobles et jardins maraîchers. Le réseau compte au total 2 150 km de canaux, dont certains datent du XVIe siècle. Les sentiers d'entretien qui longent les canaux permettent d'accéder à des endroits reculés, inaccessibles par la route.

◁ **Versants en terrasses entourant le village de Curral das Freiras**

Randonnées de Rabaçal ⓫

Desservi par une route étroite depuis le paúl da Serra, Rabaçal est le point de départ de deux randonnées longeant des *levadas*. La première fait l'aller-retour à la cascade de Risco en 30 minutes, la seconde est une randonnée plus difficile de 2 à 3 heures menant à Vinte e Cinco Fontes (25 sources), un site magnifique.

CARNET DE ROUTE

Longueur : Ces deux randonnées peuvent se combiner en un itinéraire circulaire de 8 km (environ 3 h 30).
Nota : Les levadas sont glissantes et très étroites. Par endroit, le sentier ne fait que 30 cm de large, mais les canaux, à hauteur de taille, fournissent un appui.

Levada da Rocha Vermelha ⑥
Le sentier escarpé qui descend vers la plus basse traverse un paysage montagneux.

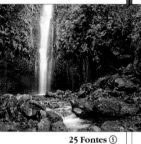

25 Fontes ⑤
Une promenade de 30 mn mène à une zone couverte de mousse et de fougères, avec des cascades.

Ribeira da Janela ④
Traversez le pont, puis entamez la montée escarpée sur la gauche.

Levada da Rocha Vermelha

Levada Nova do Rabaçal

Levada Nova do Rabaçal

Levadá das 25 Fontes

Ribeira da Janela

Levada do Risco

Levada das 25 Fontes

Levada do Risco

P

PAÚL DA SERRA

Rabaçal ①
Au départ de cette excursion, on trouve un parking et un lieu d'accueil offrant de belles vues, avec des tables de pique-nique. Le chemin balisé qui descend sur la droite conduit à la levada do Risco.

Cascade de Risco ③
Dans cet endroit magnifique, une cascade dévale depuis les hauteurs rocailleuses, tombant dans la verte vallée de Risco, beaucoup plus bas.

LÉGENDE

– –	Randonnée
═	Route
	Cours d'eau
	Levada
P	Parc de stationnement

Levada do Risco ②
Le tracé, qui mène à la cascade, est ombragé par de grandes fougères couvertes de lichens pendants.

0   250 m

LES AÇORES

En plein Atlantique, à 1 300 km du Portugal continental, ces neuf îles séduisent par leurs paysages volcaniques spectaculaires, leur flore riche et leur mode de vie paisible. Autrefois totalement sauvages et isolées, ces îles sont appréciées des passionnés de randonnée, de voile et de solitude.

Les explorateurs portugais découvrirent la première île de l'archipel, Santa Maria, en 1427. Les Açores doivent leur nom aux buses que les explorateurs prirent pour des vautours (*açores*). Au XVe et au XVIe siècle, elles furent peuplées par des colons portugais et flamands, qui introduisirent l'élevage, la culture du maïs et la vigne.

Chapelle d'*império*, Pico

Les Açores ont tiré profit de leur emplacement. Entre 1580 et 1640, alors que le Portugal était sous domination de l'Espagne (*p. 50-51*), les ports d'Angra do Heroísmo, à Terceira, et de Ponta Delgada, à São Miguel, ont prospéré grâce au commerce fructueux avec le Nouveau Monde. Au XIXe siècle, les baleiniers américains venaient s'y approvisionner. Enfin, au XXe siècle, l'archipel accueillit des compagnies de câbles transatlantiques, des observatoires météorologiques et plusieurs bases militaires aériennes. Aujourd'hui, la plupart des Açoriens vivent de l'industrie laitière ou de la pêche au thon. Cependant, l'archipel entretient des liens étroits avec le Portugal continental et avec l'importante communauté açorienne qui se trouve aux États-Unis et au Canada. Beaucoup d'émigrés rentrent dans leur île natale pour les fêtes traditionnelles, notamment les *festas* du Saint-Esprit. Doté de rares plages et d'un climat capricieux, l'archipel a réussi, pour le moment, à échapper au tourisme de masse. Les visiteurs y vont essentiellement pour explorer les montagnes vertes sillonnées d'hortensias bleus et se reposer dans des ports paisibles, aux rues pavées et aux églises baroques. Ces confins « exotiques » de l'Union européenne sont devenus une région autonome du Portugal, où la vie suit son cours paisiblement.

Petits bateaux de pêche sur le quai de Lajes, sur la côte sud de Pico

◁ **Prairies closes de murets descendant vers la mer, avec les deux ilhéus das Cabras au fond, Terceira**

À la découverte des Açores

L'archipel, disséminé sur 650 km, est composé de trois groupes d'îles. À l'est, on trouve Santa Maria et São Miguel, la plus grande, où est établie la capitale régionale, Ponta Delgada. Les principales localités du groupe central, qui compte cinq îles, sont Horta (Faial), où les bateaux traversant l'Atlantique font escale, et Angra do Heroísmo (Terceira), charmante ville historique. De là, les visiteurs peuvent rejoindre les autres îles du groupe, à savoir São Jorge, Graciosa et Pico, dominé par un volcan culminant à 2 350 m. Plus à l'ouest s'étendent Flores et Corvo, deux îles isolées, balayées par les intempéries.

Voilier transatlantique amarré dans la belle marina de Horta, Faial

D'UN COUP D'ŒIL

Corvo **9**
Faial **7**
Flores **8**
Graciosa **4**
Pico **6**
Santa Maria **2**
São Jorge **5**
São Miguel p. 362–363 **1**
Terceira **3**

Les rochers volcaniques noirs de Pico

0 ———— 25 km

LÉGENDE

▬ Route

▬ Parcours pittoresque

❊ Point de vue

VOIR AUSSI

- *Hébergement* p. 400–401

- *Restaurants* p. 423

CIRCULER

São Miguel, Faial et Terceira ont des aéroports internationaux, et la SATA assure des vols intérieurs pour toutes les îles. En été, des ferries desservent les cinq îles du groupe central plusieurs fois par semaine. Flores et Corvo sont reliés quotidiennement, mais il n'y a pas de liaison entre Santa Maria et São Miguel. Tous les ferries sont tributaires du temps. Les liaisons par autocar, conçues pour les insulaires, ne sont pas très adaptées aux touristes. Mieux vaut louer une voiture, possible sur toutes les îles, excepté Corvo (p. 447).

LES AÇORES

MADÈRE

3 *TERCEIRA*

Biscoitos

R1-7

R3-2

Praia da Vitória

Santa Bárbara

São Mateus

Angra do Heroísmo

Angra do Heroísmo, capitale de Terceira

R1-1

Ribeira Grande

Porto Formoso

R1-1

Sete Cidades

R6-2

Furnas

Lagoa

Vila Franca do Campo

Povoação

Ponta Delgada

R1-1

1 *SÃO MIGUEL*

L'élégant front de mer de Ponta Delgada, São Miguel

2 *SANTA MARIA*

Anjos

Santa Bárbara

Vila do Porto

São Miguel ❶

Avec sa capitale à la riche histoire, ses champs verdoyants et ses paysages volcaniques, l'*ilha verde* (île verte) est une première étape idéale pour découvrir les Açores. La plus grande et la plus peuplée des neuf îles principales, elle mesure 65 km de long et était à l'origine composée de deux îles distinctes. Ponta Delgada, la capitale, est une bonne base pour effectuer des excursions sur la côte ou pour visiter les lacs de cratères et les sources thermales fumantes de l'intérieur.

Les portes de la ville donnent sur la place centrale de Ponta Delgada

Ponta Delgada

Bordées d'une multitude d'églises, de couvents et de belles demeures blanches, les rues pavées de la capitale rappellent le temps prospère où le port était une escale de ravitaillement entre l'Europe et le Nouveau Monde *(p. 48-49)*. Son centre névralgique, la praça de Gonçalo Velho Cabral, à arcades, portant le nom du premier gouverneur de l'île, en 1444, est tournée vers la mer. Elle est dominée par trois arches imposantes, de 1783, qui marquaient l'entrée de la ville. Au nord, sur le largo da Matriz, se dresse l'église paroissiale **São Sebastião**. Fondée en 1533, elle a un superbe portail sculpté de style manuélin, en calcaire. La sacristie est décorée d'*azulejos* et de beaux meubles du XVIIe siècle en jacaranda du Brésil.

Une courte promenade à l'est conduit à la praça 5 de Outubro, plantée d'arbres, qui est dominée par le **forte de São Bras**. Cette forteresse Renaissance, dominant la mer, a été restaurée au XIXe siècle. La place est aussi bordée par l'immense **convento da Esperança**, qui accueille les importantes festivités de Santo Cristo dos Milagres, le cinquième dimanche après Pâques. Une statue du Christ, vêtu d'un habit rouge richement orné d'or et de diamants, ouvre la procession dans les rues. Elle se trouve dans l'église inférieure, avec des reliquaires, des ostensoirs et des bijoux. Des *azulejos* colorés du XVIIIe siècle, d'António de Oliveira Bernardes *(p. 22)*, ornent le chœur.

Le principal musée des Açores, le **Museu Carlos Machado**, est installé dans l'ancien monastère Santo André. Sa collection illustre deux activités essentielles des Açores, la pêche et l'agriculture. Les tableaux de Domingos Rebelo (1891-1975), avec des scènes de la vie açorienne, sont particulièrement intéressants. Le département d'histoire naturelle présente des animaux naturalisés, des poissons, des squelettes et une grande maquette en relief de l'île.

🏛 **Museu Carlos Machado**
Rua João Moreira. 🄲 296 283 814.
🄾 *mar.–dim.* ⬤ *jours fériés.* 🈁

Ouest de l'île

Le nord-ouest est dominé par un immense cratère volcanique mesurant 12 km de circonférence, la **caldeira das Sete Cidades.** Par endroits, ses parois abruptes plongent de 300 m, tels des rideaux de verdure. Le meilleur lieu pour l'admirer, lorsqu'il n'est pas plongé dans les nuages, est le point de vue de **Vista do Rei,** d'où un sentier part vers l'ouest pour faire le tour du cratère. Au fond se trouve le petit village de Sete Cidades et trois lacs vert sombre, séparés par une étroite bande de terre. Le cratère se serait formé vers 1440, lorsqu'une éruption détruisit le pic volcanique qui se dressait à l'ouest de l'île. Les descriptions des colons, qui parlaient d'une montagne brûlée, contrastent avec la végétation luxuriante actuelle. La localité principale de la côte nord est **Ribeira Grande.** Elle possède une petite **Casa da Cultura** (maison de la Culture), installée dans le solar de São Vicente. Les *azulejos* du XVIe au XXe siècle y sont exposés. D'autres salles présentent l'artisanat et la vie rurale des insulaires.

🏛 **Casa da Cultura**
Rua São Vicente Ferreira 10, Ribeira Grande. 🄲 296 472 118. 🄾
lun.–ven. ⬤ *jours fériés.* **Don.**

LÉGENDE

═══ Route principale

── Autre route

☆ Point de vue

Les eaux turquoise du lac occupant le cratère, lagoa do Fogo

MODE D'EMPLOI

125 000. 3 km à l'O. de Ponta Delgada. avenida Infante Dom Henrique, Ponta Delgada. avenida Infante Dom Henrique, Ponta Delgada (296 285 743). 5e dim. après Pâques : Santo Cristo dos Milagres (Ponta Delgada) ; Festas do Espírito Santo (p. 366). www.drtacores.pt

Est de l'île

Le **lagoa do Fogo,** « lac de feu », s'est formé dans les montagnes du centre lors d'une éruption volcanique, en 1563. Par beau temps, ses plages de sable isolées sont un lieu de pique-nique agréable. Plus à l'est, la ville thermale de **Furnas** est l'endroit idéal pour observer l'activité géothermique qui se déroule sous la surface des Açores *(p. 338-339)*. Éparpillées autour de la bourgade, les **caldeiras das Furnas** permettent aux visiteurs de voir les geysers fumants et les sources chaudes bouillonnantes, utilisées pour les soins thermaux. Au XVIIIe siècle, Thomas Hickling, un riche marchand de Boston, aménagea à Furnas les jardins du magnifique **parque Terra Nostra.** Étendus sur 12 hectares, ils comprennent des hibiscus, des hortensias et une piscine remplie d'eau chaude couleur moutarde.

Le sol volcanique de la rive nord du **lagoa das Furnas,** à 4 km au sud, est si chaud que les insulaires viennent y faire cuire le *cozido (p. 231)*. Ce pot-au-feu mijote pendant cinq heures dans une grande marmite enfouie.

À l'extrémité orientale de São Miguel s'étend une zone aux vallées profondes, de toute beauté. Deux belvédères parfaitement entretenus, le **miradouro do Sossego** et le **miradouro da Madrugada,** ont des jardins magnifiques. Le second permet d'admirer le lever du soleil, magnifique.

Caldeiras das Furnas

À l'écart de la R1-1. 296 584 525. (central Termal das Furnas : 296 549 000). t.l.j.

Jardins parfaitement entretenus, miradouro da Madrugada

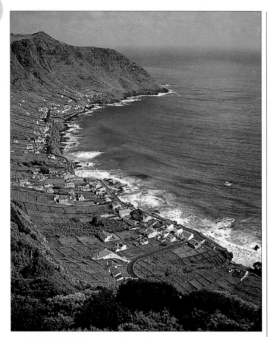

La grande baie de São Lourenço, Santa Maria

Santa Maria ❷

🏃 6 000. ✈ 3 km au N.-O. de Vila do Porto. ⚓ Vila do Porto. 🚌 rua Dr Luís Bettencourt, Vila do Porto. ℹ aeroporto de Santa Maria, Vila do Porto (296 886 355). 📅 Festas do Espírito Santo (p. 366) ; 15 août : Nossa Senhora da Assunção (Vila do Porto). 🌐 www.drtacores.pt

Santa Maria, à 55 km au sud de São Miguel, fut la première île de l'archipel découverte par les Portugais, vers 1427. Cette île, de 18 km de long, a des paysages très variés, avec des plages de sable et des campagnes paisibles, et le climat le plus chaud des Açores.

Nossa Senhora da Purificação rehaussée de basalte noir à Santo Espírito, Santa Maria

La capitale, **Vila do Porto,** au sud, est composée d'une longue rue principale qui descend vers un petit port. À l'ouest, on trouve un plateau sec et plat, avec une longue piste d'atterrissage datant de la Seconde Guerre mondiale. Au nord, le village de pêcheurs d'**Anjos** possède une statue commémorant la visite en 1493 de Christophe Colomb, qui rentrait du Nouveau Monde. À côté, la petite chapelle **Mãe de Deus,** blanchie à la chaux, est le plus vieil édifice des Açores.

Au centre, le **Pico Alto,** culminant à 590 m, commande, par beau temps, une belle vue sur l'est, verdoyant et vallonné. Vers la côte est, le village de **Santo Espírito** possède une belle église, Nossa Senhora da Purificação, dont la façade baroque est décorée de lave noire. Plus au nord, le cratère éventré de la **baía de São Lourenço,** couvert de vigne, abrite une agréable station balnéaire.

Terceira ❸

🏃 60 000. ✈ 3 km au N.-O. de Praia da Vitória. ⚓ Angra Alvaro Martins Homem. 🚌 avenida 1º de Maio, Angra do Heroísmo. ℹ rua Direita 70–74, Angra do Heroísmo (295 213 393). 📅 Festas do Espírito Santo (p. 366) ; fin juin : Festas de São João. 🌐 www.drtacores.pt

La « troisième » île découverte en 1427 est la plus moderne des cinq que comprend le groupe central, en raison notamment de la présence de la base aérienne américaine, qui est installée à Lajes depuis la Seconde Guerre mondiale. Terceira est surtout réputée pour ses courses de taureaux originales, les *touradas à corda* (course de taureaux à la corde), qui se tiennent du printemps à l'automne. Un taureau, attaché à une corde tenue par des participants, est lâché dans les rues et provoqué. L'île aussi connue pour ses chapelles colorées dédiées au culte du Saint-Esprit *(p. 366).* L'intérieur est couvert de pâturages, alors que la côte est bordée de lave noire.

Tourada à corda, où le taureau est provoqué avec des parapluies

Angra do Heroísmo

Cette ville cosmopolite a été classée patrimoine mondial de l'Humanité par l'UNESCO en 1983. Durant plus de trois siècles, ce port en plein Atlantique fut une étape entre l'Europe, l'Amérique et l'Afrique. C'est ici qu'en 1499 Vasco da Gama *(p. 108)* enterra son frère Paulo, après leur premier voyage aux Indes. Au début du XVIIᵉ siècle, le port accueillit de nombreux bateaux espagnols chargés de trésors des Amériques. Maria II accola « de heroísmo » au nom de la

La cathédrale, du XVIᵉ siècle, au centre d'Angra do Heroísmo, capitale de Terceira

ville, pour l'héroïsme dont Angra fit preuve durant les luttes libérales du XIXᵉ siècle (*p. 54-55*). Malgré les ravages du séisme de 1980, la richesse passée de la ville se lit dans ses jolies rues bordées d'églises et de demeures à balcon.

Vous découvrirez la vue la plus spectaculaire du port du haut du **Monte Brasil**, cratère volcanique situé à l'ouest de la baie. À côté se dresse le **castelo de São João Baptista,** fort construit durant la période où le Portugal était sous la domination espagnole (*p. 50-51*) pour y conserver des objets précieux. Il est toujours utilisé par l'armée. Le panorama est également magnifique de l'**alto da Memória,** à l'extrémité sud de la rua São João de Deus, d'où l'on voit bien les deux tours de la **Sé** du XVIᵉ siècle (restaurée après un incendie en 1983). Un chemin descend jusqu'au **jardim Municipal,** qui appartenait autrefois au convento de São Francisco, du XVᵉ siècle, l'actuel **Museu de Angra do Heroísmo.** Ce musée est consacré à l'histoire des Açores et de la ville en particulier. On y découvre armures, cartes, peintures et sculptures.

🏛 **Museu de Angra do Heroísmo**
Ladeira de São Francisco. **℟** 295 213 147. ⬤ *mar.–dim. (sam. et dim. ap-midi seulement).* 🅰 ♿

Saint Jean-Baptiste, Museu de Angra

Le tour de l'île

L'intérieur de cette grande île ovale est verdoyant, avec des collines boisées et des terres agricoles, tandis que le centre témoigne de son origine volcanique : la **caldeira de Guilherme Moniz** est un cratère érodé de 3 km de large. Non loin, l'**algar do Carvão,** conduit de volcan, est tapissé de mousse ruisselante d'eau. On y pénètre pour découvrir une grotte souterraine. Plus à l'ouest, les **furnas do Enxofre** sont des geysers fumants, où les vapeurs de soufre se cristallisent et donnent naissance à des formations colorées.

Deux points de vue dominent l'île : à l'ouest, une route bordée d'hortensias bleus monte en serpentant vers la **Serra de Santa Bárbara** pour rejoindre un vaste cratère, à 1 022 m, tandis qu'à l'est, la **Serra do Cume,** à 545 m, domine l'aéroport et **Praia da Vitória.** Ce port possède une vaste baie avec une plage de sable. Il doit son nom à une victoire remportée, en 1581, sur les Espagnols qui tentaient de prendre l'île à Baía da Salga, à 10 km au sud, et se trouvèrent face à un troupeau lâché

sur la rive. Sur la côte nord, **Biscoitos** (biscuits) tire son nom des amas de lave semblables à des biscuits qui bordent la mer. Des piscines naturelles se sont formées entre les rochers. La région est aussi renommée pour son vin, et les paysages sont couverts d'un damier d'enclos (*curraletas*) entourés de murs de pierre, qui protègent la vigne. Le plaisant **Museu do Vinho** explique les méthodes simples utilisées pour produire le *verdelho*, un vin riche jadis exporté à la cour de Russie. On peut y déguster et y acheter les crus d'aujourd'hui.

🎣 **Algar do Carvão**
À l'écart de la R5-2. **℟** 295 212 992. ⬤ 15 h–17 h t.l.j. (oct.–mars : sur demande). 🅰

🏛 **Museu do Vinho**
Canada do Caldeiro, Biscoitos. **℟** 295 908 404. ⬤ mar.–dim.

Champs entourés de murets en pierre, au nord-est de Terceira, près de Praia da Vitória

Les fêtes du Saint-Esprit

Les fêtes qui rythment la vie de l'archipel renforcent le sentiment d'appartenance à une communauté. Les Açoriens vivant en Amérique du Nord et au Portugal continental reviennent dans leur île natale, accompagnés de leur famille, pour y célébrer les *festas*, en particulier les traditionnelles fêtes associées au Saint-Esprit : *festas do Espírito Santo*. Introduites aux Açores par les premiers colons portugais, qui invoquaient le Saint-Esprit pour les protéger

L'« empereur » couronné : une fillette

des catastrophes naturelles, ces fêtes présentent un rituel quasiment inchangé. Un « empereur », souvent un enfant, est couronné dans l'église paroissiale. Muni d'un sceptre et d'un plat en argent symbolisant le Saint-Esprit, il préside les festivités qui se déroulent les sept dimanches suivant Pâques. Le septième dimanche, la Pentecôte, jour où l'Esprit Saint est descendu sur les apôtres, est célébrée une grande fête.

La distribution de pain, *pour la fête du Saint-Esprit, doit son origine à la reine sainte Isabel (p. 45) qui donnait de la nourriture aux pauvres. Le dernier jour des festivités, le septième dimanche après Pâques, la soupe du Saint-Esprit est distribuée avec du pain aux personnes réunies devant l'*império *local.*

LES *IMPÉRIOS* DU SAINT-ESPRIT

Império à fenêtres gothiques, Terra Chã, Terceira (1954)

Império ornementé, São Sebastião, Terceira (1918)

Império sobre, Praia da Vitória, Terceira (1861)

Les cérémonies s'articulent autour d'une petite chapelle, ou *império* (empire), utilisée pour la distribution de la soupe du Saint-Esprit. La couronne, le sceptre et le plat de l'empereur sont présentés sur l'autel, le dernier jour des festivités. À Terceira, où ce culte est vivace, la plupart des 58 *impérios* sont peints de couleurs vives au printemps. Les fêtes de village, qui réunissent jusqu'à 500 insulaires, sont célébrées avec des danses, des fanfares, des décorations de fleurs et souvent avec une *tourada à corda,* où un taureau, attaché à une corde, est lâché dans les rues.

Couronne d'empereur exposée dans un *império* de São Miguel

**Char à bœufs traditionnel,
Graciosa**

Graciosa ❹

🏛 5 500. ✈ 2 km à l'O. de Santa
Cruz da Graciosa. ⛴ praia de São
Mateus. 🚌 praça Fontes Pereira de
Melo, Santa Cruz (295 712 509). 🎭
Festas do Espírito Santo ; août : Santo
Cristo. 🌐 www.drtacores.pt

L es principales activités de
l'île « gracieuse », l'une des
plus paisibles de l'archipel,
sont l'agriculture et la
viticulture. Cette île plane ne
mesure que 12 kilomètres de
long. On y voit toujours des
chars à bœufs et des charrues.
La capitale, **Santa Cruz da
Graciosa,** sur la côte nord,
possède un quai très simple,
bordé de maisons blanchies à
la chaux avec des balcons en
fer forgé et des fenêtres
ovales. Le petit **Museu da
Graciosa** réunit une
collection hétéroclite : jouets,
:malles-cabines, ustensiles de
cuisine, pressoirs à vin,
meubles et objets envoyés par
des émigrés d'Amérique du
Nord. À côté, un bâtiment
abrite un baleinier
(p. 368-369).

Le pittoresque monte de
Ajuda, situé derrière la ville,
est couronné par une chapelle
fortifiée du xvie siècle, **Nossa
Senhora da Ajuda,** décorée
notamment d'azulejos du xviiie
siècle. Non loin, on peut voir
une petite vigia (vigie de
baleinier),qui est tournée
vers la mer.

Au sud-est, à **Furna do
Enxofre,** principal site de
l'île, les visiteurs accèdent au
cœur d'un cratère volcanique.
Au fond se trouve une
immense grotte, avec un lac
profond aux eaux sulfureuses.
Des orifices permettent de
voir bouillonner un liquide
grisâtre derrière les rochers.
En fin de matinée, le soleil

entre dans la grotte et
l'illumine. Au-dessus de la
grotte, à **Furna Maria
Encantada,** un tunnel naturel
traverse la roche et mène au
bord du cratère. De là, la vue
sur l'île est magnifique. Au
pied du volcan, **Carapacho**
propose des soins grâce aux
eaux géothermiques de l'île.

🏛 Museu da Graciosa
Rua das Flores, Santa Cruz. 📞 295 712
429. 🕐 t.l.j. (oct.–mars : lun.–ven.).
⛔ jours fériés. 📷 ♿ r-d.-c.
🐚 Furna do Enxofre
2 km à l'E. de Luz, suivre indications
pour la caldeira. 🕐 ven.–mer. 📷

**Intérieur baroque de Santa Bárbara
à Manadas, São Jorge**

São Jorge ❺

🏛 11 000. ✈ 7 km à l'E. de Velas.
⛴ Velas et Calheta. 🚌 rua Conselheiro
Dr José Pereira 1, Velas (295 412 440).
🎭 23 avr. : Festa de São Jorge ; Festas
do Espírito Santo ; juil. : Semana
Cultural de Velas (Velas).
🌐 www.drtacores.pt

C ette île montagneuse
s'étend sur 56 km de long
et seulement 8 km de large.
Sur la côte nord, des falaises

abruptes, de 480 m de
hauteur, plongent dans la mer.
Au cours des siècles, elles se
sont effondrées par endroits,
créant des bandes de terre
appelées fajãs. C'est sur ces
promontoires côtiers que les
premiers colons flamands
s'installèrent au xve siècle.
Aujourd'hui, beaucoup
d'habitants de l'île vivent de la
production d'un délicieux
fromage, le queijo de São
Jorge, exporté en Europe
continentale. Toutefois, le
tourisme vert se développe et
nombre de visiteurs viennent
pour faire des randonnées
entre les fajãs. L'itinéraire le
plus prisé, au nord-est de l'île,
descend sur 10 km, de la Serra
do Topo à la fajã dos Cubres.

La plupart des localités —
comme la capitale, **Velas,** et
Calheta — sont établies sur la
côte sud, moins escarpée. À
Calheta, le petit **Museu de
São Jorge** présente de
magnifiques pains
confectionnés pour les fêtes
du Saint-Esprit, un pressoir à
miel, des outils agricoles et
des sculptures religieuses.
Manadas, à l'ouest de
Calheta, abrite l'église **Santa
Bárbara,** du xviiie siècle, qui
possède un bel intérieur
sculpté et peint. À **Urzelina,**
2 km plus à l'ouest, le clocher
d'une église ensevelie sous la
lave en 1808 dépasse du sol.
À **Sete Fontes,** dans l'ouest,
vous trouverez une agréable
aire de pique-nique boisée.
Par temps dégagé, le sommet
du **Pico da Velha,** non loin,
offre une superbe vue.

🏛 Museu de São Jorge
Rua José Azevedo da Cunha, Calheta.
📞 295 416 323. 🕐 lun.–ven.
⛔ jours fériés.

Falaises spectaculaires de la côte nord de São Jorge

Pico ❻

🏛 15 500. ✈ 8 km à l'E. de Madalena.
🚢 Madalena. 🚌 avenida Machado
Serpa, Madalena. 🛈 rua Conselheiro
Terra Pinheiro, Madalena (292 623 524).
🎭 22 juil. : Santa Maria Madalena ;
Festas do Espirito Santo (p. 366).
Ⓦ www.drtacores.pt

C'est depuis les îles voisines du groupe central que le Pico, la plus haute montagne du Portugal, apparaît le plus majestueusement. On voit

Maison et puits rustiques en pierre de lave noire, à Pico

alors jaillir ce pic volcanique de l'Atlantique, culminant à 2 350 m pour former le sommet de la plus longue chaîne de montagne du monde, la dorsale médio-atlantique *(p. 338-339)*.

La capitale, **Madalena,** est un port qui fait face à Horta, capitale de Faial. Un ferry assure régulièrement la traversée de 7 kilomètres entre les deux îles, permettant une excursion d'une journée. L'entrée du port est gardée par deux rochers, Em Pé (debout) et Deitado (couché), sur lesquels se sont installées des colonies d'oiseaux.

Beaucoup de visiteurs viennent à Pico pour faire l'ascension de la montagne qui, en hiver, est souvent couronnée de neige. Des

Le sommet du volcan de Pico

nuages auréolent fréquemment le sommet. C'est pourquoi il est recommandé de faire cette ascension ardue en compagnie d'un guide. Une autorisation étant nécessaire, contactez l'Office du tourisme pour plus de renseignements. L'autre attraction de Pico, en été, est l'observation des baleines. De **Lajes do Pico,** des bateaux

---

Sur les traces des baleines

C haque été, quantité de baleines et de dauphins rejoignent les eaux des Açores, où la chasse à la baleine est interdite depuis 1984. Au XIXe siècle, les baleiniers américains y faisaient escale pour recruter du personnel et, vers 1870, les Açoriens se consacrèrent également à cette activité. Installés dans des *vigias* sur les falaises, des observateurs donnaient des indications codées, à l'aide de drapeaux, sur l'emplacement des cétacés, que seuls les habitants de leur village pouvaient décrypter. Depuis l'interdiction de la chasse dans les années 80, les Açoriens se sont convertis à l'observation et à la protection des cétacés.

Les scrimshaws *sont des dents ou des os de cachalots gravés, souvent ornés de scènes de chasse à la baleine. Ce spécimen du Museu do Scrimshau à Faial (p. 370) représente un canoa, bateau étroit pouvant contenir 14 hommes.*

L'observation des baleines *s'effectue depuis des bateaux, rapides et sûrs, qui permettent d'approcher les mammifères marins. On peut aussi les voir depuis les vigias, des tours d'observation qui sont installées sur le rivage. Des excursions sont proposées depuis Pico et Faial (p. 370).*

embarquent des petits groupes pour des excursions de trois heures, organisées par l'**Espaço Talassa**. Les bateaux sont guidés par les messages radio des observateurs qui scrutent la mer depuis les anciennes *vigias* (vigies). Le **Museu dos Baleeiros**, également à Lajes, présente des bateaux, des outils et des objets en os de baleine. Les cétacés étaient dépecés dans une immense usine au nord de l'île, à São Roque do Pico. Fermé en 1981, le **Museu da Indústria Baleeira** a été préservé. On y voit encore les cuves où le blanc de baleine était transformé en huile.

Pico est bordé d'une route côtière, qui permet de faire tranquillement le tour de cette île sauvage. De petites éruptions, survenues au cours des siècles, ont couvert, en partie, le paysage de coulées de lave noires, baptisées *mistérios* (mystères) par les insulaires. La lave a été

utilisée pour bâtir maisons et murs de pierre. Par endroits, notamment aux environs de **Cachorro,** sur la côte nord, la lave érodée a formé de curieuses arches dans la mer.

Le fameux vin *verdelho* de Pico, proche d'un vin de Madère *(p. 349)*, était exporté autrefois sur le continent. Récemment, la viticulture a connu un regain, avec de nouveaux vins rouges et blancs, comme les *Terras da Lava*. On peut désormais

consommer autre chose que le *vinho de cheiro* (vin d'odeur).

Espaço Talassa
Rua do Saco, Lajes. 292 672 010.
t.l.j.
Museu dos Baleeiros
Rua dos Baleeiros, Lajes. 292 672 276.
mar.-dim matin (jours fériés : matin seul.).
Museu da Indústria Baleeira
292 642 096. t.l.j. ; sam.-dim. (jours fériés : matin seul.).

La côte ouest de Pico, avec Faial à l'arrière-plan

FAUNE MARINE DES AÇORES

Plus de vingt espèces de cétacés vivent dans les eaux açoriennes. Ces animaux à sang chaud suivent les courants du Gulf Stream pour se nourrir dans ces eaux pures et riches en nourriture. On voit souvent des dauphins fendant les vagues à grande vitesse. Toutefois, les mammifères les plus impressionnants sont les cachalots. Ces animaux sociables plongent à une grande profondeur pour attraper des poulpes géants et vivent en groupes familiaux. Comme les dauphins et les baleines, ils remontent à la surface pour respirer. C'est à ce moment que l'on peut les apercevoir.

Dauphins tachetés de l'Atlantique, nageurs rapides et élégants

Les cachalots
sont les plus grandes baleines à dents. On peut les voir sauter hors de l'eau, sortir la tête pour observer ce qui se passe alentour ou se frotter les uns aux autres.

Les globicéphales noirs, ou dauphins pilotes, se reconnaissent à leur souffle, lançant un jet jusqu'à 1 m de haut.

Les dauphins de Risso
ont une tête ramassée. Les plus âgés ont souvent le corps couvert de cicatrices blanches.

Les grands dauphins,
ou souffleurs, sont les plus connus. Ces animaux joueurs adorent fendre les vagues.

Les carets,
tortues qui naissent sur les plages de Floride, apprécient les eaux açoriennes.

Yachts transatlantiques dans la marina d'Horta, Faial, avec le Pico à l'arrière-plan

Faial ❼

🏃 16 000. ✈ 10 km au S.-O. d'Horta. ⛴ Horta. 🚌 rua Vasco da Gama, Horta. 🛈 rua Vasco da Gama, Horta (292 292 237). 🎭 Festas do Espírito Santo (p. 366) ; 1er–2e dim. d'août : Semana do Mar (Horta). Ⓦ www.drtacores.pt

F aial fut colonisé par les Flamands au XVe siècle, puis prospéra grâce au port d'Horta, qui devint une escale pour les bateaux et, plus récemment, pour les hydravions transatlantiques. Cette île, appréciée des amateurs de voile, est renommée pour la douceur de son climat et pour ses haies d'hortensias, qui sillonnent l'île ; ils fleurissent en juin et en juillet.

Horta
Blottie dans une vaste baie, la capitale de Faial fut durant des siècles un lieu de mouillage pour les caravelles, les clippers et les hydravions. Le capitaine Cook, qui s'y arrêta en 1775, admira les belles maisons et les magnifiques jardins d'Horta. Aujourd'hui, les équipages de bateaux traversant l'Atlantique peignent leur « carte de visite » sur le quai de la marina et fêtent leur arrivée au **Peter's Café Sport.** Au-dessus du café, le **Museu do Scrimshaw** réunit os et dents de cachalots gravés, dont certains datent de 1884 *(p. 368).*

Le **Museu da Horta** présente des meubles anciens, des portraits, des objets maritimes et des photographies anciennes du port, éclipsés par de minuscules sculptures de bateaux et des scènes de la vie quotidienne, réalisées dans de la moelle de figuier blanche par Euclides Silveira da Rosa (1910-1979). Notons enfin que la société **Espaço Talassa** propose des excursions en mer pour observer dauphins et baleines *(p. 368-369).*

« Carte de visite » d'un bateau sur le quai d'Horta, Faial

🏛 **Museu do Scrimshaw**
Peter's Café Sport, rua T. Valadim 9.
📞 292 292 327. 🕐 lun.–sam. 📷

🏛 **Museu da Horta**
Largo Duque D'Avila e Boloma. 📞 292 393 384. 🕐 mar.–ven. ; sam.–dim. après–midi. ● jours fériés. 📷

🐬 **Espaço Talassa.** 📞 292 292 067. 🕐 avril–oct. 📷

Paysage couvert de cendres volcaniques à Capelinhos, extrémité ouest de Faial

Le tour de l'île
Deux points de vue dominent Horta : le pic volcanique du **monte da Guia,** au sud, et le **miradouro da Espalamaca,** gardé par une grande statue de Nossa Senhora da Conceição, au nord. Si les nuages le permettent, la visite de la **caldeira do Cabeço Gordo** (15 km de trajet), au centre de l'île, en vaut la peine. Ce cratère mesure 2 km de large et 400 m de profondeur. La randonnée autour de la dépression offre une belle vue.

Le **vulcão dos Capelinhos,** à l'extrémité occidentale, est un autre site naturel. L'éruption volcanique, survenue en 1957 et en 1958, entraîna la quasi-disparition d'un phare, dont seul le sommet émerge des cendres. Autour s'étend un paysage lunaire et désolé, qui a servi de décor à un film « post-nucléaire » allemand. Le **Museu dos Capelinhos** retrace cette longue éruption et explique l'activité géologique de la région. On y voit aussi cette zone toute noire se couvrir à nouveau de vie et les formations de lave créées lors de l'éruption.

🏛 **Museu dos Capelinhos**
Canto do Capelo. 📞 292 945 165.
🕐 mar.–dim. ● 1er janv., 24, 25 et 31 déc.

Flores ❽

2 000. ✈ *1 km au N. de Santa Cruz.* ⛴ *Lajes.* 🚌 *Centro de Saúde, Santa Cruz.* ℹ️ *rua Dr Almas da Silveira, Santa Cruz (292 592 369).* 🎭 *Festas do Espírito Santo (p.366) ; 24–26 juin : Festas de São João.* 🌐 *www.drtacores.pt*

Hortensias couvrant les montagnes de Flores

Souvent isolée par les tempêtes, l'île des « fleurs » est un endroit reculé et romantique, qui ne fut pas habité de façon permanente avant le XVIe siècle. Repaire de pirates guettant les galions espagnols chargés d'or qui mettaient le cap sur l'Europe, Flores fut, en 1591, le théâtre d'une bataille épique entre le bateau d'un capitaine de frégate anglais, Sir Richard Grenville, et une flotte de bateaux espagnols.

La plus occidentale des îles, extrêmement montagneuse, s'étend sur 17 km. Elle doit son nom à sa multitude de fleurs. En été, cette île sauvage attire les passionnés de randonnée. La capitale, **Santa Cruz,** possède un intéressant musée, le **Museu das Flores,** installé dans un ancien couvent franciscain. Il présente des trouvailles issues de naufrages, des terres cuites, des meubles et des outils agricoles, ainsi que des cannes à pêche et une guitare en os de cachalot. L'église conventuelle **São Boaventura,** de 1641, recèle un beau chœur sculpté en bois de cèdre. La moitié sud de l'île est la plus pittoresque. Les vallées verdoyantes et profondes sont ponctuées de pics spectaculaires, de lacs de cratères et de grottes. Le paisible **lagoa Funda** (lac profond), à 25 km au sud-ouest de Santa Cruz, est un grand lac de cratère, situé au pied d'une montagne. De la route principale, à l'ouest du lac, on voit les étranges formations rocheuses verticales de la **rocha dos Bordões,** formée de basalte solidifié.

La route en lacet continue vers le nord. À mesure qu'elle descend vers la côte ouest, elle offre une vue magnifique sur la vallée verte et le village de **Fajãzinha.** La station de **Fajã Grande,** entourée de falaises, est un bon point de départ pour les randonnées. Des cascades impressionnantes plongent dans la mer, du haut de falaises élevées. Une courte promenade au nord de la ville mène à la **cascata da Ribeira Grande,** une chute d'eau qui se divise en petites cascades avant de tomber dans un bassin.

🏛 **Museu das Flores**

Largo da Misericórdia, Santa Cruz. 📞 292 592 159. ⏰ *mar.–ven.* ⬤ *jours fériés.* 🖼

Corvo ❾

370. ✈ ⛴ *Vila Nova.* 🚌 *rua da Matriz, Vila Nova.* ℹ️ *Câmara Municipal, rua J. da Bola, Vila Nova (292 590 200).* 🎭 *Festas do Espírito Santo (p. 366).* 🌐 *www.drtacores.pt*

La plus petite île des Açores, qui s'étend à 24 kilomètres au nord-est de Flores, ne compte qu'une minuscule localité, **Vila Nova,** avec deux taxis et un seul agent de police. Corvo est le sommet d'un volcan sous-marin, le Monte Gordo. Le **lagoa do Caldeirão,** un splendide cratère vert, est situé à son extrémité nord. Le bord du lac est desservi par la route. Puis un sentier abrupt descend 300 m plus bas, au fond du cratère parsemé de lacs paisibles abritant des îles. Une mosaïque de champs entourés de murs de pierres couvre, en partie, les versants.

L'île de Corvo vue du rivage rocheux de Flores

LES BONNES ADRESSES

HÉBERGEMENT

Le Portugal offre un large éventail de possibilités d'hébergement allant de l'hôtel de luxe et du palais réaménagé à la pension familiale. La plupart des hôtels sont situés à Lisbonne, Porto, sur les côtes de l'Algarve ou de l'Estoril. En dehors de ces régions, ils se font plutôt rares. Mais il existe d'autres modes d'hébergement, entre autres dans des bâtiments historiques. La réservation est cependant recommandée en raison du nombre de chambres limité. On peut également loger chez l'habitant ou louer

Portier du luxueux Hotel da Lapa, à Lisbonne (p. 382)

un appartement équipé d'une cuisine aussi bien en ville qu'à la campagne, où les possibilités se multiplient pour satisfaire tous les goûts : fermes aménagées, centres de vacances. Quel que soit votre choix, les chambres sont toujours moins chères hors saison. À Lisbonne, on passe facilement de l'hôtel de luxe à la pension, sans grand choix intermédiaire. Nous vous proposons aux pages 380 à 401 notre sélection, toutes catégories de prix et de styles confondus.

CLASSEMENT DES HÔTELS

Au Portugal, les hôtels varient considérablement en qualité, prix et services. La classification de l'Office national du tourisme portugais distingue deux catégories : les hôtels et les *pensões*. Les premiers occupent toujours un immeuble entier, souvent construit spécialement à cet usage, tandis que les secondes ne constituent qu'une partie (par exemple quelques étages) d'un bâtiment d'habitation ordinaire. En outre, on trouve aussi des résidences hôtelières qui, tout en assurant les services normaux d'un hôtel, proposent des appartements avec cuisine.

Les hôtels et *pensões* sont censés servir les repas. S'ils se limitent au petit déjeuner, l'adjectif *residencial* doit figurer sur leur enseigne.

Mieux vaut se renseigner au préalable, les normes officielles étant parfois théoriques. Beaucoup d'hébergements opèrent aussi hors classification. Les *estalagens* (singulier *estalagem*) sont en général situées en dehors des centres-villes et doivent obligatoirement disposer d'un jardin. Les *albergarias* sont des *pensões* de luxe, leur niveau de services en fait l'équivalent d'hôtels 4 ou 5 étoiles (*voir p. 375 le classement des hôtels*).

LES POUSADAS

Les *pousadas* constituent une catégorie à part. Il en

Chambre au York House Hotel, à Lisbonne, un couvent du XVIᵉ siècle converti en hôtel (p. 382)

existe de deux sortes, les établissements de charme et les « régionales ». Ces dernières sont des sortes d'auberges de campagne d'un haut niveau de confort, situées dans un environnement particulièrement pittoresque, voire isolé. Les premières sont aménagées dans des châteaux, palais ou anciens couvents, et offrent un hébergement de luxe dans un cadre historique ou architectural exceptionnel. Mis à part deux gîtes de montagne à Madère qui utilisent cette appellation, toutes les *pousadas* sont propriété de l'État et gérées sous forme de chaîne par la compagnie **Enatur**.

CHAÎNES HÔTELIÈRES

Les grandes chaînes hôtelières de luxe Méridien et Orient-Express sont représentées dans l'Algarve et à Madère, à Porto et dans la région de Lisbonne. Parmi les groupes de moindre

Hotel Almansor à Carvoeiro, en Algarve (p. 397)

◁ *Pousada de Palmela, le petit déjeuner est servi sous les glycines* importance figurent les **hôtels Tivoli** (trois hôtels à Lisbonne, deux à Sintra, trois dans l'Algarve et un à Madère, Porto et Coimbra) et le **groupe Pestana** (huit hôtels à Madère, cinq dans l'Algarve et un à Cascais, Lisbonne et Porto).

LES CATÉGORIES

L'Office national du tourisme portugais accorde aux hôtels de une à cinq étoiles (niveau de confort croissant), et classe les *pensões* en quatre catégories (avec au sommet les *albergarias*, les *pensões* étant de 1re, 2e ou 3e catégorie). Cette classification repose sur une série de critères concernant les principaux éléments du confort, sans toutefois prendre en compte les aspects plus subjectifs tels que la vue, l'ambiance ou la serviabilité du personnel. N'oubliez pas que ces deux classifications sont parallèles et distinctes l'une de l'autre : ainsi, un hôtel une ou deux étoiles sera toujours moins confortable – et meilleur marché – qu'une *albergaria* ou même une *pensão* de catégorie 1. Depuis peu, tous les établissements classés sont censés indiquer leur catégorie à l'entrée, mais le système de classement a changé récemment et tous n'ont pas encore eu le temps de mettre leur affichage aux normes.

LES PRIX

Au Portugal, les établissements sont libres de fixer leurs tarifs, mais tous doivent être clairement affichés à la réseption et dans les chambres. Dans le prix d'une chambre sont habituellement inclus toutes les taxes et le petit déjeuner continental, les autres repas seront facturés en plus. On peut parfois négocier une réduction, surtout en basse saison. En

Vue depuis le palácio de Seteais, à Sintra, transformé en hôtel *(p. 386)*

général, le coût d'une chambre individuelle tourne autour de 60 à 75 % de celui d'une chambre double. Les prix les plus élevés se rencontrent dans les zones touristiques, sur les côtes de l'Algarve et de l'Estoril, à Madère et dans les Açores, mais ils chutent notablement hors saison. Cependant, à Porto et Lisbonne beaucoup d'hôtels d'affaires pratiquent les mêmes tarifs toute l'année. Les tarifs des pousadas se répartissent en deux saisons, haute (de novembre à mars, sauf nouvel an, carnaval et

Pâques) et basse (d'avril à octobre). À Madère, Noël et le jour de l'an font partie de la haute saison.

LES RÉSERVATIONS

La réservation est impérative en haute saison dans toutes les zones touristiques. Attention, dans l'Algarve et l'Estoril la plus grande partie des hébergements sont monopolisés par les voyagistes. Pour Madère, Porto et Lisbonne, mieux vaut réserver à l'avance quelle que soit la saison. Généralement des arrhes ne sont pas exigées, en revanche on vous demandera une confirmation écrite (par fax) avec votre numéro de carte de crédit. Pour les pousadas, les réservations peuvent s'effectuer par l'intermédiaire d'**Enatur** ou sur leur site Internet, qui fournit également toutes sortes d'informations précieuses. L'Office du tourisme d'État (**Direcção Geral do Turismo**) publie deux guides officiels régulièrement mis à jour, l'*Alojamento Turístico* et le *Turismo no Espaço Rural* – le second pour les hébergements à la campagne. Tous deux fournissent la liste des établissements classés, mais seul le second contient une description du cadre, des installations et des types de services pour chaque établissement.

Reid's Palace Hotel, à Funchal *(p. 400)*

Caso de Campo, manoir situé
à Celorico de Basto *(p. 393)*

LOGEMENT RURAL

L'option d'une résidence en
espace rural élargit
considérablement les
perspectives d'hébergement au
Portugal. Il s'agit de demeures
privées, manoirs, maisons
villageoises ou fermes en
exploitation, parfois situées à la
campagne et parfois louées en
présence des propriétaires,
mais pas obligatoirement.
Quatre formules sont proposées
par le *Turismo no Espaço Rural*.
Le *Turismo de Habitação* (TH)
concerne des demeures
historiques, manoirs ou palais,
classées pour leur qualité
architecturale ou leur mobilier
et décoration intérieure ; le
Turismo Rural (TR) propose des
maisons campagnardes de style
régional typique, situées dans
un village ou à proximité ;
l'*Agroturismo* (AG) offre un
hébergement dans des
bâtiments de ferme ; enfin, avec
Casa de Campo (CC), les

visiteurs sont reçus comme les
hôtes des propriétaires. Les plus
magnifiques des demeures
proposées dans le cadre du
Turismo de Habitação sont
situées au nord, dans le Mihno.
Il existe par ailleurs quatre
associations de propriétaires
auxquelles s'adresser pour tout
renseignement et réservation.
Turismo no Espaço Rural publie
une brochure annuelle avec une
liste d'adresses. Les réservations
peuvent s'effectuer directement
auprès des propriétaires
ou par l'intermédiaire
d'une agence.

STATIONS
BALNÉAIRES

Les stations balnéaires
sont situées sur les
côtes de l'Algarve et de
l'Estoril. Le meilleur
moyen de réserver est de
s'adresser à une agence
de voyages. Hors saison,
on peut obtenir des
remises intéressantes.
Le village de tourisme,
ou *Aldeamento Turístico*,
est une particularité des
régions de stations
balnéaires telles que
l'Algarve. Ces complexes
se composent
d'appartements
individuels bien meublés et
offrent nombre d'installations
sportives. En outre, ils peuvent
offrir des équipements (piscines),
des services (supermarchés), des
lieux (restaurants, bars) qui les
rendent très attractifs ; parfois la

plage est à proximité. Leur
classement va de trois
à cinq étoiles.
Les *Apartamentos Turísticos*
(appartements touristiques)
n'offrent pas les avantages
hôteliers des villages de
tourisme, mais conviennent
mieux aux amateurs de calme
et d'indépendance. Ce sont, en
général, des habitations
modernes bien équipées,
classés selon les catégories
précitées, construites à cet effet
dans les stations balnéaires.

Le luxueux Marinotel, station balnéaire
de Vilamoura, en Algarve *(p. 399)*

AUBERGES DE JEUNESSE
ET CHAMBRES

Les *pousadas de Juventude*
se trouvent le long de la
côte. Vingt-deux sont
continentales et deux
insulaires (Açores). Elles sont
ouvertes toute l'année, mais il
est recommandé de réserver
pour l'été. Il faut présenter
une carte en cours de validité
de la FUAJ (Fédération Unie
des Auberges de Jeunesse).
Certaines possèdent des
aménagement pour les
handicapés. Pour plus
d'informations, contactez
Movijovem, le bureau central
de l'association portugaise des
auberges de jeunesse.
Au moins aussi bon marché
que les auberges de jeunesse
mais offrant plus d'intimité,
les *quartos* louées dans des
appartements sont également
intéressantes. Vous pourrez
consulter la liste des chambres
disponibles dans tous les
offices du tourisme locaux.

Salle à manger de la Casa de Esteiró, hébergement rural à Caminha *(p. 393)*

LE CAMPING ET LE CARAVANING

Il y a plus de cent campings agréés, la plupart situés le long de la côte, bien souvent dans des lieux très séduisants. En général, ils sont petits et calmes ; le plus grand se trouve à Albufeira, en Algarve. L'agence **Orbitur** gère une chaîne de camping nationale.

En règle générale, il faut s'acquitter d'une somme par personne et par tente, et d'un supplément pour les douches et le parking. L'Office du tourisme fournit tous les renseignements, ainsi que la liste des campings. Les gestionnaires de terrains exigent de plus en plus la carte de camping internationale. Vous pourrez l'obtenir auprès de la **Fédération française de camping et caravaning** (FFCC). Cette carte fournit une assurance de responsabilité civile, des

Terrain de camping de São Miguel, près d'Odemira, en Alentejo

remises sur les prestations touristiques et les séjours hors saison, entre autres.

LES ENFANTS

Les enfants sont très bien accueillis dans ce pays qui a le sens de la famille. Nombre d'hôtels accordent aux enfants de moins de 8 ans une remise de 50 % pour le logement et les repas.

PERSONNES HANDICAPÉES

La liste des hôtels équipés et un fascicule contenant des informations utiles sont fournis par l'Office du tourisme. Les campings et les auberges de jeunesse offrant des services adaptés sont répertoriés par les organismes concernés et dans le guide publié par le **Secretariado Nacional de Reabilitação.**

CARNET D'ADRESSES

CHAÎNES HÔTELIÈRES

Best Western
Portugal 800 839 361.
(Numéro vert.)
W www.bestwestern.com

Choice Hotels
Portugal 00 800 44 800. (Numéro vert.)
W www.choicehotel.pt

Enatur-Pousadas de Portugal
218 442 001.
FAX 218 442 085.
W www.pousadas.pt

Tivoli Hotels
Avenida da Liberdade 185, 1250 Lisbonne.
213 198 900.
FAX 213 579 461.
W www.tivolihotels.com

IBIS
28, cours Blaise Pascal, 91021 Évry Cedex.
0825 88 2222.

Pestana Group
Rua Jau 54, 1300-314 Lisbon.
213 615 600.
W www.pestana.com

AGENCES NATIONALES DE TOURISME

Direcção-Geral dO Turismo
Avenida António Augusto de Aguiar 86, 1050 Lisbonne.
213 586 800.
W www.doturismo.pt

Direcção Regional de Turismo dos Açores
Rue Ernesto Rebelo 14, 9900-112 Horta, Faial.
292 200 500.
FAX 292 200 501.
W www.drtacores.pt

Direcção Regional de Turismo da Madeira
Avenida Arriaga 18, 9000 Funchal. 291 229 057.
W www.madeiratourism.org

HÉBERGEMENT RURAL

ANTER
Associação Nacional de Turismo no Espaço Rural, Travessa Megue 4, 1º, 7000 Évora.
& FAX 266 744 555.

Casas de Sousa
Ass. de Turismo No Espaco Rural do Vale do Sousa, Praça D. Antonio Mereles 4620–130 Lousada.
255 815 436.
W www.casasdesousa.com

PRIVETUR
Associação Portuguesa de Turismo de Habitação, Rua Dr. F. SA Carneiro, Lote C, Loja AC, 4990-024 Arca
258 743 923.
FAX 258 741 493

TURIHAB
Associação do Turismo de Habitação, Solares de Portugal, Praça de República, 4990-062 Ponte de Lima.
258 741 672.
W www.turihab.pt

AUBERGES DE JEUNESSE

Movijovem
Pousadas de Juventude, Avenida Duque d'Avila 137, 1050 Lisbonne.
213 138 820.
FAX 213 528 621.

CAMPING ET CARAVANING

Fédération française de camping et caravaning
78, rue de Rivoli, 75004 Paris.
01 42 72 84 08.
FAX 01 42 72 70 21.

Portugal : Camping et Caravanning Albufeira
Estrada de Ferreiras, 8200 Albufeira, Algarve.
289 589 505.
FAX 289 587 633.

Orbitur Intercâmbio de Turismo
Rua Diogo de Couto 1, 8º, 1100 Lisbonne.
218 154 871.
FAX 218 148 045.

PERSONNES HANDICAPÉES

Secretariado Nacional de Reabilitação
Avenida Conde de Valbom 63,1050 Lisbonne.
217 936 517.
FAX 217 958 274.

Les pousadas

**Symbole d'une
pousada**

Dans les années 40, les Portugais décidèrent d'établir un réseau national d'auberges, gérées par l'État, présentant une « hospitalité conforme au style et aux traditions régionales ». Ainsi sont nées les *pousadas*. Souvent situées dans des lieux pittoresques, elles ont, pour la plupart, moins de trente chambres et, de ce fait, offrent un service de qualité et personnalisé, ainsi qu'un grand confort. Sur la carte sont indiquées 38 pousadas, décrites aux pages 380 à 401.

La pousada da Ria, *près du port d'Aveiro, possède 19 chambres, le plus souvent avec balcon, donnant sur la lagune de la Ria de Aveiro* (p. 388).

La pousada de São Pedro, *à 13 km au sud-est de Tomar, fut construite dans les années 40 pour héberger les ingénieurs travaillant sur le barrage de Castelo de Bode. Donnant sur le Zêzere (en bas du barrage), cette pousada a rouvert en 1993 après d'importants travaux* (p. 386).

La pousada do Castelo, *située à Óbidos, est abritée dans le donjon d'un magnifique palais restauré et allie subtilement une ambiance médiévale avec des aménagements modernes. Le restaurant est recommandé* (p. 387).

La pousada de Palmela *a une histoire illustre, un intérieur élégant et une vue majestueuse sur le village de Palmela et sur l'Atlantique. Une conversion réussie d'un monastère où siégeaient, au XIIIe siècle, les chevaliers de l'ordre de Santiago* (p. 385).

La pousada do Infante *jouit d'une belle situation, perchée sur une falaise dans le village de Sagres, au point le plus au sud-ouest de l'Europe. Sa terrasse offre une belle vue sur l'Atlantique* (p. 398).

Vale
do Mi

Vila Nova
de Cerveira

Ⓟ

Viana do
Castelo

Ⓟ

Condeixa-
a-Nova

Ⓟ
Batalha

Ⓟ
Ourém

Ⓟ

**ESTREMADURA
ET RIBATEJO**

Queluz

Ⓟ

LISBONNE

**CÔTE
DE
LISBONNE**

Ⓟ Setúb

Alcá
do Sa

Ⓟ

Santiago
do Cacém

Santa Clara
a-Vell

Ⓟ

ALGARVE

Ⓟ

Santa Marinha da Costa, l'une des plus anciennes pousadas du Portugal, occupe un superbe monastère médiéval près de la ville de Guimarães (p. 393).

MINHO

ieira do
inho

Bragança
P

DOURO ET
TRÁS-OS-MONTES

P

amarante
P

ão
Frio

Almeida **P**

amulo

Manteigas **P**

P
Belmonte

P Monsanto

LES BEIRAS

Marvão **P**

Crato **P**

P Sousel

P **P** Elvas
Vila Viçosa

P

P Alvito

P

P Serpa

ALENTEJO

São Brás
de Alportel
P

0   50 km

La pousada do Barão de Forrester tire son nom de J. J. Forrester, qui joua un rôle important dans la production du porto. Elle bénéficie d'un emplacement calme au milieu des vignobles à Alijó (p. 390).

La pousada da Rainha Santa Isabel domine la ville d'Estremoz et ses alentours. Au XIIIᵉ siècle, la demeure du roi Dinis et de sa femme, la reine Isabel, occupait le site (p. 395).

La pousada dos Lóios, à Évora, un ancien monastère du XVᵉ siècle, jouxte les vestiges d'un temple romain consacré à Diane. La façade néo-classique date du milieu du XVIIIᵉ siècle. L'élégante salle à manger est installée dans l'ancien cloître.

La pousada de São Francisco se trouve au cœur de Beja, ancienne ville romaine, située au centre des plaines ensoleillées, au sud de l'Alentejo. Des vestiges d'un couvent franciscain du XIIIᵉ siècle font partie de cet édifice, transformé en pousada en 1994 (p. 394).

Choisir un hôtel

Les établissements présentés ici ont été choisis dans un large éventail de prix pour la qualité de leurs prestations ou leur emplacement. Chaque hôtel est brièvement décrit, en soulignant certains éléments susceptibles d'influencer votre choix. Utilisez les repères de couleur indiquant les régions concernées.

	CARTES BANCAIRES	RESTAURANT	JARDIN	PISCINE	NOMBRE DE CHAMBRES

LISBONNE

ALCÂNTARA : *Carlton Palace Hotel* @ carlton.palace@pestana.com €€€€€
Rua Jau 54, 1300-314. **Plan** 2F3. **(** 21-361 56 00. **FAX** 21-361 56 01.
Ce grand hôtel est installé en partie dans le Palacio Valle-Flor dont il a consevé les jardins. Piscine, salle de gym et espace affaires. 🛏 📺 🗐 🅿

AE DC MC V				44

AVENIDA : *Alegria* €€
Praça da Alegria 12, 1250-004. **Plan** 4F1. **(** 21-322 06 70. **FAX** 21-347 80 70.
Cette pensão assez bon marché propose des chambres propres et accueillantes. Voisine du quartier des prostituées, elle l'est aussi du commissariat de police. 🛏

AE DC MC V				36

AVENIDA : *13 da Sorte* €€
Rua do Salitre 13, 1250-198. **Plan** 4F1. **(** 21-353 18 51. **FAX** 21-353 18 51.
Bien située, cette pensão se trouve entre l'Avenida da Libertade et le Jardim Botanico. Le petit déjeuner n'est pas compris. 🛏 📺 🗐

MC V				22

AVENIDA : *Tivoli Jardim* @ hjardim@mail.telepac.pt €€€€
Rua J. Cesar Machado, 1250-135. **Plan** 4F1. **(** 21-353 99 71. **FAX** 21-355 65 66.
Les chambres sont spacieuses dans cet hôtel élégant dont le jardin s'orne d'une piscine ronde. Installations de sport bien équipées. 🛏 📺 🗐 🅿

AE DC MC V	●	■	●	119

AVENIDA : *Venezia* Ⓦ www.3khotels.com €€€€
Avenida da Libertade 189, 1250-141. **Plan** 5C5. **(** 21-352 26 18. **FAX** 21-352 66 78.
Le clou de cet hôtel vaste et confortable est sa cage d'escalier décorée de panneaux muraux modernes de Pedro Luiz Gomes. 🛏 📺 🗐 🅿

AE DC MC V				30

AVENIDA : *Britânia* @ britania.hotel@heritage.pt €€€€€
Rua R. Sampaio 17, 1150-278. **Plan** 5C5. **(** 21-315 50 76. **FAX** 21-315 50 21.
Ce délicieux hôtel doté d'un magnifique hall de marbre et construit en 1911 est l'œuvre de l'architecte Cassiano Branco. 🛏 📺 🗐 🅿

AE DC MC V				36

AVENIDA : *Lisboa Plaza* Ⓦ www.heritage.pt €€€€€
Travessa do Salitré 7, 1250-205. **Plan** 4F1. **(** 21-321 82 18. **FAX** 21-342 16 30.
La décoration intérieure de cet hôtel édifié en 1953 entre la Plaza da Alegria et l'Avenida da Libertade est due à la décoratrice portugaise Graça Viterbo. 🛏 📺 🗐

AE DC MC V	●			112

AVENIDA : *Sofitel Lisboa* @ h131@accorhotels.com €€€€€
Av. da Libertade 127, 1269-038. **Plan** 4F1. **(** 21-322 83 00. **FAX** 21-322 83 10.
Dans ce Sofitel au confort moderne, un charmant piano-bar nommé le « Molière » jouxte le hall d'entrée. 🛏 📺 🗐 🅿 ♿

AE DC MC V	●			170

AVENIDA : *Tivoli Lisboa* @ reservas@tivoli.pt €€€€€
Av. da Libertade 185, 1269-050. **Plan** 4F1. **(** 21-319 89 00. **FAX** 21-319 89 50.
Cet hôtel vaste et élégant propose des chambres modernes autour d'un hall central à deux niveaux. Les suites sont particulièrement spacieuses. 🛏 📺 🗐 🅿

AE DC MC V	●	■	●	329

BAIRRO ALTO : *Pensao Londres* €€€
Rua Dom Pedro V53, 2°, 1250-092. **Plan** 4 F2. **(** 21-346 22 03. **FAX** 21-346 56 82.
L'une des meilleures *pensoes* du quartier sans les nuisances du noctambule et bruyant Bairro Alto. 🛏

DC MC V				36

BAIXA : *Beira Minho* €
Praça da Figueira 6, 2° E, 1100. **Plan** 7 B3. **(** 213 461 846. **FAX** 218 867 811.
Cette petite pension aux installations simples offre une belle vue sur le Bairro Alto. 🛏

				24

BAIXA : *Coimbra e Madrid* €€
Praça da Figueira 3, 3°, 1100-240. **Plan** 7 B3. **(** 213 421 760. **FAX** 213 423 264.
Bien que simple et austère, cette pension offre, depuis certaines de ses chambres, une vue magnifique sur le Castelo de São Jorge. 🛏

€€				32

Les prix correspondent à une nuit en chambre double, petit déjeuner compris :
€ moins de 35 €
€€ 35-60 €
€€€ 60-100 €
€€€€ 100-150 €
€€€€€ plus de 150 €.

RESTAURANT
L'hôtel possède un ou plusieurs restaurants ouverts pour le déjeuner et le dîner.
JARDIN
Hôtel disposant d'un jardin ou d'une grande terrasse.
PISCINE
Piscine intérieure ou à ciel ouvert.
CARTES BANCAIRES
Un symbole indique que les cartes American Express (AE), Diner's Club (DC), Master Card/Access (MC), Visa (V) sont acceptées.

	CARTES BANCAIRES	RESTAURANT	JARDIN	PISCINE	NOMBRE DE CHAMBRES
BAIXA : *Duas Nações* €€ Rua da Vitória 41, 1100-618. **Plan** 7 B4. ☎ 213 460 710. FAX 213 470 206. L'hôtel se trouve en plein cœur da Baixa. Les chambres donnant sur la rua Augusta sont très bruyantes. Ambiance sympathique. 🛏	AE DC MC V				69
BAIXA : *Norte* €€ Rua dos Douradores 159, 1100-205. **Plan** 7 B3. ☎ 218 878 941. FAX 218 868 462. Située près de la praça da Figueira, cette pension (sans petit déj.) dispose de peu d'équipements, mais les chambres sont confortables et propres. 🛏 📺	MC V				36
BAIXA : *Internacional* @ reservas@hotel-internacional.com €€€ Rua da Betesga 3, 1100-090. **Plan** 7 B3. ☎ 213 240 990. FAX 213 478 635. Bien situé entre la praça da Figueira et le Rossio, cet hôtel offre des chambres modernes et spacieuses. Les clients peuvent se relaxer dans la salle de télévision ainsi qu'au bar. 🛏 📺 ▤	AE DC MC V				52
BAIXA : *Portugal* €€€ Rua João das Regras 4, 1100-294. **Plan** 7 C3. ☎ 218 877 581. FAX 218 867 343. La façade simple de cet hôtel, situé près de la rua Martim Moniz, cache un intérieur élégant au décor raffiné d'autrefois. 🛏 📺 ▤	AE DC MC V				59
BAIXA : *Vip Eden* @ aparthoteleden@viphotels.com €€€€€ Praça dos Restauradores 24, 1250-187. **Plan** 7 A2. ☎ 213 216 600. FAX 213 216 666. Moderne, il comporte des appartements et studios avec cuisine privée. Trois studios ont été aménagés pour les handicapés. 🛏 📺 ▤	AE DC MC V			●	134
CASTELO : *Ninho das Águias* €€ Costa do Castelo 74, 1100-179. **Plan** 7 C3. ☎ 218 554 070. Le « nid d'aigle » se dresse près des murs du Castelo de São Jorge. Un aigle empaillé indique l'entrée de la terrasse, d'où la vue est magnifique. Sans petit-dejeuner.			▨		16
CASTELO : *Solar do Castelo* ⊞ www.heritage.pt €€€€€ Rua das Cozinhas 2, 1100-181. **Plan** 7 C3. ☎ 218 870 909. FAX 218 870 907. Ce petit hôtel luxueux a été aménagé dans une demeure du XVIIIᵉ siècle, récemment rénovée. 🛏 📺 ▤	AE DC MC V		▨		14
CHIADO : *Lisboa Regency Chiado* @ regencychiado@madeiraregency.pt €€€€€ Nova do Alameda 114, 1200-290. **Plan** 7B4. ☎ 21-325 61 00. FAX 21-325 61 61. Petit, stylé et bien situé, le Regency Chiado jouit d'une vue exceptionnelle sur le cœur de Lisbonne. Seul le stationnement peut se révéler problématique car les emplacements sont peu nombreux. 🛏 📺 ▤ P ♿	AE DC MC V				40
ENTRECAMPOS : *Quality Hotel Lisboa* @ quality.lisboa@mail.telepac.pt €€€€ Campo Grande 7, 1700-087. ☎ 217 917 600. FAX 217 957 500. Cet hôtel agréable est surtout fréquenté par des hommes d'affaires. Centre de remise en forme, salle de sports et jacuzzi. 🛏 📺 ▤ P ♿	AE DC MC V	●			84
GRAÇA : *Mundial* @ mundial.hot@mail.telepac.pt €€€ Rua Dom Duarte 4, 1100-198. **Plan** 7 B3. ☎ 218 842 000. FAX 218 842 110. Hôtel bien situé, près de la praça da Figueira. Les chambres sont simples mais confortables. Belle vue sur la ville depuis le restaurant. 🛏 📺 ▤ P ♿	AE DC MC V	●			255
GRAÇA : *Senhora do Monte* €€€€ Calçada do Monte 39, 1170-250. **Plan** 7 D1. ☎ 218 866 002. FAX 218 877 783. Cette *albergaria*, un peu éloignée des sentiers battus, mérite le détour. Si les chambres sont assez simples, la vue est exceptionnelle, surtout depuis le jardin et le café sur le toit. 🛏 📺 ▤	AE DC MC V				28
LAPA : *As Janelas Verdes* ⊞ www.heritage.pt €€€€€ R. das Janelas Verdes 47, 1200-690. **Plan** 4 D3. ☎ 213 968 143. FAX 213 968 144. Cette agréable pension, envahie par le lierre, est installée dans une résidence du XVIIIᵉ siècle ayant appartenu au grand romancier portugais Eça de Queirós *(p. 55)*. Décor néo-classique, patio charmant et paisible. 🛏 📺 ▤ P	AE DC MC V		▨		29

Légende des symboles, voir rabat de couverture

....

<table>
<tr><td>

Les prix correspondent à une nuit en chambre double, petit déjeuner compris :

€ moins de 35 €
€€ 35-60 €
€€€ 60-100 €
€€€€ 100-150 €
€€€€€ plus de 150 €.

</td><td>

RESTAURANT
L'hôtel possède un ou plusieurs restaurants ouverts pour le déjeuner et le dîner.
JARDIN
Hôtel disposant d'un jardin ou d'une grande terrasse.
PISCINE
Piscine intérieure ou à ciel ouvert.
CARTES BANCAIRES
Un symbole indique que les cartes American Express (AE), Diner's Club (DC), Master Card/Access (MC), Visa (V) sont acceptées.

</td></tr>
</table>

	CARTES BANCAIRES	RESTAURANT	JARDIN	PISCINE	NOMBRE DE CHAMBRES
LAPA : *Lapa Palace* [w] www.orient-express.com €€€€€ R. do Pau da Bandeira 4, 1249-021. **Plan** 3 C3. [213 949 494. FAX 213 950 665. Hôtel élégant dans le quartier des ambassades. Chaque chambre dans l'aile dite « du Palais » est décorée dans un style unique, allant du néo-classique à l'Art déco. 🛏 TV 🍽 P &	AE DC MC V	●	▨	●	94
LAPA : *York House* €€€€€ Rua das Janelas Verdes 32, 1200-691. **Plan** 4 D4. [213 962 435. FAX 213 972 793. Pension ravissante installée dans un couvent du XVIIᵉ siècle. Ses chambres élégantes, au sol de parquet ou de terre cuite et aux meubles anciens raffinés, sont disposées autour d'un patio ombragé. 🛏 TV	AE DC MC V	●	▨		34
MARQUÊS POMBAL : *Castilho* €€ Rua Castilho 57 4°, 1250-068. **Plan** 4F1. [21-386 08 77. FAX 21-385 29 10. Une pensão économique et bien équipée, au quatrième étage d'un immeuble. Chambres confortables, certaines à 3 ou 4 lits. 🛏 TV &	DC MC V	●	▨		25
MARQUÊS POMBAL : *Capitol* @ sanaclassic.capitol@sanahotels.com €€€ Rua Eça de Queirós 24, 1050-096. **Plan** 5C4. [21-353 68 11. FAX 21-357 61 65. Établissement confortable situé sur l'Avenida du Duque de Boulo. Toutes les chambres sont équipées de la télévision par satellite et de minibars. 🛏 TV 🍽 P &	AE DC MC V	●			57
MARQUÊS POMBAL : *Jorge V* [w] www.hoteljorgev.com €€€ Rua Mouzinho da Silveira 3, 1250-165. **Plan** 5C5. [21-356 25 25. FAX 21-315 03 19. Agréable et de tout confort, à des prix raisonnables pour le quartier. À peu près la moitié des chambres ont un balcon, spécifiez votre choix lors de la réservation. 🛏 TV 🍽	AE DC MC V				51
MARQUÊS POMBAL : *Nacional* @ hotelnacional@mail.telepac.pt €€€ Rua Castilho 34, 1250-070. **Plan** 5B5. [21-355 44 33. FAX 21-356 11 22. Derrière son originale façade vitrée, cet hôtel propose des chambres confortables et très bien équipées. Deux suites. 🛏 TV 🍽 P &	AE DC MC V				61
MARQUÊS POMBAL : *Diplomático* [w] www.diplomatico.com €€€€ Rua Castilho 74, 1250-071. **Plan** 5B5. [21-383 90 20. FAX 21-386 21 55. Des chambres spacieuses, des équipements modernes. Thé, café ou chocolat sont servis gratuitement dans la chambre. 🛏 TV 🍽 P	AE DC MC V	●			90
MARQUÊS POMBAL : *Rex* @ sanaclassic.rex@sanahotels.com €€€€ Rua Castilho 169, 1070-051. **Plan** 5B4. [21-388 21 67. FAX 21-388 75 81. Le Rex est situé non loin du Parque Eduardo VII sur laquelle donne la salle de conférence, au dernier étage. 🛏 TV 🍽	AE DC MC V	●			68
MARQUÊS POMBAL : *Le Méridien Lisboa* [w] www.lemeridien.lisbon.com €€€€€ Rua Castilho 149, 1099-034. **Plan** 5B4. [21-381 87 00. FAX 21-389 05 05. Le bâtiment, situé sur l'une des sept collines de la ville, domine le Parque Eduardo VII, jouissant d'une vue exceptionnelle. Chambres confortables. 🛏 TV 🍽 P &	AE DC MC V	●			330
MARQUÊS POMBAL : *Ritz Four Seasons* [w] www.fourseasons.com €€€€€ Rua R. da Fonseca 88, 1099-039. **Plan** 5B5. [21-381 14 00. FAX 21-383 17 83. Légendaire, le Ritz allie l'élégance au confort. Beaucoup de chambres ont un balcon donnant sur le Parque Eduardo VII. 🛏 TV 🍽 P &	AE DC MC V	●	▨		283
PARQUÉ DAS NAÇOES : *Tivoli Tejo* @ httejo@tivoli.pt €€€€€ Avenida Dom João 11, 1990-83. [21-891 51 00. FAX 21-891 58 45. Cet hôtel moderne destiné aux milieux de conférences et d'affaires est commodément situé, évitant les embouteillages du centre-ville. 🛏 TV 🍽 P &	AE DC MC V	●		●	279
RATO : *Amazónia* €€€ T. da Fábrica dos Pentes 12–20, 1250-106. **Plan** 5 B5. [213 877 006. FAX 213 879 090. Proche du centre-ville, cet hôtel a un certain cachet et possède des pièces communes élégantes. Chambres spacieuses. Piano-bar. 🛏 TV 🍽 & P	AE DC MC V			●	192

RATO : *Altis* @ reservations@hotel-altis.pt €€€€€ | AE | ● | | ● | 303
Rua Castilho 11, 1250-072. **Plan** 4 F1. (213 106 000. FAX 213 102 262. | DC
Ce vaste hôtel offre toutes les commodités, notamment une salle de sports | MC
bien équipée et une piscine intérieure. Rôtisserie sur le toit. 🛏 TV 🗐 P 🕹 | V

RESTAURADORES : *Nova Goa* €€ | | | | | 42
Rua do Arco do Marquês de Alegrete, 1100-034. **Plan** 7C3. (218 881 137.
FAX 218 867 811. Située juste à l'angle de Praça da Figueira, cette pensão
est comme beaucoup dans le voisinage ; propre, confortable et simple. 🛏 TV

RESTAURADORES : *Restauradores* €€ | | | | | 30
Praça dos Restauradores 13, 4°, 1250-187. **Plan** 7A2. (21-347 56 60.
Une petite pensão assez rudimentaire au quatrième étage d'un immeuble, mais
une situation privilégiée au cœur du centre-ville. Pas de petit déjeuner. 🛏

RESTAURADORES : *Suíço Atlántico* €€ | AE | | | | 90
Rua da Glória 3-19, 1250-114. **Plan** 7A2. (21-346 17 13. FAX 21-346 90 13. | DC
Dans cet hôtel d'une ruelle voisine de l'Elevador da Glória, les chambres sont vastes | MC
et désuètes, les entrées voûtées et les plafonds à poutres de bois. 🛏 TV 🗐 P 🕹 | V

RESTAURADORES : *Florescente* €€€ | AE | | | | 60
Rua das Portas de S. Antão 99, 1150-266. **Plan** 7A2. (21-342 66 09. FAX 21-342 77 33. | MC
Pour une pensão, les chambres sont exceptionellement bien équipées. | V
La rue est jalonnée de bons restaurants. Pas de petit déjeuner. 🛏 TV 🗐

RESTAURADORES : *Roma* €€€ | AE | | | | 24
Travessa da Glória 22a, 1°, 1250-118. **Plan** 7A2. (21-346 0557. FAX 21-340 05 57. | DC
Cette pensão toute simple est bien située sur l'Avenida da Libertade, idéale pour | MC
le shopping et la promenade touristique. Bar ouvert 24 h sur 24. 🛏 TV 🗐 | V

RESTAURADORES : *Avenida Palace* @ hotelavenidapalace@mail.telepac.pt €€€€€ | AE | | | | 82
Rua 1° de Dezmbro 123, 1200-359. **Plan** 7B3. (21-321 81 00. FAX 21-342 28 84. | DC
Luxueux et élégant avec sa façade néoclassique, idéalement situé, l'Avenida | MC
Palace charme par l'originalité de ses moindres détails. 🛏 TV 🗐 P | V

ROSSIO : *Metrópole* @ sales@almeidahotels.com €€€€€ | AE | | | | 36
Praça Dom Pedro IV 30, 1100-200. **Plan** 7B3. (21-321 90 30. FAX 21-346 91 66. | DC
Un hôtel de charme, récemment rénové dans un style rappelant les | MC
années vingt. On peut y acheter des vins de Buçaeo *(p. 210)*. 🛏 TV 🗐 | V

SALDANHA : *Marisela* € | AE | | | | 19
Rua Filipe Folque 19, r.-d.-c., 1050. **Plan** 5 C3. (213 533 205. FAX 213 160 423. | MC
Cette *pensao* de qualité, située dans une petite rue entre le parc Eduardo VII et | V
la praça do Duque de Saldanha, propose des chambres agréables. 🛏 TV

SALDANHA : *Horizonte* €€ | AE | | | | 52
Av. António A. de Aguiar 42, 1050-017. **Plan** 5 B4. (213 539 526. FAX 213 538 474. | DC
Bon rapport qualité-prix compte tenu de son emplacement. Les chambres en | MC
façade sont bruyantes. 🛏 TV 🗐 | V

SALDANHA : *VIP* €€ | AE | | | | 54
Rua Fernão Lopes 25, 1000-132. **Plan** 5 C3. (213 568 600. FAX 213 158 773. | DC
Situé au-dessus des boutiques dans un quartier animé, le VIP possède des | MC
chambres simples et propres, mais le décor est un peu démodé. 🛏 TV 🗐 | V

SALDANHA : *Príncipe* @ confortprincipe@mail.telepac.pt €€€ | AE | ● | | | 67
Avenida Duque de Ávila 201, 1050-082. **Plan** 5 C3. (213 536 151. FAX 213 534 314. | DC
La plupart des chambres de cet hôtel moderne ont un balcon. Un petit bar | MC
et un salon se trouvent près du hall d'entrée. 🛏 TV 🗐 P 🕹 | V

SALDANAHA : *Hotel Marquês de Sá* @ marquessahotal@mail.telepac.pt €€€€ | AE | | | | 97
Av. Miguel Bombarda 130, 1050-167. **Plan** 6 B2. (217 911 014. FAX 217 936 986. | DC
Cet hôtel élégant est situé dans l'un des plus agréables quartiers de | MC
Lisbonne, tout près du Museu Calouste Gulbenkian *(p. 76-79)*. 🛏 TV 🗐 P | V

SALDANHA : *Real Parque* @ info@hoteisreal.com €€€€ | AE | ● | | | 153
Avenida L. Bivar 67, 1050-146. **Plan** 5 C3. (213 199 000. FAX 213 822 930. | DC
Cet hôtel moderne est installé dans une petite rue calme. Sept chambres | MC
sont aménagées pour les handicapés. 🛏 TV 🗐 P 🕹 | V

SALDANHA : *Sheraton Lisboa* €€€€€ | AE | ● | | ● | 375
Rua L. Coelho 1, 1069-025. **Plan** 5 C3. (213 120 000. FAX 213 547 164. | DC
Bien situé, le Sheraton propose des chambres spacieuses, un restaurant | MC
sur le toit avec une vue superbe. 🛏 TV 🗐 P 🕹 | V

Légende des symboles, voir rabat de couverture

Les prix correspondent à une nuit en chambre double, petit déjeuner compris :
€ moins de 35 €
€€ 35-60 €
€€€ 60-100 €
€€€€ 100-150 €
€€€€€ plus de 150 €.

RESTAURANT
L'hôtel possède un ou plusieurs restaurants ouverts pour le déjeuner et le dîner.
JARDIN
Hôtel disposant d'un jardin ou d'une grande terrasse.
PISCINE
Piscine intérieure ou à ciel ouvert.
CARTES BANCAIRES
Un symbole indique que les cartes American Express (AE), Diner's Club (DC), Master Card/Access (MC), Visa (V) sont acceptées.

LE LITTORAL DE LISBONNE

	CARTES BANCAIRES	RESTAURANT	JARDIN	PISCINE	NOMBRE DE CHAMBRES
ALCACER DO SAL : *Pousada Dom Alfonso II* w www.pousadas.pt €€€€€ Alcacer do Sal, 7850. 265 613 070. FAX 265 613 074. Cette pousada atmosphérique et historique occupe un château aménagé sur une colline qui domine la ville. ▮ TV ▮ P ▮	AE DC MC V	●	■	●	35
CARCAVELOS : *Praia Mar* w www.almeidahotels.com €€€€ Rua Gurué 16, 2775-581. 214 585 100. FAX 214 573 130. Ravissant, cet hôtel moderne a des chambres spacieuses et confortables. Belle vue sur la plus grande plage de sable de la côte de l'Estoril. Les célèbres vins de Buçaco *(p. 210)* y sont en vente. ▮ TV P ▮ ▮	AE DC MC V	●	■	●	158
CASCAIS : *Solar Dom Carlos* €€€ Rua Latino Coelho 8, 2750-408. 214 828 115. FAX 214 865 155. Cet hôtel charmant était l'ancienne résidence d'été du roi Carlos Ier. Il possède un jardin, une chapelle historique et des chambres confortables. ▮ TV	AE DC MC V		■		18
CASCAIS : *Baía* €€€€ Avenida Marginal, 2750. Carte routière B5. 214 831 033. FAX 214 831 095. Cet hôtel moderne dispose d'un emplacement idéal entre le centre animé de Cascais et la petite plage de pêcheurs. ▮ TV ▮ P ▮	AE DC MC V	●	■	●	113
CASCAIS : *Casa da Pérgola* €€€€ Avenida Valbom 13, 2750-508. 214 840 040. FAX 214 834 791. Cette grande pension du XIXe siècle offre des chambres avec des plafonds en stuc et des sols de marbre. Fermé 15 déc.-31 janv. ▮			■		11
CASCAIS : *Cidadela* €€€€ Avenida 25 de Abril, 2750. 214 827 600. FAX 214 867 226. À deux pas du centre-ville, la Cidadela est entourée de jardins. La plupart de ses chambres ont une vue spectaculaire sur la baie. ▮ TV ▮ P	AE DC MC V	●	■	●	113
CASCAIS : *Albatroz* €€€€€ Rua F. Arouca 100, 2750-353. 214 832 821. FAX 214 847 380. Construit au XIXe siècle pour les séjours de la famille royale du Portugal, l'Albatroz est perché sur les rochers, en bord de mer. La décoration somptueuse rivalise avec un service impeccable. ▮ TV ▮ P ▮	AE DC MC V	●	■	●	46
COSTA DA CAPARICA : *Praia do Sol* €€ Rua dos Pescadores 12a, 2825-386. 212 900 012. FAX 212 902 541. Dans une station balnéaire très fréquentée, cet hôtel propose des chambres bien meublées, près de la plage, à des prix intéressants. ▮ TV ▮	AE DC MC V				53
COSTA DA CAPARICA : *Costa da Caparica* €€€€ Av. Gen. Delgado 47, 2829-506. 212 918 900. FAX 212 910 687. Un hôtel à l'entrée insolite en forme de demi-cercle, donnant sur la plage. Sept chambres aménagées pour les handicapés. ▮ TV ▮ P ▮	AE DC MC V	●	■	●	353
ERICEIRA : *Vilazul* €€€ Calçada da Baleia 10, 2655-238. Carte routière B5. 261 860 000. FAX 261 862 927. À 500 m de la mer, cette pension claire et spacieuse offre une vue panoramique depuis la terrasse et certaines chambres. ▮ TV ▮ P	AE DC MC V	●			21
ESTORIL : *São Cristóvão* €€€ Av. Marginal 7079, 2765-480. 214 680 913. FAX 214 680 913. Une belle vue depuis cette pension charmante, abritée dans une ancienne villa de caractère de l'avenida Marginal, près de l'Atlantique. P			■		14
ESTORIL : *Hotel Alvorada* €€€€ Rua de Lisboa 3, 2675-240. Carte routière B5. 214 649 860. FAX 214 687 250. Hôtel récemment rénové, à quelques minutes à pied de la plage. Chambres claires et bien équipées. Personnel aimable. ▮ ▮ P ▮	AE DC MC V				52

ESTORIL : *Amazonia Lennox* €€€€
Rua Eng. A. de Sousa 5, 2765-191. 214 680 424. FAX 214 670 859.
Estalagem avec jardins verdoyants et vue panoramique. Parfait pour les
joueurs de golf : même le bar ressemble à un club-house. 🛏 TV 🍴 P

AE DC MC V — 34

ESTORIL : *Hotel da Inglaterra* €€€€
Rua do Porto 1, 2765-271. 214 684 461. FAX 214 682 108.
Cette belle demeure du début du XXᵉ siècle offre plusieurs chambres avec
balcon donnant sur la baie ou sur les collines de Sintra. 🛏 TV 🍴

AE DC MC V — 52

ESTORIL : *Palácio* @ palacioestoril@mail.telepac.pt €€€€€
Rua do Parque, 2769-504. **Carte routière** B5. 214 648 000. FAX 214 684 867.
Hôtel élégant, superbement situé entre la mer et le casino. Doté d'un
parcours de golf 18 trous et de courts de tennis. 🛏 TV 🍴 P &

AE DC MC V — 162

GUINCHO : *Estalagem Muchaxo* €€€€
Praia do Guincho, 2750-642. **Carte routière** B5. 214 870 221. FAX 214 870 444.
Cette *estalagem* au charme rustique, avec poutres apparentes et murs de
briques, abrite une piscine d'eau de mer taillée dans la falaise. 🛏 TV 🍴 P

AE DC MC V — 60

GUINCHO : *Fortaleza do Guincho* w www.guinchotel.pt €€€€€
Praia do Guincho, 2750-642. **Carte routière** B5. 214 870 491. FAX 214 870 431.
Perchée sur une falaise en bord de mer, cette ancienne forteresse a gardé
ses plafonds voûtés et son décor médiéval. 🛏 TV 🍴 P &

AE DC MC V — 29

GUINCHO : *Senhora da Guia* €€€€€
Estrada do Guincho, 2750-374. **Carte routière** B5. 214 869 239. FAX 214 869 227.
Une *estalagem* installée dans un manoir paisible et confortable, dont le
domaine est doté d'une piscine d'eau de mer. 🛏 TV 🍴 P

AE DC MC V — 42

MAFRA : *Castelão* €€
Avenida 25 de Abril, 2640-456. **Carte routière** B5. 261 816 050. FAX 261 816 059.
La situation de ce petit hôtel, propre et confortable, est idéale pour visiter
le splendide monastère de Mafra. 🛏 TV P

AE DC MC V — 35

PAÇO D'ARCOS : *Sol Palmeiras* €€€€
Avenida Marginal, 2780. **Carte routière** B5. 214 468 300. FAX 214 468 399.
Cet ancien manoir du XIXᵉ siècle possède plusieurs chambres avec vue sur
l'estuaire du Tage. 🛏 TV 🍴 P &

AE DC MC V — 35

PALMELA : *Pousada de Palmela* w www.pousadas.pt €€€€€
Castelo de Palmela, 2950-997. **Carte routière** C5. 212 351 226. FAX 212 330 440.
Une *pousada* tranquille, installée dans les murs d'un château fort du XIIᵉ
siècle. Chambres aux murs blanchis à la chaux. 🛏 TV 🍴 P

AE DC MC V — 28

QUELUZ : *Pousada da Dona Maria I* w www.pousadas.pt €€€€€
L. do Palácio Nacional, 2745-191. **Carte routière** B5. 214 356 158. FAX 214 356 189.
Jadis réservée au personnel du palais de Queluz, du XVIIIᵉ siècle, la « Tour
de l'horloge » est devenue une *pousada* impressionnante. 🛏 TV 🍴 P &

AE DC MC V — 26

SESIMBRA : *Hotel do Mar* €€€€
R. Gen. Delgado 10, 2970-628. **Carte routière** C5. 212 288 300. FAX 212 233 888.
Cet hôtel de plusieurs étages, construit au flanc d'une falaise, est entouré de
jardins luxuriants. Suite présidentielle avec piscine privée. 🛏 TV 🍴 P &

AE DC MC V — 168

SETÚBAL : *IBIS Setúbal* €€
N10, Vale de Rosa, 2914-518. **Carte routière** C5. 265 772 200. FAX 265 772 447.
Situé dans des jardins paisibles, cet hôtel allie confort et bon rapport
qualité-prix, compte tenu des services offerts. 🛏 TV 🍴 P &

AE DC MC V — 102

SETÚBAL : *Pousada de São Filipe* w www.pousadas.pt €€€€€
Castelo de Setúbal, 2900-300. **Carte routière** C5. 265 500 070. FAX 265 532 538.
Pousada aménagée dans un château construit en 1590 par le roi Philippe II
d'Espagne *(p. 50)* et offrant une belle vue sur l'estuaire. 🛏 TV 🍴 P

AE DC MC V — 16

SINTRA : *Central* €€€
Praça da República 35, 2710-625. 219 230 963.
Excellente situation de cet hôtel face au Palácio Nacional. Ses meubles
massifs et sa peinture écaillée lui prêtent un charme suranné. 🛏

AE MC V — 10

SINTRA : *Residencial Sintra* @ pensao.residencial.sintra@clix.pt €€€
T. dos Avelares 12, 2710-506. & FAX 219 230 738.
Située dans le quartier résidentiel de São Pedro, à l'est du centre-ville,
cette agréable pension a beaucoup de caractère. 🛏 P

MC V — 10

Légende des symboles, voir rabat de couverture

Les prix correspondent à une nuit en chambre double, petit déjeuner compris :
€ moins de 35 €
€€ 35-60 €
€€€ 60-100 €
€€€€ 100-150 €
€€€€€ plus de 150 €.

RESTAURANT
L'hôtel possède un ou plusieurs restaurants ouverts pour le déjeuner et le dîner.

JARDIN
Hôtel disposant d'un jardin ou d'une grande terrasse.

PISCINE
Piscine intérieure ou à ciel ouvert.

CARTES BANCAIRES
Un symbole indique que les cartes American Express (AE), Diner's Club (DC), Master Card/Access (MC), Visa (V) sont acceptées.

	CARTES BANCAIRES	RESTAURANT	JARDIN	PISCINE	NOMBRE DE CHAMBRES
SINTRA : *Tivoli Sintra* W www.tivoli.hotels.com €€€€ Praça da República, 2710-616. 📞 219 233 505. FAX 219 231 572. L'un des atouts de cet hôtel moderne, qui occupe un angle de la place principale, est la vue qu'il offre sur la vallée. Bar et boutique. 🛏 TV ▤ P ♿	AE DC MC V	●			76
SINTRA : *Caesar Park* W www.caesarparkpenhalonga.com €€€€€ Estr. da Lagoa Azul, Linhó, 2714-511. 📞 219 249 011. FAX 219 249 007. Ce complexe luxueux est doté d'un parcours de golf 18 trous, conçu par R. T. Jones, et d'un centre de remise en forme. 🛏 TV ▤ P ♿	AE DC MC V	●	■	●	177
SINTRA : *Lawrence's* @ info@portugalvirtual.pt €€€€€ Rua Consiglieri Pedroso 38-40, 2710-550 Sintra. 📞 219 105 500. FAX 219 105 505. Cet hôtel familial luxueux, datant du XVIIIe siècle, est réputé avoir accueilli lord Byron en 1809. 🛏 TV ▤ P ♿	AE DC MC V	●	■		16
SINTRA : *Palácio de Seteais* W www.tivolihotels.com €€€€€ R. B. du Bocage 8, 2710-616. 📞 219 233 200. FAX 219 234 277. Cet hôtel élégant est aménagé dans un ravissant palais du XVIIIe siècle, proche de la ville. Intérieur décoré avec goût. Jardin d'arbres taillés. 🛏 TV P	AE DC MC V	●	■	●	30

L'ESTREMADURA ET LE RIBATEJO

	CARTES BANCAIRES	RESTAURANT	JARDIN	PISCINE	NOMBRE DE CHAMBRES
ABRANTES : *Hotel de Turismo* €€€ Largo de Santo António, 2200-349. 📞 241 361 271. FAX 241 365 218. Cet hôtel aux couleurs vives se trouve dans un lieu très agréable, entouré de jolis jardins. 🛏 TV ▤ P	AE DC MC V	●	■		40
BALEAL : *Casa das Marés* €€€ Praia do Baleal, Peniche, 2520. **Carte routière** B4. 📞 262 769 255. Cette pension occupe un promontoire qui offre une vue plongeante sur la mer. Petit déjeuner servi sur une terrasse dominant une anse. 🛏 TV ▤ P					12
BARRAGEM DO CASTELO DE BODE : *Estalagem Lago Azul* €€€€ Lago Azul, Ferreira do Zêzere, 2240. **Carte routière** C4. 📞 249 361 445. FAX 249 361 664. Bien située au bord d'un lac, cette *estalagem* propose courts de tennis et bateaux à voile. Chambres fonctionnelles. 🛏 TV ▤ P	AE DC MC V	●	■	●	20
BARRAGEM DO CASTELO DE BODE : *Pousada de São Pedro* €€€ Castelo de Bode, Tomar, 2300. **Carte routière** C4. 📞 249 381 159. FAX 249 381 176. Établissement agréable donnant sur le Zêzere et offrant des chambres simples mais meublées avec goût. Cuisine régionale excellente. 🛏 TV ▤ P W www.pousadas.pt	AE DC MC V	●			25
BATALHA : *Pousada do Mestre Afonso Domingues* W www.pousadas.pt €€€€ L. do Mestre A. Domingues 6, 2440. **Carte routière** C4. 📞 244 765 260. FAX 244 765 247. Situé près de Batalha, connue par son abbaye (p. 182-183), cet établissement jouit d'une situation privilégiée. Belles chambres. 🛏 TV ▤ P	AE DC MC V	●			21
CALDAS DA RAINHA : *Caldas Internacional* €€€ Rua Dom F. Rego 45, 2500. **Carte routière** B4. 📞 262 830 500. FAX 262 844 482. Un sol carrelé à motifs orne la réception de cet hôtel moderne, situé à proximité du centre-ville. 🛏 TV ▤ P ♿	AE DC MC V	●	■		83
CONSTÂNCIA : *Quinta de Santa Bárbara* €€€ 2250. **Carte routière** C4. 📞 249 739 214. FAX 249 739 373. Ce splendide manoir du XVe siècle a été transformé en hôtel de caractère. Chambres confortables au décor rustique. Le restaurant occupe l'ancien réfectoire aux voûtes gothiques de pierre. 🛏 P ▤		●	■	●	7
FÁTIMA : *Dom Gonçalo* W www.estalagemdogoncalo.com €€€ Rua Jacinto Marto 100, 2495-450. **Carte routière** C4. 📞 249 533 062. FAX 249 532 088. Située près du sanctuaire, cette agréable *estalagem* possède des jardins agréables et bien entretenus. 🛏 TV ▤ P	AE DC MC V	●	■		42

FÁTIMA : *Verbo Divino* €€€ | DC MC V | 208
Praça Paulo VI, 2496-908. **Carte routière** C4. 249 533 043. **FAX** 249 532 263.
L'hôtel accueille les pèlerins de Fátima. Il fut construit pour subvenir aux besoins des Missionnaires de la parole divine.

GOLEGÃ : *Casa da Azinhaga* @ joao.v.saldanha@clix.pt €€€ | 7
Azinhaga, 2150-021. **Carte routière** C4. 249 957 146. **FAX** 249 957 182
Ce manoir classique, à 7 km au sud de Golegã, rendez-vous des amateurs de chevaux, propose des chambres confortables. Ambiance agréable.

LEIRIA : *Leiriense* €€ | MC V | 24
Rua A. de Albuquerque 8, 2400-080. **Carte routière** C4. 244 823 054. **FAX** 244 823 073.
Pension propre, accueillante et charmante, cachée dans une rue étroite d'un vieux quartier de Leiria.

LEIRIA : *Dom João III* €€€ | AE DC MC V | 64
Avenida Dom João III, 2400-164. **Carte routière** C4. 244 817 888. **FAX** 244 817 880.
Les chambres modernes et bien équipées de cet hôtel offrent une belle vue sur la splendide loggia du château ainsi que sur la rivière Liz.

LOURINHA : *Quinta de Santa Catarina* @ quinta.santa.catarina@netc.pt €€€ | 5
Rua Visconde de Palma de Almeida, 2350-166. **Carte routière** C4. 261 422 313. **FAX** 261 414 875.
Ce manoir bien entretenu et entouré de jardins appartient toujours à la famille des premiers propriétaires.

NAZARÉ : *Mar Bravo* €€€€ | AE DC MC V | 16
Praça S. Oliveira 70, 2450-159. **Carte routière** C4. 262 569 160. **FAX** 262 569 169.
Cette *albergaria*, située au cœur de Nazaré, offre une vue panoramique sur cette ville pittoresque et sur la plage. Chambres avec balcon.

ÓBIDOS : *Estalagem do Convento* €€€ | AE MC V | 31
Rua D. José D'Ornelas, 2510. **Carte routière** B4. 262 959 217. **FAX** 262 959 159.
Couvent transformé avec goût en *estalagem*. Les chambres élégantes sont meublées dans le style traditionnel. Certaines ont une vue admirable.

ÓBIDOS : *Rainha Santa Isabel* €€€ | AE DC MC V | 20
Rua Direita, 2510. **Carte routière** B4. 262 959 323. **FAX** 262 959 115.
Aménagé dans les murs de l'enceinte de la ville, cet établissement propose des chambres lambrissées et décorées d'*azulejos*.

ÓBIDOS : *Pousada do Castelo* w www. pousadas. pt €€€€€ | AE DC MC V | 9
Paço Real, 2510-999. **Carte routière** B4. 262 959 105. **FAX** 262 959 148.
Cette magnifique *pousada* occupe un ancien château royal du xve siècle. Réservez bien à l'avance, car ce lieu est très fréquenté.

OURÉM : *Pousada Conde de Ourém* w www.pousadas.pt €€€€ | AE DC MC V | 30
Largo João Mansur Castelo, 2490 Ourém. **Carte routière** C4. 249 540 920.
FAX 249 542 955. Intsallé dans un cloître médiéval restauré, à l'intérieur des enceintes de Ourém, au nord-est du sanctuaire de Fatima.

PENICHE : *Casa do Castelo* €€€ | AE DC MC V | 7
N 114 no. 16, 2520 Atougia da Baleia. **Carte routière** C4. 262 750 647.
Ce manoir du xve siècle, aménagé sur les ruines d'un château maure, propose des chambres modestes mais agréables.

SANTARÉM : *Vitória* €€ | AE DC MC V | 25
R. 2º Visconde de Santarém 21, 2000-197. **Carte routière** C4. 243 309 130. **FAX** 243 328 202.
Cet établissement modeste mais bien situé est commode pour visiter la ville. Chambres petites, mais confortables et propres.

SANTARÉM : *Quinta do Vale de Lobos* w www.valedelobos.com €€€ | V | 4
Azóia de Baixo, 2000. **Carte routière** C4. 243 429 264. **FAX** 243 429 313.
Séduisante pension de famille, située au cœur de la ville. Les chambres, meublées dans le style traditionnel, donnent sur une cour intérieure.

SÃO MARTINHO DO PORTO : *Americana* €€ | MC V | 25
Rua Dom J. Saldanha 2, 2460-645. **Carte routière** B4. 262 989 170. **FAX** 262 989 349.
Cette pension est proche de la plage de sable, lieu ombragé et surtout fréquenté par les familles. Chambres agréables.

SÃO PEDRO DE MUEL : *Mar e Sol* €€€ | AE DC MC V | 63
Avenida da Liberdade, 2430-501. **Carte routière** C4. 244 590 000. **FAX** 244 590 019.
Situé dans une station balnéaire fréquentée, au bord de la mer, cet hôtel modeste propose des chambres avec vue sur la mer.

Les prix correspondent à une nuit en chambre double, petit déjeuner compris :				

€ moins de 35 €
€€ 35-60 €
€€€ 60-100 €
€€€€ 100-150 €
€€€€€ plus de 150 €.

RESTAURANT
L'hôtel possède un ou plusieurs restaurants ouverts pour le déjeuner et le dîner.

JARDIN
Hôtel disposant d'un jardin ou d'une grande terrasse.

PISCINE
Piscine intérieure ou à ciel ouvert.

CARTES BANCAIRES
Un symbole indique que les cartes American Express (AE), Diner's Club (DC), Master Card/Access (MC), Visa (V) sont acceptées.

	CARTES BANCAIRES	RESTAURANT	JARDIN	PISCINE	NOMBRE DE CHAMBRES
TOMAR : *Hotel dos Templários*　€€€ L. Cândido dos Reis 1, 2304-909. **Carte routière** C4. 📞 249 310 100. FAX 249 322 191. Dominant la rivière Nabão, cet hôtel, proche du centre-ville, dispose de cours de tennis, d'une salle de sports et d'un centre de remise en forme.	AE DC MC V	●	▨	●	176
TOMAR : *Santa Iria*　€€€ Parque do Mouchão, 2300-586. **Carte routière** C4. 📞 249 313 326 FAX 249 321 238. Situé sur une île dans un parc, à proximité de plusieurs sites historiques, cet établissement élégant jouit d'un emplacement idéal.	AE MC V	●	▨		14
VILA FRANCA DE XIRA : *Lezíria Parque*　€€€ N10, 2600-203, Povos. **Carte routière** C5. 📞 263 276 670. FAX 263 276 990. Bel hôtel, situé près de l'autoroute A1, qui relie Lisbonne à Porto. Splendide vue sur le Tage.	AE DC MC V	●	▨		71
LES BEIRAS					
ALMEIDA : *Morgado*　€€ Bairro de São Pedro, 6350-210. **Carte routière** E2. 📞 271 574 412. Cette pension moderne, propre et confortable, est située au voisinage de la forteresse d'Almeida. Bon rapport qualité-prix.					12
ALMEIDA : *Pousada da Senhora das Neves* w www.pousadas.pt　€€€€ Rua da Muralha, 6350. **Carte routière** E2. 📞 271 574 290. FAX 271 574 320. *Pousada* aménagée dans les remparts en forme d'étoile qui entourent la ville. Certaines chambres ont un lit à baldaquin.	AE DC MC V	●			21
AVEIRO : *Arcada*　€€ Rua Viana do Castelo 4, 3800-275. **Carte routière** C3. 📞 234 423 001. FAX 234 421 886. Installé dans un bâtiment à arcades de style néo-classique, donnant sur le canal central, l'Arcada a du caractère. Tout confort.	AE DC MC V				49
AVEIRO : *Mercure*　€€€ Rua L. G. de Carvalho 23, 3800-211. **Carte routière** C3. 📞 234 404 400. FAX 234 404 401. Cet hôtel agréable est doté d'une loggia donnant sur un jardin subtropical. Son intérieur confortable est décoré de lambris.	AE DC MC V		▨		45
AVEIRO : *Pousada da Ria* w www.pousadas.pt　€€€€ Bico do Muranzel, Torreira, 3870-301. **Carte routière** C3. 📞 234 860 180. FAX 234 838 333. Cette *pousada* moderne bénéficie d'un emplacement tranquille, au bord de la ria d'Aveiro. Nombreuses chambres avec balcon donnant sur la lagune, où sont amarrés des bateaux au décor typique *(moliceiros)*.	AE DC MC V	●	▨	●	19
BUÇACO : *Palace Hotel do Buçaco*　€€€€€ Mealhada, 3050-261. **Carte routière** C3. 📞 231 937 970. FAX 231 930 509. Situé dans une forêt luxuriante, cet hôtel splendide, de style néo-manuélin, fut construit comme pavillon de chasse pour les derniers rois du Portugal. Belles chambres, parfois décorées d'*azulejos*.	AE DC MC V	●	▨		60
CARAMULO : *Pousada de São Jerónimo* w www.pousadas.pt　€€€€ 3475-031. **Carte routière** C3. 📞 232 861 291. FAX 232 861 640. Cette *pousada* moderne, envahie par le lierre et haut perchée dans la Serra do Caramulo, propose des chambres bien meublées.	AE DC MC V	●	▨	●	12
CASTELO BRANCO : *Rainha Dona Amélia*　€€€ Rua de Santiago 15, 6000-179. **Carte routière** D4. 📞 272 348 800. FAX 272 348 808. Bien situé, dans le centre-ville, à proximité des sites historiques, cet hotel moderne et agréable offre des chambres confortables.	AE DC MC V	●			64
CASTRO D'AIRE : *Montemuro*　€€ Termas do Carvalhal, 3600-398. **Carte routière** D2. 📞 232 381 154. FAX 232 381 112. Situé dans les montagnes, entre Viseu et le Douro, cet hôtel moderne offre des possibilités de chasse, de pêche et de canoë.	AE DC MC V	●	▨		80

CELORICO DA BEIRA : *Mira Serra* €€
Bairro de S. Eufémia, 6360. **Carte routière** D3. [*271 742 604.* FAX *271 741 382.*
Comme le suggère son nom, cet hôtel attrayant et agréable a une vue
magnifique sur la Serra da Estrela. 📶 TV 🍽 P ♿
AE DC MC V — 42

COIMBRA : *Internacional* €
Avenida Emídio Navarro 4, 3030. **Carte routière** C3. [*239 825 503.* FAX *239 838 446.*
Commode par sa proximité avec la gare, cette pension, accueillante bien
que très simple, domine le Mondego. 📶 10 ch. TV — 27

COIMBRA : *Astória* €€€
Av. Emídio Navarro 21, 3000-150. **Carte routière** C3. [*239 853 020.* FAX *239 822 057.*
L'Astória, de style Art déco, a gardé son charme d'antan. Chambres
meublées avec goût ayant vue sur le Mondego. 📶 TV 🍽 P
AE DC MC V — 62

COIMBRA : *Bragança* €€€
Largo das Ameias 10, 3000-024. **Carte routière** C3. [*239 822 171.* FAX *239 836 135.*
Hôtel de style quelque peu démodé mais très confortable, situé au cœur
de Coimbra. Les suites ont des salles de bains en marbre. 📶 TV 🍽 P
AE DC MC V — 83

COIMBRA : *Quinta das Lágrimas* €€€€
Santa Clara, 3041-901. **Carte routière** C3. [*239 802 380.* FAX *239 441 695.*
Ce manoir du XVIIIe siècle est connu par sa « Fontaine d'amour », lieu de
rencontre entre Dom Pedro et Inês de Castro *(p. 179).* 📶 TV 🍽 P ♿
AE DC MC V — 39

COIMBRA : *Tivoli Coimbra* w www.tivolihotels.com €€€€
Rua João Machado 5, 3000-226. **Carte routière** C3. [*239 826 934.* FAX *239 826 827.*
Cet hôtel moderne, situé au cœur du centre-ville, possède un très bon centre
de remise en forme doté d'un bain turc ; massage et gymnase. 📶 TV 🍽 P
AE DC MC V — 100

CONDEIXA-A-NOVA : *Pousada de Santa Cristina* w www.pousadas.pt €€€€
Rua Francisco Lemos, 3150. **Carte routière** C3. [*239 941 286.* FAX *239 943 097.*
Cette *pousada* moderne, nichée dans ses jardins, est une bonne étape pour
visiter Coimbra et les ruines romaines de Conímbriga. 📶 TV 🍽 P
AE DC MC V — 45

COVILHÃ : *Hotel Serra da Estrela* €€€
Penhas da Saúde, 6200. **Carte routière** D3. [*275 310 300.* FAX *275 310 309.*
Hôtel situé dans la Serra da Estrela, proposant des bungalows et des
installations pour la pratique de l'équitation et des sports d'hiver. 📶 TV P
AE DC MC V — 40

CURIA : *Curia Palace Hotel* €€€
Tamengos, 3780-541. **Carte routière** C3. [*231 510 300.* FAX *231 515 531.*
Un élégant palais de style Art nouveau, entouré de jardins bien entretenus.
Court de tennis, mini-golf, chapelle. 📶 TV P
AE DC MC V — 114

FIGUEIRA DA FOZ : *Casa da Azenha Velha* €€€
Caceira de Cima, 3080. **Carte routière** C3. [*233 425 041.* FAX *233 429 704.*
Cet hôtel accueillant a des chambres spacieuses, ainsi qu'un hall chauffé
par une cheminée. Bicyclettes réservées aux clients. 📶 TV 🍽 P — 6

FIGUEIRA DA FOZ : *Hotel Costa de Prata* €€€
Largo Coronel Galhardo 1, 3080. **Carte routière** C3. [*233 426 620.* FAX *233 426 610.*
Dominant la mer, cet hôtel au décor gai possède un bar et une salle de
petit déjeuner avec vue panoramique. 📶 TV 🍽
AE — 66

GUARDA : *Solar de Alarcão* €€€
Rua Dom Miguel de Alarcão 25-27, 6300-684. **Carte routière** D3. [*271 211 275.*
FAX *271 214 392.* Un *turismo de habitação* dans une belle maison de granit qui date
de 1686. Les chambres sont meublées d'antiquités. Chapelle. 📶 TV P — 3

LUSO : *Astória* €
Rua Emídio Navarro, 3050. **Carte routière** C3. [*231 939 182.*
Vous apprécierez cette petite pension, ses chambres simples mais
confortables et son bar à l'atmosphère sympathique. 📶 TV
AE MC V — 9

LUSO : *Grande Hotel* €€€
Rua Dr. Cid de Oliveira 86, 3050. **Carte routière** C3. [*231 937 937.* FAX *231 937 930.*
Cet hôtel, à la fois élégant et raffiné, domine l'horizon de cette station
thermale. Installations sportives. 📶 TV 🍽 P ♿
AE DC MC V — 143

MANGUALDE : *Casa d'Azurara* €€€
Rua Nova 78, 3530. **Carte routière** D3. [*232 612 010.* FAX *232 622 575.*
Construite au XVIIIe siècle, cette *estalagem* est nichée dans ses jardins et
dotée de nombreuses particularités intéressantes. 📶 TV 🍽 P
AE DC MC V — 15

Légende des symboles, voir rabat de couverture

Les prix correspondent à une nuit en chambre double, petit déjeuner compris :
€ moins de 35 €
€€ 35-60 €
€€€ 60-100 €
€€€€ 100-150 €
€€€€€ plus de 150 €.

RESTAURANT
L'hôtel possède un ou plusieurs restaurants ouverts pour le déjeuner et le dîner.
JARDIN
Hôtel disposant d'un jardin ou d'une grande terrasse.
PISCINE
Piscine intérieure ou à ciel ouvert.
CARTES BANCAIRES
Un symbole indique que les cartes American Express (AE), Diner's Club (DC), Master Card/Access (MC), Visa (V) sont acceptées.

	CARTES BANCAIRES	RESTAURANT	JARDIN	PISCINE	NOMBRE DE CHAMBRES
MANTEIGAS : *Pousada de São Lourenço* w www.pousadas.pt €€€€ Penhas Douradas, 6260-200. **Carte routière** D3. 275 982 450. FAX 275 982 453. Établissement traditionnel en granite, haut perché dans la Serra da Estrela. Idéal pour les randonneurs et ceux qui cherchent un lieu isolé.	AE DC MC V	●	▦		21
MANTEIGAS : *Pousada do Convento de Belmonte* w www.pousadas.pt €€€€€ Belmonte 6250. **Carte routière** D3. 275 910 310. Installée dans un couvent du XIIIᵉ siècle, cette *pousada* propose des chambres modernes parfaitement bien équipées.	AE DC MC V	●	▦	●	24
MONSANTO : *Pousada de Monsanto* w www.pousadas.pt €€€ Rua da Capela 1, 6060-091. **Carte routière** D3. 277 314 471. FAX 277 314 481. Cette *pousada* est située dans un village en granit où les maisons sont construites à flanc de coteaux.	AE DC MC V	●			10
SABUGUEIRO : *Casas do Cruzeiro* €€ Apartado 85, 6270 Seia. **Carte routière** D3. 238 312 825. FAX 238 315 282. Caché dans un village situé dans la vallée de la Serra da Estrela, cet établissement dispose de cottages en granit. Cuisine familiale.					30
SAO JOAO DE AREIRAS : *Solar da Quinta* €€€ Povoa dos Mosqueiros, 34440-458. **Carte routière** D3. 232 891 708. FAX 232 892 382. Cette charmante maison, vieille de 400 ans, possède un grand jardin avec un bassin. Des antiquités meublent les chambres.	AE DC MC V		▦		5
VISEU : *Hotel Montebelo* w www.grupovisabeira.pt €€€€ Urbanização Quinta do Bosque, 3510-020, Viseu. **Carte routière** D3. 232 420 000. FAX 232 415 400. Cet hotel moderne pour hommes d'affaires est aussi parfaitement adapté aux touristes.	AE DC MC V	●	▦	●	100

DOURO ET TRÁS-OS-MONTES

	CARTES BANCAIRES	RESTAURANT	JARDIN	PISCINE	NOMBRE DE CHAMBRES
ALIJÓ : *Pousada de Barão de Forrester* w www.pousadas.pt €€€€ Rua José Rufino, 5070-031. **Carte routière** D2. 259 959 215. FAX 259 959 304. Située au cœur de la région de Porto, cette *pousada* tire son nom de James Forrester (1809-1862), défenseur anglais du « vin pur » *(p. 252)*. Installations sportives, dont des courts de tennis.	AE DC MC V	●	▦	●	21
AMARANTE : *Pousada de São Gonçalo* w www.pousadas.pt €€€€ Serra do Marão, 4604-909. **Carte routière** D2. 255 461 113. FAX 255 461 353. Cette *pousada* se trouve au milieu d'une pinède. Sa disposition insolite, en forme de demi-cercle, commande une belle vue sur les collines.	AE DC MC V	●	▦		15
BRAGANÇA : *Classis* €€ Av. João da Cruz 102, 5300-178. **Carte routière** E1. 273 331 631. FAX 273 323 458. Pension agréable, moderne et confortable, à quelques pas du centre-ville. Très bon rapport qualité-prix.	AE DC MC V				20
BRAGANÇA : *Estalagem do Caçador* €€€ Largo Manuel Pinto de Azevedo, Macedo de Cavaleiros, 5340-219. **Carte routière** E1. 278 426 356. FAX 278 426 381. Située dans la Serra de Nogueira, au sud-ouest de Bragança, cette plaisante auberge de campagne possède un intérieur au charme certain.	AE DC MC V	●			24
BRAGANÇA : *Pousada de São Bartolomeu* w www.pousadas.pt €€€€ Estrada do Turismo, 5300-271. **Carte routière** E1. 273 331 493. FAX 273 323 453. *Pousada* très fréquentée, avec vue panoramique sur la ville. Son mobilier en bois et ses murs de pierre ajoutent à son charme rustique.	AE DC MC V	●			28
CHAVES : *Aquae Flaviae* €€€ Praça do Brasil, 5400. **Carte routière** D1. 276 309 900. FAX 276 309 010. Cet hôtel moderne, qui domine l'horizon de Chaves, est doté d'un centre de remise en forme et d'un institut de beauté.	AE DC MC V	●	▦	●	165

CINFÃES : *Casa do Rebolfe* €€€
Porto Antigo, 4690 Oliveira do Douro. **Carte routière** D2. 🕻 & 📠 *255 562 334.*
Cette maison du XVIIIe siècle, transformée en hôtel accueillant, est située à
l'est de Cinfães, près de Porto Antigo, au bord du Douro. 🛏 📺
| 5 |

ESPINHO : *Praiagolfe* 🔲 www.praiagolfe.com €€€€
Rua 6, 4500-357. **Carte routière** C2. 🕻 *227 331 000.* 📠 *227 331 001.*
Cet hôtel, bien situé près de la vaste plage de sable, offre à l'étage un
centre de remise en forme. Belle vue sur la mer. 🛏 📺 🍽 🅿 ♿
| AE DC MC V | 133 |

LAMEGO : *Hotel do Parque* €€
Parque N. S. dos Remédios, 5100-025. **Carte routière** D2. 🕻 *254 609 140.* 📠 *254 615 203.*
L'hôtel occupe une maison blanchie à la chaux, proche du sanctuaire. Les
chambres, de style rustique, donnent sur une forêt de châtaigniers. 🛏 📺
| AE DC MC V | 42 |

LAMEGO : *Quinta de Santa Eufémia* 🔲 www.casaantaeufemia.com €€€
Parada do Bispo, 5100-360. **Carte routière** D2. 🕻 *254 322 357.* 📠 *254 331 118.*
Ce domaine viticole est également un gîte de *turismo rural*. Les visiteurs
mangent à la table d'hôtes dans un bâtiment historique rénové. 🛏 🅿
| AE MC V | 42 |

LAMEGO : *Villa Hostilina* €€€
Almocave, 5100-360. **Carte routière** D2. 🕻 *254 612 394.* 📠 *254 655 194.*
Installé dans une ferme du XIXe siècle, cet établissement au charme rustique
offre un centre de remise en forme et des courts de tennis. 🛏 📺 🅿
| 7 |

MESÃO FRIO : *Casa d'Além* €€€
Oliveira, 5040-204. **Carte routière** D2. 🕻 *254 321 991.* 📠 *254 321 991.*
Construit dans les années 1920, ce manoir d'un cru de porto est désormais
une *quinta*, tenue par une famille. Le décor est d'époque. 🛏 🅿
| AE DC MC V | 4 |

MESÃO FRIO : *Pousada do Solar da Rede* 🔲 www.pousadas.pt €€€€€
Mesão Frio 540. **Carte routière** D2. 🕻 *254 890 130.* 📠 *254 890 139.*
Installé dans un manoir du XVIIIe siècle, cette *pousada* offre une
magnifique vue sur le Douro. 🛏 📺 🍽 🅿
| AE DC MC V | 27 |

PESO DA RÉGUA : *Hotel Regua Douro* €€€
Largo da Estaçao DA CP, 5050-237. **Carte routière** D2. 🕻 *254 320 0700.*
Plus adapté aux voyages d'affaire qu'aux touristes, cet hôtel confortable
offre toutefois une belle vue sur la rivière. 🛏 📺 🍽 🅿
| AE DC MC V | 77 |

PINHAO : *Quinta de la Rosa* 🔲 www.quintadelarosa.com €€€
5085, Pinhao. **Carte routière** D2. 🕻 *254 732 254.* 📠 *254 722 346.*
Cette délicieuse ferme propose des chambres mais aussi des cottages à louer. On y
produit du porto, du vin et de l'huile d'olive (en vente dans une boutique). 🛏 📺 🍽 🅿
| AE DC MC V | 6 |

PINHAO : *Vintage House Hotel* @ vintagehouse@mail.telepac.pt €€€€
Lugar da Ponte, 5085-034. **Carte routière** D2. 🕻 *254 730 230.* 📠 *254 730 238.*
Cet élégant hôtel, situé près de la rivière Douro, est entouré de superbes vignobles. Toutes
les chambres disposent d'un balcon privé et le restaurant est excellent. 🛏 📺 🍽 🅿
| AE DC MC V | 43 |

PORTO : *Pensâo Paris* €€
Rua da Fabrica 27, 4050-274. **Carte routière** C2. 🕻 *222 073 140.* 📠 *222 073 149.*
L'atmosphère que dégage l'hôtel, dans le quartier de Baixa, l'emplacement
et le prix des chambres compensent la médiocrité des prestations. 🛏 📺
| MC V | 38 |

PORTO : *Malaposta* €€
Rua da Conceição 80, 4050-214. **Carte routière** C2. 🕻 *222 006 278.* 📠 *222 006 295.*
Cet hôtel moderne est situé dans une petite rue tranquille du centre-ville.
Bon rapport qualité-prix. 🛏 📺 🍽
| AE DC MC V | 37 |

PORTO : *Nave* €€
Av. Fernão de Magalhães 247, 4300-190. **Carte routière** C2. 🕻 *225 899 030.* 📠 *225 899 039.*
Bien placé, cet hôtel moderne se trouve à quelques minutes à pied du
centre-ville. Les chambres ont été rénovées récemment. 🛏 📺 🍽 🅿
| AE DC MC V | 81 |

PORTO : *Pensão dos Aliados* €€
Rua Elísio de Melo 27, 4000-196. **Carte routière** C2. 🕻 *222 004 853.* 📠 *222 002 710.*
Cette agréable pension, située dans le centre-ville, est installée dans un
bâtiment historique classé. Chambres bien équipées. 🛏 📺
| AE MC V | 45 |

PORTO : *Boa-Vista* €€€
Esplanada do Castelo 58, 4150-196. **Carte routière** C2. 🕻 *226 180 083.* 📠 *226 173 818.*
Comme le suggère son nom, cet hôtel offre une vue splendide sur la mer.
Un tram emmène les clients dans le centre-ville. 🛏 📺 🍽 🅿
| AE DC MC V | 39 |

Les prix correspondent à une nuit en chambre double, petit déjeuner compris :
€ moins de 35 €
€€ 35-60 €
€€€ 60-100 €
€€€€ 100-150 €
€€€€€ plus de 150 €.

RESTAURANT
L'hôtel possède un ou plusieurs restaurants ouverts pour le déjeuner et le dîner.
JARDIN
Hôtel disposant d'un jardin ou d'une grande terrasse.
PISCINE
Piscine intérieure ou à ciel ouvert.
CARTES BANCAIRES
Un symbole indique que les cartes American Express (AE), Diner's Club (DC), Master Card/Access (MC), Visa (V) sont acceptées.

	CARTES BANCAIRES	RESTAURANT	JARDIN	PISCINE	NOMBRE DE CHAMBRES
PORTO : *Dom Henrique* w www.hotel-dom-henrique.pt €€€ Rua G. de Azevedo 179, 4049-009. **Carte routière** C2. ☎ 223 401 616. FAX 223 401 600. Situé en plein cœur de la ville, cet hôtel a vingt-deux étages, dont un est réservé aux non-fumeurs. Bar avec vue panoramique. 📶 TV	AE DC MC V	●			112
PORTO : *Hotel da Bolsa* €€€ Rua F. Borges 101, 4050-2053. **Carte routière** C2. ☎ 222 026 768. FAX 222 058 888. Bien situé pour visiter les boutiques et découvrir la ville, l'hôtel se distingue par sa jolie façade. Chambres bien meublées. 📶 TV 📄	AE DC MC V				36
PORTO : *Internacional* €€€ Rua do Almada 131, 4050-037. **Carte routière** C2. ☎ 222 005 032. FAX 222 009 063. Séjourner ici n'est pas sans intérêt. Vous trouverez un certain charme au décor, curieux mélange de baroque et de moderne. 📶 TV 📄	AE DC MC V	●			35
PORTO : *Quinta da Granja* €€€€ Rua Manuel Francisco Araujo 444, 4425-120 Maia. **Carte routière** C2. ☎ 229 710 147. À 5 km du centre-ville, dans la banlieue de Maia, cet hôtel paisible a été aménagé dans un grand manoir en granite du XVIIIe siècle. 📶 TV 📄 P	AE V		■	●	5
PORTO : *São José* €€€ Rua da Alegria 172, 4000-034. **Carte routière** C2. ☎ 222 080 261. FAX 223 320 446. Situé dans une rue fréquentée, proche du centre-ville, où les hôtels abondent, le São José a son style. Ambiance agréable. 📶 TV 📄 P ♿	AE DC MC V				43
PORTO : *Holiday Inn Garden Court* €€€€ Praça da Batalha 127, 47-102. **Carte routière** C2. ☎ 223 392 300. FAX 222 006 009. Cet hôtel, agréable et bien situé, possède une terrasse offrant une vue panoramique. 📶 TV 📄	AE DC MC V	●	■		113
PORTO : *Pestana Porto Carlton* w www.pestana.com €€€€ Praça da Ribeira 1, 4050-513. **Carte routière** C2. ☎ 223 402 300. FAX 223 402 400. L'hôtel, décoré avec goût, est situé dans un ensemble d'immeubles soigneusement restaurés en bord de rivière. Chambres agréables et vues fabuleuses. 📶 TV 📄	AE DC MC V	●			48
PORTO : *Porto Palácio* w www.summithotels.com €€€€€ Av. da Boavista, 4100-130. **Carte routière** C2. ☎ 226 086 600. FAX 226 091 467. Cet hôtel élégant propose toutes sortes d'installations modernes, dont un centre de remise en forme. 📶 TV 📄 P ♿	AE DC MC V	●		●	250
PORTO : *Tivoli Porto* w www.tivolihotels.com €€€€€ Rua A. L. Vieira 66, 4100-020. **Carte routière** C2. ☎ 226 077 900. FAX 226 077 945. Moderne, le Tivoli Porto est situé dans la banlieue prospère de Boavista. Chambres confortables avec balcon. 📶 TV 📄 P	AE DC MC V			●	58
PORTO : *Infante de Sagres* €€€€€ P. Dona F. de Lencastre 62, 4050-259. **Carte routière** C2. ☎ 223 398 500. FAX 223 398 599. Ce bel hôtel du centre-ville se distingue par ses pièces communes décorées d'antiquités, son atmosphère raffinée et ses chambres très confortables. Services offerts en accord avec ses cinq étoiles. 📶 TV 📄	AE DC MC V	●	■		77
SABROSA : *Caja de Visconde de Chanceleiros* €€€ Covas do Douro 5085-201, Sabrosa. **Carte routière** D2. ☎ 274 730 190. FAX 254 730 199. Ce *Turismo de Habitação* est installé dans un manoir du XVIIIe siècle décoré avec goût. 📶 TV P	AE DC MC V	●	■	●	6

TORRE DE MONCORVO : *Brasília* €€€
N220, 5160-287. **Carte routière** E2. 📞 279 254 256. FAX 279 258 610.
Cette pension, propre, bien entretenue, est commodément située sur la route principale. Tout confort. 🛏 TV P
MC V — 29

VIDAGO : *Vidago Palace Hotel* €€€€
5425-307. **Carte routière** D1. 📞 276 990 900. FAX 276 907 359.
Ce magnifique hôtel du début du siècle, à la façade imposante, est entouré d'une forêt. À l'intérieur trône un bel escalier encadré par des colonnes en marbre. Les chambres ne manquent pas de charme. 🛏 TV ▤ P
AE DC MC V — 83

VILA REAL : *Casa Agrícola da Levada* @ levada@netc.pt €€
Timpeira, 5000-419. **Carte routière** D2. 📞 259 322 190. FAX 259 346 955.
Bâtie en 1922 par l'architecte Raúl Liria, cette charmante maison de style Art déco propose des chambres élégantes. Beau rosier. 🛏 TV P 🚻
AE V — 10

VILA REAL : *Mira Corgo* €€€
Av. 1º de Maio 78, 5000. **Carte routière** D2. 📞 259 325 001. FAX 259 325 006.
Le moderne Mira Corgo est décoré avec goût et offre, depuis sa terrasse, une superbe vue du profond ravin et de la rivière en contrebas. 🛏 TV ▤ P 🚻
AE DC MC V — 166

MINHO

BARCELOS : *Quinta de Santa Comba* €€€
Lugar de Crujães, Várzea, 4755-536. **Carte routière** C1. 📞 253 832 101. FAX 253 834 540.
Un splendide manoir construit au XVIIIᵉ siècle, en granit et avec poutres de bois. Élégant, il a cependant un charme rustique. 🛏 P
— 6

BOM JESUS DO MONTE : *Hotel do Elevador* €€€
Praque do Bom Jesus do Monte, 4710-455, Braga. **Carte routière** C1. 📞 253 603 400.
FAX 253 603 409. L'hôtel tire son nom de l'ascenseur à mécanisme hydraulique, du XIXᵉ siècle, qui transporte les visiteurs jusqu'au sanctuaire. 🛏 TV ▤ P 🚻
AE DC MC V — 22

BRAGA : *Comfort Inn Braga* €€
Rua Damiana Maria da Silva 20, Ferreiros, 4700. **Carte routière** C1.
📞 253 000 600. FAX 253 673 872.
Cet hôtel, situé à deux pas du centre-ville, mérite que l'on s'y arrête. Tout confort. 🛏 TV ▤ P 🚻
AE DC MC V — 72

BRAGA : *Dona Sofia* €€
L. São João do Souto 131, 4700-326. **Carte routière** C1. 📞 253 263 160. FAX 253 611 245.
Jouxtant une petite place agrémentée d'une fontaine, cet hôtel moderne se trouve dans le centre-ville, à proximité de la cathédrale. 🛏 TV ▤ P 🚻
AE DC MC V — 34

BRAGA : *Largo da Estação* €€€
Largo da Estação 13, 4700-223. **Carte routière** C1. 📞 253 218 381. FAX 253 276 810.
Situé tout près du centre-ville et de la gare, cet hôtel propose quelques chambres équipées de jacuzzi. 🛏 TV ▤ P 🚻
AE MC V — 51

BRAGA : *Turismo de Braga* €€€
Praceta João XXI, 4710-245. **Carte routière** C1. 📞 253 206 000. FAX 253 206 010.
Dominant une petite place du centre-ville, ce grand hôtel offre une vue panoramique. Parmi les installations proposées, un solarium. 🛏 TV ▤ P
AE DC MC V — 132

CELORICO DE BASTO : *Casa do Campo* €€€
Molares, 4890-414. **Carte routière** D1. 📞 255 361 231. FAX 255 361 231
Un portail de granit orne l'entrée de cette maison du XVIIᵉ siècle. Son jardin aux camélias est l'un des plus anciens du genre au Portugal. 🛏 P
AE MC V — 8

GUIMARÃES : *Casa de Sezim* €€€
Santo Amaro, Apartdo 410, 4801-913. **Carte routière** C2. 📞 253-523 000. FAX 253-52 31 96.
Une jolie demeure du XVIIIᵉ siècle autour d'un jardin clos, meublée d'antiquités. Production de vinho verde. 🛏 P
AE DC MC V — 6

GUIMARÃES : *Hotel de Guimarães* €€€
Rua E. Almeida, 4810-116. **Carte routière** C2. 📞 253 424 800. FAX 253 424 899.
Situé dans le centre-ville, cet hôtel moderne est bien équipé : centre de remise en forme, sauna et salon de massage. 🛏 TV ▤ P
AE DC MC V — 116

GUIMARÃES : *Pousada de Nossa Senhora da Oliveira* €€€
Rua de Santa Maria 101, 4800-910. **Carte routière** C2. 📞 253 514 157. FAX 253 514 204.
Cet hôtel particulier, situé dans la vieille ville, possède beaucoup de charme avec son plafond aux poutres apparentes, ses fauteuils d'époque recouverts de cuir et ses tableaux anciens. 🛏 TV ▤ P W www.pousadas.pt
AE DC MC V — 15

Légende des symboles, voir rabat de couverture

<table>
<tr><td>

Les prix correspondent à une nuit en chambre double, petit déjeuner compris :
€ moins de 35 €
€€ 35-60 €
€€€ 60-100 €
€€€€ 100-150 €
€€€€€ plus de 150 €.

</td><td>

RESTAURANT
L'hôtel possède un ou plusieurs restaurants ouverts pour le déjeuner et le dîner.
JARDIN
Hôtel disposant d'un jardin ou d'une grande terrasse.
PISCINE
Piscine intérieure ou à ciel ouvert.
CARTES BANCAIRES
Un symbole indique que les cartes American Express (AE), Diner's Club (DC), Master Card/Access (MC), Visa (V) sont acceptées.

</td></tr>
</table>

	CARTES BANCAIRES	RESTAURANT	JARDIN	PISCINE	NOMBRE DE CHAMBRES
GUIMARÃES : *Pousada de Santa Marinha* €€€€€ Lugar da Costa, 4810-011. **Carte routière** C2. ☎ 253 511 249. FAX 253 514 459. Cet ancien monastère, du XIIe siècle, a été soigneusement réaménagé pour abriter cette belle *pousada*. Les *azulejos* qui ornent les somptueuses chambres sont d'époque. ☎ TV 🍴 P W www.pousadas.pt	AE DC MC V	●	■		51
PONTE DE LIMA : *Paço de Calheiros* €€€ Calheiros, 4990 Ponte de Lima. **Carte routière** C1. ☎ 258 947 164. FAX 258 947 294. A flanc de coteau à l'extérieur de la ville, ce manoir baroque dispose d'appartements et de chambres bien équipés. ☎ P			■	●	15
PÓVOA DE VARZIM : *Mercure Póvoa de Varzim* €€€ L. do Passeio Alegre, 4490-428. **Carte routière** C2. ☎ 252 290 400. FAX 252 290 401. Cet hôtel élégant se trouve dans le centre-ville, à côté du casino dominant la plage. Pour les amateurs de golf, le parcours d'Estrela est accessible à prix réduit aux clients de l'établissement. ☎ TV 🍴 P &	AE DC MC V	●			86
VALENÇA DO MINHO : *Vale Flores* €€ Esplanada, 4930. **Carte routière** C1. ☎ 251 824 106. FAX 251 824 129. Située dans un quartier moderne, en dehors des remparts de la ville, cette pension est propre, pratique et bon marché. ☎ TV	AE DC MC V				31
VALENÇA DO MINHO : *Casa do Poço* €€€€ T. da Gaviarra 4, 4930. **Carte routière** C1. ☎ 251 825 235. FAX 251 825 469. Cette maison de caractère, installée dans un fort à la Vauban, possède un intérieur moderne et un mobilier ancien. ☎ TV	AE		■		7
VALENÇA DO MINHO : *Pousada de São Teotónio* W www.pousadas.pt €€€€€ Baluarte do Socorro, 4930-735. **Carte routière** C1. ☎ 251 800 260. FAX 251 824 397. Les chambres de cette petite *pousada* typique offrent une belle vue sur la vallée, de Minho jusqu'à Tuy, en Espagne. ☎ TV 🍴	AE DC MC V	●	■		18
VIANA DO CASTELO : *Calatrava* €€€ Rua M. Fiúza Júnior 157, 4900-458. **Carte routière** C1. ☎ 258 828 911. FAX 258 828 637. Pension située tout près du centre ancien, dans un décor d'autrefois. Propre et bien entretenue. ☎ TV	AE DC MC V				15
VIANA DO CASTELO : *Casa dos Costa Barros* €€€ Rua de São Pedro 22–28, 4900. **Carte routière** C1. ☎ 258 823 705. FAX 258 824 383. Cette maison agréable, datant du XVIe siècle, est tenue par la même famille depuis 1765. Son intérieur est élégant, et ses fenêtres sont en pierre sculptée. ☎ TV	MC V				10
VIANA DO CASTELO : *Hotel do Parque* €€€ Praça da Galiza, 4900-476. **Carte routière** C1. ☎ 258 828 605. FAX 258 828 612. Situé près de la vieille ville, cet hôtel accueillant, avec jardin, possède un restaurant installé sur le toit d'où la vue est très belle. ☎ TV 🍴 P	AE DC MC V	●	■	●	124
VIANA DO CASTELO : *Pousada Monte de Santa Luzia* €€€€€ Monte de S. Luzia, 4901-909. **Carte routière** C1. ☎ 258 800 370. FAX 258 828 892. Cet établissement somptueux, bien situé sur une hauteur de la ville, est entouré de pins et d'eucalyptus. ☎ TV 🍴 P & W www.pousadas.pt	AE DC MC V	●	■	●	48
VIEIRA DO MINHO : *Pousada de São Bento* W www.pousadas.pt €€€€ Caniçada, 4850-047. **Carte routière** D1. ☎ 253 649 150. FAX 253 647 867. Cet ancien pavillon de chasse, envahi par le lierre, est situé dans la réserve naturelle du parque nacional de Peneda-Gerês. L'intérieur, au décor rustique, est tranquille et reposant. ☎ TV 🍴 P	AE DC MC V	●	■	●	29
VILA DO CONDE : *Hotel Sant'Ana* €€€ Azurara, 4480. **Carte routière** C2. ☎ 252 641 717. FAX 252 642 693. Proche de l'aéroport de Porto, ce motel bénéficie d'une situation idéale, au bord de l'Ave. Véritable complexe de style club sportif, situé à la campagne, il propose des appartements bien équipés et un sauna. ☎ TV P 🍴 &	AE DC MC V	●	■	●	73

VILA NOVA DE CERVEIRA : *Pousada Dom Dinis* [W] www.pousadas.pt €€€€ | AE DC MC V | | | | 28
Terreiro, 4920-062. **Carte routière** C1. [C] 251 708 120. **FAX** 251 708 129.
Installé dans les murs d'un château médiéval, cet établissement charmant
et calme offre des chambres spacieuses et agréables. [icons]

ALENTEJO

ALVITO : *Pousada do Castelo de Alvito* [W] www.pousadas.pt €€€€€ | AE DC MC V | | | | 20
Apartado 9, 7920-999. **Carte routière** D6. [C] 284 485 343. **FAX** 284 485 383.
Cette ancienne forteresse du xve siècle possède de belles voûtes gothiques
dans la salle à manger et des fenêtres de style manuélin. Dans le jardin,
tranquille, on peut apercevoir des paons. [icons]

BEJA : *Hotel Melius* €€ | AE DC MC V | | | | 60
Av. Fialho de Almeida, 7800-395. **Carte routière** D6. [C] 284 321 822. **FAX** 284 321 825.
Situé dans la partie médiévale de la ville (au sud), cet hôtel agréable et
confortable présente un bon rapport qualité-prix. [icons]

BEJA : *Pousada de São Francisco* [W] www.pousadas.pt €€€€€ | AE DC MC V | | | | 35
L. Dom N. Álvares Pereira, 7801-901. **Carte routière** D6. [C] 284 328 441. **FAX** 284 329 143.
Cet ancien couvent franciscain, tout blanc, fondé en 1268, a été
transformé en une *pousada* somptueuse. [icons]

CASTELO DE VIDE : *Garcia d'Orta* €€€ | AE DC MC V | | | | 53
Estrada de São Vicente, 7320-202. **Carte routière** D4. [C] 245 901 100. **FAX** 245 901 200.
Cet hôtel au confort moderne est à la fois agréable et discret. Le restaurant
propose une bonne cuisine régionale. [icons]

CRATO : *Pousada de Flor da Rosa* [W] www.pousadas.pt €€€€€ | AE DC MC V | | | | 24
Flor da Rosa, 7430-999. **Carte routière** D4. [C] 245 997 210. **FAX** 245 997 212.
L'ancien couvent de Santa Maria Flor da Rosa abrite cette *pousada* élégante
dont l'architecture est pour beaucoup dans son succès. [icons]

ELVAS : *Elxadai Parque* €€€ | AE DC MC V | | | | 41
N4, Varche, 7350-422. **Carte routière** D5. [C] 268 621 397. **FAX** 268 621 921.
Situé à l'ouest d'Elvas, ce complexe hôtelier est bien équipé : installations
sportives variées, centre d'équitation. Plan d'eau. [icons]

ELVAS : *Quinta de Santo António* €€€ | AE DC MC V | | | | 30
Aptdo. 206, 7350-903. **Carte routière** D5. [C] 268 628 406. **FAX** 268 625 050.
Cette *estalagem* est dotée d'un beau jardin du xviiie siècle. Ses bâtiments
attrayants offrent des chambres de style rustique. [icons]

ELVAS : *Pousada de Santa Luzia* [W] www.pousadas.pt €€€€ | AE DC MC V | | | | 25
Avenida de Badajoz, 7350-097. **Carte routière** D5. [C] 268 637 470. **FAX** 268 622 127.
Voici la plus ancienne *pousada*, ouverte en 1942 près de l'aqueduc. Elle
propose piscine et courts de tennis. Décor agréable. [icons]

ESTREMOZ : *Pousada da Rainha Santa Isabel* €€€€€ | AE DC MC V | | | | 33
Largo Dom Dinis, 7100-509. **Carte routière** D5. [C] 268 332 075. **FAX** 268 332 079.
Cette belle *pousada* est installée dans le château d'Estremoz, datant du
xiiie siècle. Le décor des chambres, avec ses lits à baldaquin et ses
armoiries, est de styles xviie et xviiie. [icons] [W] www.pousadas.pt

ÉVORA : *IBIS Évora* €€ | AE DC MC V | | | | 87
Quinta da Tapada, Muralha, 7000-968. **Carte routière** D5. [C] 266 744 620. **FAX** 266 744 632.
Cet hôtel moderne est situé tout près des murs qui entourent la vieille
ville. Très simple, il dispose cependant de tout le confort. [icons]

ÉVORA : *Évorahotel* €€€ | AE DC MC V | | | | 114
N114, Quinta do Cruzeiro, Apartado 93, 7001. **Carte routière** D5. [C] 266 748 800. **FAX** 266 748 806.
Situé aux alentours de la vieille ville, cet hôtel moderne, tout confort, vous plaira.
Chambres avec balcon. [icons]

ÉVORA : *Solar Monfalim* €€€ | AE MC V | | | | 26
Largo da Misericórdia 1, 7000-646. **Carte routière** D5. [C] 266 750 000. **FAX** 266 742 367.
En plein cœur de la vieille ville, cette résidence datant de la Renaissance
offre des chambres bien meublées. Ambiance très agréable. [icons]

ÉVORA : *Pousada dos Lóios* [W] www.pousadas.pt €€€€€ | AE DC MC V | | | | 32
L. do Conde de Vila Flor, 7000-804. **Carte routière** D5. [C] 266 704 051. **FAX** 266 707 248.
Cette belle *pousada* occupe un monastère du xve siècle. Les anciennes
cellules des moines ont été transformées en chambres élégantes.
[icons]

Légende des symboles, voir rabat de couverture

Les prix correspondent à une nuit en chambre double, petit déjeuner compris :
€ moins de 35 €
€€ 35-60 €
€€€ 60-100 €
€€€€ 100-150 €
€€€€€ plus de 150 €.

RESTAURANT
L'hôtel possède un ou plusieurs restaurants ouverts pour le déjeuner et le dîner.
JARDIN
Hôtel disposant d'un jardin ou d'une grande terrasse.
PISCINE
Piscine intérieure ou à ciel ouvert.
CARTES BANCAIRES
Un symbole indique que les cartes American Express (AE), Diner's Club (DC), Master Card/Access (MC), Visa (V) sont acceptées.

	CARTES BANCAIRES	RESTAURANT	JARDIN	PISCINE	NOMBRE DE CHAMBRES
MARVÃO : *Pousada de Santa Maria* 🅦 www.pousadas.pt €€€€ Rua 24 de Janeiro 7, 7330-122. **Carte routière** D4. 📞 245 993 201. **FAX** 245 993 440. Cette charmante *pousada*, au décor typique, est installée dans une maison blanchie à la chaux. Personnel aimable. 🔧 📺 ▤	AE DC MC V	●			29
MÉRTOLA : *Casa das Janelas Verdes* €€ Rua Dr M. Gomes 38–40, 7750. **Carte routière** D6. 📞 286 612 145. Situé dans le centre-ville, cet hôtel est installé dans une maison blanchie à la chaux. Équipements de sports nautiques au bord du Guadiana. 🔧			▣		3
REDONDO : *Convento de São Paulo* 🅦 www.hotelconventospaulo.com €€€€€ Aldeia da Serra, 7170-120. **Carte routière** D5. 📞 266 989 160. **FAX** 266 999 104. Monastère transformé en hôtel élégant, situé dans un lieu sauvage, la Serra Ossa. Les chambres sont ornées d'*azulejos*. La terrasse est agrémentée d'une fontaine baroque. 🔧 📺 ▤ 🅿	AE DC MC V	●	▣	●	35
SANTA CLARA-A-VELHA : *Pousada de Santa Clara* 🅦 www.pousadas.pt €€€€ Barragem de Santa Clara, 7665-879. **Carte routière** C7. 📞 283 882 250. **FAX** 283 882 402. Cette *pousada* paisible qui domine un grand lac est idéale pour pratiquer sports nautiques, randonnée et chasse. 🔧 📺 ▤ 🅿 ♿	AE DC MC V	●	▣	●	19
SANTIAGO DO CACÉM : *Pousada Quinta da Ortiga* 🅦 www.pousadas.pt €€€ IP8, Apartado 67, 7540. **Carte routière** C6. 📞 269 822 871. **FAX** 269 822 073. Cette ferme agréable, comprenant 4 hectares de terrain et des écuries, est située au nord de la ville, à proximité de la mer. 🔧 📺 ▤ 🅿	AE DC MC V	●	▣	●	13
SERPA : *Pousada de São Gens* 🅦 www.pousadas.pt €€€€ Alto de São Gens, 7830. **Carte routière** D6. 📞 284 540 420. **FAX** 284 544 337. *Pousada* moderne, perchée au sommet d'une colline dominant la ville, d'où la vue sur les vastes plaines est splendide. 🔧 📺 ▤ 🅿	AE DC MC V	●	▣	●	18
SOUSEL : *Pousada de São Miguel* 🅦 www.pousadas.pt €€€€ Serra de São Miguel, 7470. **Carte routière** D5. 📞 268 550 050. **FAX** 268 551 155. Cette *pousada* charmante est idéale si vous recherchez tranquillité et activités campagnardes. Pêche et chasse possibles. 🔧 📺 ▤ 🅿	AE DC MC V	●	▣	●	32
VILA NOVA DE MILFONTES : *Moinho da Asneira* €€€ Quinta do Rio Mira, 7645-014. **Carte routière** C6. 📞 283 996 182. **FAX** 283 997 138. Ce manoir, juché sur la colline, propose chambres et cottages, qui dominent l'estuaire de la Mira, non loin de la plage. 🔧 🅿 📺	AE DC MC V		▣	●	20
VILA VIÇOSA : *Casa de Peixinhos* €€€ 7160. **Carte routière** D5. 📞 268 980 472. **FAX** 268 881 348. Ce bâtiment du XVIIIᵉ siècle offre des chambres spacieuses, peintes en ocre et en rouge. La terrasse est agrémentée de statues baroques. 🔧 🅿 📺	AE DC MC V		▣		6
VILA VIÇOSA : *Pousada de Dom Joao IV* 🅦 www.pousadas.pt €€€€€ 7160. **Carte routière** D5. 📞 268 980 742. **FAX** 268 980 747. Ce couvent royal du XVIIᵉ siècle possède un superbe cloître. Le restaurant sert une cuisine régionale bien préparée. 🔧 📺 ▤ 🅿		●	▣	●	36

ALGARVE

	CARTES BANCAIRES	RESTAURANT	JARDIN	PISCINE	NOMBRE DE CHAMBRES
ALBUFEIRA : *Falésia* 🅦 www.falésia.com €€€€ Pinhal do Concelho, praia da Falésia, 8200-911. **Carte routière** C7. 📞 289 501 237. **FAX** 289 501 270. Situé sur la plage de Falésia, cet hôtel offre des chambres claires et spacieuses. Le hall est décoré de plantes suspendues. 🔧 📺 ▤ 🅿 ♿	AE DC MC V	●	▣	●	169
ALBUFEIRA : *Alfagar* 🅦 www.alfagar.com €€€€€ Alfagar, Semina Balaia, 8200. **Carte routière** C7. 📞 289 540 220. **FAX** 289 541 979. Ce complexe hôtelier, perché sur une falaise, propose des appartements avec accès à la plage. 🔧 🅿	AE DC MC V	●	▣	●	215

ALBUFEIRA : *Montechoro* €€€€€ — AE DC MC V — 362
Rua Alexandre O'Neil, 8201-343. **Carte routière** C7. **289 589 423.** FAX 289 589 947.
Cet hôtel moderne, entouré de jardins, a du cachet. Il dispose de bonnes installations sportives et d'un centre de remise en forme. ⊟ TV ≣ P

ALBUFEIRA : *Sheraton Algarve Pine Cliffs* W www.luxurycollection.com €€€€€ — AE DC MC V — 215
Apartado 644, 8200. **Carte routière** C7. **289 500 100.** FAX 289 501 950.
L' hôtel est doté d'un ascenseur pour accéder directement à la plage. Installations sportives. Les chalets sont ornés d'*azulejos*. ⊟ TV ≣ P &

ALJEZUR : *O Palazim* €€ — 12
N120, Aldeia Velha, 8670. **Carte routière** C7. **282 998 249.**
Pension de famille, installée dans un beau bâtiment, dotée d'une terrasse qui offre une belle vue. Le salon est décoré d'*azulejos*. ⊟ TV P

ALMANCIL : *Quinta dos Rochas* @ quinta-das-rochas@ip.pt €€€ — 6
Fonte Coberta, Caixa Postal 600-A, 8135-019. **Carte routière** D7. **289 393 165.** FAX 289 399 198.
Cette petite *quinta*, à proximité de la plage, offre tout le confort. Atmosphère familiale, calme et paisible. ⊟ TV P

ALMANCIL : *Quinta do Lago* W www.quintadolagohotel.com €€€€€ — AE DC MC V — 141
8135. **Carte routière** D7. **289 350 350.** FAX 289 396 393.
Cet hôtel chic propose des chambres agréables avec vue sur l'océan, ainsi que des installations sportives variées, notamment un centre de remise en forme et un parcours de golf. ⊟ TV ≣ P &

ALTE : *Alte* €€€ — AE DC MC V — 30
Montinho, 8100-012. **Carte routière** C7. **289 478 523.** FAX 289 478 646.
Hôtel tranquille et charmant, éloigné de la côte. Ses jardins agréables offrent une vue exceptionnelle. Une navette est réservée aux clients voulant se rendre à la plage. ⊟ TV ≣ P

ALVOR : *Pestana Carlton Alvor* W www.pestana.com €€€€€ — AE DC MC V — 197
Praia dos Três Irmãos, 8500. **Carte routière** C7. **282 400 900.** FAX 282 400 999.
Ce complexe hôtelier de luxe bénéficie d'une situation idéale. Ses jardins descendent jusqu'à la plage. Piscine d'eau de mer chauffée. ⊟ TV ≣ P &

CARVOEIRO : *Colina Sol* €€€€ — AE DC MC V — 124
Vale de Centianes, Praia do Carvoeiro, 8400. **Carte routière** C7. **282 350 820.** FAX 282 358 651.
Ce complexe hôtelier de style néo-mauresque et ses jardins dominent la mer. ⊟ P

CARVOEIRO : *Tivoli Almansor* W www.tivolihotels.com €€€€€ — AE DC MC V — 293
Praia Vale Covo, 8401-911. **Carte routière** C7. **282 351 100.** FAX 282 351 345.
L'emplacement de cet hôtel, qui domine une anse, est exceptionnel. À marée basse, on peut accéder à la plage par un escalier. ⊟ TV ≣ P &

ESTÓI : *Monte do Casal* W www.montedocasal.pt €€€€€ — AE DC MC V — 19
Cerro do Lobo, 8000-661. **Carte routière** D7. **289 991 503.** FAX 289 991 341.
L'élégant Monte do Casal propose des appartements individuels dans un beau jardin, avec des eucalyptus et des bougainvillées. ⊟ ≣ P

FARO : *Alnacir* W www.alnacir.netfirms.com €€€ — AE DC MC V — 53
Estr. Senhora da Saúde 24, 8401-500. **Carte routière** D7. **289 803 678.** FAX 289 803 548.
Hôtel moderne et bien entretenu, l'Alnacir se trouve dans une rue calme, près du centre-ville. Quelques chambres avec balcon. ⊟ TV P ≣ &

FARO : *Residencial Samé* €€ — AE DC MC V — 36
Rua do Bocage 66, 8000-297. **Carte routière** D7. **289 824 375.** FAX 289 804 166.
Ce petit hôtel, à l'est de la cathédrale, propose des chambres modernes et claires avec salles de bains et télévision. ⊟ TV

FARO : *Hotel Eva* €€€€ — AE DC MC V — 148
Av. da República 1, 8000-678. **Carte routière** D7. **289 803 354.** FAX 289 802 304.
Hôtel moderne et confortable, avec des boutiques et un coiffeur. Demandez une chambre dominant la marina pour apercevoir l'océan, à l'horizon. ⊟ TV ≣ &

LAGOA : *Parque Algarvio* €€ — AE DC MC V — 42
Sítio do Carmo, N125, 8400-405. **Carte routière** C7. **282 352 265.** FAX 282 352 278.
Malgré son emplacement (près de l'autoroute), l'hôtel a du charme. Les chambres entourent la piscine. Bon rapport qualité-prix. ⊟ TV P

LAGOS : *Rubi-Mar* €€ — 8
Rua da Barroca 70, 8600-688. **Carte routière** C7. **282 763 165.** FAX 282 767 749.
Cet hôtel accueillant, tenu par des Anglais, domine la mer. Le petit déjeuner, copieux, est servi dans les chambres. ⊟ TV

Légende des symboles, voir rabat de couverture

Les prix correspondent à une nuit en chambre double, petit déjeuner compris :
€ moins de 35 €
€€ 35-60 €
€€€ 60-100 €
€€€€ 100-150 €
€€€€€ plus de 150 €.

RESTAURANT
L'hôtel possède un ou plusieurs restaurants ouverts pour le déjeuner et le dîner.
JARDIN
Hôtel disposant d'un jardin ou d'une grande terrasse.
PISCINE
Piscine intérieure ou à ciel ouvert.
CARTES BANCAIRES
Un symbole indique que les cartes American Express (AE), Diner's Club (DC), Master Card/Access (MC), Visa (V) sont acceptées.

	CARTES BANCAIRES	RESTAURANT	JARDIN	PISCINE	NOMBRE DE CHAMBRES
LAGOS : *Marina Rio* w www.marinario.com €€€ Av. dos Descobrimentos, Apartado 388, 8600-645. **Carte routière** C7. 282 769 859. FAX 282 769 960. *Albergaria* moderne et plaisante, située dans la partie est de Lagos. Belle vue sur la marina.	AE DC MC V			●	36
LAGOS : *Belavista da Luz* w www.hotelbelavista.net €€€€ Praia da Luz, 8600. **Carte routière** C7. 282 788 655. FAX 282 788 656. Hôtel bien équipé, dominant la praia da Luz. Parmi les installations, un centre de remise en forme et une aire de jeux pour enfants.	AE DC MC V	●	■	●	45
LAGOS : *Hotel Tivoli de Lagos* w www.tivolihotels.com €€€€€ Rua A. C. dos Santos, 8600-678. **Carte routière** C7. 282 790 079. FAX 282 790 345. Ce complexe hôtelier dispose de cinq restaurants, d'un centre de remise en forme et d'une discothèque. Barbecues sur la plage en été.	AE DC MC V	●	■	●	326
LOULÉ : *Loulé Jardim* €€€ Praça Manuel da Arriaga, 8100-665. **Carte routière** D7. 289 413 094. FAX 289 463 177. Cet ancien hôtel particulier de style classique donne sur une place calme et ombragée. Piscine sur le toit.	AE DC MC V			●	52
MONCHIQUE : *Abrigo da Montanha* w www.abrigodamontanha.com €€€ Estrada da Fóia, 8550-257. **Carte routière** C7. 282 912 131. FAX 282 913 660. Cette *estalagem*, en pierre brute et en bois, est idéale pour les vacances et convient pour les randonnées dans la Serra de Monchique.	AE DC MC V	●	■	●	16
MONTE GORDO : *Vasco da Gama* €€€€ Avenida Infante Dom Henrique, 8900. **Carte routière** D7. 281 510 900. FAX 281 510 901. Construit sur la plage, cet hôtel a des chambres spacieuses, toutes avec balcon. Aire de jeux et piscine pour les enfants.	AE DC MC V	●	■	●	175
PORCHES : *Vila Vita Parc* w www.vilavitaparc.com €€€€€ Alporchinhos, 8004-450. **Carte routière** C7. 282 310 200. FAX 282 320 333. Cet hôtel entouré de jardins aux fleurs tropicales bénéficie d'un accès direct à la plage.	AE DC MC V	●	■	●	182
PORTIMÃO : *Bela Vista* w www.hotelbelavista.net €€€€ Avenida Tomas Cabreira, 8500. **Carte routière** C7. 282 450 480. FAX 282 415 369. Ce bel hôtel domine la praia da Rocha, lieu très fréquenté. Bien meublé et décoré, avec des canapés confortables et des *azulejos*.	AE DC MC V		■		14
PORTIMÃO : *Le Méridien Penima* w www.lemeridien-penina.com €€€€€ Caixa Postal 146, 8501-952. **Carte routière** C7. 282 420 200. FAX 282 420 300. Hôtel qui plaira aux amateurs de golf. Entouré d'un jardin verdoyant, il a des installations conçues pour l'entraînement, et des championnats ont lieu sur son parcours de golf.	AE DC MC V	●	■	●	196
SAGRES : *Navigator* w www.hotel.navigator.com €€€ Rua Infante D. Henrique, 8650-381. **Carte routière** C7. 282 624 354. FAX 282 624 360. L'hôtel, construit sur le promontoire de Sagres, offre une vue splendide. Les chambres, très confortables, sont de véritables appartements.	AE DC MC V	●	■	●	56
SAGRES : *Pousada do Infante* w www.pousadas.pt €€€€ Sagres, 8650-385. **Carte routière** C7. 282 620 240. FAX 282 624 225. Cette *pousada*, qui tire son nom d'Henri le Navigateur *(p. 49)*, est bien placée sur le promontoire de Sagres, qui domine l'océan.	AE DC MC V	●	■	●	39
SÃO BRÁS DE ALPORTEL : *Pousada de São Brás* w www.pousadas.pt €€€€ Poço dos Ferreiros, 8150-054. **Carte routière** D7. 289 842 305. FAX 289 841 726. Cette paisible *pousada* est établie dans un manoir au nord de Faro. La vue, splendide, embrasse les collines et la mer.	AE DC MC V	●	■	●	33

SILVES : *Quinta do Rio* — €€ — AE DC MC V — 6
Sitio Sao Estevao, Aptdo 217. **Carte routière** C7. ☎ & FAX *282 445 528*.
À quelques kilomètres du centre de Silves (p. 332-333), la ferme abrite une famille italienne qui cultive des arbres fruitiers. Les clients ont accès au grand jardin et peuvent savourer, sur demande, de délicieux repas. 🚗 P

TAVIRA : *Quinta do Caracol* Ⓦ www.quintadocaracol.pt-net.pt — €€€€ — AE DC MC V — 7
São Pedro, 8800-405. **Carte routière** D7. ☎ *281 322 475.* FAX *281 323 175.*
Cette maison du XVIIᵉ siècle blanchie à la chaux est entourée des vastes jardins de la *quinta*. De là, on peut explorer la côte et l'arrière-pays vallonné de l'est de l'Algarve. 🚗 P

TAVIRA : *Convento de Santo António* — €€€€ — AE — 7
Rua de Santo António 56, 8800. ☎ *281 321 573.* FAX *281 325 632.*
Cette charmante maison, blanchie à la chaux, offre des chambres luxueuses disposées autour d'une terrasse ombragée. 🚗 P ▤

VILA DO BISPO : *Os Gambozinos* — €€€ — 17
Praia do Martinhal, 8650. **Carte routière** C7. ☎ *282 620 160.* FAX *282 620 169.*
Cet hôtel attrayant construit sur la presqu'île sauvage de Sagres borde la plage de Martinhal, fréquentée par les surfeurs. 🚗 P

VILAMOURA : *Atlantis* Ⓦ www.graopara.pt — €€€€€ — AE DC MC V — 305
Apartado 210, 8125 Quarteira. **Carte routière** C7. ☎ *289 381 600.* FAX *289 389 962.*
Cet hôtel moderne, au cachet certain, propose plusieurs installations : courts de tennis, centre d'équitation, etc. Vue sur la mer. 🚗 TV ▤ P ♿

VILAMOURA : *Tivoli Marinotel* Ⓦ www.tivolihotels.com — €€€€€ — AE DC MC V — 382
Aptdo 65, 8125-911 Quarteira. **Carte routière** C7. ☎ *289 303 303.* FAX *289 303 345.*
Ce grand hôtel possède plusieurs installations sportives et une suite présidentielle. Vue sur la marina et l'océan. 🚗 TV ▤ P ♿

VILA REAL DE SANTO ANTÓNIO : *Guadiana* — €€€ — AE DC MC V — 36
Avenida da República 94, 8900. **Carte routière** D7. ☎ *281 511 482.* FAX *281 511 478.*
Situé dans le centre-ville, cet hôtel particulier du XIXᵉ siècle transformé en hôtel bien décoré offre une belle vue sur le Guadiana. 🚗 TV ▤ P

MADÈRE

CANIÇO : *Roca Mar* Ⓦ www.hotelrocamar.com — €€€ — AE DC MC V — 100
Caminho Cais da Oliveira, 9125-028. ☎ *291 934 334.* FAX *291 934 903.*
Le Roca Mar, perché sur une falaise, possède des chambres avec balcon donnant sur la mer. Spectacles le soir, installations sportives. Une navette pour Funchal est mise à la disposition des clients. 🚗 TV P

CANIÇO : *Quinta Splendida* Ⓦ www.quintasplendida.com — €€€€ — AE DC MC V — 141
Estrada da Porta Oliveira II, 9125. ☎ *291 930 400.* FAX *291 930 401.*
Cette villa, véritable complexe hôtelier, est établie dans les jardins d'une demeure du XVIᵉ siècle. Ses chambres sont meublées avec goût. 🚗 TV

FUNCHAL : *Monte Carlo* — €€ — AE DC MC V — 53
Calçada da Saúde 10, 9001-800. ☎ *291 226 131.* FAX *291 226 134.*
Cet hôtel installé dans un beau bâtiment a du caractère et offre une vue exceptionnelle depuis les chambres en façade. On y accède en montant à pied par une pente raide depuis le centre-ville. 🚗 P

FUNCHAL : *Residencial Santa Clara* — €€ — 14
Calçada do Pico 16b, 9000-206. ☎ *291 742 194.* FAX *291 743 280.*
Situé à cinq minutes à pied du centre-ville, ce petit hôtel calme possède un bel intérieur. Vue sur la mer et les montagnes. 🚗

FUNCHAL : *Residential Vila Teresinha* Ⓦ www.pensaoresvilateresinha.com — €€ — AE DC MC V — 12
Rua das Cruces 21, 9000-025. ☎ *291 741 723.* FAX *291 744 515.*
Cet hôtel situé dans un quartier résidentiel et calme est doté de chambres agréables et d'une jolie terrasse. 🚗 TV

FUNCHAL : *Quinta da Penha de França* — €€€ — AE DC MC V — 109
Rua Carvalho Araújo 1, 9000-022. ☎ *291 204 650.* FAX *291 229 261.*
Cette belle demeure aux chambres imposantes, donnant sur un jardin clos, vous impressionnera par son côté majestueux. 🚗 TV ▤ P

Les prix correspondent à une nuit en chambre double, petit déjeuner compris :
€ moins de 35 €
€€ 35-60 €
€€€ 60-100 €
€€€€ 100-150 €
€€€€€ plus de 150 €.

RESTAURANT
L'hôtel possède un ou plusieurs restaurants ouverts pour le déjeuner et le dîner.
JARDIN
Hôtel disposant d'un jardin ou d'une grande terrasse.
PISCINE
Piscine intérieure ou à ciel ouvert.
CARTES BANCAIRES
Un symbole indique que les cartes American Express (AE), Diner's Club (DC), Master Card/Access (MC), Visa (V) sont acceptées.

	CARTES BANCAIRES	RESTAURANT	JARDIN	PISCINE	NOMBRE DE CHAMBRES
FUNCHAL : *Pestana Miramar Hotel* w www.pestana.com €€€€ Estrada Monumental 182-184, 9000-098. 291 706 100. FAX 291 763 988. L'hôtel est considéré comme l'un des meilleurs de la ville. Il a été intelligemment aménagé à l'emplacement du vieil hôtel Miramar.	AE DC MC V	●	▦	●	152
FUNCHAL : *Quinta Perestrelo* w www.charminghotels.com €€€€ Rua do Dr Pita 3, 9000-089. 291 706 700. FAX 291 706 706. Demeure construite vers 1850 et entourée d'un jardin bien entretenu. Chambres luxueuses avec de beaux meubles d'époque.	AE DC MC V	●	▦	●	37
FUNCHAL : *Pestana Carlton Park Hotel* w www.pestana.com €€€€€ Rua Imperatriz Dona Amélia, 9004-513. 291 209 100. FAX 291 232 076. L'hôtel le plus animé de Madeira (casino, cinéma, cabaret et discothèque) a été conçu par Oscar Niemeyer, l'architecte de Brasilia, la capitale du Brésil. Les chambres confortables ont une jolie vue.	AE DC MC V	●	▦	●	375
FUNCHAL : *Reid's Palace Hotel* w www.reidspalace.com €€€€€ Estrada Monumental 139, 9000-098. 291 717 171. FAX 291 717 177. Cet hôtel chic attire de nombreuses personnalités. Le décor, et surtout les lustres de la salle à manger, rappelle celui d'un château. Vue splendide depuis la falaise. Piscines entourées de palmiers.	AE DC MC V	●	▦	●	164
FUNCHAL : *Savoy Resort* w www.savoyresort.com €€€€€ Avenida do Infante, 9000-542. 291 213 000. FAX 291 223 103. Un atout pour cet hôtel réside dans la discrétion de son service. Diverses installations, dont un centre de sports nautiques.	AE DC MC V	●	▦	●	337
PICO DO ARIEIRO : *Pousada do Pico do Arieiro* w www.dorisol.pt €€€ Santana, 9230. 291 230 110. FAX 291 228 611. Cette *pousada* est située sur le sommet de l'une des plus grandes montagnes de Madère. À l'aube, elle offre une vue sensationnelle.	AE DC MC V	●	▦	●	25
PORTO MONIZ : *Residencial Orca* €€ Sitio das Poças, 9270. 291 850 000. FAX 291 850 019. Juste devant cet hôtel se brisent les vagues de l'Atlantique, laissant entre les rochers des petits plans d'eau où l'on peut se baigner.	AE DC MC V	●	▦	●	12
PORTO SANTO : *Hotel Torre Praia* w www.torrepraia.pt €€€€€ Rua Goulart Medeiros, 9400-164. 291 980 450. FAX 291 982 487. cet hôtel, situé près de toutes les commodités, bénéficie d'un accès direct à la plage.	AE DC MC V	●	▦	●	66
RIBEIRA BRAVA : *Brava Mar* €€ Rua Comandante Camacho de Freitas, 9350-209. 291 952 220. FAX 291 951 122. L'emplacement de cet hôtel moderne est idéal pour explorer la partie ouest de l'île. Chambres avec balcon. Personnel aimable.	AE DC MC V	●		●	70
SERRA DE ÁGUA : *Pousada dos Vinháticos* w www.dorisol.pt €€€ Ribeira Brava, 9350-306. 291 952 344. FAX 291 952 540. Réservez bien à l'avance dans cette *pousada* charmante, fréquentée par les randonneurs et située dans un bois près du col d'Encumeada.	AE DC MC V	●	▦		21
LES AÇORES					
CORVO : *Casa de Hóspedes* € Estrada para o Caldeirão, Vila do Corvo, 9980. 292 596 130. Mis à part les hôtels particuliers privés, il n'y a qu'ici que l'on peut se loger sur la petite île de Corvo. Chambres propres et simples.			▦		5
FAIAL : *Quinta das Buganvílias* €€€ Castelo Branco, Horta, 9900. 292 943 255. FAX 292 943 743. *Quinta* tenue par une famille et située à proximité de l'aéroport. Rosiers, vergers et serres pleines de fleurs.	AE MC V	●	▦		8

Établissement	Prix	Cartes	Nbre
FAIAL : *Estalagem Santa Cruz* Rua Vasco da Gama, Horta, 9900. ☎ 292 293 021. FAX 292 293 906. L'ancienne forteresse, bâtie au XVIe siècle pour défendre Horta, est devenue un hôtel confortable. Meubles d'époque.	€€€€	AE DC MC V	25
FLORES : *Ocidental* w www.hoteloccidental.com Sítio do Boqueirão, Santa Cruz, 9970. ☎ 292 590 100. FAX 292 590 101. L'aménagement intérieur est fonctionnel. Chambres simples avec balcon donnant sur la mer.	€€€	AE	36
GRACIOSA : *Santa Cruz* L. Barão de Gaudalupe, S. Cruz da Graciosa, 9880-344. ☎ 295 712 345. FAX 295 712 828. Cet hôtel, à l'ambiance agréable, est situé sur une place calme du centre-ville. Réservez bien à l'avance, car il est difficile de se loger à Graciosa.	€€		19
PICO : *L'Escale de l'Atlantic* w www.ciberacores.com/escale Morro de Baixo, 9930-212. ☎ 292 666 260. FAX 292 666 260. Cet hôtel très original se trouve à l'extrémité orientale de l'île. Le décor de ses chambres est chic. ● oct.-avr.	€€		5
PICO : *Pico* Rua dos Biscoitos, Madalena, 9950-334. ☎ 292 628 400. FAX 292 628 407. Hôtel moderne et bien équipé. De quelques-unes de ses chambres, on peut apercevoir l'impressionnant sommet noir de l'île.	€€€	AE MC V	68
SANTA MARIA : *Praia de Lobos* Rua M, Vila do Porto, 9580. ☎ 296 882 277. FAX 296 882 482. Chic, accueillant et bien géré, cet hôtel est situé dans le centre-ville. Installations modernes.	€€€	AE MC V	34
SAO JORGE : *Hotel Sao Jorge* w www.acores.com Rua Machado Pires, Velas, 9800-526 Velas. ☎ 295 430 100. FAX 295 412 736. Dans la banlieue de Velas, c'est le seul hôtel moderne de l'île. Les chambres sont agréables et possèdent des balcons donnant sur la mer.	€€€	AE DC MC V	58
SÃO MIGUEL : *Casa Nossa Senhora do Carmo* Rua do Pópulo Decima 220, Livramento, 9500. ☎ 296 642 048. FAX 296 642 038. Cette *quinta*, isolée à l'est de Ponta Delgada, a été soigneusement restaurée. Chambres meublées en style d'époque. ● déc.	€€€		6
SÃO MIGUEL : *São Pedro* L. Almirante Dunn, Ponta Delgada, 9500. ☎ 296 301 740. FAX 296 301 744. Situé près du port, le São Pedro, construit en 1812, a conservé un décor d'époque.	€€€	AE DC MC V	26
SÃO MIGUEL : *Solar de Lalém* w www.acores.com Estrada de São Pedro, Maia, 9625-332. ☎ 296 442 004. FAX 296 442 164. Beau manoir construit sur la côte nord au XIXe siècle et meublé dans un style simple par les propriétaires.	€€€		10
SÃO MIGUEL : *Bahia Palace* Água d'Alto, Vila Franco do Campo, 9680. ☎ 296 539 130. FAX 296 539 138. Fréquentés par des hommes d'affaires, ce complexe hôtelier est situé sur la côte sud. Installations sportives et salles de conférences.	€€€€	AE DC MC V	101
TERCEIRA : *Beira Mar* L. Miguel Corte-Real, Angra do Heroísmo, 9700-182. ☎ 295 215 188. FAX 295 628 248. Ce petit hôtel, qui domine le port, est bien placé pour découvrir le quartier de la vieille ville.	€€€	AE MC V	23
TERCEIRA : *Quinta do Martelo* w www.acores.com Canada do Martelo 24, A. do Heroísmo, 9700. ☎ 295 642 842. FAX 295 642 841. Les chambres de l'hôtel, situé en pleine campagne, sont ornées d'objets d'artisanat. Le restaurant propose des spécialités régionales.	€€€	AE MC V	10
TERCEIRA : *Quinta da Nasce-Água* w www.matosarte.com Vinha Brava, Angra do Heroísmo, 9700. ☎ 295 628 501. FAX 295 628 502. Cette *quinta* somptueuse et moderne domine l'Angra do Heroísmo. Grands jardins, courts de tennis et mini-golf.	€€€€	AE MC V	14

Légende des symboles, voir rabat de couverture

RESTAURANTS

Partout au Portugal, la dégustation des fruits de mer, des palourdes aux langoustes, et du poisson, des sardines au thon, de l'espadon au *bacalhau* (morue séchée), est un plaisir rare. Le long des plages s'alignent les restaurants servant les poissons frais du jour. Mais ce sont aussi des amateurs de viande, sourtout dans les régions de l'intérieur ;

Enseigne avec un cochon de lait rôti, à Mealhada *(p. 412)*

goûtez au chevreau rôti ou au cochon de lait. La plupart des restaurants affichent des prix raisonnables et ne lésinent pas sur la quantité. Lisbonne et l'Algarve regorgent de petits restaurants bon marché aussi bien que de restaurants de type international. Les indications pratiques qui suivent sur les divers types de restaurants vous aideront à découvrir la gastronomie portugaise.

Serveur du Palácio de Seteais, près de Sintra *(p. 409)*

LES DIFFÉRENTS TYPES DE RESTAURANTS

Il y en a de toutes sortes et à tous les prix. Parmi les plus raisonnables, la *tasca* (taverne), parfois une simple salle avec une demi-douzaine de tables. Ces établissements ont une clientèle de quartier, ce qui peut être un bon motif de choix. La *casa de pasto* propose un repas complet (entrée, plat, dessert) dans une vaste salle, alors que le restaurant classique offre une carte beaucoup plus variée. La *marisqueira*, qu'on trouve le long de la côte, est spécialisée dans le poisson frais et les fruits de mer. La *churrasqueira,* formule très populaire venue du Brésil, ne propose que de la viande rôtie à la broche. La *cervejaria*, quant à elle, est le lieu idéal pour consommer une bière ou un en-cas. En règle générale, les restaurants des meilleurs hôtels sont de bonne qualité. Les *pousadas (p. 378-379)* constituent un réseau de restauration privilégiant les spécialités régionales.

Enseigne du Maria Rita *(p. 415)*

L'HEURE DES REPAS

Le déjeuner est servi entre 12 h et 14 h, et les restaurants sont alors bondés. Le dîner est servi entre 19 h et 22 h dans la plupart des endroits, mais parfois plus tard dans les grandes villes, notamment à Lisbonne et Porto, et en Algarve. Une autre solution pour souper en soirée consiste à combiner le dîner avec un spectacle dans une maison de fado *(p. 66-67),* ouverte de 22 h 30 à 3 ou 4 h du matin.

RÉSERVER UNE TABLE

Les bons restaurants sont souvent bondés ; il est donc recommandé de réserver, surtout en haute saison. Peu de restaurants sont équipés pour accueillir les personnes handicapées, mais si vous réservez à l'avance, on vous choisira une table d'accès facile.

LE MENU

Certains restaurants, surtout dans les lieux touristiques, proposent un *ementa turística*, un menu à prix abordable qui est renouvelé tous les jours, café et boissons compris (un verre de vin, une bière ou une boisson non alcoolisée). Cette formule permet de faire un repas complet à un bon prix, sans surprise désagréable. L'*almoço* (déjeuner) comporte

L'intérieur somptueux de la Cozinha Velha, à Queluz *(p. 407)*

Du Veau, spécialité régionale, chez Gabriela, à Sendim *(p. 415)*

deux plats : un plat de résistance, une entrée ou un dessert. Pour découvrir une spécialité régionale, tentez le *prato do dia* (plat du jour).

Les plats mijotés, comme les poissons en cocotte ou le *porco Alentejana* (porc aux palourdes), sont servis dans le plat, pour permettre aux clients de partager, comme c'est le cas avec un grand poisson, tel que le bar, vendu au poids. Un plat peut constituer le repas de deux personnes ; il faut alors commander une *meia dose* (demi-part). Attention ! Dès que vous choisissez une table, le serveur vous apporte un assortiment d'entrées (olives, fromages, beignets de morue, etc.). Non comprises dans le menu, ces entrées sont facturées en sus.

LA CUISINE VÉGÉTARIENNE

Il existe peu de restaurants végétariens, mais vous n'aurez pas beaucoup de problèmes en puisant dans les menus : salades, soupes, fruits de saison, notamment le melon et la pastèque, fromages traditionnels accompagnés de pains délicieux.

VINS ET BOISSONS

Ne quittez pas le Portugal sans avoir dégusté ses deux plus célèbres vins : le porto *(p. 252-253)* et le madère *(p. 349)*. Découvrez les vins locaux, qui peuvent réserver d'agréables surprises, ou demandez la carte des vins et

faites votre choix parmi les nombreux vins du pays *(p. 28-29)*. La Sagres et la Super Bock sont de bonnes bières et les eaux minérales sont appréciables ; elles se présentent *com gás* (pétillantes) ou *sem gás* (plates).

Dans un café au bord de la mer, à Póvoa de Varzim, dans le Minho

CAFÉS ET PÂTISSERIES

Les cafés jouent un rôle important dans la vie quotidienne, qu'il s'agisse de simples salles blanches et modernes ou, au contraire, de splendides établissements décorés de miroirs, où l'on peut s'asseoir et bavarder, ou encore rester des heures à lire le journal. Ils constituent de parfaits lieux de rendez-vous, où l'on peut grignoter un morceau. À toute heure de la journée, le café est le lieu idéal pour une pause. Ne manquez pas les *pastelarias* (pâtisseries), car les gâteaux sont excellents *(p. 147, 231 et 289)*.

LES PRIX

Dans tous les restaurants, il convient de laisser un pourboire de 5 à 10 % quand le service n'est pas compris. Vérifiez à l'avance si les cartes de crédit sont acceptées.

LES ENFANTS

En dehors des restaurants chic, les enfants sont en général les bienvenus. D'ailleurs, on voit souvent des familles au complet déjeuner le week-end. Presque tous les restaurants servent des portions réduites.

FUMEURS/NON-FUMEURS

Fumer est autorisé dans les lieux publics, sauf en cas d'affichage d'un *Proíbido fumar*. Les zones non-fumeurs sont assez rares dans les restaurants.

DÉGUSTER UN CAFÉ

Le café, boisson très appréciée au Portugal, est préparé de toutes sortes de façons. Le plus répandu est le petit café noir concentré, servi comme un « espresso » dans une petite tasse. À Lisbonne ou dans le sud du pays, commandez *uma bica* ; ailleurs, demandez tout simplement *um café*. Un café fort s'appelle *uma italiana* ; pour une version plus douce et parfumée, demandez *uma carioca. Uma meia de caleite* est un café au lait. Un café noisette s'appelle *um garoto escuro,* et *um garoto claro* est un crème. Demandez *um galão* si vous aimez votre café crème très blanc.

Uma bica   *Um galão*

Choisir un restaurant

Les restaurants présentés ont été choisis, toutes catégories confondues, pour leur bon rapport qualité-prix, la qualité de leur cuisine ou l'attrait de leur emplacement. Les repères de couleur correspondent au code utilisé dans les chapitres consacrés aux différentes régions décrites dans le guide.

		CARTES BANCAIRES	SERVICE TARDIF	TABLES EN TERRASSE	BONNE CARTE DES VINS

LISBONNE

AJUDA : *O Nobre* €€€€
Rua das Mercês 71a-b. **Plan** 2D3. 21-363 38 27.
Donnez-vous la peine d'aller dénicher ce restaurant un jour d'excursion à Belém. O Nobre sert de la soupe au crabe, du ragoût de gibier, du poisson aux olives et du porc rôti aux raisins. ● *dim., sam. midi.*
AE MC V | ▪ | | ▪

ALCÂNTARA : *Alcântara Café* €€€€€
Rua Maria Luisa Holstein 15. **Plan** 3A4. 21-362 12 26.
Longtemps le seul restaurant contemporain de Lisbonne, l'Alcântara Café est devenu classique, mais son intérieur des années 80 fait encore bel effet. ● *Midi.* 🍽 ♿
AE DC MC V | ▪ | | ▪

ALFAMA : *Hua-Ta-Li* €€
Rua dos Bacalhoeiros 109-115a. **Plan** 7 C4. 218 879 170.
Grand restaurant chinois situé près des docks. Plats classiques de riz et de nouilles. Service rapide et efficace. 🍽

ALFAMA : *Lautasco* €€
Beco do Azinhal 7 (à la hauteur de rua de São Pedro). **Plan** 8 E4. 218 860 173.
Décor rustique de bois avec des lustres confectionnés à l'aide de roues de chariot. Le Lautasco sert une cuisine traditionnelle. ● *dim ; 20 déc.–15 janv.*
AE DC MC V | ▪ | ● |

ALFAMA : *Mestre André* €€€
Calçadinha de Santo Estevao 6. **Plan** 8 E3. 218 871 487.
Ce restaurant portugais animé sert de délicieux plats à base de poisson et de porc et un excellent *churrasco (p. 210).* ● *dim. ; 20 déc.-15 jan.* ♿
AE DC MC V | ▪ | ● |

ALFAMA : *Viagem de Sabores* €€€
Rua de São João da Praça 103. **Plan** 8 D4. 21-887 01 89.
Ce restaurant installé dans une ancienne poissonnerie propose un menu éclectique de cuisine orientale et occidentale. ● *midi, sam.* 🍽
DC MC V

AVENIDA : *Ribadouro* €€€
Rua do Salitre 2-12. **Plan** 4 H1. 21-354 94 11.
Installée dans un long bâtiment au coin de l'Avenida da Libertade, cette *cerreparia* est spécialisée dans les poissons et fruits de mer. 🍽
AE DC MC V | ▪ | |

BAIRRO ALTO : *Bota Alta* €€€
Travessa da Queimada 37. **Plan** 7 A3. 213 427 959.
Les murs de ce restaurant attrayant sont décorés de peintures très originales. Le menu est composé de plats traditionnels portugais. ● *sam. midi ; dim.*
AE DC MC V

BAIRRO ALTO : *Casanostra* €€€
Travessa do Poço da Cidade 60. **Plan** 7 A3. 213 425 931.
Restaurant italien au décor vert, blanc et noir qui propose une carte de six pages de spécialités pour composer votre menu. ● *lun., sam. midi.* 🍽
AE DC MC V

BAIRRO ALTO : *El Último Tango* €€€
Rua Diário de Notícias 62. **Plan** 7 A4. 213 420 341.
Dans ce restaurant argentin, les grillades au feu de bois emportent les suffrages. Cocktails intéressants à découvrir. ● *dim. ; midi ; 2 sem. en juin ; 2 sem. en oct.* 🍽
MC V | ▪ | ● |

BAIRRO ALTO : *Massima Culpa* €€€
Rua da Atalaia 35-37. **Plan** 4 F2. 213 420 121.
Restaurant au décor simple proposant un menu varié d'*antipasti* et de pâtes dans une ambiance italienne. ● *midi ; lun.* 🍽 ♿
AE DC MC V | ▪ | |

BAIRRO ALTO : *Pap'Açorda* €€€€
Rua da Atalaia 57. **Plan** 4 F2. 213 464 811.
Ce restaurant, dont la salle est grande et claire, est renommé pour l'*açorda de mariscos* (plats de fruits de mer). Le menu est typiquement portugais.
● *lun. midi ; dim. ; 2 sem. en juil. ; 2 sem. en oct.* 🍽 ♿
AE DC MC V | | | ▪

r en Algarve

isissantes falaises rougeâtres côtoient les stations
ne jamais s'arrêter. Comme beaucoup de destinations
fois beaucoup plus qu'une simple destination estivale,
toire. Voici cinq sites à ne pas manquer.

Portugal

11-01-17

Lagos

Ancienne capitale de l'Algarve,
Lagos est probablement la
plus jolie ville à visiter sur le
littoral. De cet important port
partaient les nombreuses expéditions qui allaient mener à la
découverte des côtes africaines.
Fait moins glorieux, Lagos a
été la première ville d'Europe
à se doter d'un marché aux
esclaves arrachés d'Afrique.
La cité est en partie entourée
d'une enceinte médiévale, les
Muralhas de Lagos. Le Castelo
dos Governadores, édifié par
les Maures et doté d'élégantes
tours, avoisine l'agréable Praça
Infante Dom Henriques, où
s'élève l'Igreja de Santa Maria.

Prix moyens par personne pour
un repas comprenant trois plats et
une demi-bouteille de vin de la
maison, taxes et service compris.

€ moins de 10 €
€€ 10-15 €
€€€ 15-20 €
€€€€ 20-30 €
€€€€€ plus de 30 €

SERVICE TARDIF
La cuisine reste ouverte après 22 h, et on sert le plus
souvent jusqu'à 23 h.

TABLES EN TERRASSE
Tables à l'extérieur, dans un jardin ou sur une terrasse,
souvent avec une vue agréable.

BONNE CARTE DES VINS
Le restaurant propose un vaste choix de vins de qualité.

CARTES BANCAIRES
Un symbole indique que les cartes American Express
(AE), Diner's Club (DC), Master Card Access (MC), Visa
(V) sont acceptées.

	CARTES BANCAIRES	SERVICE TARDIF	TABLES EN TERRASSE	BONNE CARTE DES VINS
BAIRRO ALTO : *Tavares* €€€€€ Rua da Misericórdia 35-37. **Plan** 7 A4. 📞 213 421 112. Tavares, le plus ancien restaurant de Lisbonne (1784), maintient sa réputation avec des plats comme le blanc de perdreau, servi sur des toasts avec du foie gras, et ses filets de bar en gratin à la sauce crevette. ● sam. ; dim. midi. 🍽 ♿	AE DC MC V			▨
BAIXA : *Paris* €€€ Rua dos Sapateiros 126. **Plan** 7 B4. 📞 213 469 797. Ouvert depuis un demi-siècle, le Paris propose une carte à la fois française et galicienne. Tentez le steak d'espadon ou le porc à l'alentejana. 🍽 ♿	AE DC MC V			
BELÉM : *Já Sei* €€€ Avda Brasilia 202. **Plan** 1 A5. 📞 213 015 969. Ce lieu magnifique, au bord de l'eau, est particulièrement agréable en été ; crustacés et poissons toute l'année. ● dim. soir ; lun. 🍽 🎵	AE DC MC V		●	▨
BELÉM : *São Jerónimo* €€€€ Rua dos Jerónimos 12. **Plan** 1 C4. 📞 213 648 797. Ce restaurant, élégant et spacieux, décoré dans le style des années 30, propose une carte française et portugaise comprenant de la raie à la sauce de pêche et du canard aux noix dans une sauce à base de vin. ● sam. midi ; dim. 🍽	AE DC MC V			▨
BELÉM : *Vela Latina* €€€€€ Doca do Bom Sucesso. **Plan** 1 B5. 📞 213 017 118. Ce restaurant au bord de l'eau, dispose d'un bar et d'une terrasse donnant sur la Torre de Belém. La spécialité de la maison est le *cataplana rica do mar* (poêlée de fruits de mer). ● dim. 🍽 ♿	AE DC MC V	▨	●	▨
CACILHAS : *Atira-te ao Rio* €€€ Cais do Ginjal 69-70. 📞 21-275 13 80. Vous admirerez Lisbonne depuis l'autre berge du Tage tout en savourant des spécialités brésiliennes, dont la *feijoada à Brasileira*. ● lun.		▨	●	
CAMPO DE OURIQUE : *Tasquinha d'Aldelaide* €€€€ Rua do Patrocinio 72-4. **Plan** 3C2. 📞 21-396 22 39. Ce petit restaurant apprécié des autochtones sert ses propres versions inspirées de plats traditionnels portugais. Il est impératif de réserver. ● midi, dim. 🍽	AE DC MC V	▨		▨
CAMPO PEQUENO : *Chimarrão* €€ Campo Pequeno 79. **Plan** 5 C1. 📞 217 939 760. Ce restaurant brésilien est spécialisé dans les viandes grillées servies à *rodízio* (à volonté), accompagnées de salade et de haricots noirs. 🍽 🎵	AE DC MC V	▨		▨
CAMPO PEQUENO : *A Gôndola* €€€ Avenida de Berna 64. **Plan** 5B2. 📞 21-739 04 26. Un restaurant accueillant qui sert une grande variété de plats italiens et portugais. L'été, vous apprécierez de manger dans le jardin. ● dim. 🍽	AE MC V		●	▨
CAMPO PEQUENO : *António Clara – Clube dos Empresários* €€€€ Avenida da República 38. **Plan** 5 C1. 📞 217 994 280. Les petites salles de ce restaurant faisaient partie autrefois des appartements d'un bel hôtel particulier. La carte propose plutôt une cuisine française. ● dim. 🍽	AE DC MC V			▨
CASTELOS : *Restô do Chapitô* €€€ Costa do Castelo 7. **Plan** 7C3. 📞 21-886 73 34. Grand choix dans le menu, qui inclut de nombreux plats de cuisine internationale. Ambiance chaleureuse et belle vue sur le port. ● lun. 🎵 Irrégulièrement.		▨	●	▨
CASTELO : *Casa do Leão* €€€€ Castelo de Sao Jorge. **Plan** 8 D3. 📞 218 875 962. Situé près du castelo de sao Jorge (*p. 78-79*), ce restaurant propose une excellente cuisine portugaise dans un cadre où vous disposerez d'une vue superbe. 🍽 🎵 mer.-vend.	AE DC MC V		●	▨

Légende des symboles, voir rabat de couverture

Prix moyens par personne pour un repas comprenant trois plats et une demi-bouteille de vin de la maison, taxes et service compris.

€ moins de 10 €
€€ 10-15 €
€€€ 15-20 €
€€€€ 20-30 €
€€€€€ plus de 30 €

SERVICE TARDIF
La cuisine reste ouverte après 22 h, et on sert le plus souvent jusqu'à 23 h.

TABLES EN TERRASSE
Tables à l'extérieur, dans un jardin ou sur une terrasse, souvent avec une vue agréable.

BONNE CARTE DES VINS
Le restaurant propose un vaste choix de vins de qualité.

CARTES BANCAIRES
Un symbole indique que les cartes American Express (AE), Diner's Club (DC), Master Card Access (MC), Visa (V) sont acceptées.

	CARTES BANCAIRES	SERVICE TARDIF	TABLES EN TERRASSE	BONNE CARTE DES VINS
CHIADO : *Tágide* €€€€€ Largo da Academia Nacional de Belas Artes 18-20. **Plan 7 B5.** 📞 213 420 720. Cet élégant restaurant offre une vue superbe sur le Tage et des plats délicieux, comme le saumon mariné, le poulpe cuit dans une sauce au vin rouge ou le perdreau à la sauce au porto. ⬤ *sam. midi ; dim.* 🍽	AE DC MC V			▨
ESTRELA : *Conventual* €€€€ Praça das Flores 44-45. **Plan 4 E2.** 📞 213 909 196. La carte est assez tentante avec ses petites anguilles frites et sa langue de bœuf à la sauce à l'œuf. Beau décor. ⬤ *sam. midi ; dim. ; lun.* 🍽	AE DC MC V			▨
GRAÇA : *Via Graça* €€€€ Rua Damasceno Monteiro 9b. **Plan 8 D1.** 📞 218 870 830. La vue sur le castelo de São Jorge et la Baixa est magnifique. La cuisine portugaise, traditionnelle, est bien présentée. ⬤ *sam. midi ; dim.* 🍽	AE DC MC V	▨		
LAPA : *Café d'Arte* € Rua das Janelas Verdes, Museu de Arte Antiga. **Plan 4 D4.** 📞 213 960 930. Une bonne occasion de combiner la visite du musée avec un repas servi dans un décor superbe au bord du fleuve. ⬤ *lun., mar. et soir (le café ferme avec le musée)* 🍽 ♿	AE MC V		⬤	
LAPA : *Picanha* €€€ Rua das Janelas Verdes 96. **Plan 4 D4.** 📞 213 975 401. Ce restaurant ne sert que des *picanhas* (grillades au feu de bois) accompagnées de pommes de terre, riz, salade ou haricots. ⬤ *sam. ; dim. midi.* 🍽			▨	
LAPA : *A Confraria* €€€€ Pensao York House, rua das Janelas Verdes 32. **Plan 4 D4.** 📞 213 962 435. Ce délicieux restaurant aux murs couverts d'azulejos propose un menu varié. On peut aussi prendre son repas à l'extérieur, sous des palmiers. 🍽	AE DC MC V		⬤	▨
LAPA : *Ristorante Hotel Cipriani* €€€€€ Hotel da Lapa, rua do Pau da Bandeira 4. **Plan 3 C3.** 📞 213 949 434. On savoure une cuisine italienne et méditerranéenne dans un cadre élégant. Salle non-fumeurs. 🍽 ♿	AE DC MC V			▨
LAPA : *Sua Excelência* €€€€€ Rua do Conde 34. **Plan 4 D3.** 📞 213 903 614. Le patron peut réciter son menu en cinq langues. Plats portugais classiq ues servis dans une atmosphère décontractée. ⬤ *sam. et dim. midi ; mer. ; sept.* 🍽 ♿	AE DC MC V		⬤	▨
MARQUÊS POMBAL : *Pabe* €€€€ Rua Duque de Pamela 27a. **Plan 5C5.** 📞 21-353 74 94. Le Pabe ressemble à un manoir des Tudor mais sert des plats traditionnels portugais. Ambiance médiévale, plafonds à poutres et tables revêtues de cuivre. 🍽 ♿	AE DC MC V	▨		▨
MARQUÊS POMBAL : *Restaurante 33A* €€€€ Rua Alexandre Herculano 33a. **Plan 5C5.** 📞 21-354 60 79. Cuisine traditionnelle portugaise, mais aussi petit salon à l'ambiance et au décor capagnards. ⬤ *sam. midi, dim.* 🍽 🎵 ♿	AE DC MC V		⬤	▨
PRAÇA DO CHILE : *Cervejaria Portugalia* €€€ Avenida Almirante Reis 117. **Plan 6E5.** 📞 21-314 00 02. Cette brasserie d'atmosphère est la première d'une petite chaîne. Le restaurant, familial, sert d'excellents steaks et fruits de mer. ♿	AE DC MC V	▨		
PRAÇA ESPANHA : *Adega da Tia Matilde* €€€ Rua da Beneficiência 77. **Plan 5A1.** 📞 21-297 21 72. Ce restaurant est renommé pour sa solide cuisine portugaise régionale. Parmi les spécialités, le riz au poulet. ⬤ *sam. soir, dim.*	AE MC V			

Praça Espanha : *O Policia* €€€
Rua Marqués Sà da Bandeira 112a. **Plan** 5B3. **(** *21-796 35 05*.
Un agréable restaurant, doublé d'un bar sympathique, ainsi nommé parce
que le grand-père du propriétaire était agent de police. Le menu est
renouvelé chaque jour. ● *sam. soir, dim.* ▤

	AE		
	MC		
	V		

Rato : *Os Tibetanos* €€
Rua do Salitre 117. **Plan** 4 F1. **(** *213 142 038*.
Installé dans un centre bouddhiste tibétain, ce restaurant végétarien a beaucoup
de caractère. Menu tibétain délicieux et bon marché. ● *sam. ; dim.* ▤

	AE	●	
	MC		
	V		

Rato : *Casa da Comida* €€€€€
Travessa das Amoreiras 1. **Plan** 5 B5. **(** *213 885 376*.
Ce restaurant raffiné possède un charmant patio. Le menu, exquis, comprend
notamment caviar, chèvre, canard et faisan. ● *sam. midi ; dim.* ▤

	AE	▨	●	▨
	DC			
	MC			
	V			

Restauradores : *Casa do Alentejo* €€
Rua das Portas de Santo Antão 58. **Plan** 7A2. **(** *21-346 92 31*.
Installé dans une demeure du siècle dernier, ce restaurant est consacré
aux spécialités de l'Alentejo, telle la *açorda alentejana*, une soupe au
pain et à la coriandre. ● *1er-19 août*.

	MC		
	V		

Restauradores : *Lagosta Real* €€€€
Rua das Portas de Santo Antão 37. **Plan** 7A2. **(** *21-342 39 95*.
Au menu, poissons et surtout crustacés. Cassolette de crustacés, ragoût de
homard et assiette de la mer sont les spécialités de la maison. ▤

	AE	▨	●	▨
	DC			
	MC			
	V			

Restauradores : *Solar dos Presuntos* €€€€
Rua das Portas de Santo Antão 150. **Plan** 7A2. **(** *21-342 42 53*.
Une affriolante vitrine de fruits de mer vous met l'eau à la bouche. Aux
murs, des caricatures de footballers célèbres. ● *dim., 2 sem. en août, 1 sem.
à Noël.* ▤

	AE		
	DC		
	MC		
	V		

Restauradores : *Gambrinus* €€€€€
Rua das Portas de Santo Antão 23. **Plan** 7A2. **(** *21-342 14 66*.
Ce restaurant exceptionnel et coûteux est renommé dans tout le Portugal.
Son excellente carte des vins inclut toute une déclinaison de portos. ● *1er mai.* ▤

	AE	▨		▨
	V			

Saldanha : *António* €€
Rua Tomás Ribeiro 63. **Plan** 5 C3. **(** *213 538 780*.
Ce restaurant est une bonne halte pour le déjeuner. La cuisine est sans
prétention, et le menu affiche steak frites ou poulet rôti. ● *dim.* ▤

	V	●	

Saldanha : *Espiral* €€
Praça da Ilha do Faial 14a. **Plan** 6D3. **(** *21-357 35 85*.
Situé sur une jolie place, ce restaurant végétarien au décor tout simple propose un
large choix de plats, des jus de fruits frais et des vins bio. ● *1er janv., 1er mai..* ▤

	AE		
	MC		
	V		

Saldanha : *Café Creme* €€€
Avenida Conde de Valbom 52a. **Plan** 5 B2. **(** *217 964 360*.
Attrayant, ouvert et aéré, le Café Creme propose un grand choix de pâtes,
salades, morue, bœuf et plats grillés. ● *sam. midi ; dim.* ▤

	AE	▨	
	DC		
	MC		
	V		

Santa Apolónia : *Casanova* €€€
Avenida Infante Dom Henrique. **Plan** 8D5. **(** *21-887 75 32*.
La meilleure pizzeria de Lisbonne, dit-on, établie dans un ancien
entrepôt. On y trouvera tous les classiques italiens, y compris des pâtes et
des salades. ● *lun., sam. midi.* ▤

	AE	▨	●
	MC		
	V		

Santa Apolónia : *Bica do Sapato* €€€€€
Avenida Infante Dom Henrique, 1100. **Plan** 8D5. **(** *21-881 03 20*.
Le restaurant le plus immaculé de Lisbonne, et parmi les meilleurs plats
contemporains de poisson, servis dans un ancien entrepôt au décor rétro
des années 70. ▤ ⬥

	AE	▨	●	▨
	DC			
	MC			
	V			

Santos : *Kais* €€€€€
Cais da Viscondessa, rua da Cintura do Porto do Lisboa. **Plan** 4D4. **(** *21-393 29 30*.
De la nouvelle cuisine portugaise et méditerranéenne servie dans un
ancien atelier au décor qui semble sorti du film Batman. ● *Lun.* ▤ ⬥

	AE	▨	●	▨
	DC			
	MC			
	V			

Xabregas : *D'Avis* €€€
Rua do Grilo 96-98. **(** *218 681 354*.
Parmi les spécialités, goûtez la morue à la coriandre, les *migas* (côtelettes
de porc dans une panade). ● *dim.* ▤ ⬥

	AE			▨
	DC			
	MC			
	V			

Légende des symboles, voir rabat de couverture

	CARTES BANCAIRES	SERVICE TARDIF	TABLES EN TERRASSE	BONNE CARTE DES VINS

Prix moyens par personne pour un repas comprenant trois plats et une demi-bouteille de vin de la maison, taxes et service compris.

€ moins de 10 €
€€ 10-15 €
€€€ 15-20 €
€€€€ 20-30 €
€€€€€ plus de 30 €

SERVICE TARDIF
La cuisine reste ouverte après 22 h, et on sert le plus souvent jusqu'à 23 h.

TABLES EN TERRASSE
Tables à l'extérieur, dans un jardin ou sur une terrasse, souvent avec une vue agréable.

BONNE CARTE DES VINS
Le restaurant propose un vaste choix de vins de qualité.

CARTES BANCAIRES
Un symbole indique que les cartes American Express (AE), Diner's Club (DC), Master Card Access (MC), Visa (V) sont acceptées.

LE LITTORAL DE LISBONNE

		CARTES BANCAIRES	SERVICE TARDIF	TABLES EN TERRASSE	BONNE CARTE DES VINS
CASCAIS : *Dom Manolo* €€ Avenida Marginal 11. ▐ 214 831 126. Goûtez la spécialité de la maison : le *frango no churrasco* (poulet à la broche). Les *pastéis de bacalhau* (beignets de morue) sont divins. ● *janv.* ▤				●	
CASCAIS : *Estrela da India* €€ Rua Freitas Reis 15b. **Carte routière** B5. ▐ 214 846 540. Restaurant indien sans prétention, à l'écart du front de mer, il propose divers plats végétariens et des plats à emporter. ● *lun.* ▤		AE MC V			
CASCAIS : *Os Navegantes* €€€ Travassa dos Navegantes 13. ▐ 214 866 631. Ce restaurant portugais est très apprécié des habitants de Cascais ; il est réputé pour son poisson frais et ses viandes rôties à la broche. ● *dim.*		AE V	▦		▦
CASCAIS : *Esplanada Santa Marta* €€€€ Travassa do Enviado de Inglaterra 1d, e, f. ▐ 213 521 194. Le restaurant est réputé pour son choix de poissons et crustacés et pour ses plats traditionnels portugais. Pendant l'été, on peut prendre son repas sur une petite terrasse donnant sur la mer. ▤ &		AE MC V	▦	●	▦
CASCAIS : *Buchanan's Café, Bar et Restaurant* €€€€ Travassa da Alfarrobeira 2. ▐ 214 847 590. Au sommet d'un building, le restaurant a une vue magnifique sur la nouvelle marina. La cuisine européenne très raffinée comporte de nombreux plats végétariens ; les vins sont excellents. ● *lun. (oct.-mai).*		AE MC V	▦	●	▦
CASCAIS : *Casa Velha* €€€€ Avenida Valbom 1. ▐ 214 832 586. Dans un décor marin avec un bateau au centre de la salle, la Casa Velha a toujours une table réservée pour le président. Menu régional. ● *mer.* ▤ &		AE MC V			
CASCAIS : *Eduardo's* €€€€ Largo das Grutas 3. ▐ 214 831 901. Situé dans un coin tranquille, Eduardo's sert un menu mi-belge, mi-portugais, dont plusieurs plats flambés. ● *mer.*		AE MC V		●	▦
CASCAIS : *O Pescador* €€€€€ Rua das Flores 10b. **Carte routière** B5. ▐ 214 832 054. Un restaurant de bord de mer connu, décoré de vieux bateaux, de filets et des photos des personnalités qui l'ont fréquenté. Spécialités de poissons. ● *dim.* ▤		AE DC MC V	▦	●	▦
ERICEIRA : *O Barco* €€€ Rua Capitão João Lopes 14. ▐ 261 862 759. Parmi les spécialités de la mer, goûtez la *feijoada de marisco* (coquillages aux haricots) et les fruits de mer au curry. Très jolie vue. ● *jeu. ; 2 semaines en juil. et déc.* ▤		AE MC DC V			
ESTORIL : *Pinto's* €€€ Arcadas do Parque 18b. ▐ 214 687 247. À proximité de l'hôtel Palácio, le Pinto est à la fois un bar, une cafétéria et un restaurant. Il sert des pizzas, ainsi qu'une grande variété de fruits de mer. ▤		AE DC MC V	▦	●	
ESTORIL : *Four Seasons* €€€€€ Hotel Palácio Estoril, Rua do Parque. ▐ 214 648 000. Restaurant luxueux avec poutres apparentes et sièges de cuir. Goûtez à ses gambas flambées au pernod ou à la sauce hollandaise. ▤ ♫ &		AE DC MC V			▦
GUINCHO : *Estalagem Muchaxo* €€€€ Praia do Guincho. ▐ 214 870 221. Dominant Cabo da Roca, le Muchaxo est un restaurant de fruits de mer. La spécialité est le homard à la sauce tomate, crème et porto. ▤ ♫ *sam. et dim.* &		AE DC MC V	▦	●	▦

GUINCHO : *Porto de Santa Maria*   €€€€€   AE MC DC V
Estrada do Guincho. [214 879 450.
On peut composer son menu en faisant son choix dans l'aquarium ou sur
l'étal de marbre où sont présentés les plus beaux spécimens. ● *lun.* 🖿 &

MONTE ESTORIL : *O Sinaleiro*   €€€   AE DC MC V
Avenida de Sabóia 595. [214 685 439.
Excellente cuisine appréciée par les habitués du coin. Essayez les *escalopes à
Zíngara* (à la sauce madère). ● *mer. ; 2 sem. en avr. et oct.* & 🖿

MONTE ESTORIL : *O Festival*   €€€€   AE MC DC V
Avenida de Sabóia 515d. [214 688 563.
La cuisine est excellente. Laissez-vous tenter par le canard à l'orange ou la
matelote. ● *lun. ; mar. midi.* 🖿 &

PAÇO D'ARCOS : *La Cocagne*   €€€€€   AE DC MC V
Avenida Marginal (Curva dos Pinheiros). [214 414 231.
La Cocagne a un décor raffiné et offre une vue grandiose sur l'océan. Le
service est impeccable et les plats, surtout français, sont délicieux. 🖿

PALMELA : *Pousada de Palmela*   €€€€   AE DC MC V
Pousada de Palmela, Castelo de Palmela. [212 351 226.
Ce restaurant, installé dans le réfectoire d'un monastère du xv siècle,
propose des plats délicieux, comme la truite farcie. 🎵 *ven. et sam.*

PORTINHO DA ARRÁBIDA : *Beira-Mar*   €€€€   AE DC MC V
Portinho da Arrábida. [212 180 544.
Régalez-vous avec l'*arroz de tamboril* (riz à la lotte) ou *de marisco* (riz aux
fruits de mer), dans un cadre somptueux. ● *mer. (oct.–mars) ; 15 déc.–15 janv.* &

QUELUZ : *Cozinha Velha*   €€€€   AE DC MC V
Largo Palácio Nacional de Queluz. [214 356 158.
Occupant les cuisines du palais royal de Queluz, ce restaurant est connu
pour ses plats traditionnels, comme le porc aux palourdes. 🖿 🎵

SESIMBRA : *Ribamar*   €€€€   AE MC V
Avenida dos Náufragos 29. [212 234 853.
Situé au bord de la mer, le Ribamar offre une vue magnifique. Il propose des
spécialités originales comme le poisson aux algues ou le velouté d'oursins. 🖿 &

SETÚBAL : *Copa d'Ouro*   €€€   AE MC V
Rua João Soveral 17. [265 523 755.
Le menu de poissons est grandiose : *caldeirada à setubalense* (bouillabaisse)
ou *cataplana de cherne* (poêlée de mérou cuit dans son jus). ● *mar. ; sept.* 🖿

SETÚBAL : *Pousada de São Filipe*   €€€€   AE DC MC V
Pousada de São Filipe, Castelo de São Filipe. [265 550 070.
Le restaurant fait partie de la *pousada* qui domine Setubal. Parmi les
spécialités, goûtez le velouté de potiron ou les filets de porc aux aromates. 🖿

SINTRA : *Tulhas*   €€€   AE DC MC V
Rua Gil Vicente 4-6. [219 232 378.
Ce restaurant rustique, égayé par des *azulejos* jaune et bleu, sert une
délicieuse cuisine, dont des escalopes de veau à la sauce madère. ● *mer.* 🖿

SINTRA : *Lawrence's*   €€€€   AE V
Rua Consiglieri Pedroso 39-40, Sintra. [219 105 500.
Le restaurant de l'hôtel Lawrence propose des plats internationaux et un
menu portugais qui change tous les jours. 🖿 &

SINTRA : *Panorâmico*   €€€   AE DC MC V
Hotel Tivoli Sintra, Praça da República. [219 233 505.
Dominant la vallée verdoyante de Sintra, ce restaurant sert un plat du jour
différent chaque soir, et dispose d'un menu. 🖿 &

SINTRA : *Restaurante Palácio de Seteais*   €€€€€   AE DC MC V
Avenida Barbosa du Bocage 8, Seteais. [219 233 200.
Aménagé dans un palais du xviii siècle transformé en hôtel, ce restaurant propose
un menu international et portugais, renouvelé quotidiennement. 🎵 &

VILA FRESCA DE AZEITÃO : *O Manel*   €€   AE MC V
Largo Dr Teixeira 6a. [212 190 336.
Restaurant tenu par une famille avec un bon rapport qualité-prix. Les spécialités
sont le cabillaud à la crème et la *feijoada de gambas*. ● *dim. ; oct.* 🖿

Légende des symboles, voir rabat de couverture

Prix moyens par personne pour un repas comprenant trois plats et une demi-bouteille de vin de la maison, taxes et service compris.

€ moins de 10 €
€€ 10-15 €
€€€ 15-20 €
€€€€ 20-30 €
€€€€€ plus de 30 €

SERVICE TARDIF
La cuisine reste ouverte après 22 h, et on sert le plus souvent jusqu'à 23 h.

TABLES EN TERRASSE
Tables à l'extérieur, dans un jardin ou sur une terrasse, souvent avec une vue agréable.

BONNE CARTE DES VINS
Le restaurant propose un vaste choix de vins de qualité.

CARTES BANCAIRES
Un symbole indique que les cartes American Express (AE), Diner's Club (DC), Master Card Access (MC), Visa (V) sont acceptées.

L'ESTREMADURA ET LE RIBATEJO

	CARTES BANCAIRES	SERVICE TARDIF	TABLES EN TERRASSE	BONNE CARTE DES VINS
ABRANTES : *O Pelicano* €€ Rua Nossa Senhora da Conceição 1. **Carte routière** C4. 📞 *241 362 317.* O Pelicano propose une cuisine régionale, en particulier les *migas con entrecosto* (côtelettes de porc dans une panade). Bon rapport qualité-prix. 🍽	AE DC MC V	▨	●	▨
ALCOBAÇA : *Trindade* €€ Praça Dom Afonso Henriques 22. **Carte routière** C4. 📞 *262 582 397.* Laissez-vous tenter par les spécialités : sole meunière et *frango na púcara* (poulet cuit dans un plat de terre). ● *2 sem. en mai et oct.* 🍽	AE MC V		●	
ALMEIRIM : *Toucinho* €€ Rua de Timor 20. **Carte routière** C4. 📞 *243 592 237.* Ce restaurant familial est réputé pour sa cuisine du terroir. Goûtez au pain fait maison et à la véritable s*opa de pedra (p. 146).* ● *jeu. ; août.* 🍽				
BARRAGEM DO CASTELO DE BODE : *São Pedro* €€€€ Pousada de São Pedro. **Carte routière** C4. 📞 *249 381 159.* Installé dans une *pousada* des années 50, le São Pedro sert une cuisine régionale, notamment le chevreau braisé aux haricots blancs. 🍽	AE DC MC V			▨
BATALHA : *Mestre Afonso Domingues* €€€€ Largo Mestre Afonso Domingues. **Carte routière** C4. 📞 *244 765 260.* Situé dans une *pousada* qui porte le nom de l'architecte du monastère avoisinant, ce restaurant propose une cuisine du terroir : porc frit aux fanes de navets. 🍽	AE DC MC V		●	▨
CALDAS DA RAINHA : *A Lareira* €€€ Rua da Lareira, Alto do Nobre. **Carte routière** B4. 📞 *262 823 432.* Caché dans une pinède, ce restaurant concocte des plats traditionnels, comme l'*ensopado de enguias* (ragoût d'anguilles) et les *perdizes à Lareira* (perdrix aux châtaignes, aux fruits et aux légumes), ainsi que des desserts maison. 🍽 ♿	DC MC V	▨		▨
CALDAS DA RAINHA : *Supatra* €€€ Rua General Amilcar Mota, 2500. **Carte routière** B4. 📞 *262 842 920.* Le premier restaurant thaï du Portugal attire toujours une nombreuse clientèle. La carte comporte également des plats portugais. ● *lun. ; 2 semaines en mai et déc.* ♿	AE MC V	▨		▨
FÁTIMA : *Dom Gonçalo* €€€€ Rua Jacinta Marto 100. **Carte routière** C4. 📞 *249 539 330.* Le Dom Gonçalo fait partie d'un charmant hôtel, situé près du sanctuaire. Sa spécialité est le filet de poisson accompagné de riz aux crevettes. 🍽 ♿	AE DC MC V			▨
FÁTIMA : *Tia Alice* €€€€ Rua do Adro. **Carte routière** C4. 📞 *249 531 737.* Un des meilleurs restaurants de la région. Les spécialités sont le riz Trás-os-Montes et le riz au canard ; le service est remarquable. ● *lun. ; dim. soir ; juil.* 🍽	AE MC V			▨
LEIRIA : *Tromba Rija* €€€€ Rua Professores Portelas 22, Marrazes. **Carte routière** C4. 📞 *244 855 072.* Ce restaurant renommé sert des entrées délicieuses. Parmi les plats, on relève les *ovos verdes* (spécialité à base d'œufs) et, en hiver, la *sopa de pedra* (soupe de haricots). ● *lun. midi ; dim. ; 2 sem. en août.* 🎵 *sam.*	AE MC V			▨
NAZARÉ : *Beira-Mar* €€€€ Avenida da República 40. **Carte routière** C4. 📞 *262 561 358.* Le Beira-Mar propose, entre autres spécialités, la *parrilhada de mariscos* (poissons grillés au beurre d'ail et au citron). ● *déc.–fév.* ♿	AE DC MC V		●	
ÓBIDOS : *O Alcaide* €€€ Rua Direita. **Carte routière** B4. 📞 *262 959 220.* Dans un décor rustique, goûtez au *coelho à Alcaide* (civet de lièvre) ou au *bacalhau à Alcaide.* ● *lun. ; nov.*	AE DC MC V		●	

....

ÓBIDOS : *Castelo*   €€€€

Paço Real. **Carte routière B4.** 📞 *262 959 105.*

Le Castelo fait partie d'une *pousada* installée dans un château. Les plats sont
délicieux, en particulier le jambon fumé aux asperges, le chevreau rôti et le
trouxas de ovos (rouleaux sucrés aux œufs). 🍴

AE			🔲
DC			
MC			
V			

OBIDOS : *Estalagem do Convento*   €€€€

Rua D. José d'Ornelas, 2510. **Carte routière B4.** 📞 *262 959 217.*

Le restaurant, qui fait partie de l'hôtel du même nom *(p. 387)*, sert des plats
internationaux et portugais. Il est ouvert le soir. ● *dim.* 🍴

AE			🔲
MC			
V			

PENICHE : *Estelas*   €€€

Rua Arquitecto Paulino Montês 21. **Carte routière B4.** 📞 *262 782 435.*

Estelas propose une grande variété de poissons et de viandes. Essayez la
salade de poulpes ou les brochettes de lotte. ● *mer. ; 2 sem. en oct.* 🍴 ♿

AE			
MC			
V			

PENICHE : *Marisqueira Cortiçais*   €€€€

Porto d'Areia Sul. **Carte routière B4.** 📞 *262 787 262.*

Fréquenté par les Portugais, ce restaurant donne sur la mer. Il est spécialisé dans
les plats de poissons et les crustacés. ● *mer. (sept.–juin) ; 2 sem. en sept.* ♿

AE		⬤	
DC			
MC			
V			

SANTARÉM : *Central*   €€€

Rua Guilherme de Azevedo 32. **Carte routière C4.** 📞 *243 322 303.*

Ce restaurant Art déco, ouvert depuis 1933, est surtout fréquenté par une
clientèle du coin. Tentez le *bife à Central* (steak à la sauce moutarde). ● *dim.* 🍴

AE			
MC			
V			

SANTARÉM : *Mal Cozinhado*   €€€

Campo da Feira. **Carte routière C4.** 📞 *243 323 584.*

Parmi les spécialités, goûtez le *bacalhau com magusto* (morue au bouillon de
viande et de légumes). ● *dim.* 🍴

AE	🔲		🔲
DC			
MC			
V			

TOMAR : *A Bela Vista*   €€

Fonte do Choupo 3-6. **Carte routière C4.** 📞 *249 312 870.*

Découvrez les spécialités, notamment le chevreau rôti et la *caldeirada* (sorte
de matelote). Belle vue sur la rivière et le château. ● *lun. soir ; mar. ; nov.*

		⬤	

TOMAR : *Calça Perra*   €€€€

Rua Pedro Dias 59. **Carte routière C4.** 📞 *249 321 616.*

Restaurant charmant situé dans le quartier historique de la ville. Parmi les
spécialités, goûtez les grillades et le riz au canard. ● *mer.* 🍴

		⬤	🔲

TOMAR : *Chico Elias*   €€€€

Algarvias. **Carte routière C4.** 📞 *249 311 067.*

Le restaurant, à 2 km au sud de Tomar est célèbre pour ses plats traditionnels
régionaux. ● *mar., 1ᵉʳ-15 sept.*

TORRES VEDRAS : *O Pátio do Faustino*   €€

Largo do Choupal. **Carte routière B5.** 📞 *261 324 346.*

Ce restaurant rustique, décoré de meubles anciens et d'amphores romaines,
sert essentiellement du poisson grillé. Atmosphère sympathique. ● *dim. soir.* 🍴

VILA FRANCA DE XIRA : *O Redondel*   €€€€

Arcadas da Praça de Touros. **Carte routière C5.** 📞 *263 272 973.*

Le haut plafond voûté donne à ce restaurant une élégance particulière.
Cuisine traditionnelle du Ribatejo, dont *l'açorda de sável* (panade d'alose).
On peut commander à l'avance des plats végétariens. ● *lun.* 🍴 ♿

AE			
DC			
MC			
V			

LES BEIRAS

ALMEIDA : *Senhora das Neves*   €€€€

Pousada da Nossa Senhora das Neves. **Carte routière E2.** 📞 *271 574 283.*

Ce restaurant fait partie de la *pousada* du fort d'Almeida. Au menu, morue
revenue à l'huile d'olive et chevreau rôti, entre autres. 🍴

AE			🔲
DC			
MC			
V			

AVEIRO : *Cozinha do Rei*   €€€

Rua Doutor Manuel Neves 66. **Carte routière C3.** 📞 *234 426 802.*

Une des meilleures tables d'Aveiro. Il vaut mieux réserver à l'avance. La carte
comprend, entre autres, du loup rôti et les *ovos moles* d'Aveiro (sorte de
dessert de jaunes d'œufs, cuits dans un sirop). 🍴

AE			
DC			
MC			
V			

AVEIRO : *O Mercantel*   €€€€

Cais dos Mercantéis 13. **Carte routière C3.** 📞 *234 428 057.*

Propose des spécialités de poisson et de crustacés, mais aussi quelques plats
de viande. Vue romantique sur le canal. ● *lun.*

AE			🔲
DC			
MC			
V			

Légende des symboles, voir rabat de couverture

Prix moyens par personne pour un repas comprenant trois plats et une demi-bouteille de vin de la maison, taxes et service compris.

€ moins de 10 €
€€ 10-15 €
€€€ 15-20 €
€€€€ 20-30 €
€€€€€ plus de 30 €

SERVICE TARDIF
La cuisine reste ouverte après 22 h, et on sert le plus souvent jusqu'à 23 h.

TABLES EN TERRASSE
Tables à l'extérieur, dans un jardin ou sur une terrasse, souvent avec une vue agréable.

BONNE CARTE DES VINS
Le restaurant propose un vaste choix de vins de qualité.

CARTES BANCAIRES
Un symbole indique que les cartes American Express (AE), Diner's Club (DC), Master Card Access (MC), Visa (V) sont acceptées.

	CARTES BANCAIRES	SERVICE TARDIF	TABLES EN TERRASSE	BONNE CARTE DES VINS
BELMONTE : *Pousada do Convento de Belmonte* €€€€ Serra da Esperança, Belmonte. **Carte routière** D3. 275-91 03 00. Une gastronomie ambitieuse inspirée de la cuisine locale et d'autres régions du Portugal, ainsi que des compositions plus modernes, tel le magret de canard sauce jasmin, sont au menu dans cette *pousada* historique.	AE DC MC V			
BUÇACO : *Palace Hotel do Buçaco* €€€€ Palace Hotel do Buçaco. **Carte routière** C3. 231 937 970. Le décor manuélin de la salle à manger est incroyable et le balcon ouvragé unique *(p. 210)*. La carte comporte du cabillaud au gratin et du cochon de lait rôti de Barriada. Les fameux vins de Buçaco sont mis en bouteille ici.	AE DC MC V		●	▨
CARAMULO : *São Jerónimo* €€€€ Pousada de São Jerónimo, N230. **Carte routière** C3. 232 861 291. Situé dans une petite *pousada* au sud de Caramulo, le São Jerónimo propose des plats consistants comme le ragoût de chevreau ou le poulpe grillé.	AE DC MC V			▨
CASTELO BRANCO : *Praça Velha* €€€€ Praça Luís de Camões 17. **Carte routière** D4. 272 328 640. Ancien grenier de la vieille ville transformé par des architectes et des décorateurs, le Praça Velha propose une cuisine ambitieuse qui allie la tradition à la créativité dans ses plats de viande ou de poisson. ● *lun.*	AE DC MC V			▨
COIMBRA : *Democrática* €€ Travessa Rua Nova 5. **Carte routière** C3. 239 823 784. Difficile à dénicher, ce restaurant mérite le détour. La salle du fond, garnie de longs bancs, est très appréciée des étudiants. Sa spécialité est l'*arroz de polvo* (riz aux poulpes). On sert aussi longtemps qu'il y a des clients. ● *dim.*	AE DC MC V	▨		
COIMBRA : *O Trovador* €€ Largo da Sé Velha 15-17. **Carte routière** C3. 239 825 475. Situé dans le quartier historique, le Trovador propose des plats régionaux, comme le *chanfana* (ragoût de chèvre dans une sauce au vin). ● *dim.*	MC V			
COIMBRA : *L'Amphitryon* €€€€ Avenida Emídio Navarro 21. **Carte routière** C3. 239 853 020. L'Amphitryon installé dans la salle à manger circulaire, au décor des années 20, de l'hôtel Astória. Spécialités françaises et portugaises.	AE DC MC V			▨
COIMBRA : *Arcadas da Capela* €€€€€ Santa Clara. **Carte routière** C3. 239-80 23 80. Une excellente cuisine créative, dont le carpaccio de *bacalhao* à l'huile de basilic. Ce restaurant fait partie de l'hôtel Quintas das Lagrimas.	AE DC MC V			
CONDEIXA-A-NOVA : *Santa Cristina* €€€€ Rua Francisco de Lemos. **Carte routière** C3. 239 941 286. Ce restaurant se trouve dans une *pousada* bien située ; idéal pour visiter les ruines de Conimbriga. Parmi les spécialités : chevreau aux fanes de navets, seiches aux haricots et poulet rôti à la sauce au poivre.	AE DC MC V			▨
GUARDA : *Telheiro* €€€€ Exit 16, Guarda. **Carte routière** D3. 271-21 13 56. Ce restaurant situé près de la frontière espagnole est renommé pour son interprétation personnelle du *bacalhao* et son riz aux fruits de mer. Gibier en saison.	AE MC V			▨
LUSO : *O Cesteiro* €€ Rua Monsenhor Raúl Mira 76. **Carte routière** C3. 231 939 360. Le Cesteiro sert une cuisine du terroir : *chanfana* (ragoût de chèvre au vin), cochon de lait rôti ou cabillaud. Décor agréable.	AE DC MC V			

MANTEIGAS : *São Lourenço* €€€€
N232, Penhas Douradas. **Carte routière** D3. 275 982 450.
Situé dans une *pousada* perchée dans la Serra da Estrela, le São Lourenço
propose des spécialités, dont la soupe aux choux et haricots rouges. ▤

AE
DC
MC
V

MEALHADA : *Pedro dos Leitões* €€€
N1, Sernadelo. **Carte routière** C3. 231 209 950.
Une halte commode pour les voyageurs. La spécialité ici est le *leitão* (cochon de lait
rôti) cuit dans un four au feu de bois et servi avec des frites. ● lun, août. ▤ ⚿

AE
MC
V

MONSANTO : *Pousada de Monsanto* €€€€
Rua da Igreja. **Carte routière** E3. 277 314 471.
Le Monsanto sert des plats régionaux comme la soupe de fèves à la
coriandre, les calmars en sauce ou le lapin au riz. ▤

AE
DC
MC
V

MONTEMOR-O-VELHO : *Ramalhão* €€€€
Rua Tenente Valadim 24. **Carte routière** D3. 239 689 435.
Dînez dans ce manoir du XVIᵉ siècle, et laissez-vous tenter par une *ensopado
de engulas* (ragoût d'anguilles). ● dim. soir, lun. ; oct. ⚿

MC
V

SORTELHA : *Dom Sancho I* €€€€
Largo do Corro. **Carte routière** D3. 271-38 82 67.
Ce restaurant rustique aux larges cheminées sert une nourriture substantielle,
dont des plats de gibier en saison, mais pas de bon poisson frais.

TRANCOSO : *O Museu* €€
Largo de Santa Maria. **Carte routière** D2. 271 811 810.
Ce restaurant élégant aux murs de pierre est situé dans l'enceinte même
du château. Son chevreau rôti est très demandé.

VISEU : *Casablanca* €€
Avenida Emídio Navarro 70-72. **Carte routière** D3. 232 422 239.
Situé dans le centre historique de la ville, le Casablanca est décoré de jolis
azulejos. On y sert surtout du poisson et des crustacés. ● lun. ▤

AE
DC
MC
V

VISEU : *Churrascaria Santa Eulália* €€
N2, Repeses. **Carte routière** D3. 232 436 283.
Laissez-vous tenter par les brochettes de poisson ou la *feijoada de marisco*
(haricots et fruits de mer). ● jeu. ▤ ⚿

AE
DC
MC
V

VISEU : *O Cortiço* €€
Rua Augusto Hilário 47. **Carte routière** D3. 232 423 853.
La carte de spécialités est surprenante, comme lorsqu'elle recommande le
bacalhau podre apodrecido na adega (morue pourrie du cellier). ▤

AE
DC
MC
V

DOURO ET TRÁS-OS-MONTES

ALIJÓ : *Barão de Forrester* €€€€
Rua José Ruffino. **Carte routière** D2. 259 959 467.
Restaurant de charme dans une *pousada* de la région vinicole du porto.
Menu régional comprenant de la daurade et des poires au muscadet. ▤

AE
DC
MC
V

AMARANTE : *O Almirante* €€€€
Rua António Carneiro. **Carte routière** D2. 255 432 566.
L'atmosphère est chaleureuse et conviviale et la nourriture excellente.
Ses spécialités sont le gratin de colin et le porc aux champignons. ▤

AE
DC
MC
V

AMARANTE : *Lusitâna* €€€
Rua 31 de Janeiro. **Carte routière** D2. 255 426 720.
Des plats régionaux savoureux, tripes au vin et cabrito (rognons rôtis
à la broche) et une vue splendide sur la Tamega. ▤

AMARANTE : *São Gonçalo* €€€€
Pousada de São Gonçalo, Ansiães. **Carte routière** D2. 255 461 113.
Le São Gonçalo offre une vue spectaculaire sur la vallée, surtout au
coucher du soleil. La carte propose des plats régionaux comme la truite
farcie de jambon et le porc aux châtaignes, ainsi que des desserts
alléchants. ▤ ⚿

AE
DC
MC
V

BRAGANÇA : *Solar Bragançano* €€€€
Praça da Sé 34. **Carte routière** E1. 273 323 875.
Meublé avec goût, le Solar Bragançano occupe un hôtel particulier
sur la place principale. Tentez le gibier, la *perdiz com uvas* (perdrix aux
raisins) ou le *faisão com castanhas* (faisan aux châtaignes). ● lun. en hiver. ▤

AE
DC
MC
V

Prix moyens par personne pour un repas comprenant trois plats et une demi-bouteille de vin de la maison, taxes et service compris.

€ moins de 10 €
€€ 10-15 €
€€€ 15-20 €
€€€€ 20-30 €
€€€€€ plus de 30 €

SERVICE TARDIF
La cuisine reste ouverte après 22 h, et on sert le plus souvent jusqu'à 23 h.

TABLES EN TERRASSE
Tables à l'extérieur, dans un jardin ou sur une terrasse, souvent avec une vue agréable.

BONNE CARTE DES VINS
Le restaurant propose un vaste choix de vins de qualité.

CARTES BANCAIRES
Un symbole indique que les cartes American Express (AE), Diner's Club (DC), Master Card Access (MC), Visa (V) sont acceptées.

	CARTES BANCAIRES	SERVICE TARDIF	TABLES EN TERRASSE	BONNE CARTE DES VINS
CHAVES : Carvalho €€€ Alameda Tabolado, Bloco 4. **Carte routière** D1. 276 331 727. Joli restaurant de deux salles avec un jardin, d'où l'on a une belle vue. Découvrez le chevreau rôti ou l'*arroz de fumeiro* (riz aux viandes fumées). ● jeu. ▤	AE DC MC V	■		
CHAVES : Leonel €€ Campo da Roda. **Carte routière** D1. 276 323 188. Fréquenté par des habitués, ce restaurant au décor simple propose une bonne cuisine. Essayez la morue cuite au four ou les côtelettes de porc grillées. ● lun. ; 2 sem. en juil. ; 2 sem. en nov. ▤	AE DC MC V			
CINFÃES : Varanda de Cinfães €€ Rua General Humberto Delgado 20-22. **Carte routière** D2. 255 561 236. Ce petit restaurant fréquenté par des habitués sert des plats traditionnels, comme l'agneau rôti ou le cabillaud cuit au four. ▤				
ESPINHO : Terraço Atlântico €€€ Praia Golfe Hotel, Rua 6. **Carte routière** C2. 227 331 000. Peu de restaurants offrent sur l'océan une vue panoramique comme celle-là. Les plats de poisson sont majoritaires dans le menu. La carte des vins propose un vaste choix de vins régionaux, rouges et blancs. ▤	AE DC MC V			■
GIMONDE : Dom Roberto €€€€ N218. **Carte routière** D2. 273 302 510. Ce petit restaurant rustique aux murs de pierre est situé au bord de la rivière, à 7 km à l'est de Bragança. On y vient de loin pour goûter à l'excellent gibier et au chevreau rôti. ▤	AE DC MC V	■	●	
LAMEGO : O Tonel €€ Estrada de Arneirós. **Carte routière** D2. 254 612 161. Restaurant convivial, O Tonel propose de bons plats, notamment du cabillaud au four et des brochettes. ● mar. après-midi.		■		
LAMEGO : Panorâmico Turisserra €€€ Complexo Turístico Turissera, Serra das Meadas. **Carte routière** D2. 254 609 100. Charmant restaurant de trois salles dans un village à 6 km au nord de Lamego. On y sert une bonne cuisine traditionnelle portugaise. Profitez de la vue sur le Douro et les collines environnantes. ▤	AE DC MC V			
LEÇA DA PALMEIRA : Boa Nova €€€€ Lugar da Boa Nova. **Carte routière** C2. 229 951 785. Un restaurant moderne avec vue sur la mer construit par le grand architecte Siza Vieira. Essayez la sole au four ou le bar. ● dim. ▤	AE DC MC V	■		■
LEÇA DA PALMEIRA : O Chanquinhas €€€€ Rua de Santana 243. **Carte routière** C2. 229 951 884. Ce restaurant est installé dans un beau manoir. Les poissons et les desserts sont excellents. ● dim. ; 3 sem. en août. ▤	AE DC MC V			■
MIRANDA DO DOURO : Buteko €€ Largo Dom João III. **Carte routière** E1. 273 431 150. Le Buteko, situé dans le centre historique de la ville, propose des spécialités, comme la *posta Mirandesa* (tranche de veau grillée). ● dim. (en hiver) ; 2 sem. en janv. ▤	DC MC V			
MIRANDA DO DOURO : Balbina €€€ Rua Rainha Dona Catarina 12. **Carte routière** E1. 273-43 23 94. Les hommes politiques connus côtoient les habitués. On y vient pour la cuisine traditionnelle, comme le *bife à Mirandesa* (steak à la Mirandesa). ● lun.			■	■
MURÇA : Miradouro €€ Pensão Miradouro, Curvas de Murça. **Carte routière** D2. 259 512 461. La carte, écrite à la main, change tous les jours. Vous y trouverez de la morue Miradouro, du chevreau et du cochon de lait rôti. ● mar. ; 15-30 sept. ▤ ♿	MC V	■	●	

PESO DA RÉGUA : *Varanda da Régua* €€
Lugar da Boavista, Loureiro. **Carte routière** D2. 📞 *254 336 949.*
Vous apprécierez la vue panoramique de ce petit restaurant familial au nord de
Régua. Cuisine portugaise, notamment chevreau rôti et cabillaud au four. 🍴
AE
MC
V

PORTO : *Adega Vila Meã* €€€
Rua dos Caldeireiros 62. **Carte routière** C2. 📞 *222 082 967.*
Ce restaurant familial sert un menu spécial chaque jour, ainsi que des spécialités,
comme le poulpe au four ou le chevreau rôti. ● *dim. ; 3 sem. en août.* 🍴

PORTO : *Bule* €€€
Rua de Timor 128. **Carte routière** C2. 📞 *226 179 376.*
Le Bule donne sur un charmant jardin, qui offre une vue plongeante sur la
mer. Buffet de hors-d'œuvre délicieux. ● *2 premières sem. d'août.* 🍴
AE
DC
MC
V

PORTO : *Casa Aleixo* €€€
Rua da Estação 216. **Carte routière** C2. 📞 *225 370 462.*
Tenu par la même famille depuis 1948, ce restaurant convivial propose une
cuisine, copieuse, de très bonne qualité. ● *dim. ; 3 sem. en août.* 🍴
AE
MC
V

PORTO : *Filha da Mae Preta* €€€
Cais da Ribeira 40. **Carte routière** C2. 📞 *222 086 066.*
Le restaurant offre une superbe vue sur la rivière et propose un large choix
de spécialités portugaises (sardines, entre autres). ● *dim., sept.* 🍴
AE
DC
MC
V

PORTO : *Mercearia* €€€
Cais da Ribeira 32. **Carte routière** C2. 📞 *222 004 389.*
Le Mercearia offre un service impeccable, une excellente cuisine portugaise et un
menu spécial différent chaque jour. Atmosphère agréable. 🍴 ● *mar. en hiver*
AE
DC
MC
V

PORTO : *Peixes e Companhia* €€€
Rua do Ouro 133. **Carte routière** C2. 📞 *226 185 655.*
Sur la carte de cet agréable restaurant, figure du poisson accommodé de différentes
manières. Les amateurs de viande doivent commander leur plat à l'avance. ● *dim.* 🍴
AE
DC
MC
V

PORTO : *Tripeiro* €€€
Rua de Passos Manuel 195. **Carte routière** C2. 📞 *222 005 886.*
« Mangeur de tripes » est le sobriquet donné aux habitants de Porto et à ce
restaurant qui les prépare. On y trouve également du poisson. ● *dim.* 🍴
AE
DC
MC
V

PORTO : *Dom Manoel* €€€€
Avenida Montevideu 384. **Carte routière** C2. 📞 *226 172 304.*
Situé dans un ancien manoir qui donne sur l'océan, le Dom Manoel propose des
parrilhadas mistas (poisson et fruits de mer grillés). ● *dim. ; 2 sem. en août.* 🍴 ♿
AE
DC
MC
V

PORTO : *Dom Tonho* €€€€
Cais da Ribeira 13-15. **Carte routière** C2. 📞 *222 004 307.*
Un des nombreux restaurants qui bordent le quai historique de la ville, à l'ombre
du pont Dom Luís. Sélection de plats portugais mis au goût du jour. 🍴
AE
DC
MC
V

PORTO : *Bull and Bear* €€€€€
Avenida da Boavista 3431. **Carte routière** C2. 📞 *22-610 76 69.*
Un des restaurants les plus révérés du Portugal. Entre autres spécialités au
menu, le carpaccio de poulpe et le thon à l'orientale. ● *sam. midi, dim.* 🍴 ♿
AE
DC
MC
V

PORTO : *Portucale* €€€€€
Albergaria Miradouro, Rua da Alegria 598. **Carte routière** C2. 📞 *225 370 717.*
Ce restaurant renommé présente un large choix de viandes, poissons et
gibier. La vue sur les alentours est spectaculaire. 🍴
AE
DC
MC
V

ROMEU : *Maria Rita* €€
Rua da Capela. **Carte routière** E1. 📞 *278 939 134.*
Situé dans un hôtel particulier, le Maria Rita a un décor rustique. Tentez la
soupe aux saucisses épicées et le canard au riz. ● *lun. ; mer. soir.* 🍴
MC
V

SENDIM : *Gabriela* €€€
Largo da Praça 27. **Carte routière** E2. 📞 *273 739 180.*
Ce restaurant est fier de son chef, Alice, qui est apparue sur les écrans de la
télévision portugaise. Le Gabriela est joliment décoré avec des boiseries. 🍴

TORRE DE MONCORVO : *O Artur* €€€
Lugar do Rebentão, Carviçais. **Carte routière** E2. 📞 *279 939 184.*
Restaurant convivial situé à la sortie de Torre. On y sert la *posta Mirandesa*
(épaisse tranche de veau grillée), le cabillaud au four et le chevreau rôti. ● *lun.* 🍴
AE
MC
V

<table>
<tr><td colspan="2">

Prix moyens par personne pour un repas comprenant trois plats et une demi-bouteille de vin de la maison, taxes et service compris.

€ moins de 10 €
€€ 10-15 €
€€€ 15-20 €
€€€€ 20-30 €
€€€€€ plus de 30 €

</td></tr>
</table>

SERVICE TARDIF
La cuisine reste ouverte après 22 h, et on sert le plus souvent jusqu'à 23 h.

TABLES EN TERRASSE
Tables à l'extérieur, dans un jardin ou sur une terrasse, souvent avec une vue agréable.

BONNE CARTE DES VINS
Le restaurant propose un vaste choix de vins de qualité.

CARTES BANCAIRES
Un symbole indique que les cartes American Express (AE), Diner's Club (DC), Master Card Access (MC), Visa (V) sont acceptées.

	CARTES BANCAIRES	SERVICE TARDIF	TABLES EN TERRASSE	BONNE CARTE DES VINS
VILA NOVA DE GAIA : *Presuntaria Transmontana* Avenida Diogo Leite 80. **Carte routière** C2. 223 758 380. Sur les berges de la rivière, le restaurant sert du jambon, des viandes fumées et des fromages ; l'endroit idéal pour un en-cas.				
VILA REAL : *Cozinha do Vale* €€€ Casa de Campeã, Torgueda. **Carte routière** D2. 259 979 604. Dans la pittoresque vallée de Campeã, à 8 km de Vila Real, ce restaurant moderne propose des plats et des vins régionaux. 🍽 ♿	AE DC MC V		●	▪
VILA REAL : *Espadeiro* €€€ Avenida Almeida Lucena. **Carte routière** D2. 259 322 302. Les plats régionaux sont bien accommodés. Bons vins du terroir. Les spécialités sont le chevreau, la morue à l'Espadeiro et les pieds de porc grillés. ● *lun.* 🍽	V	▪		
MINHO				
ARCOS DE VALDEVEZ : *Costa do Vez* €€€€ N121, Quinta de Silvares. **Carte routière** C1. 258 516 122 Situé au nord d'Arcos, l'Adega sert une cuisine traditionnelle soignée. Goûtez le rôti de veau ou le *cozido à portuguesa* (sorte de pot-au-feu). ● *lun. ; 15 - 30 oct.*	AE MC V	▪		
BARCELOS : *Bagoeira* €€€ Avenida Sidónio Pais 495. **Carte routière** C1. 253 811 236. Le Bagoeira, très fréquenté, sert des spécialités régionales, comme le chevreau rôti et le canard au riz, généreusement servies. 🍽	AE MC V			
BARCELOS : *Dom António* €€€ Rua Dom António Barroso 87. **Carte routière** C1. 253 812 285. Ce restaurant au décor rustique est situé dans le centre-ville. La spécialité de la maison est le *bife na pedra* (steak grillé). 🍽	AE DC MC V	▪		
BRAGA : *Abade de Priscos* €€€ Praça Mouzinho Albuquerque (Campo Novo) 7. **Carte routière** C1. 253 276 650. Donnant sur la place animée derrière l'Université catholique, ce restaurant a un menu au choix très large, allant du curry de gambas au lapin ou au veau braisé. ● *lun. midi ; dim. ; 3 sem. en juil.* 🍽				▪
BRAGA : *Expositor* €€€€ Parque dos Exposições. **Carte routière** C1. 253 21 70 31. Au sein du parc des expositions de Braga, ce restaurant familial et animé se consacre aux spécialités régionales telles que la fricassée de porc aux pommes de terre. ● *mar., 2 sem. en juin.* 🍽	AE MC V			
BRAGA : *Ignácio* €€€€ Campo das Hortas 4. **Carte routière** C1. 253 613 235. Ignácio a du caractère. Vous apprécierez les plats régionaux, servis dans un décor d'époque. ● *mar. ; 2 sem. en avr. ; 2 sem. en sept.* 🍽	AE DC MC V			
BRAGA : *São Frutuoso* €€€€ Rua Costa Gomes 168, Real. **Carte routière** C1. 253 623 372. Restaurant convivial, situé au sud de Braga, qui sert une délicieuse cuisine du terroir. Essayez la morue au pain de maïs. ● *mer., 3 sem. en août.* 🍽	MC V		●	
CAMINHA : *Napoléon* €€€€ Lugar de Coura, Seixas. **Carte routière** C1. 258 727 115. Napoléon est un restaurant gastronomique avec une carte de plats régionaux, nationaux et français. ● *lun. ; dim. soir ; 2 sem. en mai ; 2 sem. en déc.* 🍽	AE DC MC V	▪		▪
GUIMARÃES : *El Rei* €€€ Praça Santiago 20. **Carte routière** C1. 253 419 096. Le menu est très abordable et l'atmosphère sympathique. Laissez-vous tenter par le *bacalhau mistério* (morue surprise), une invention de la maison. ● *dim.* 🍽	DC MC V	▪		

GUIMARÃES : *São Gião* €€€€ — AE
Lugar de Vinhas, Moreira de Cónegos. **Carte routière** C1. 253 561 853.
Installé dans un village juste au sud de Guimarães, le São Gião prépare des
plats appétissants comme le canard aux olives, l'épaule de veau à la São Gião
et le *cozido à portuguesa*. ● *lun. ; sam. soir ; août.*

GUIMARÃES : *Solar do Arco* €€€€ — AE DC MC V
Rua de Santa Maria 48-50. **Carte routière** C1. 253 513 072.
Ce restaurant élégant occupe une charmante demeure ancienne au cœur de la
ville. Au menu : poisson frais et fruits de mer. ● *dim. soir*

PONTE DA BARCA : *Bar do Rio* €€€ — AE MC V
Praia Fluvial. **Carte routière** C1. 258 452 582.
Petit restaurant de charme au décor de bois, offrant une vue surprenante sur la
rivière Lima. Essayez le *rojões* (porc frit) ou le cabillaud au gratin. ● *mar.*

PONTE DE LIMA : *A Carvalheira* €€€ — MC V
Antepaço, Arcozelo. **Carte routière** C1. 258 742 316.
Cet endroit est fréquenté par la population locale. La spécialité de la maison
est le *bacalhau com broa* (morue servie avec du pain de maïs). ● *lun.*

PONTE DE LIMA : *Encanada* €€€ — AE DC MC V
Largo Doutor Rodrigues Alves. **Carte routière** C1. 258 941 189.
Ce restaurant animé qui donne sur la rivière sert une cuisine traditionnelle,
accompagnée de *vinhos verdes*. ● *jeu. ; mai.*

PÓVOA DE VARZIM : *O Marinheiro* €€€€ — AE DC MC V
Rua Gomes de Armorin, Estrada Fontes Novas. **Carte routière** C2. 252 682 151.
Un restaurant attrayant, en forme de bateau et décoré de filets de pêche et de
bouées, qui propose des menus de poissons.

VALENÇA DO MINHO : *Mané* €€€€ — AE DC MC V
Avenida Miguel Dantas 5. **Carte routière** C1. 251 823 402.
Restaurant moderne servant un grand choix de poissons et de viandes. Prix
relativement bon marché. ● *dim. soir ; lun. (sauf août) ; 1ᵉʳ-15 janv.*

VALENÇA DO MINHO : *Pousada de São Teotónio* €€€€ — AE DC MC V
Pousada de Baluarte de Socorro. **Carte routière** C1. 251 800 260.
Appartenant à la *pousada* logée dans le vieux fort, le São Teotónio sert des
spécialités, comme le ragoût de chevreau. Belle vue sur la vallée du Minho.

VIANA DO CASTELO : *Cozinha das Malheiras* €€€ — AE DC MC V
Rua Gago Coutinho 19-21. **Carte routière** C1. 258 823 680.
Vous apprécierez la cuisine traditionnelle de ce restaurant, qui occupe une
ancienne chapelle. Le poisson est recommandé. ● *mar.*

VIANA DO CASTELO : *Camelo* €€€ — MC V
N202, S. Marta de Portuzelo. **Carte routière** C1. 258 839 090.
Cette merveille de restaurant organise tous les mois des banquets et, en été,
des dîners sous les tonnelles de vigne. Essayez la spécialité de la maison, le
bacalhau à camelo (morue). ● *lun. ; mi-sept.–mi-oct.*

VIANA DO CASTELO : *Casa d'Armas* €€€ — DC MC V
Largo 5 de Outubro 30. **Carte routière** C1. 258 824 999.
Derrière la façade impressionnante de ce restaurant, le décor de pierre et de
bois crée une atmosphère médiévale. Au menu : poissons, fruits de mer et
viandes de première qualité. ● *lun.*

VILA PRAIA DE ÂNCORA : *Tasquinha do Ibraim* €€€
Rua dos Pescadores. **Carte routière** C1. 258 911 689.
Ce restaurant sert surtout du poisson. Essayez, pour changer, le *costeletão*
(côte de bœuf). Service impeccable et vue sur le port. ● *mer.*

ALENTEJO

ALANDROAL : *A Maria* €€€€ — AE DC MC V
Rua João de Deus 12. **Carte routière** D5. 268 431 143.
Très bonne cuisine régionale, comme le *cozido de grão* (porc aux pois
chiches) ou la *sopa de cação* (soupe d'églefin). ● *lun. ; août.*

ALVITO : *Castelo de Alvito* €€€€ — AE DC MC V
Pousada do Castelo de Alvito, Apartado 9. **Carte routière** D6. 284 485 343.
Un château entouré de jardins où se promènent des paons, sert de cadre à ce très
bon restaurant. Tentez la morue aux herbes ou l'agneau rôti aux épinards.

Légende des symboles, voir rabat de couverture

<table>
<tr><td colspan="4">

Prix moyens par personne pour un repas comprenant trois plats et une demi-bouteille de vin de la maison, taxes et service compris.

€ moins de 10 €
€€ 10-15 €
€€€ 15-20 €
€€€€ 20-30 €
€€€€€ plus de 30 €

</td></tr>
</table>

SERVICE TARDIF
La cuisine reste ouverte après 22 h, et on sert le plus souvent jusqu'à 23 h.

TABLES EN TERRASSE
Tables à l'extérieur, dans un jardin ou sur une terrasse, souvent avec une vue agréable.

BONNE CARTE DES VINS
Le restaurant propose un vaste choix de vins de qualité.

CARTES BANCAIRES
Un symbole indique que les cartes American Express (AE), Diner's Club (DC), Master Card Access (MC), Visa (V) sont acceptées.

	CARTES BANCAIRES	SERVICE TARDIF	TABLES EN TERRASSE	BONNE CARTE DES VINS
BEJA : *Dom Dinis* €€€ Rua Dom Dinis 11. **Carte routière** D6. ☎ 284 325 937. Dom Dinis est un restaurant campagnard spécialisé dans les grillades, en particulier les brochettes de viande et les côtelettes de veau. ● *mer.* ▤	AE DC MC V			
BEJA : *Os Infantes* €€€€ Rua dos Infantes 14. **Carte routière** D6. ☎ 284 322 789. Ce restaurant, bien situé et au décor réussi, propose des spécialités régionales, comme le perdreau et le lapin. Bon rapport qualité-prix. ▤	AE DC MC V			▦
CAMPO MAIOR : *O Faisão* €€€ Rua 1° de Maio 19. **Carte routière** E5. ☎ 268 686 139. L'atmosphère intime qui s'en dégage est sans doute liée à la cheminée et aux photos du quartier ornant la salle. Goûtez le *cozido de grão* (porc aux pois chiches) ou le bœuf à la sauce aux champignons. ▤	AE DC MC V	▦		
CRATO : *Flor da Rosa* €€€€ Pousada da Flor da Rosa. **Carte routière** D4. ☎ 245 997 210. Ce restaurant se trouve dans la *pousada* installée dans un monastère, datant sans doute du milieu du XVIᵉ siècle. Il sert des plats régionaux, comme les pieds de cochon dans une sauce à la coriandre. ▤	AE DC MC V			▦
ELVAS : *Pousada de Santa Luzia* €€€€ Avenida de Badajos. **Carte routière** D5. ☎ 268 637 470. Situé non loin du quartier espagnol, ce grand restaurant est très apprécié des locaux. Ils viennent pour goûter les larges portions de *bacalhau à bráz* (morue grillée). ▤	AE DC MC V		●	
ESTREMOZ : *Adega do Isaías* €€ Rua do Almeida 21. **Carte routière** D5. ☎ 268 32 23 18. Le meilleur de la gastronomie paysanne du Montejo, comme l'agneau de lait et le lapin au gril, servis dans un ancien chais. Excellents vins locaux au pichet. ● *Dim., 2 sem. en août, jrs fériés.* ▤				▦
ÉVORA : *Cozinha de Santo Humberto* €€€€ Rua da Moeda 39. **Carte routière** D5. ☎ 266 704 251. Situé près de la place principale, ce restaurant sert de la cuisine régionale. Le sous-sol est décoré de meubles d'époque. ● *jeu. ; nov.* ▤	AE DC MC V			
ÉVORA : *Sâo Rosas* €€€€ Largo Dom Dinis 11. **Carte routière** D5. ☎ 268 33 33 45. Dans un décor campagnard raffiné, Margarida Cabaço réinterprète avec flair des spécialités régionales, dont la perdrix en croûte et la selle d'agneau. ● *lun.* ▤	AE DC MC V			▦
ÉVORA : *O Grémio* €€€€ Alcárcova de Cima 10. **Carte routière** D5. ☎ 266 742 931. Très bon restaurant, installé dans le mur d'enceinte romain. Goûtez un plat savoureux : l'*entrecosto agridoce* (côtes découvertes au vin et au miel). ● *mer.* ▤	AE DC MC V			▦
ÉVORA : *Fialho* €€€€€ Travessa dos Mascarenhas 16. **Carte routière** D5. ☎ 266 703 079. Ce bon restaurant, caché dans une petite rue, propose toutes sortes de viandes, poissons, crustacées et gibier. ● *lun. ; 1ᵉʳ–24 sept.* ▤	AE DC MC V	▦		▦
MARVÃO : *O Sever* €€€ Portagem. **Carte routière** D4. ☎ 245 993 318. Un beau restaurant avec vue sur la rivière. Le menu, parfait, comprend des spécialités régionales, comme le sanglier aux palourdes ou le ragoût d'agneau.	AE DC MC V		●	
MÉRTOLA : *Alengarve* €€€ Avenida Aureliano Mira Fernandes 20. **Carte routière** D6. ☎ 286 612 210. Ce restaurant sans prétention offre des plats régionaux, dont l'*açorda alentejana* et le chevreau rôti. Bon rapport qualité-prix. ● *mer. ; 2 sem. en oct.* ▤	AE MC V		●	

MONSARAZ : *O Forno* €€€ — AE MC V
Travessa da Sanabrosa. **Carte routière** D5. (266 557 126.
Bien placé, près des sites touristiques, le Casa de Forno propose une bonne cuisine régionale, dont le ragoût d'agneau et le porc aux palourdes. ◐ *mar.*

PORTALEGRE : *Quinta do Saúde* €€€ — AE DC MC V
Serra de Sâo Mamede, 7300. **Carte routière** D4. (245 202 324.
Le restaurant, très fréquenté par les habitants de Portalegre, sert une généreuse soupe de poissons et de nombreux plats à base de porc. ▤ ⌖

REDONDO : *Contento de São Paulo* €€€€ — AE DC MC V
Convento de São Paulo, Aldeia da Serra. **Carte routière** D5. (266 999 100.
Situé dans un bel hôtel, l'Ermita propose des plats très variés, dont l'avocat au porto et le canard à la sauce aux olives. Le menu de poissons grillés comprend bar, lotte, crevettes et calmars. ▤ ⌖

SANTIAGO DO CACÉM : *O Retiro* €€€ — AE MC V
Rua Machado dos Santos 8. **Carte routière** C6. (269 822 659.
Les spécialités du chef sont le riz au canard et le *bacalhau com nata* (morue dans une sauce à la crème). Personnel sympathique. ◐ *dim.* ▤

SERPA : *Molha o Bico* €€€
Rua Quente 1. **Carte routière** D6. (284 549 264.
Ce restaurant de quartier sert une cuisine savoureuse. Laissez-vous tenter par le rôti de porc ou le *cozido de grão* (porc aux pois chiches). ◐ *mer.* ▤

TERRUGEM : *A Bolota Castanba* €€€€ — AE MC V
Quinta das Janelas Verdes. **Carte routière** C6. (268 65 74 01.
Ce restaurant renommé de l'Alentejo propose des versions contemporaines de plats traditionnels, dont le sanglier à la purée de marrons. ◐ *lun.* ▤ ⌖

VIDIGUERA : *Vila Velba* €€€ — AE MC V
Rua do Mal Anda 4. **Carte routière** D5. (284 43 65 50.
Un lieu agréable décoré de costumes et d'objets régionaux. Gastronomie classique : porc rôti sauce coriandre et canard au riz. ◐ *lun., 2 dern. sem. d'août, 2 prem. sem. de sept.* ▤

VILA NOVA DE MILFONTES : *Marisquera Dumas Mil* €€€€ — AE DC MC V
Sur l'avenida Marginal. **Carte routière** C6. (283 997 104.
Parmi les spécialités, on trouve l'*arroz de marisco* (riz aux fruits de mer) et la *caldeirada de peixe* (matelote). Vue sur la mer.

ALGARVE

ALBUFEIRA : *Os Compadres* €€€ — AE DC MC V
Avenida Dr Sá Carneiro, Edifício Pateo Sá Carneiro. **Carte routière** C7. (289 541 848.
Le propriétaire, toujours sur place, offre ses conseils aux clients. L'ambiance est agréable et le personnel sympathique. ◐ *dim. (oct.–avr.) ; janv.* ▤ ⌖

ALBUFEIRA : *Vila Joya* €€€€€ — AE DC MC V
Praia da Galé, 8200. **Carte routière** C7. (289 591 795.
Le chef allemand se consacre aux poissons et aux fruits de mer de provenance locale, aromatisés au basilic et servis sur canapé. ◐ *nov.-mai.* ▤ ⌖

ALBUFEIRA : *Marisqueira Santa Eulália* €€€€ — AE DC MC V
Praia de Santa Eulália. **Carte routière** C7. (289 542 636.
Dominant la plage, ce restaurant moderne sert des plats de la mer, dont la lotte grillée, le saumon et les palourdes. ◐ *déc.–janv.* ⌖

ALBUFEIRA : *Ruína* €€€€ — AE DC MC V
Rua Cais Herculano. **Carte routière** C7. (289 512 094.
La Ruína est l'un des meilleurs restaurant de la ville. Ses spécialités sont les fruits de mer et le poisson frais. Certaines salles sont réservées à l'écoute du fado ou à la dégustation du café. ▤

ALMANCIL : *Ermitage* €€€€€ — AE DC MC V
Estrada de Vale de Lobo. **Carte routière** D7. (289 39 43 29.
Un des plus grands restaurants du Portugal. L'Ermitage sert des plats tels que la pintade à la purée de céleri. ◐ *midi, lun., 3 sem. en déc., 2 sem. en juin-juil.* ▤

ALMANCIL : *Ibérico* €€€€ — AE MC V
Estrada Almancil, Vale do Lobo. **Carte routière** D7. (289 394 066.
Ce restaurant a beaucoup de caractère. Son menu comprend aussi bien de l'espadon fumé dans une sauce au raifort que des cannellonis façon ibérique. ◐ *midi* ▤

Légende des symboles, voir rabat de couverture

Prix moyens par personne pour un repas comprenant trois plats et une demi-bouteille de vin de la maison, taxes et service compris.

€ moins de 10 €
€€ 10-15 €
€€€ 15-20 €
€€€€ 20-30 €
€€€€€ plus de 30 €

SERVICE TARDIF
La cuisine reste ouverte après 22 h, et on sert le plus souvent jusqu'à 23 h.

TABLES EN TERRASSE
Tables à l'extérieur, dans un jardin ou sur une terrasse, souvent avec une vue agréable.

BONNE CARTE DES VINS
Le restaurant propose un vaste choix de vins de qualité.

CARTES BANCAIRES
Un symbole indique que les cartes American Express (AE), Diner's Club (DC), Master Card Access (MC), Visa (V) sont acceptées.

	CARTES BANCAIRES	SERVICE TARDIF	TABLES EN TERRASSE	BONNE CARTE DES VINS
ALMANCIL : *O Tradicional* €€€€€ Estrada da Fonte Santa, Escanxinas. **Carte routière** D7. ☎ 289 399 093. Parmi les spécialités de cet excellent restaurant, on trouve le steak sauce roquefort et le blanc de canard à l'orange. ● *midi ; dim. ; nov.–déc.* 🍽 ♿	AE MC V	■		■
ARMAÇÃO DE PÊRA : *Santola* €€€ Largo da Fortaleza. **Carte routière** C7. ☎ 282 312 332. Ce restaurant, à l'atmosphère agréable, commande une vue panoramique. Les fruits de mer et les crustacés sont des valeurs sûres.	AE MC V	■	●	
ESTOI : *Monte do Casal* €€€€ Cerro do Lobo. **Carte routière** D7. ☎ 289 991 503. Situé dans une ancienne ferme, le Monte do Casal affiche au menu un choix de plats végétariens. Parmi les spécialités, goûtez les fruits de mer sauce Monte do Casal. ● *mi-nov.–mi-fév.* 🍽	MC V		●	■
FARO : *Adega Nortenha* €€ Rua Leite 8. **Carte routière** D7. ☎ 289 822 709. Bien placé, ce restaurant sans prétention est très fréquenté. Les spécialités sont la *feijoada* et la *caldeirada* (sorte de matelote). 🍽				
FARO : *A Taska* €€€ Rua do Alportel 36-38. **Carte routière** D7. ☎ 289 824 739. A Taska est un restaurant simple, à l'allure d'une taverne d'autrefois. Essayez le ragoût d'anguilles ou le porc aux palourdes. 🍽	AE DC MC V	■	●	
FARO : *Dois Irmãos* €€€€ Praça Ferreira de Almeida 13-14. **Carte routière** D7. ☎ 289 823 337. Ce restaurant, l'un des plus fréquentés de Faro, propose une bonne cuisine et un service efficace. Spécialités : poissons frais, viande *cataplana* (p. 288).	AE MC V	■	●	
FARO : *Camané* €€€€ Avenida Nascente, Praia de Faro. **Carte routière** D7. ☎ 289 817 539. Restaurant de fruits de mer, situé au bord de l'eau. Laissez-vous tenter par la spécialité de la maison, la lotte servie avec du riz. ● *lun. ; 2 sem. en oct.* 🍽 ♿	MC V	■	●	■
LAGOA : *O Lotus* €€€ Rua Marquês de Pombal 11. **Carte routière** C7. ☎ 282 352 098. Ce restaurant propose une bonne cuisine portugaise, dont les sardines marinées, les calmars ou le bar en croûte. Parmi les desserts, de la mousse au chocolat et du *morgado de figo* (gâteau aux figues et à la pâte d'amandes). ● *sam.* 🍽	AE DC MC V			
LAGOA : *O Castelo* €€€€ Rua do Casino 63, Praia do Carvoeiro. **Carte routière** C7. ☎ 282 357 218. Le Castelo est spécialisé dans les fruits de mer et le poisson, notamment la lotte. Jardin agréable. Réservez à l'avance. ● *lun. ; 10 janv.-10 fév.* 🍽	AE DC MC V	■	●	■
LAGOS : *Dom Sebastião* €€€ Rua 25 de Abril 20-22. **Carte routière** C7. ☎ 282 762 795. Restaurant au charme rustique, proposant un vaste choix de plats portugais, dont le ragoût de chevreau au vin rouge. ● *1er-25 déc.* 🍽	AE DC MC V	■	●	
LOULÉ : *Casa dos Arcos* €€€ Rua Sá de Miranda 23-25. **Carte routière** D7. ☎ 289 416 713. Situé dans la vieille ville, ce restaurant est fréquenté par les habitants du quartier et les touristes. On y sert de la viande et des spécialités de poissons. ● *dim.* 🍽	AE MC V			
LOULÉ : *Bica Velha* €€€€ Rua Martim Moniz 17-19. **Carte routière** C7. ☎ 289 463 376. Ce restaurant familial est installé dans une vieille maison datant de 1816. Parmi les spécialités : brochettes d'agneau, côtelettes de porc avec compote de pommes ou mousse à l'orange. ● *dim. (sauf août) ; 2 sem. en nov. ou déc.*	AE DC MC V	■		

OLHÃO : *O Lagar* €€€
Pechão. **Carte routière** D2. 289 71 54 37.
Situé vers l'intérieur des terres sur la route d'Estoi, ce restaurant tout simple sert une délicieuse cuisine de l'Algarve, dont le gaspacho et les sardines grillées. ● mer. 目

OLHÃO : *O Tamboril* €€€€
Avenida 5 de Outubro 174. **Carte routière** D7. 289 714 625.
La lotte *(tamboril)* est la spécialité du restaurant. Sur la carte figurent également différents poissons. ● sam. après-midi (en hiver seulement). 目

| | AE DC MC V |

PORTIMÃO : *Cervejaria Lúcio* €€€
Largo Francisco Maurício 33. **Carte routière** C7. 282 424 275.
Les habitants du coin se réunissent dans ce pub animé et bruyant, qui domine la rivière. On y sert poisson et fruits de mer. ● lun.

PORTIMÃO : *A Lanterna* €€€
Rua Foz do Arade. **Carte routière** C7. 282 414 429.
Au menu, vous toruvez de l'espadon fumé, des palourdes du chef et une mousse aux amandes. Les vins viennent de l'Alentejo. ● dim. ; nov.–déc.

| | MC V |

PORTIMÃO : *Vila Lisa* €€€€
Rua Francisco Bivar, Mexilhoeira Grande. **Carte routière** C7. 282 96 84 78.
Tenu par un artiste, c'est le restaurant le plus original de l'Algarve. Le menu fixe est composé de cinq plats, dont le riz aux coques. ○ tlj juil.-sept., oct.-juin, mar. et sam. seulement. ● midi. 目

QUINTA DO LAGO : *Casa Velha* €€€€€
Quinta do Lago. **Carte routière** D7. 289 39 49 83.
Ce restaurant élégant occupe les locaux d'une ancienne ferme dans le village de vacances de Quinta do Lagos. Menu éclectique de plats internationaux, morue à la tomate et raie pochée au lait. ● midi, dim., janv. 目 ⬥

| | AE DC MC V |

SAGRES : *O Telheiro* €€€€
Praia da Mareta. **Carte routière** C7. 282 624 179.
Il a comme spécialité le riz au homard. Le service est excellent et la terrasse commande une vue panoramique. ● mar. ; 2 sem. en nov. ou déc. 目 ⬥

| | AE DC MC V |

SAGRES : *Pousada do Infante* €€€€
Pousada do Infante. **Carte routière** C7. 282 624 222.
Ce restaurant propose des filets de poisson frais et du porc aux palourdes. Vue superbe sur les falaises et la mer. 目

| | AE DC MC V |

SILVES : *Marisqueira Rui* €€€€
Rua Comendador Vilarinho 23. **Carte routière** C7. 282 442 682.
Très fréquenté, ce restaurant, situé dans le centre-ville, sert jusqu'à 2 h du matin. Au menu, riz aux fruits de mer et porc aux palourdes. ● mar. ; 2 sem. en janv. 目

| | AE DC MC V |

TAVIRA : *Aquasul* €€€€
Rua Silva Carvalho 11-13. **Carte routière** D7. 281 32 53 29.
Niché dans une ruelle sur la rive gauche de la Gilao, Aquasul propose dans un cadre décontracté une cuisine d'inspiration méditerranéenne : salades, pâtes et tagines.

| | MC V |

VILAMOURA : *Sirius Restaurant* €€€€€
Vilamoura Marinotel. **Carte routière** D7. 289 303 303.
Installé dans un bel hôtel dominant la marina, le Sirius sert une cuisine savoureuse comprenant des plats français. Laissez-vous tenter par le caviar beluga, les escargots ou le homard thermidor. ● midi. 目 🎵 ⬥

| | AE DC MC V |

MADÈRE

FUNCHAL : *Jardim da Carreira* €€€
Rua da Carreir 118. 291-22 24 08.
Cet établissement assez basique est l'un des plus économiques du centre de Funchal. Les touristes font honneur au poisson grillé et aux brochettes. 目

| | AE MC V |

FUNCHAL : *Carochinha* €€€€
Rua de São Francisco 2a. 291 223 695.
Ce restaurant anglais offre un menu éclectique et une cuisine internationale variée. La « mique » est excellente. ● dim. 目 ⬥

| | AE DC MC V |

FUNCHAL : *O Celeiro* €€€€
Rua das Aranhas 22. 291 230 622.
En dînant aux chandelles, vous pourrez savourer un menu à base de fruits de mer, dont le homard *cataplana*, les crustacés et la *caldeirada*. ● dim. 目 ⬥

| | AE DC MC V |

Légende des symboles, voir rabat de couverture

Prix moyens par personne pour un repas comprenant trois plats et une demi-bouteille de vin de la maison, taxes et service compris.

€ moins de 10 €
€€ 10-15 €
€€€ 15-20 €
€€€€ 20-30 €
€€€€€ plus de 30 €

SERVICE TARDIF
La cuisine reste ouverte après 22 h, et on sert le plus souvent jusqu'à 23 h.

TABLES EN TERRASSE
Tables à l'extérieur, dans un jardin ou sur une terrasse, souvent avec une vue agréable.

BONNE CARTE DES VINS
Le restaurant propose un vaste choix de vins de qualité.

CARTES BANCAIRES
Un symbole indique que les cartes American Express (AE), Diner's Club (DC), Master Card Access (MC), Visa (V) sont acceptées.

	CARTES BANCAIRES	SERVICE TARDIF	TABLES EN TERRASSE	BONNE CARTE DES VINS
FUNCHAL : *Dom Filet* €€€ Rua do Favila 7. 291 764 426. Les spécialités de ce restaurant sont le bœuf Madère – embroché sur une tige de laurier et grillé – et le bœuf à l'argentine (grillé au charbon de bois). ● *dim.* ▤ ♫ ♿	AE DC MC V	▦		
FUNCHAL : *O Jango* €€€ Rua de Santa Maria 166. 291 221 280. Cette maison de pêcheurs transformée en restaurant chaleureux propose bouillabaisse et paella du jour. Bon rapport qualité-prix. ▤	AE DC MC V	▦		
FUNCHAL : *Londres* €€€ Rua da Carreira 64a. 291 235 329. Ce restaurant du centre-ville a un plat du jour typiquement portugais, tel que le *bacalhau* (morue) aux olives et le *cozido* (sorte de pot-au-feu). ● *dim.* ▤	AE MC V			
FUNCHAL : *Marisa* €€€ Rua de Santa Maria 162. 291 226 189. Ce restaurant intime, situé dans la vieille ville, propose une paella délicieuse ou du riz aux fruits de mer, préparés par le propriétaire et son fils.	AE DC MC V			
FUNCHAL : *O Tapassol* €€€ Rua Don Carlos I 62. 291 225 023. Réservez à l'avance dans ce petit restaurant, situé dans la vieille ville. Vous pourrez savourer cailles, moules, patelles ou lapin. L'intérieur est chic et la petite terrasse animée. ▤	AE DC MC V	▦	●	
FUNCHAL : *Dona Amélia* €€€€ Rua Imperatriz Dona Amélia 83. 291 225 784. Les spécialités sont les plats flambés, le poisson grillé et les *espetadas* — bœuf Madère embroché sur une tige de laurier. ▤	AE DC MC V	▦		▦
FUNCHAL : *Eatwell* €€€€ Rua Dr. Pita 23a. 291-76 40 20. Ce petit restaurant fait honneur à son nom. Son menu bref mais varié comprend généralement des plats typiques de Madère, comme les brochettes de bœuf. ● *dim.* ▤	AE MC V	▦		
FUNCHAL : *Marina Terrace* €€€€ Marina do Funchal. 291 230 547. Un des restaurants à ciel ouvert bordant le port de plaisance, le Marina Terrace propose des plats divers, comme la pizza, le homard ou le poisson grillé. Musique folklorique et fado. ♿	AE DC MC V	▦	●	
FUNCHAL : *Mezanino* €€€€ Hotel Ocean Park. 291-76 34 85. Anthony Parker, le chef australien, propose un menu éclectique où figurent thon grillé au couscous et poulet tandoori. ● *sam. midi, dim., jours fériés.* ▤ ♿	AE DC MC V			▦
FUNCHAL : *Quinta Palmeira Gourmet Restaurant* €€€€ Avenida do Infante 17-19. 291 221 814. Ce restaurant, situé dans une maison du XIXᵉ siècle, sert des plats régionaux bien présentés. Les glaces maison sont délicieuses.	AE DC MC V	▦	●	▦
PORTO MONIZ : *Orca* €€€ Hotel Orca, Praia de Porto Moniz. 291 850 000. Les grandes fenêtres de ce restaurant donnent sur la mer. Goûtez la spécialité, l'espadon aux bananes.	AE DC MC V		●	
PORTO SANTO : *O Calhelas* €€€ Calheta. 291-98 43 80. Ce plaisant restaurant situé à la pointe sud de l'île cuisine aussi délicieusement le poisson (goutez par exemple l'*arroz de cherne*) que la viande. Service de navette vers les hôtels. ▤	MC V	▦	●	

RIBEIRA BRAVA : *Restaurante Água Mar* €€€
Vila Ribeira Brava. 291 951 148.
Plats portugais et cuisine d'inspiration française se partagent le menu de ce
restaurant décontracté. Le poisson grillé est délicieux. ● *lun.* ▤

| | AE DC MC V | ● | |

SANTANA : *Quinta do Furão* €€€€
Achada do Gramacho. 291 570 100.
Dégustez le steak en croûte et les brochettes de fruits de mer devant la
cheminée de ce restaurant dominant la mer. Ambiance chaleureuse. ▤

| | AE DC MC V | ● | |

LES AÇORES

CORVO : *Traneira* €€€
Largo do Porto da Casa. 292 596 207.
Le restaurant est souvent bondé, c'est quasiment le seul de Corvo. Le menu
fait la part belle aux poissons fraîchement pêchés. ▤

| | | ● | |

FAIAL : *Capote* €€€
Rua Conselheiro Miguel da Silveira, Horta. 292 293 295.
Ce restaurant animé, situé en bord de mer, est essentiellement fréquenté par
une clientèle de quartier et les plaisanciers. ▤

| | AE MC V | ▪ | |

FAIAL : *Trovada* €€€€
Rua Vasco de Gama, 9900-017, Horta. 292 293 021.
Le restaurant fait partie de l'hôtel du même nom *(p. 401)* ; il a la réputation d'être
le meilleur de l'île. Les plats sont à base de produits frais régionaux. ▤ &

| | AE DC MC V | ● | ▪ |

FLORES : *Reis* €€€
Rua da Boa Vista, Santa Cruz. 292 592 697.
Situé sur les collines, ce restaurant simple est tenu par le boucher voisin.

| | MC V | ▪ | |

GRACIOSA : *A Coluna* €€€
Largo Barão de Guadalupe 10, Santa Cruz da Graciosa. 295 712 333.
Le gérant de ce petit restaurant insolite a vécu longtemps au Brésil, ce qui
explique ses spécialités brésiliennes, dont la *feijoada*. ● *dim.*

| | | | |

PICO : *Terra e Mar* €€€
Miradouro do Arrife, Terras, Lajes do Pico. 292 672 794.
Ce petit restaurant, perché sur une colline et doté d'un moulin et d'une terrasse,
est une bonne halte lors d'une excursion dans l'île. Au menu, poissons et viandes.

| | | ● | |

SANTA MARIA : *Candeia* €€€
Cruz Teixeira, Vila do Porto. 296 882 063.
Restaurant spécialisé dans la cuisine des Açores, dont le *caldo de nabos*
(soupe de navets) et l'*abeira morcela* (saucisson à l'ail et boudin noir). &

| | | | |

SÃO JORGE : *Manezinho* €€
Furna das Pombras, Urzelina. 295 414 484.
Ce restaurant simple, situé en bord de mer, a une clientèle populaire. Au
menu : *ameijoas* (palourdes) de Fajã da Caldeira de Santo Cristo. ● *lun.* &

| | | ▪ | ● |

SÃO MIGUEL : *Alcides* €€€
Rua Hintze Ribeiro 67-77, Ponta Delgada. 296 282 677.
Ce bon restaurant propose un steak frites copieux. ● *dim.* ▤

| | | | |

SÃO MIGUEL : *Monte Verde* €€€
Rua da Areia 4, Ribeira Grande. 296 472 975.
La salle à manger de ce petit restaurant sympathique est ornée d'*azulejos*
modernes. La cuisine — toujours correcte — comprend des plats de
poissons, dont la *tigelada de chicharro* (ragoût de petits poissons).

| | AE V | ▪ | ● |

SÃO MIGUEL : *Tony's* €€€
Largo do Teatro 5, Furnas. 296 584 290.
La spécialité est le *cozido (p. 231)*, un ragoût de viande mijoté sur les pierres
volcaniques de Fumas. Réservez au moins un jour à l'avance. ▤

| | AE DC MC V | ▪ | ● |

TERCEIRA : *Casa do Peixe* €€€
Estrada Miguel Corte Real, Angra do Heroísmo. 295 217 678.
Dominant le port, ce restaurant offre un riche menu et un bon service. ● *mar.*

| | MC V | | |

TERCEIRA : *Quinta do Martelo* €€€€
Canada do Martelo 24 , Cantinho, São Mateus. 295 642 842.
Savourez la soupe Saint-Esprit (viande et légumes au vin blanc) et l'*alcatra*
(ragoût de viande). ● *mer.* ▤ ♫

| | AE MC V | ▪ | ● | ▪ |

RENSEIGNEMENTS PRATIQUES

RENSEIGNEMENTS PRATIQUES

**Sigle des Offices
du tourisme**

Pas de problème pour voyager au Portugal ! Dans l'Algarve et la région de Lisbonne, qui drainent la plupart des touristes, il n'y a que l'embarras du choix en matière d'hôtels, de restaurants et de distractions. Partout dans le pays les visiteurs sont accueillis à bras ouverts, et les possibilités d'hébergement ne manquent pas. Beaucoup de Portugais parlent le français, et la plupart des villes sont dotées d'un office du tourisme. Les enfants sont toujours les bienvenus, quant à la gastronomie portugaise, elle est digne d'être connue.

QUAND SE RENDRE AU PORTUGAL

La longue côte atlantique qui borde le pays a une influence déterminante sur son climat. L'hiver, le littoral est plutôt humide et semble frais même si les températures restent relativement douces. La seule exception est l'Algarve qui, quoique lui aussi sur l'Atlantique, bénéficie de son orientation méridionale derrière des collines qui l'abritent des vents du nord. De fait, l'Algarve est une destination accueillante à tout moment de l'année : ses étés sont chauds sans être torrides, et ses hivers doux. Ailleurs sur la côte, les températures estivales peuvent être très élevées, avec des soirées tièdes ou venteuses. Dans l'intérieur, le caractère continental est plus marqué, les hivers froids, même dans l'Alentejo, et les étés chauds, même dans le Trás-os-Montes. En revanche, les mi-saisons sont agréables parce que plus tempérées. Le printemps peut certes se montrer pluvieux, mais les fleurs n'en sont que plus belles.

DOUANES

Il n'existe plus de restrictions quantitatives à l'importation et l'exportation de biens dans l'Union européenne (à condition de s'être acquitté des taxes dans le pays d'origine). Seuls sont limités les achats de certains produits : tabac, alcool et parfums (tolérance douanière identique dans toute l'UE). En ce qui concerne la TVA, consultez les pages 436-437.

Bouteilles de porto

VISAS

Les ressortissants de l'UE n'ont besoin que d'un passeport en cours de validité pour entrer au Portugal, seule une résidence de plus de 6 mois nécessite un permis de séjour. Actuellement, aucun visa n'est exigé des Canadiens, Américains, Australiens et Néo-Zélandais pour un séjour inférieur à 3 mois, et une prolongation de 3 mois peut être demandée. Il est cependant recommandé aux ressortissants de pays non européens de se renseigner avant leur départ, les lois sur l'immigration étant toujours susceptibles de changer.

INFORMATION TOURISTIQUE

Le ministère portugais du Tourisme a divisé le pays en régions distinctes et séparées administrativement. Au sein de chacune d'elle, ainsi qu'à Madère et aux Açores, se trouvent des **Offices du tourisme municipaux** *(Postos de Turismo),* généralement situés dans les grandes villes et les aéroports. Ils constituent une mine d'informations sur leur région. Cartes, plans, détails des événements locaux et manifestations culturelles y sont disponibles, ainsi que la liste des hôtels (ils s'occupent rarement des réservations). Il est parfois possible de s'y procurer à l'avance des billets de spectacles et de concerts. Pour vous aider dans vos

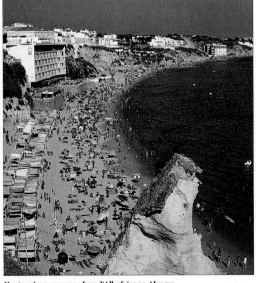

Haute saison sur une plage d'Albufeira en Algarve

◁ **Produits frais au marché dos Lavradores, Funchal**

Poteau indicateur à Marvão

recherches, ce guide vous indique les bureaux correspondant à chaque site. Les régions touristiques étant indépendantes, les horaires d'ouverture varient selon les lieux. En général, ils suivent ceux des magasins. À la campagne, les offices du tourisme sont souvent fermés le week-end et n'offrent pas les mêmes services que dans les grandes villes. Autre source de renseignements : les Offices du tourisme portugais à l'étranger. Si vous désirez préparer votre voyage avant le départ, ils proposent un large choix de brochures.

Carte représentant les six régions touristiques du Portugal

MUSÉES

Si la plupart des musées appartiennent à l'État, il existe également de nombreux musées privés. En dehors des galeries et des musées nationaux, vous trouverez une multitude de musées régionaux, où vous pourrez aussi bien admirer les vestiges historiques régionaux que les œuvres d'artistes locaux.

PRIX D'ENTRÉE

Le prix d'entrée des musées n'excède pas 1 à 3 euros. Des réductions pouvant aller jusqu'à 40 % sont accordées aux enfants et aux retraités (pièce d'identité à l'appui). Les jeunes de moins de 26 ans, détenteurs d'un *Cartão Jovem* (carte jeune) ou de la carte internationale d'étudiant, bénéficient de billets d'entrée à moitié prix. Il arrive que le dimanche et les jours fériés l'entrée soit

Billet de musée

moins chère, voire gratuite. Si vous séjournez à Lisbonne, vous pouvez vous procurer la carte LISBOA, en vente à **Posto Central**. Elle offre un droit d'entrée dans 26 musées de la ville et une réduction dans certains autres comme le Gulbenkian et la gratuité des transports en commun pour une période allant de un à trois jours.

HEURES D'OUVERTURE

En règle générale, les musées (de même que certains sites) sont fermés le lundi et les jours fériés, et ouvrent le reste du temps de 10 h à 17 h. Toutefois, faites attention à l'heure du déjeuner. Vous risquez de trouver porte close entre 12 h et 14 h, ou 12 h 30 et 14 h 30. Vérifiez également les horaires des petits musées et des musées privés. De même les églises, à l'exception des plus importantes, n'ouvrent que lors des offices religieux. Si vous voulez les visiter, vous devrez parfois partir en quête de la clé.

CARNET D'ADRESSES

AMBASSADES ET CONSULATS

Belgique
Praça Marquês de Pombal, 14, 6°, 269 Lisbonne. **Plan** 5 C5.
📞 213 539 517.

Canada
Avenida da Liberdade - 196-200, 3°, 1269-121, Lisbonne. **Plan** 5 C5.
📞 213 164 600.

France
Rua Santos-o-Velho, 5, Lisbonne.
Plan 4D3. 📞 213 939 292.

Suisse
Jardin 17, Lisbonne. **Plan** 3 C2.
📞 213 944 090.

Consulat français
Funchal 📞 291 200 750.
Lisbonne 📞 213 908 131.
Porto 📞 226 094 805.

OFFICES DE TOURISME GOUVERNEMENTAUX

Au Portugal :
Coimbra
Largo da Portagem,
3000-337 Coimbra. 📞 239 833 019. 🌐 www.turismo-centro.pt

Faro
Avenida 5 de Outubro 18-20, 8001-902 Faro. 📞 289 800 400.
🌐 www.rtalgarve.pt

Lisbonne
Lidboa Welcome Center, Rua do Arsenal 15, 1100-038, 1200 Lisbonne. **Plan** 7 A2. 📞 210 312 700 ; numéro vert 800 296 296.
🌐 www.atl-turismlisboa.pt

Porto
Rua Clube dos Fenianos 25, 4000-172 Porto. 📞 223 393 470/72. 🌐 www.portoturismo.pt

En France :
Paris
135, bd Haussmann, 75008.
📞 01 56 88 30 80.
Minitel : 36-15 Portugal.

Centre de Renseignements Douaniers
01 40 24 65 10.

LISBOA CARD

Posto Central
Rua Jardim do Regedor 50, Rua das Portas de Santo Antão.
Plan 7 A2. 📞 213 433 672.

Journaux au café A Brasileira *(p. 90)*

LANGUE

S'il est vrai que le portugais écrit ressemble en de nombreux points à l'espagnol et qu'un hispaniste le lira sans difficulté, la langue parlée, à la prononciation aussi variable que différente, s'en éloigne totalement. Du fait des liens historiques avec le Brésil et certains pays d'Afrique, il est largement parlé à travers le monde et les Portugais en sont — avec raison — très fiers. Sachez qu'ils n'apprécieront pas beaucoup que vous vous adressiez à eux en espagnol. Vous trouverez à la fin de ce guide un lexique comprenant la plupart des phrases et des mots usuels, ainsi que leur prononciation phonétique *(p. 479-480)*.

COUTUMES

N'hésitez pas, même si vos connaissances sont limitées, à vous adresser aux Portugais dans leur langue. Ne serait-ce que pour un simple *Bom dia* (bonjour), *boa tarde* (bon après-midi) ou *boa noite* (bonsoir), vos efforts seront toujours reconnus et la réponse, à coup sûr, amicale. En cas de phrase plus élaborée, armez-vous de patience et répétez-la jusqu'à ce que l'interlocuteur se soit fait à votre accent. Pour s'adresser à vous, les Portugais n'oublieront

jamais d'ajouter *Senhor* ou *Senhora* à leur phrase. Ce formalisme apparent n'empêche pas une certaine spontanéité : on s'embrasse sur les joues entre jeunes et entre hommes et femmes sauf en cas de supériorité hiérarchique et de relations d'affaires. En ce qui concerne l'habillement, les Portugais sont décontractés et les règles vestimentaires sont moins strictes que dans d'autres pays du Sud. Toutefois, il vous sera demandé de respecter les lieux religieux, surtout dans le Nord. Ainsi, évitez d'entrer dans une église bras et jambes nus.

JOURNAUX ET MAGAZINES

Les journaux français ne sont distribués que dans les grandes villes, les aéroports et les stations balnéaires courues (avec un jour de décalage). Les journaux anglophones sont nombreux. Parmi les quotidiens portugais, les plus connus sont le *Diário de Notícias* et le *Público*. L'hebdomadaire **Anglo-Portugese News** (APN) est le principal magazine bilingue pour Lisbonne et l'Estoril, de même que l'**Algarve News** dans la province du même nom.

Quotidiens portugais et anglais

RADIO ET TÉLÉVISION

Il existe deux chaînes d'État, la RTP1 (en été, nouvelles en français après le journal de 10 h), la RTP2, et deux chaînes privées : SIC et TVI. Le câble et le satellite permettent de recevoir les chaînes européennes. En ce qui concerne les radios, la station RDF diffuse durant les mois d'été des programmes en plusieurs langues et il est possible de capter France Inter sur les grandes ondes. Enfin, Madère possède sa propre chaîne de télévision et une station de radio destinée aux touristes, émettant sur 96 FM.

HANDICAPÉS

Les installations sont encore limitées, même si la situation s'améliore. Il est désormais possible de trouver des fauteuils roulants et des toilettes adaptées dans la plupart des aéroports et des gares. Les parkings réservés, rampes et ascenseurs font leur apparition dans les lieux publics et il existe aujourd'hui à Lisbonne et Porto un service de bus destiné aux handicapés. Il suffit de téléphoner pour indiquer le lieu et l'heure où vous désirez que l'on passe vous chercher, ainsi que votre destination. Attention ! Les opérateurs parlent uniquement portugais. Lisbonne propose des services de taxis spécialisés mais il faut réserver longtemps à l'avance.

Bus pour les personnes handicapées *(transporte especial para deficientes)*

Visiteuses admirant la vue depuis le château à Lisbonne

LES FEMMES SEULES

Voyager seule au Portugal présente peu de risques. Toutefois, et comme partout, certaines règles sont à respecter. Ainsi, évitez de vous promener la nuit dans les endroits mal éclairés et isolés, notamment dans les quartiers de Baxia, Bairro Alto et le Cais do Sodré à Lisbonne. Sachez aussi que certaines stations en Algarve et sur la côte, autour de Lisbonne, ne sont pas les endroits les mieux choisis si vous aimez passer inaperçue ! Quant à l'auto-stop, il est fortement déconseillé.

INFORMATION POUR LES ÉTUDIANTS

Si vous êtes âgés de 12 à 25 ans, le *Cartão Jovem* (carte jeune) est un investissement intéressant. En vente à l'*Instituto Português de Juventude* (l'Institut portugais de la jeunesse), elle est valide un an, coûte environ 1 100$00, comprend une assurance et offre de multiples réductions dans les magasins, musées, transports et auberges de jeunesse *(p. 376).* Vous pouvez également vous procurer, avant de partir, la carte internationale d'étudiant, laquelle offre les mêmes avantages.

SERVICES RELIGIEUX

La religion prédominante est la religion catholique. Des offices religieux sont célébrés pratiquement tous les soirs, les dimanches matins, et bien sûr lors des fêtes religieuses, dans les innombrables églises. Pour les visiter, il est conseillé d'éviter ces temps de prière. Des messes en français sont dites dans les principales églises de Lisbonne.

Le Portugal est majoritairement catholique, mais toutes les autres grandes religions y sont représentées. Pour plus de détails, contactez les différents centres confessionnels de Lisbonne.

L'HEURE AU PORTUGAL

Le Portugal et Madère sont en retard de 1 h sur la France, la Belgique et la Suisse, et en avance de 5 sur

Fidèles à la sortie de la messe, à Trás-os-Montes

le Canada. ; les Açores, ont 2 h de décalage avec l'Europe et 4 avec le Canada. Passage à l'heure d'été de mars à septembre. Comme en France, le décompte des heures se fait de 0 h à 24 h.

ADAPTATEURS ÉLECTRIQUES

Les prises sont alimentées en courant alternatif de 220 volts et acceptent des prises mâles à deux broches rondes. La plupart des hôtels trois étoiles et plus possèdent des adaptateurs pour les rasoirs à fiches plates.

Santé et sécurité

Pharmacie

Si le Portugal est un pays au faible taux de criminalité, prenez pourtant certaines précautions, ne laissez jamais un objet de valeur dans la voiture et veillez aux pickpockets dans les lieux fréquentés et les transports.

Pour une affection bénigne, consulter un pharmacien et, en cas de délit, avertissez la police, un peu bureaucratique, mais serviable.

Poste de police à Bragança, région de Trás-os-Montes

QUE FAIRE EN CAS D'URGENCE ?

Composez le 112, puis indiquez le service souhaité : police *(polícia)*, ambulance *(ambulância)* ou pompiers *(bombeiros)*. Si vous avez besoin d'un traitement médical, vous bénéficierez de l'assistance médicale 24 h sur 24 dans les hôpitaux. Les cliniques sont généralement ouvertes de 8 h à 20 h. Enfin, si vous avez un accident sur une autoroute ou une route principale, utilisez le téléphone orange SOS (en portugais seulement).

Téléphone SOS sur autoroute

formulaire ne couvrant que les urgences, il est vivement recommandé de contracter une assurance complémentaire. La médecine privée portugaise est l'une des moins chères d'Europe. Si vous parlez l'anglais, vous trouverez des médecins de langue anglaise à l'Hôpital britannique de Lisbonne, de même que dans les centres de soins internationaux à Estoril, Cascais et en Algarve (pour avoir la liste, consultez les journaux anglais locaux).

PHARMACIES

Pour un problème de santé bénin, vous pouvez vous rendre dans une pharmacie *(farmácia)* où un traitement approprié vous sera proposé. Il est possible d'y trouver tous les médicaments courants. Grâce à leur croix verte sur fond blanc, les *farmácia* sont facilement identifiables. Ouvertes de 9 h à 13 h et de 15 h à 19 h, du lundi au vendredi, et le samedi matin, elles indiquent sur leurs devantures les adresses des officines de garde les plus proches.

LA POLICE PORTUGAISE

Dans les villes de grande et moyenne importance, c'est la *Polícia de Segurança Pública* (PSP) qui fait régner l'ordre et la loi ; à la campagne, la *Guarda Nacional Republicana* (GNR). La *Brigada de Trânsito* (police routière), au brassard rouge, est, quant à elle, responsable de la sécurité routière.

PRÉCAUTIONS

Si aucune vaccination n'est exigée, il est malgré tout préférable d'être à jour en ce qui concerne les rappels DTPolio et rougeole. Si vous partez pendant l'été, n'oubliez pas d'emporter un répulsif anti-moustiques. Quant à l'eau du robinet, elle est potable à travers tout le pays.

TRAITEMENT MÉDICAL

Tout ressortissant d'un pays de l'Union européenne peut bénéficier d'une couverture permettant le remboursement de ses soins. Pour cela, il suffit de retirer avant le départ un formulaire E111 auprès de son centre de Sécurité Sociale. Toutefois, ce

SÉCURITÉ PERSONNELLE

Les agressions violentes sont rares au Portugal, mais les délinquants existent et il est préférable de prendre certaines précautions. Il est

Police de la route

Agent PSP

Femme policier PSP

Camion de pompier

Ambulance

Voiture de police

conseillé de rester vigilant, tout particulièrement à la nuit tombée ou après la fermeture des bars, dans les quartiers d'Alfama, Bairro Alto et Cais do Sodré, à Lisbonne, ainsi que dans certaines stations balnéaires de l'Algarve et du district de Ribeira, à Porto. Évitez de garder sur vous de grosses sommes en liquide et de porter ostensiblement votre appareil photo et votre téléphone mobile. Mieux vaut ne pas répliquer en cas de provocation pour ne pas envenimer les choses, et il est prudent de ne pas opposer de résistance en cas de braquage.

SIGNALER UN DÉLIT

Si vous êtes victime d'un vol, contactez immédiatement le poste de police le plus proche. N'oubliez pas que tout vol de papiers d'identité doit également être signalé à votre ambassade ou consulat. Il faut savoir que la plupart des compagnies d'assurances exigent un rapport de police établi dans les 24 heures suivant le délit. Faute de quoi, vous risquez de ne pas être remboursé. En ville, contactez la PSP ; à la campagne, le GNR. Dans les zones rurales, il est possible que vous soyez obligé d'accompagner l'autre conducteur au poste de police le plus proche afin de remplir les papiers nécessaires. Si vous avez un problème de langue, n'hésitez pas à demander l'aide d'un interprète.

ASSISTANCE JURIDIQUE

Mondial Assistance ou Europe Assistance proposent des contrats incluant la garantie d'assistance juridique en cas d'accident. Si vous n'avez pas souscrit ce type de contrat, contactez votre consulat le plus proche ou l'*Ordem dos Advogados* (ordre des avocats), qui vous mettra en relation avec des avocats et vous aidera à obtenir une représentation juridique. Si nécessaire, des listes d'interprètes sont indiquées dans les Pages Jaunes locales (*Pàginas Amarelas*) sous l'intitulé *Tradutores e Intérpretes*. Vous pourrez aussi vous les procurer auprès de l'*Associação Portuguesa de Tradutores*, située à Lisbonne.

LES TOILETTES PUBLIQUES

En portugais, toilettes se dit *retretes*. *Homens* (hommes) et *senhoras* (femmes) remplacent souvent les figures habituelles. Sur les autoroutes, vous trouverez des toilettes dans les stations-service et sur les aires de repos. En ville, les sanisettes étant rares, utilisez les toilettes des cafés, mais seulement après avoir commandé une consommation.

Femmes

Hommes

Banques et monnaie

Logo de la BPI

Vous êtes libre d'importer au Portugal toute somme d'argent jusqu'à 2 500 000 escudos. Au-delà, vous devrez la déclarer lors de votre entrée sur le territoire. Si, comme partout, le chèque de voyage est un moyen sûr de transporter de l'argent, les cartes bancaires demeurent la solution la plus pratique. Elles permettent de retirer de l'argent un peu partout, moyennant une commission.

Façade de banque à Lisbonne

HEURES D'OUVERTURE DES BANQUES

Ouvertes du lundi au vendredi, de 8 h 30 à 15 h, les banques sont fermées les week-ends et les jours fériés. Il est fréquent que les grandes agences des centres-villes et des sites touristiques restent ouvertes jusqu'à 18 heures.

CHANGE

Il est possible de changer de l'argent dans les banques, les bureaux de change (*agências de câmbios*) et de nombreux hôtels. Les taux des banques varient selon les agences, l'attente et les formalités sont longues, ce qui peut faire préférer les bureaux de change, plus expéditifs et ouverts plus longtemps (y compris les week-ends), en dépit de commissions plus élevées. Ce sont toutefois les hôtels qui proposent les taux les plus avantageux. Banques et bureaux de change exigent généralement une pièce d'identité.

À Lisbonne, il peut être commode d'utiliser un des quelques appareils de change automatique en service.

CHÈQUES ET CARTES BANCAIRES

Les chèques de voyage ont l'avantage de la sûreté mais l'inconvénient d'être rarement acceptés comme moyen de paiement et de revenir cher au change (dans ce cas, mieux vaut recourir aux bureaux de change qu'aux banques, dont les commissions sont élevées). Le plus pratique est de retirer de l'argent aux distributeurs automatiques (Multibanco ou MB) à l'aide de sa carte bancaire ou de sa carte de crédit. On les trouve en général à l'extérieur des banques et dans les centres commerciaux. La plupart acceptent Visa, MasterCard, American Express, Maestro et Cirrus. Il est noter qu'une commission est prélevée à chaque transaction, quel qu'en soit le montant, il est donc plus économique d'opérer des retraits importants et peu fréquents.

Siège de la Caixa Geral de Depósitos à Arco do Cego

L'EURO

L'euro, la monnaie unique européenne, est aujourd'hui en circulation dans 12 pays sur les 15 États membres de l'Union européenne. L'Allemagne, l'Autriche, la Belgique, l'Espagne, la Finlande, la France, la Grèce, l'Irlande, l'Italie, le Luxembourg, les Pays-Bas et le Portugal ont changé leur monnaie. La Grande-Bretagne, le Danemark et la Suède ont préféré la conserver, avec la possibilité de revenir sur leur décision.

Les pièces et les billets ont été mis en circulation le 1er janvier 2002. Une période de transition permet d'utiliser l'escudo et l'euro simultanément jusqu'à mi-2002. L'euro s'utilise partout dans les pays de la zone euro.

Billets de banque

Les billets existent en sept coupures. Le billet de 5 € (gris) est le plus petit, suivi de 10 € (rouge), 20 € (bleu), 50 € (orange), 100 € (vert), 200 € (brun-jaune) et 500 € (violet). Tous les billets arborent les 12 étoiles de l'Union européenne.

5 euros

10 euros

20 euros

50 euros

100 euros

200 euros

500 euros

2 euros

1 euro

50 cents

20 cents

10 cents

Pièces

Il existe 8 pièces en euros : 1 € et 2 € ; 50 cents, 20 cents, 10 cents, 5 cents, 2 cents et 1 cent. Les pièces de 1 et 2 euros sont de couleur argent et or. Celles de 50, 20 et 10 cents sont dorées. Celles de 5, 2 et 1 cents sont de couleur bronze.

5 cents

2 cents

1 cent

Le téléphone au Portugal

Naguère légendairement hasardeuses, les télécommunications portugaises ont subi ces dernières années une spectaculaire modernisation. À l'exception de quelques vieilles cabines, téléphoner du Portugal n'est plus un problème aujourd'hui. Le monopole d'État de Portugal Telecom a cédé à la concurrence de multiples opérateurs privés et la guerre des tarifs fait rage, c'est l'occasion d'en profiter en tenant compte des offres spéciales pour choisir sa carte de téléphone. Quant à la téléphonie mobile, les trois réseaux Telecel/Vodaphone, TMN et Optimus qui se partagent le marché assurent la couverture de la plus grande partie du pays.

Une cabine à l'anglaise

Cabine d'un bureau de poste

TÉLÉPHONE À PIÈCES

1 Décrochez le combiné et attendez la tonalité.

2 Introduisez des pièces de 10, 20, 50, 100 ou 200$00.

3 Le montant de votre crédit apparaît sur l'écran. S'il est insuffisant, le message « inserir mais moedas por favor » apparaît.

4 Composez votre numéro et attendez la sonnerie.

5 Si vous désirez passer un autre appel, appuyez sur le bouton « appel suivant ».

6 Raccrochez après la communication. Les pièces inutilisées sont restituées.

TÉLÉPHONE À CARTE

1 Décrochez le combiné et attendez la tonalité.

2 Introduisez les cartes téléphone flèche vers le haut et les cartes de crédit, bande magnétique en bas.

3 Le nombre d'unités restantes apparaît sur l'écran.

4 Composez alors votre numéro et attendez la sonnerie.

5 Si la carte arrive à expiration au milieu de la conversation, retirez-la et introduisez-en une nouvelle.

6 Raccrochez après l'appel et retirez votre carte dès qu'elle réapparaît.

Les cartes téléphoniques sont disponibles en différents montants.

TÉLÉPHONER AU PORTUGAL

Il y a plusieurs sortes de téléphones publics au Portugal : certains acceptent les pièces (depuis 2 et 1 euros jusqu'à 2 cents), d'autres les cartes téléphoniques, certains autres les deux. Vous trouverez des cabines dans la rue, dans certains bars, cafés et centres commerciaux. Les plus courants et commodes à utiliser sont les appareils à carte. Les cartes de téléphone, de divers opérateurs, sont en vente dans les postes, les tabacs et les boutiques des compagnies de télécommunications. Certains appareils acceptent aussi les cartes de crédit moyennant un léger surcoût.

Une communication locale avec une carte téléphonique coûte environ 3 centimes d'euro la minute sur PT Communicações, le principal opérateur, qui possédait auparavant le monopole et est resté propriétaire du réseau. Les appels vers l'étranger et les portables sont plus coûteux, mais il existe des cartes et des formules spéciales. Si vous n'avez ni monnaie ni carte, vous pouvez toujours appeler d'un bureau de poste et régler la communication au guichet, le coût de l'unité n'est pas exorbitant. De même, les appareils de certains cafés et restaurants sont équipés d'un compteur qui permet de facturer la communication. Celle-ci vous reviendra un peu plus cher qu'à la poste mais moins que dans un hôtel. Notez que vous bénéficierez d'un tarif réduit tous les jours entre 21 h et 9 h, ainsi que les week-ends et jours fériés.

APPELS EN PCP

Vous pouvez appeler en PCV depuis n'importe quel poste téléphonique. Il suffit pour cela de composer de numéro Directo du pays que vous désirez obtenir. Vous le trouverez dans les premières pages de l'annuaire, après les indicatifs des villes et des pays, ou vous l'obtiendrez des renseignements en composant le 179. Ce numéro vous mettra en relation avec l'opérateur local.

Téléphone à pièces protégé par un abri, à Porto

LES NUMÉROS DE TÉLÉPHONE

- Depuis le 31 octobre 1999, la numérotation téléphonique au Portugal a changé. Dorénavant, il n'y a plus d'indicatifs en fonction des différentes villes ou régions.
- Tous les numéros de téléphone comportent 9 chiffres.
- Les numéros à Lisbonne commencent toujours par 21 et les numéros à Porto par 22.
- Pour obtenir un numéro au Portugal depuis l'étranger : 00 351, suivi du numéro à 9 chiffres.
- Pour obtenir un numéro à l'étranger depuis le Portugal composez le 00, puis l'indicatif du pays : France 33, Belgique 32, Suisse 41 et Canada 1.
- Renseignements : 118. Renseignements internationaux : 177

Courrier

Correios (postal service) logo

Le service postal, *Correios,* est assez efficace. Une lettre envoyée au sein de l'Union européenne mettra entre cinq et sept jours, alors qu'il faudra compter une moyenne de sept à dix jours pour un envoi outre-Atlantique. Vous reconnaîtrez le logo de *Correios* à son cheval blanc sur fond rouge.

ENVOYER UNE LETTRE

Le courrier à tarif rapide *(correio azul)* doit être déposé dans les boîtes aux lettres bleues, le tarif lent *(normal)* dans les boîtes rouges. Dans les bureaux de poste, certaines comportent deux fentes distinctes destinées l'une au courrier national, l'autre à l'international. Il existe également un service de courrier express, l'EMS, et un service de recommandé avec accusé de réception *(correio registado).* Les timbres *(selos)* s'achètent dans les bureaux de poste, les magasin affichant le logo de *Correios,* et aux distributeurs situés dans les aéroports, les gares et la rue.

Timbres portugais

suivi de « *posta restante* », du code postal et du nom de la ville où vous désirez recevoir votre courrier. Pour le récupérer, une pièce d'identité et une faible commission vous seront demandées.

BUREAUX DE POSTE

Les bureaux de poste ouvrent du lundi au vendredi, de 8 h 30 à 18 h 30. En ville, les horaires diffèrent et vous trouverez souvent des bureaux ouverts du lundi au vendredi, de 8 h à 22 h, et le samedi, de 9 h à 18 h.

ADRESSES PORTUGAISES

Il est fréquent que l'étage et l'emplacement du domicile soient indiqués avec l'adresse. Ainsi pour le rez-de-chaussée, inscrivez (r/c) *rés-do-chão,* pour le premier (1°) *primeiro andar,* le second 2°, etc. Gauche se dit *esquerdo* (E ou Esqd°), et droite *direito* (D ou Dt°).

POSTE RESTANTE

La majorité des grands bureaux de poste offrent un service de poste restante *(posta restante).* Pour éviter les erreurs, le nom doit être écrit en majuscules souligné,

Horaires des levées

Boîte à tarif rapide

Boîtes aux lettres portugaises
Les bleues sont destinées au tarif rapide (Correio Azul), les rouges au tarif lent.

Boîte à tarif lent

Boutiques et marchés

L'artisanat portugais n'a jamais souffert de la modernisation du pays et a su conserver l'originalité de ses styles régionaux. S'il est possible de dénicher un peu partout la poterie ou l'*azulejo* de ses rêves, Madère reste le berceau incontesté des plus belles broderies et dentelles. Fromages, charcuteries et vins abondent sur tous les marchés. Quant aux portos, madères et alcools, vous les trouverez souvent directement chez le producteur. Les amateurs d'artisanat et de spécialités culinaires pourront satisfaire leurs goûts à des prix très raisonnables, surtout à la campagne.

**Fromage de chèvre
de la Serra da Estrela**

sites touristiques. Le plus réputé, mais aussi le plus important du Portugal, est sans doute celui de Barcelos *(p. 273),* dans le Minho, patrie du fameux coq en céramique multicolore. Il se tient tous les jeudis sur la place principale. Pour vous aider, ce guide indique les jours de marché dans la rubrique mode d'emploi de chaque ville.

TVA

Tout visiteur étranger à l'Union européenne peut se faire rembourser la TVA, sous réserve de rester moins de 6 mois. Pour cela, il suffit de demander sur le lieu d'achat un formulaire *Isenção de IVA* ou une facture en trois exemplaires (à présenter à la douane), décrivant les biens, leur quantité, leur valeur.

Heures d'ouverture

Les magasins ouvrent de 9 h à 19 h, à l'exception des petites boutiques et des magasins situés hors des sites touristiques qui ferment souvent à l'heure du déjeuner. Les centres commerciaux, avec supermarchés, restaurants et banques, restent ouverts tous les jours, de 10 h à 23 h (dimanche compris).

Marchés

Véritable lieu de rencontre et paradis des amateurs d'artisanat, le marché fait partie intégrante de la vie

portugaise. La plupart du temps, il se tient sur la place principale des villes et des villages. Si vous ne le trouvez pas, demandez le *mercado* ou *feira.* Partout, les marchés foisonnent de produits : fruits et légumes, charcuterie (jambons fumés, saucisses), fromages, pains, ustensiles ménagers, mais aussi vêtements et produits d'artisanat. Certains sont même spécialisés : vente de poteries, dentelles et tapis. Généralement, ils ont lieu le matin, mais il n'est pas rare de les voir se poursuivre jusque tard dans l'après-midi sur les

**Fruits et légumes frais sur un étal typique
le long de la route dans l'Alentejo**

Céramiques

Décoratives ou utilitaires *(p. 24-25),* les céramiques sont issues d'une longue tradition. Il y en a pour tous les goûts, que vous soyez amateur d'élégantes porcelaines (comme celles de Vista Alegre) ou de poteries simples en terre cuite, sans oublier les *azulejos,* carreaux de faïence vernissée. Les plus beaux, très recherchés, sont hors de prix. Vous pourrez toutefois acheter d'excellentes reproductions, notamment au Museu Nacional do Azulejo *(p. 122-123).*

Les autres produits d'artisanat

L'artisanat portugais est particulièrement riche, chaque région possédant ses spécialités. Les fameuses dentelles et broderies se trouvent principalement à Madère, mais vous pourrez également en acheter dans les villes du Minho, comme Viana do Castelo, tout aussi renommée pour ses ravissants châles aux couleurs vives. Vous découvrirez également dans le Minho des bijoux en filigrane *(filigrana),* semblables à ceux portés lors des fêtes régionales. Composés de fils d'or et d'argent, et

Céramiques au marché de Barcelos *(p. 273)*

travaillés avec finesse et complexité, les broches, boucles d'oreilles et pendentifs sont en vente dans les boutiques locales (en théorie, l'or que vous achèterez doit être d'au moins 19 carats). L'Alentejo, l'une des plus grandes régions de l'artisanat portugais, est, quant à elle, particulièrement réputée pour ses célèbres tapis de couleur, comme ceux d'Arraiolos (p. 301), ses meubles traditionnels peints à la main, ses objets en bois sculpté, ses poteries ou ses nappes brodées. Le liège de la région

Mouchoirs brodés et napperons à Caldas do Gerês, Minho (p. 270-271)

PRODUITS RÉGIONAUX

Même si les spécialités gastronomiques les plus connues sont répandues à travers tout le pays, il est préférable de les acheter dans leur région d'origine. Vous trouverez à Chaves (p. 256-257), réputée pour sa charcuterie, l'un des meilleurs jambons fumés (presunto) du Nord, et à Porto (p. 236-241), les fameuses saucisses fumées (linguiça). Parmi les fromages régionaux — généralement chers —, vous pourrez goûter le délicieux fromage de brebis Serra, produit de mai à octobre dans la Serra da Estrela (p. 218-219), et l'Ilha, un fromage fort et sec, fabriqué aux Açores. Le Queijinhos, petit fromage blanc produit à Tomar et dans la région alentour (p. 184-185), est souvent servi en hors-d'œuvre.

VINS ET ALCOOLS

Surtout célèbre par ses vins vinés, comme le porto (p. 228-229) et le madère (p. 349), le Portugal offre également une gamme de crus très étendue (p. 28-29). Parmi les plus charpentés, en particulier les rouges, certains sont produits dans la région de Douro, également productrice de porto. D'autres rouges, plus souples, et de plus en plus de blancs, proviennent de l'Alentejo. Ces derniers sont les favoris des Portugais eux-mêmes.
Les alcools maison sont nombreux, depuis l'eau-de-vie (aguardente) et le marc de raisin (bagaço ou bagaceira) jusqu'à diverses liqueurs de fruits : cerises (ginjiha), amandes

Paniers faits main dans la région de Beiras (p. 195)

(p. 313) est utilisé pour la fabrication d'objets, tels que dessous de plat ou seaux à glace. Les amateurs de couvre-lits brodés (avec de la soie sur toile de lin) seront comblés par ceux de Castelo Branco, dans la Beira Baixa. Sachez aussi que les tricots sont bon marché et que les pulls de pêcheurs en laine de Nazaré (p. 180), faits à la main, sont d'un bon rapport qualité-prix. La vannerie, enfin, considérée comme l'une des autres grandes spécialités de Madère (dont les chaises de jardin, de style colonial, sont particulièrement prisées), offre un choix considérable de paniers et corbeilles, tressés en osier ou roseau. Ils sont en vente partout et constituent de ravissants souvenirs.

(amêndoa), figues (figo), de fabrication industrielle ou artisanale. La medronheira, une liqueur issue du fruit de l'arbutus (p. 289), est une spécialité de l'Algarve. Enfin, sachez qu'il existe plusieurs variétés de portos, dont les vignobles sont cultivés le long du Douro, jusqu'à la frontière espagnole. Si, parmi le large éventail, vous ne trouvez pas votre bonheur, goûtez les brandys, comme le Macieira et le Constantino, tous deux savoureux et bon marché. Pour vous procurer ces alcools et ces vins, le plus simple est de se rendre directement dans les caves où sont organisées de nombreuses visites guidées et des dégustations (p. 347).

Gantier dans le quartier du Chiado à Lisbonne (p. 94-95)

VÊTEMENTS ET CHAUSSURES

Le Portugal possède une industrie textile florissante, mais la plupart de sa production est destinée à l'exportation. Vous ne la trouverez donc pas dans les boutiques. D'excellents articles de second choix sont en vente sur les marchés locaux, l'un des plus célèbres étant celui de Carcavelos, entre Lisbonne et Estoril. Les articles de cuir sont en général de bonne qualité, ce que reflète souvent leur prix. En revanche, vous pourrez trouver à bon prix des modèles de chaussures vendues à l'étranger par de grandes marques.

Sports et activités de plein air

En dépit de sa petite superficie, le Portugal offre une variété saisissante de sites sportifs. Grâce aux installations disséminées à travers le pays, les amateurs de golf et de tennis seront comblés, surtout dans le Sud où la douceur du climat permet de jouer toute l'année. Les passionnés de randonnées pédestres, cyclisme, équitation et sports nautiques pourront s'adonner eux aussi à leur sport favori. Pour connaître les dates des événements organisés dans chaque région et la liste des équipements sportifs, contactez les offices du tourisme.

Randonneurs au sommet du Pico Ruivo à Madère *(p. 354)*

Planche à voile à Viana do Castelo *(p. 274-275)*

SPORTS NAUTIQUES

Grâce à ses 800 km de côtes et ses îles, le Portugal bénéficie d'une situation idéale pour la pratique des sports nautiques. Guincho, près de Cascais *(p. 162-163)*, et Ericeia *(p. 152-153)* sont considérés par les surfers comme les meilleures plages. Moins dangereuses, les stations balnéaires de l'Algarve permettent de s'initier à la voile et à la planche à voile, et de louer du matériel (Lagos et **Vilamoura** sont des marinas réputées). La **Federação Portuguesa de Actividades Subaquáticas** vous informera sur les différents centres de plongée du continent, de Madère et des Açores. Quant aux amateurs de canoë et de kayak, ils auront l'embarras du choix entre les multiples rivières du continent (contactez la **Federação Portuguesa de Canoagem**).

RANDONNÉES PÉDESTRES ET CYCLISME

Les marcheurs seront comblés, que ce soit dans les parcs naturels de Montesinho *(p. 260)* et de Peneda-Gerês *(p. 270-271)*, ou à Madère et sur les îles de São Miguel et São Jorge, aux Açores, qui offrent les plus belles randonnées du Portugal. Suivez les *levadas* (canaux d'irrigation) de Madère, dont certains datent du XVe siècle *(p. 354)*. Le Portugal ravira aussi les amateurs de VTT en montagne, même si le relief particulièrement accidenté de certains sites risque de décourager les moins entreprenants. Location de VTT au Parque Nacional da Peneda-Gerês.

TENNIS ET GOLF

Les courts de tennis foisonnent au Portugal. En Algarve, notamment, vous pourrez faire de nombreux séjours avec

TERRAINS DE GOLF EN ALGARVE

Grâce à son climat agréable qui assure des conditions de jeu parfaites tout au long de l'année et à ses nombreux parcours dessinés par des professionnels de haut niveau, tels que Henry Cotton, l'Algarve est considéré comme l'une des meilleures destinations européennes. Les amateurs y trouveront des séjours spécialisés de tout premier ordre et si certains parcours requièrent un minimum de handicap, la plupart des golfs, dotés d'une excellente structure d'enseignement, accueillent des joueurs de tout niveau.

Golfeurs sur un parcours de Vale do Lobo, en Algarve

stages, la plupart du temps sur des terrains en dur. Ailleurs, vous trouverez davantage de courts en terre battue. Le Portugal est aussi réputé pour ses parcours de golf, dont certains figurent parmi les plus beaux d'Europe – la plupart se trouvant dans la région de Lisbonne et en Algarve. Nombre d'agences spécialisées y organisent des séjours. Malgré son terrain accidenté et rocailleux, l'île de Madère possède deux superbes parcours : Santo da Serra, dans l'est de l'île, et Palheiro Golf, au-dessus de Funchal. Pour toute information sur le golf au Portugal : www.portugal-info.net ; sur l'Algarve : www.algarvegolf.net.

PÊCHE

Le Portugal est un paradis pour les pêcheurs, avec ses eaux profondes au large de l'Algarve, de Madère et des Açores, et ses rivières, idéales pour la pêche à la truite. Il est nécessaire de se procurer une licence auprès de l'**Instituto Florestal.**

ÉQUITATION

Le Portugal, avec ses célèbres chevaux lusitaniens, jouit d'une longue tradition équestre. L'Algarve compte deux centres réputés, **Quinta dos Amigos** et **Vale de Ferro**, mais il y en a aussi dans l'Alentejo et le parc national de Peneda-Gerês, dans le Nord.

Fairway sur le parcours de Vilamoura II

1 Parque da Floresta (282-690 054).
2 Boavista (282-782 151).
3 Palmares (282-790 500).
4 Penina (282-420 200).
5 Alto Golf (282-460 870).
6 Gramacho (282-340 900).
7 Pinta (282-340 900).
8 Vale do Milho (282-358 953).
9 Salgados (289-583 030).
10 Balaia (289-570 442).
11 Pine Cliffs (289-500 113).
12 Vilamoura (general: 289-310 333).
   Laguna (289-310 180).
   Millennium (289-310 188).
   Old Course (289-310 341).
   Pinhal (289-310 390).
13 Vila Sol (289-300 522).
14 Vale do Lobo
   Ocean Course (289-353 465).
   Royal Course (289-353 465).
15 Quinta do Lago
   Pinheiros Altos (289-359 910).
   Quinta do Lago (289-390 700).
   Ria Formosa (289-390 700).
   San Lorenzo (289-396 522).
16 Benamor (281-320 880).
17 Quinta da Ria and Quinta de Cima (281-950 580).
18 Castro Marim (281-510 330).

CARNET D'ADRESSES

SPORTS NAUTIQUES

Federação Portuguesa de Actividades Subaquáticas
Rua José Falcão 4, 2°, 1700-193 Lisbonne.
(218 141 148.

Federação Portuguesa de Canoagem
Rua António Pinto Machado 60, 3°
4100-068 Porto.
(226 007 850.

Marina de Vilamoura S.A.
8125-409 Quarteira.
(289 310 560.

GOLF

Federação Portuguesa de Golfe
Ave. das Túlipas, Ed. Miraflores 170, 5°C, Miraflores, 1495-161 Algés.
(214 123 780.

Greens du Monde
La Roche aux Fées
BP 04, 83350 Ramatuelle.
(04 94 55 97 77.

Agence Euroland
34 bis, rue Vignon,
75009 Paris.
(01 42 66 26 96.

PÊCHE

Federação Portuguesa de Pesca Desportiva
Rua Eça de Queirós 3, 1°, 1050-095 Lisbonne.
(213 140 177.

Instituto Florestal
Avenida João Crisóstomo 28,
1050 Lisbonne.
(213 144 800.

ÉQUITATION

Quinta dos Amigos
8135 Almancil.
(289 395 269.

Vale de Ferro
Centro Hípico, Mexilhoeira Grande, 8500 Portimão.
(282 968 444.

ALLER AU PORTUGAL

La compagnie nationale TAP Air Portugal dessert tous les aéroports du pays, y compris Madère et Porto Santo, tandis que les compagnies étrangères assurent les liaisons avec les aéroports internationaux de Lisbonne, Porto, Faro et Funchal, nombreuses l'été. Les vols charter, avec ou sans séjour, sont souvent la solution la meilleur marché. Les chemins de fer portugais sont modernes et rapides sur les grandes lignes continentales comme Lisbonne-Porto, mais lents sur les lignes secondaires

Logo de la TAP

de province. C'est cependant un moyen de transport bon marché, surtout si vous avez droit à des réductions. Les autocars vont parfois plus vite que le train, avec une meilleure souplesse horaire. Quant à la location de voitures, quoique un peu chère (sauf dans certaines formules organisées où elle est incluse), elle demeure le plus pratique. Le diesel est meilleur marché que l'essence, toutefois les péages d'autoroutes peuvent être coûteux, et rappelez-vous que le Portugal a le taux d'accidents le plus élevé d'Europe.

Aéroport de Lisbonne

ARRIVER EN AVION

Sur le continent, les aéroports de Lisbonne, Porto et Faro sont desservis par la **Tap Air Portugal.** Ceux de Lisbonne et Porto accueillent aussi les vols réguliers de toutes les grandes compagnies européennes. La TAP et **Air France Europe** assurent plusieurs liaisons quotidiennes avec Lisbonne et Porto — la plupart du temps,

correspondances pour Faro, Madère et les Açores —, et la TAP dessert deux fois par semaine Funchal et Faro en vol direct depuis Paris. **Air Toulouse** propose plusieurs fois par semaine des vols pour Lisbonne, en provenance de Toulouse, Marseille et Lyon, ainsi qu'un vol hebdomadaire pour Porto depuis Lyon. Enfin, **Portugália** assure un Mulhouse-Lisbonne quatre fois par semaine. L'été, il existe de nombreux vols charters, notamment pour l'Algarve. **Nouvelles Frontières, Look Voyages** et **Go Voyages** proposent des vols secs toute l'année, avec des pics au moment des grands départs.

Panneaux d'information dans un aéroport

VOLS LONG-COURRIERS

Si vous venez d'Amérique du Nord, il existe des vols directs New-York-Lisbonne sur la **TWA, Delta Airlines** et la TAP Air Portugal. Aucun vol direct en provenance du Canada sauf par la **SATA** qui propose des vols charters sans escale pour les Açores, depuis Toronto. Ces vols étant prisés, il est recommandé de réserver vos billets à l'avance. Les passagers désirant se rendre à Faro, Porto, Madère ou aux Açores devront prendre une correspondance à Lisbonne. La TAP et son partenaire brésilien, la **VARIG,** relient Lisbonne et Porto à des villes sud-américaines.

AÉROPORT	☎ INFORMATION	CENTRE-VILLE	TARIF TAXI (CENTRE-VILLE)	DURÉE DU TRAJET (TRANSPORT EN COMMUN)
Lisbonne	218 413 500	7 km	7–10 €	🚌 20 minutes
Porto	229 432 400	20 km	15–20 €	🚌 30 minutes
Faro	289 800 800	6 km	8 €	🚌 15 minutes
Funchal	291 524 941	18 km	10–24 €	🚌 30 minutes
Ponta Delgada	296 205 400	3 km	6 €	🚌 10 minutes
Horta	292 943 511	10 km	7–8 €	🚌 15 minutes

TARIFS AÉRIENS

Les tarifs varient selon la saison, la classe et la flexibilité du billet. Sur les vols réguliers, vous pouvez parfois bénéficier de réductions très intéressantes. Ainsi, Air France Europe propose des tarifs promotionnels à certaines périodes de l'année et pour certaines destinations (Le kiosque/Air France). Le temps de séjour est alors soumis à des impératifs et le billet doit être réglé au moment de la réservation. Air France propose aussi des tarifs avantageux sous certaines conditions d'utilisation. Les vols charters, nombreux en été, ne sont pas forcément les plus compétitifs. Sachez qu'ils présentent des inconvénients, comme l'impossibilité de modifier ses dates de départ une fois la réservation faite, car le billet n'est pas remboursé en cas d'annulation (il vaut mieux souscrire une assurance annulation), et un temps de séjour limité (entre 7 jours et un mois). Les meilleurs tarifs reviennent aux billets de dernière minute. Les réductions vont alors jusqu'à 40 %. Pour cela, consultez la presse ou tapez 36-15 DÉGRIFTOUR, ou RÉDUCTOUR. Enfin, n'oubliez pas les « Coups de cœur » d'Air France.

Un appareil de la TAP sur une piste de l'aéroport de Lisbonne

Arrêt des navettes, aéroport de Lisbonne

SÉJOURS

De nombreux séjours sont désormais organisés par les voyagistes spécialisés, tels que Donatello et Lusitânia.

Les forfaits proposés (week-end, voyages à la carte, etc.), souvent avantageux, incluent la plupart du temps le transport aérien (souvent avec le trajet entre l'aéroport et le centre-ville), le logement à l'hôtel, dans des *pousadas (p. 378-379)* ou, si vous le préférez, appartements et villas (bon choix de location) et la location de voiture.

Air France Europe propose des forfaits avion plus hôtel et/ou location de voiture, permettant de bénéficier de tarifs hôteliers intéressants. Sachez qu'il existe également de nombreux circuits en autocar. Vous pouvez vous procurer à l'Office du tourisme la liste des voyagistes.

VOLS INTÉRIEURS

La TAP dessert les principales grandes villes, dont Lisbonne, Porto, Faro et Funchal. Sa concurrente privée, **Portugália**, couvre de plus en plus du réseau domestique et depuis peu opère sur des destinations européennes. En partenariat avec la **SATA**, la TAP assure les vols quotidiens de Lisbonne et Porto vers Funchal, et de Lisbonne vers São Miguel, Terceira et Faial, dans les Açores.

NUMÉROS UTILES

COMPAGNIES AÉRIENNES

Air France
℡ 0 802 802 802.

Air Toulouse
℡ 08 03 05 31 31
(n° Indigo : 1,09 F/mn).

TAP Air Portugal
Paris ℡ 0 802 31 93 20.
Bruxelles ℡ 2-723 62 34.
Genève ℡ 0848 800 504.
Lisbonne ℡ 707 205 700.

VOLS LONG-COURRIERS

Delta Airlines
New York ℡ 800 221 12 12.

Séjours Donatello
Paris ℡ 01 44 58 30 81.

Lusitânia
Paris ℡ 01 55 33 16 16.

SATA
Boston ℡ 508-677 0555.
Toronto ℡ 416-515 71 88.

TWA
New York ℡ 1800-892 41 41.

VOLS INTÉRIÉURS

Portugália
Lisbonne ℡ 218 425 500.

SATA
Ponta Delgada ℡ 296 209 727.

Navette de la TAP en partance pour le centre de Lisbonne

Voyager par le train

Le réseau de chemins de fer portugais, Caminhos de Ferro Portugueses (CP), couvre le pays tout entier. En voie de modernisation, il offre encore une qualité de service variable et si le train à grande vitesse, Alfa, qui relie Lisbonne à Porto, via Coimbra, est aussi rapide que confortable, il n'en va pas de même pour tous les trains. Bien que peu onéreux, ils concurrencent difficilement les autocars, notamment sur les longs trajets.

Une arche sculptée à la gare du Rossio, Lisbonne *(p. 82)*

ARRIVER PAR LE TRAIN

Il existe deux lignes de train à destination du Portugal. La première part de Paris-Montparnasse. Après le TGV jusqu'à Irun, à la frontière franco-espagnole, vous prendrez le train de nuit qui, en se scindant à Coimbra, rejoint Lisbonne (arrivée le lendemain aux alentours de midi à la gare Santa Apolónia) ou le nord du pays (Porto). Bien qu'étant le plus rapide, ce trajet dure malgré tout une vingtaine d'heures. La seconde possibilité consiste à passer par Madrid (par le Talgo ou le Puerta del Sol), puis, de là, à prendre le train de nuit pour Lisbonne. Ce train, connu sous le nom de « train-hôtel », comprend des compartiments luxueux, dont certains avec douche.

CIRCULER EN TRAIN

Au Portugal, la plupart des régions sont desservies par le train, même si l'aménagement de nouveaux axes routiers provoque la fermeture des lignes les plus éloignées, comme celle reliant Mirandela à Bragança. Généralement, des services de cars sont mis en place pour pallier ces suppressions, mais il est préférable de se renseigner. Il existe plusieurs catégories de trains, le plus rapide et le plus confortable étant le train à grande vitesse, Alfa, qui assure la liaison Lisbonne-Porto en passant par Coimbra. Le Rápido Inter-Cidades (IC), moins luxueux, mais à peine moins rapide, circule entre les villes les plus importantes. Toutes les autres, ainsi que les villages, sont desservis par les trains régionaux et inter-régionaux, plus lents et moins bien équipés que l'Alfa et le Rápido, mais proposant des arrêts beaucoup plus fréquents.

Logo des Caminhos de Ferro Portugueses

L'Alfa à la gare de Santa Apolónia, Lisbonne

GARES

Il existe quatre gares à Lisbonne. Celle de **Santa Apolónia** dessert le Nord et les destinations internationales. Une nouvelle gare, **Oriente,** proche du site de l'Expo'98 et sur la même ligne que Santa Apolónia, devrait bientôt être terminée. Pour rejoindre l'Algarve et l'Alentejo, il vous faudra traverser le Tage par ferry, afin de prendre le train à la gare **Barreiro.** Le terminal des ferries est situé à proximité de la praça do Comércio. Plus à l'ouest se trouve la gare de **Cais do Sodré,** point de départ des trains pour Estoril et Cascais. Enfin, en prenant le train à la gare du **Rossio,** praça dos Restaurades, vous pourrez rejoindre Sintra en 45 minutes. Cette gare dessert également des localités le long de la côte nord, jusqu'à Figueira da Foz. Les deux gares de **Coimbra, A** et **B** (où arrivent les trains de Lisbonne et Porto), sont à cinq minutes en navette l'une de l'autre. Quant à la ville de Porto, elle possède trois gares : celle de **Campanhã,** terminus des trains en provenance des régions sud ; la gare de **Trindade,** au nord, qui dessert Guimarães, Vila do Conde et Póvoa do Varzim ; et enfin **São Bento,** dans le centre, d'où vous pourrez partir pour Bragança (service de navettes pour rejoindre la gare de Campanhã).

La façade de la gare de Santiago do Cacém, décorée d'*azulejos*

Heure   Destination   Quai   Type de train   Autres remarques

Tableau des départs à Santa Apolónia, Lisbonne

TARIFS

Les enfants âgés de moins de 4 ans voyagent gratuitement ; les moins de 12 ans, à moitié prix. Les groupes, étudiants et retraités peuvent également bénéficier de remises. Les secondes classes sont, la plupart du temps, d'un confort correct et nettement plus abordables que les premières. Si vous projetez d'effectuer plusieurs trajets en train, vous aurez tout intérêt à acheter un billet touristique *(bilhete turístico)*, utilisable sur tous les trains et qui offre un nombre illimité de voyages pour une durée de 7, 14 ou 21 jours consécutifs. Les familles nombreuses, quant à elles, pourront faire des économies en se procurant le *cartão de família,* valable sur des trajets de plus de 150 km. Grâce à elle, un membre de la famille payera plein tarif, les autres, âgés de plus de 13 ans, 50 %, et ceux de moins de 13 ans, 25 % du prix du billet. La carte Interrail, destinée aux moins de 26 ans, donne droit à un nombre illimité de trajets en Europe, pour une durée d'un mois. Elle permet aussi bien de rejoindre le Portugal (si elle est achetée hors du pays) que d'y circuler. La même carte, pour les plus de 26 ans, un peu plus chère, n'offre pas la possibilité de voyager en Espagne. Enfin, si vous avez l'intention de vous déplacer uniquement dans le pays, la carte Eurodomino propose un forfait de 3, 5 ou 10 jours ; tarif réduit pour les moins de 26 ans.

PRINCIPALES LIGNES DE CHEMIN DE FER

[carte du Portugal avec les lignes de chemin de fer]

Tui
Valença do Minho
Viana do Castelo
BRAGA
Guimarães
Mirandela
Amarante
Vila Real
PORTO
Pocinho
Peso da Régua
Aveiro
Gouveia
Vilar Formoso
Manguelde
Irún
Guarda
Figueira da Foz
COIMBRA
Covilhã
Pombal
Castelo Branco
Leiria
Tomar
Marvão-Beirã
Caldas da Rainha
Abrantes
Madrid
Santarém
Portalegre
Elvas
Badajoz
Barreiro
Vendas Novas
cais
Évora
Setúbal
Alcácer do Sal
Beja
Ourique
Portimão
Silves
Tavira
Lagos
Albufeira
FARO
V.R. de Santo António

Conduire au Portugal

Automóvel Clube de Portugal, logo

Si certains axes nécessitent encore de sérieuses rénovations, le réseau routier doté aujourd'hui d'autoroutes s'est considérablement amélioré. En ville, les embouteillages constituant de véritables problèmes, il est conseillé de ne pas prendre le volant aux heures de pointe et de se méfier de la conduite fantasque des Portugais. Munissez-vous toujours de votre pièce d'identité, permis de conduire, assurance, carte grise ou contrat de location du véhicule.

Une route escarpée dans la Serra da Estrela *(p. 218-219)*

Débarquement à Setúbal des passagers en provenance de Tróia

ARRIVER EN VOITURE

Pour venir de France, la route la plus rapide passe par Irún, à la frontière franco-espagnole. Il faut ensuite emprunter la N 620, jusqu'à Vilar Formoso, au Portugal. Par cet itinéraire, vous traverserez les villes espagnoles de Valladolid et Salamanque qui constituent de superbes étapes. Ceux qui désirent se rendre directement à Lisbonne ou descendre en Algarve devront bifurquer à Burgos, d'où ils prendront la direction de Caceres et Badajoz. Si la durée du voyage vous fait peur (il faut compter 2 jours), sachez qu'il existe un service Train-Auto, au départ de Paris-Austerlitz. Le véhicule déposé le jour même, entre 9 h et 16 h 30, sera récupéré le lendemain, entre 11 h 30 et 20 h 30. Pour plus de détails, appelez les renseignements **SNCF.**

LOCATION DE VOITURE

Vous trouverez des agences de location dans toutes les villes et les aéroports de Lisbonne, Faro et Porto. Toutefois, les agences locales restent moins chères que les compagnies internationales. Mais attention ! mieux vaut vérifier l'état de la voiture avant le départ, ainsi que la couverture de l'assurance. Enfin, vous devez être en possession de votre permis de conduire depuis au moins un an et avoir plus de 23 ans (permis international pour les Canadiens). Possibilité de louer des voitures depuis la France (**Avis** ou **Hertz**).

CIRCULER EN VOITURE

Il existe plusieurs catégories de routes principales : les EN *(Estrada Nacional),* dont beaucoup ont été améliorées et reclassées en IC *(Itinerário Complementar)* et IP *(Itinerário Principal).* Ces derniers axes étant empruntés par les poids lourds, attendez-vous à de fréquents ralentissements. Sur les routes de campagne, les stations sont rares et il est conseillé de faire le plein en ville. Les meilleures cartes sont celles de Michelin et de l'Automobile-Club Portugais *(Automóvel Clube de Portugal).*

STATIONNEMENT

Trouver une place de stationnement en ville peut être problématique. La plupart des rues de Lisbonne et de Porto sont jalonnées de parcmètres et les emplacements payants aux heures ouvrables. Les nombreux parkings souterrains indiqués par des panneaux bleu et blanc vous simplifieront la vie même si cela vous revient un peu plus cher.

ESSENCE

Le carburant est assez cher, et les prix sont à peu près les mêmes dans tout le pays. Le diesel *(gasóleo,* indiqué par la couleur noire) est meilleur marché que l'essence, que ce soit du super (rouge) ou du sans plomb (vert). Certaines pompes sont en libre-service.

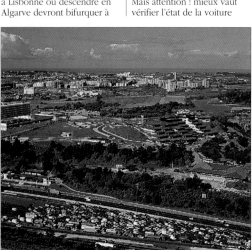

Trafic au péage du Ponte 25 de Abril à Lisbonne

CODE DE LA ROUTE

L es Portugais conduisent à droite et leur code de la route est identique au nôtre, avec un système de signalisation international. Aux carrefours, ronds-points et intersections, vous avez la priorité à droite, à moins d'une indication contraire. Le port de la ceinture de sécurité est rigoureusement obligatoire et le taux d'alcoolémie de 0,5 g comme dans le reste de l'Union européenne. Enfin, la vitesse est limitée à 60 km/h en ville, 90 km/h sur les routes et 120 km/h sur les autoroutes. Si vous ne les respectez pas, vous risquez une amende à paiement immédiat.

La « Via Verde », sur la file de gauche, à un péage d'autoroute

Panneaux indicateurs à Lisbonne

AUTOROUTES ET PÉAGES

L e réseau d'autoroutes portugais *(voir la carte sur le rabat de couverture)* relie Lisbonne à Braga, Guimarães et Torres Vedras, Porto à Amarante et traverse le pays d'ouest en est, en direction de la frontière espagnole, à Elvas. La plupart des tronçons sont à deux voies, sauf autour de Lisbonne et Porto. Aux péages, évitez la Via Verde (voie verte)

réservée aux conducteurs ayant souscrit à un système de paiement automatique. À Lisbonne, il existe également des péages sur le Ponte 25 de Abril et le Ponte Vasco da Gama, dont l'ouverture est prévue pour 1998.

SERVICES DE DÉPANNAGE

L es membres d'organisations similaires à l'**ACP**, telles que l'**Automobile Club National,** seront couverts en cas de panne. Il existe des possibilités d'adhésion pour la durée d'un seul séjour. Quand vous utilisez les téléphones d'urgence, précisez bien que vous êtes couvert par l'ACP. Sinon, ne vous inquiétez pas, la plupart des villes possèdent garages et dépanneuses.

CYCLISME

L e Sud est idéal pour faire du vélo, mais en été faites attention à la chaleur, surtout dans l'Alentejo. Procurez-vous des cartes à grande échelle à l'**Instituto Português de Cartografia e Cadastro.**

LES VOIES

Les routes ont jusqu'à trois dénominations. Grâce à des améliorations, les anciennes EN *(Estrada Nacional)* peuvent être classées en axe IP *(Itinerário Principal)*. Un E *(Estrada Europeia)* indique une route internationale.

L'IP4 Bragança-Porto est en partie autoroute (A4) et en partie route à 4 voies.

Le numéro de classification d'origine E *(Estrada Nacional)*

L'E82, axe international, s'arrête en Espagne, près de Valladolid.

Voyager en autocar

Logo d'EVA, l'une des sociétés d'autocars nationales

Depuis la privatisation du réseau d'autocars portugais, la Rodoviária Nacional (RN), les compagnies se sont multipliées — certains trajets sont même assurés par des sociétés étrangères — et rivalisent d'efficacité pour offrir les meilleures prestations. En conséquence, de nombreuses liaisons sont beaucoup plus confortables et rapides que leurs équivalents en train. De plus en plus de lignes ferroviaires étant supprimées, comme celles de Mirandela-Bragança et Beja-Moura, les autocars prennent aujourd'hui le relais.

Un autocar de Rodonorte, qui couvre l'extrême Nord du pays

ARRIVER EN AUTOCAR

Se rendre au Portugal en autocar est peu onéreux mais fatigant (le trajet dure une bonne trentaine d'heures !). **Eurolines** assure des liaisons quotidiennes au départ de Paris et de certaines grandes villes de province. **France Cars International** dessert le nord du Portugal (Paris-Porto en 24 h) avec arrêts dans de nombreuses villes de France.

CIRCULER EN AUTOCAR

Les sociétés d'autocars foisonnent au Portugal. Ainsi, **Renex** assure des liaisons entre Faro, Lisbonne, Porto et Braga, et **EVA** couvre plus particulièrement l'Algarve. **Rodoviária de Lisboa** relie Lisbonne à Estremadura. Basée à Vila Real, **Rodonorte** dessert l'extrême Nord, tandis que **Rede Expressos**, à Porto, couvre l'intérieur du pays. Il n'existe pas de gare centrale dans les grandes villes. Toutefois, le terminal le plus important de Lisbonne se trouve sur l'avenida Casal Ribeiro, alors que, à Porto, arrivées et départs se font principalement rua das Carmelitas et praça Dona Filipa de Lencastre. Les informations sur les trajets,

tarifs et horaires sont disponibles dans les offices du tourisme et les agences de voyages.

CIRCUITS EN AUTOCAR

Citirama organise des visites de Lisbonne et de la côte alentour, des excursions d'une journée vers des sites comme Batalha, Sintra et Mafra, ainsi qu'un tour de la ville « by night », avec la visite du monastère dos Jerónimos, dîner et spectacle de fado. À Porto, cette même compagnie propose des circuits dans le Minho et les vallées du Douro, ainsi qu'un voyage de

Un car Citirama le long de la côte près de Lisbonne

6 jours jusqu'à Lisbonne. Avec **Gray Line,** filiale de Cityrama basée à Lisbonne, vous pourrez aller passer une journée à Évora et Coimbra, faire une croisière sur le Tage et même un circuit de 3 jours dans l'Algarve. Généralement, les départs se font des grands hôtels ou des centres-villes. En Algarve, les possibilités sont tout aussi nombreuses : visites de Loulé, Silves et Monchique, du sud-ouest et du Guadiana, d'Évora ou même Lisbonne. Pour tout renseignement, rendez-vous dans les offices du tourisme, agences de voyages et hôtels.

CARNET D'ADRESSES

PARIS

Eurolines.
08 36 69 52 52.

Iberolines.
01 40 82 97 37.

NORD DU PORTUGAL

Rede Expressos
Rua Alexandre Herculano 366, Porto. 222 052 459.

Renex
Campo dos Mártires de Pátria 37, Porto.
222 050 972.

Rodonorte
Rua D. Pedro de Castro, Vila Real.
259 340 710.

LISBONNE

Citirama
Avenida Praia da Vitória 12b.
213 191 070.

Gray Line
Avenida Praia da Vitória 12b.
213 522 594.

Renex
Rua dos Bacalhoeiros 14.
218 882 829.

Rodoviária de Lisboa
Avenida do Brasil 45.
217 928 180.

ALGARVE

EVA
Avenida da República 5, Faro.
289 899 700.

Voyager dans les îles

À Madère et aux Açores, de nombreux sites sont inaccessibles en voiture et la nature accidentée du terrain rend le transport difficile. La conduite nécessitant prudence et patience, il est souvent plus reposant et appréciable de se déplacer en car ou en taxi.

Avion inter-îles sur une piste à Pico

D'ÎLE EN ÎLE

La TAP assure des liaisons quotidiennes entre Funchal et Porto Santo ; la SATA dessert les îles des Açores *(p. 441)*. Les vols à destination de Flores et Corvo étant souvent annulés à cause des mauvaises conditions météorologiques, renseignez-vous sur d'éventuels retards. Les vols de la SATA doivent être confirmés 72 heures avant le départ. Quant aux liaisons ferry, les plus empruntées relient les îles centrales des Açores, notamment la ligne Faial-Pico.

Compagnie aérienne des Açores

MADÈRE

Pour découvrir Madère, optez pour les excursions des compagnies **Intervisa** et **Blandy,** pour la journée, ou,

mieux encore, louez un taxi ou une voiture. Mieux vaut réserver à l'avance et prévoir du temps pour les excursions, les routes de Madère étant sinueuses et escarpées. Un nouvel axe, longeant la côte sud, devrait être terminé en l'an 2000, mais de nombreux sites demeurent encore inaccessibles, sauf pour les randonneurs.

LES AÇORES

Vous pourrez louer une voiture partout, sauf à Corvo, en vous adressant à une agence de **Ilha Verde Rent-a-car**. Il faut toutefois savoir que les taxes y sont plus lourdes que sur le continent et les routes difficiles. Pour explorer les petites îles en particulier, il est plus reposant de louer un taxi. Un seul conseil : mettez-vous d'accord sur le prix, l'itinéraire et l'heure de retour avant le départ. Surveillez également la météo et différez vos excursions si les montagnes et calderas se trouvent dans les nuages. Quant aux cars, ils sont

très bon marché, mais, comme à Madère, davantage destinés aux îliens. Pour connaître les excursions organisées, en particulier par l'**Agência Açoriena de Viagens,** renseignez-vous auprès des offices du tourisme, qui fournissent des informations sur les promenades en bateau. Enfin, vous pourrez louer des bicyclettes. Mais la meilleure façon de découvrir les Açores reste la marche. Les chauffeurs de taxis seront toujours prêts à vous déposer au début d'un sentier, puis à venir vous rechercher plus tard. Même si certaines routes sont décrites dans les guides spécialisés vendus sur place, il est préférable de se procurer des cartes détaillées avant le départ.

CARNET D'ADRESSES

MADÈRE

Blandy
Avenida do Zarco 2, Funchal.
(291 200 691.

Intervisa
Avenida Arriaga 30, Funchal.
(291 225 641.

AÇORES

Agência Açoriena de Viagens
Lado Sul da Matriz 68–9,
Ponta Delgada, São Miguel.
(296 285 437.

Ilha Verde Rent-a-car
Praça 5 de Outubro 19,
Ponta Delgada.
(296 285 200.

LIAISONS AÉRIENNES ET MARITIMES AUX AÇORES

LÉGENDE

– – Lignes aériennes
···· Lignes maritimes

Corvo
Flores
Graciosa
São Jorge
Terceira
Faial
Pico
Ponta Delgada
São Miguel
Santa Maria

0   100 km

Circuler en ville

Logo du métro de Lisbonne

La plupart des centres-villes historiques sont petits au Portugal, et la marche est le meilleur moyen de les explorer, si vous avez le temps. Les rues en pente raide de Porto et surtout de Lisbonne seront gravies sans peine grâce au tramway (centenaire !), au funiculaire ou à l'ascenseur. Les autres villes possèdent de bons réseaux d'autobus et de trolleybus, et il y a aussi les taxis. Dans tous les cas, évitez les heures d'affluence, entre 8 h et 10 h le matin et entre 17 h 30 et 19 h 30 le soir.

BUS

L'autobus est un bon moyen de partir à la découverte des grandes villes, et Lisbonne possède un excellent réseau. Dans un bus (*autocarro*), la montée se fait par l'avant et la sortie par l'arrière.

Les tickets sont vendus par le chauffeur et doivent être validés dans la machine (*obliterador*) située à côté de lui. Cela revient toutefois moins cher d'acheter les tickets à l'avance – généralement pour deux voyages. Voyager sans ticket vous vaudra une bonne amende si vous êtes pris sur le fait. La destination (*destino*) est affichée à l'avant de chaque véhicule et le détail du trajet à chaque arrêt de bus (*paragem*).

LE MÉTRO DE LISBONNE

Le réseau métropolitain de Lisbonne est actuellement constitué de quatre lignes, principalement sur des axes nord-sud. Des extensions futures vers le nord et vers l'ouest sont prévues. C'est le moyen de transport le plus sûr et le plus rapide en ville, surtout pendant les embouteillages des heures de pointe (en gros 8 h-10 h et 17 h 30-20 h). Les billets sont en vente aux guichets dans les stations ou dans des distributeurs automatiques. Ils doivent être validés à l'entrée et à la sortie, soit dans des portails qui s'ouvrent à l'aide du ticket, soit dans des machines qui les oblitèrent. L'amende est sévère en cas de fraude. Le métro fonctionne entre 6 h et 1 h du matin.

Nouveau modèle de tramway, plus long et aérodynamique

Un ancien tramway rouge pour l'excursion de la Linha do Tejo

EXCURSIONS EN CAR

À Porto, **Gray Line** propose des tours de la ville deux fois par semaine, davantage en été. Ils incluent la visite d'un chai avec dégustation (*p. 247*). Les billets sont en vente au bureau des Gray Lines ainsi qu'à l'Office du tourisme, point de départ des cars, praça Dom João I. À Coimbra, Cityrama organise une excursion hebdomadaire. Renseignements et réservations à l'Office du tourisme d'où se font les départs.

TRAMWAYS ET FUNICULAIRES

À Porto, vous pourrez emprunter la courte ligne de tramway qui longe le front de mer. Si vous êtes à Lisbonne, ascenseurs, funiculaires et tramways sont des moyens agréables pour explorer la ville. **Carris** propose un tour des

Aller simple de métro **Billet Carris à prix réduit**

BILLETS À LISBONNE

Les billets sont les mêmes pour les bus, tramways et funiculaires, ils sont en vente dans les kiosques Carris. Le billet multitrip est valable pour deux voyages. Ces tickets sont valables sans limitation de durée. Il existe aussi un billet valable de 1 à 3 jours. Le métro a ses propres billets, valables pour 1, 2 ou 10 voyages, et les cartes sont valables 1, 7 ou 30 jours. On trouve aussi des billets combinés métro/Carris, valables la journée. Les cartes touristiques (vendues sur présentation d'un document d'identité) permettent d'utiliser indifféremment le métro et le réseau Carris pendant 4 ou 7 jours.

Montée au Bairro Alto par l'elevador da Glória, Lisbonne

collines *(Linha das Colinas)* dans un ancien tramway. L'excursion comprend une visite des sites touristiques.

Pour rejoindre le Bairro Alto, il existe deux funiculaires, l'elevador da Bica, situé non loin de la gare Cais do Sodré, et l'elevador da Glória, praça dos Restaurades.

Bien que l'ascenseur de Santa Justa soit ouvert aux visiteurs qui peuvent prendre un café au sommet, il ne relie pas en permanence Baxia avec le Bairro Alto *(p. 86)*, car la promenade, en travaux, est fermée.

L'elevador de Lavra relie la praça dos Restauradores à l'hôpital Sao José.

TAXIS

Les anciens taxis, noirs avec un toit vert, sont peu à peu abandonnés au profit de nouveaux véhicules de couleur beige. Vous pouvez les héler dans la rue ou les appeler par téléphone **(Autocoope)**. Dans ce dernier cas, cela vous coûtera 0,75 de plus. Si vous partagez le prix de la course, ils peuvent revenir moins cher qu'un bus ou un tramway. Le tarif minimum pour une course est de 1,80. Mieux vaut se fier au compteur, même si le chauffeur propose un forfait. Une taxe fixe de 1,50 vous sera réclamée pour les bagages placés dans le coffre.

CARNET D'ADRESSES

EXCURSIONS EN CAR ET TRAMWAY

Carris, Lisbonne
Rua 1° de Maio 101,
2300 Lisbonne.
213 632 044.

Office du tourisme de Coimbra
Praça da República,
3000 Coimbra.
239 833 202.

Gray Line, Porto
c/o Avenida Praia da Vitória 12b,
1049-054 Lisbonne.
213 522 594.

RADIO-TAXIS

Autocoope (Lisbonne)
217 932 756.

Raditáxis (Porto)
225 511 710.

Le prix des courses est plus élevé entre 22 h et 6 h du matin, les week-ends et les jours fériés. Le tarif en vigueur est indiqué par les lumières du toit : une pour le plus faible, deux pour le plus cher. Si le taxi est libre, la lampe centrale sera allumée. En cas de problème, le numéro à contacter est inscrit sur la vitre arrière gauche.

LE MÉTRO DE LISBONNE

- Falagueira
- Alfornetos
- Pontinha
- Carnide
- Colégio Militar/Luz
- Laranjeiras
- Jardim Zoológico
- Praça De Espanha
- Alto dos Moinhos
- Telheiras
- Quinta das Mouras
- Campo Grande
- Cidade Universitária
- Entre Campos
- Campo Pequeno
- São Sebastião
- Saldanha
- Picoas
- Parque
- Marquês De Pombal
- Rato
- Avenida
- Restauradores
- Cais do Sodré
- Baixa-Chiado
- Ameixoeira
- Odivelas
- Lumiar
- Senhor Roubado
- Alvalade
- Roma
- Areeiro
- Alameda
- Arroios
- Anjos
- Intendente
- Martim Moniz
- Rossio
- Terreiro do Paço
- Santa Apolónia
- Oriente
- Cabo Ruivo
- Olivais Sul
- Chelas
- Bela Vista
- Olaias

LÉGENDE

- Linha azul
- Linha amarela
- Linha verde
- Linha vermelha
- En construction

Index

Les numéros de page en **gras** renvoient aux entrées principales

Batalha
182-183

Fontanário De Pegões

Valléy de Pegoes ; vignobles au sud du Portugal

Portimão (algarve)

praia do Vau algarve

FoMAR (handwritten)

Remerciements

L'éditeur remercie les organismes, les institutions et les particuliers suivants dont la contribution a permis la préparation de cet ouvrage.

CONSEILLER

MARTIN SYMINGTON, auteur de récits de voyages, est né au Portugal, où il a passé son enfance. Auteur du *New Essential Portugal* (AA), il a également apporté sa contribution aux guides *Voir Grande-Bretagne* et *Séville et l'Andalousie*. Écrivain prolifique en ce qui concerne le Portugal, ses récits sont publiés régulièrement dans le *Daily Telegraph* et le *Sunday Telegraph*, ainsi que dans d'autres journaux nationaux anglais.

AUTEURS

SUSIE BOULTON a fait ses études dans le domaine de l'histoire de l'art à Cambridge University. Elle est auteur de récits de voyages et du guide *Voir Venise et la Vénétie*.

CHRISTOPHER CATLING écrit des récits de voyages. Auteur de *Madeira* (AA) et du Guide *Voir Florence et la Toscane*, il a également participé aux guides *Voir Italie* et *Grande-Bretagne*.

MARION KAPLAN, qui a vécu au Portugal, a écrit pour de nombreux journaux et revues. Elle est l'auteur de *The Portuguese* (Viking/Penguin 1992), et elle a apporté sa contribution au guide Berlitz *Travellers Guide to Portugal*.

SARAH MCALISTER, rédactrice et écrivain pour les guides *Time Out*, connaît bien Lisbonne et la côte.

ALICE PEEBLES, rédactrice et écrivain, a participé à plusieurs guides *Voir*.

CAROL RANKIN est née au Portugal. Historienne de l'art, elle a donné des conférences sur la majeure partie des aspects de l'art et de l'architecture du Portugal. Elle a également participé, en tant que conseillère, à de multiples études culturelles.

JOE STAINES, écrivain, est également coauteur de l'ouvrage *Exploring Rural Portugal* (Helm).

ROBERT STRAUSS, auteur de récits de voyages, est éditeur professionnel. Il a travaillé pour le Luso-British Institute, à Porto, et a écrit plusieurs ouvrages, qui ont été publiés par les éditions Lonely Planet et Brandt. Il est l'auteur de la partie concernant le Portugal dans les ouvrages *Western Europe* et *Mediterranean Europe* (Lonely Planet, 1993).

NIGEL TISDALL, journaliste, a écrit de nombreux articles sur les Açores. En outre, il a contribué aux guides *Voir France*, *Espagne* et *Californie*.

EDITE VIEIRA est l'auteur de plusieurs ouvrages sur la cuisine portugaise, dont *The Taste of Portugal* (Grub Street). Elle est membre de la Guild of Food Writers. Le BBC World Service diffuse régulièrement ses émissions.

AUTRES COLLABORATEURS

Dr Giray Ablay, Gerry Stanbury, Paul Sterry, Paul Vernon.

ILLUSTRATIONS D'APPOINT

Richard Bonson, Chris Forsey, Chris Orr, Mel Pickering, Nicola Rodway.

COLLABORATION ARTISTIQUE ET ÉDITORIALE

Gillian Andrews, Jan English, Joy FitzSimmons, Felicity Laughton, Helen Markham, Rebecca Mills, Robert Mitchell, Adam Moore, Helena Nogueira, David Noonan, Alice Peebles, Marianne Petrou, Jake Reimann, Andrew Ribeiro-Hargreave, Alison Stace, Amanda Tomeh, Fiona Wild.

INDEX

Hilary Bird.

PHOTOGRAPHIES D'APPOINT

Steve Gorton/DK Studio, John Heseltine, Dave King, Martin Norris, Roger Phillips, Clive Streeter, Matthew Ward.

RÉFÉRENCES ARTISTIQUES

Steven Evans, Nigel Tisdall.

AVEC LE CONCOURS SPÉCIAL DE

Emília Tavares, Arquivo Nacional de Fotografia, Lisbonne ; Luísa Cardia, Biblioteca Nacional e do Livro, Lisbonne ; Marina Gonçalves et Aida Pereira, Câmara Municipal de Lisbonne ; Caminhos de Ferro Portugueses; Carris, Lisbonne ; Enatur, Lisbonne ; Karen Ollier-Spry, John E. Fells and Sons Ltd; Maria Fátima Moreira, Fundação Bissaya-Barreto, Coimbra; Maria Helena Soares da Costa, Fundação Calouste Gulbenkian, Lisbonne ; João Campilho, Fundação da Casa de Bragança, Lisbonne ; Pilar Serras et José Aragão, ICEP, Londres ; Instituto do Vinho de Porto, Porto; Simoneta Afonso, IPM, Lisbonne ; Mário Abreu, Dulce Ferraz, IPPAR, Lisbonne ; Pedro Moura Bessa et Eduardo Corte-Real, Livraria Civilização Editora, Porto; Metropolitano de Lisbonne ; Raquel Florentino et Cristina Leite, Museu da Cidade, Lisbonne ; João Castel Branco G. Pereira, Museu Nacional do Azulejo, Lisbonne ; TURIHAB, Ponte de Lima ; Ilídio Barbosa, Universidade de Coimbra ; Coimbra, Teresa Chicau de l'office de tourisme d'Évora, Conceição Estudante de l'office de tourisme de Funchal et le personnel de tous les autres offices de tourisme et hôtels de ville au Portugal.

CRÉDITS PHOTOGRAPHIQUES

L'éditeur exprime sa reconnaissance aux responsables qui ont autorisé la prise de vues dans leur établissement : Instituto Português do Património Arquitectónico e Arqueológico (IPPAR), Fundação da Casa de Alorna, Instituto Português dos Museus (IPM), Museu da Marinha, Lisbonne ; Museo do Mar, Cascais ; Igreja de Santa Maria dos Olivais, Tomar. L'éditeur tient à remercier également tous ceux qui ont autorisé la prise de vues dans les églises, musées, hôtels, restaurants, magasins, galeries et sites trop nombreux pour être tous cités.

ABRÉVIATIONS UTILISÉES

b = en bas ; bc = en bas au centre ; bd = en bas à droite ; bg = en bas à gauche ; c = au centre ; cb = au centre en bas ; cbd = au centre en bas à droite ; cg = au centre à gauche ; ch = au centre en haut ; chd = au centre en haut à droite ; chg = au centre en haut à gauche ; h = en haut ; hc = en haut au centre ; hd = en haut à droite ; hg = en haut à gauche ; (d) = détail.

Nous prions par avance les propriétaires des droits photographiques de bien vouloir excuser toute erreur ou omission subsistant dans cette liste en dépit de nos soins. La correction appropriée serait effectuée à la prochaine édition de ce guide.

La Femme allongée, 1982, œuvre figurant p. 120 hg, a été reproduite avec l'aimable autorisation de la Fondation Henry Moore ; *Terreiro do Paço*, de Dirk Stoop, reproduite p. 121b, avec l'aimable autorisation du Museu da Cidade, Lisbonne.

Les œuvres d'art ont été reproduites avec l'aimable autorisation des particuliers et organismes suivants :

MAURÍCIO ABREU : 33t/cd, 145hd, 338bc/bd, 358, 360h, 364b/c, 365b, 366ch, 367c, 368tr/ch/cb, 370h, 371h, 399b ; AISA : 38hd, 39hc, 39bd, 56bd, 106b ; PUBLICAÇÕES ALFA : 186b. OFFICE du tourisme de l'ALGARVE : 286hd ; ALLSPORT : Mike Powell 57cbd ; ARQUIVO NACIONAL DE FOTOGRAFIA-INSTITUTO PORTUGUÊS DE MUSEUS, Lisbonne : Museu Nacional de Arte Antiga/Pedro Ferreira 98h, 99h ; Francisco Matias 49hg ; Carlos Monteiro 46chg ; Luís Pavão 39hg, 52cbg, 53c, 60h, 96bl/bd, 97b, 99c ; José Pessoa 20bg, 21hd, 45c, 49hd, 50hd, 51t/cbg, 96tl/hd, 97t/cd, 98b, 99b ; Museu Nacional do Azulejo : *Painel de azulejos Composição Geométrica*, 1970, Raul Lino-Fábrica Cerâmica Constância 23hd ; Francisco Matias 22b ; José Pessoa 22cra/23cb/bg ; Colecções Arquivo Nacional de Fotografia/San Payo 39hd ; Igreja de São Vicente de Fora/Carlos Monteiro 39bg ; Museu Nacional dos Coches/José Pessoa 39bc, 103bg, 144bd, 145b ; Henrique Ruas 104b ; Museu Nacional de Arqueologia/José Pessoa 40h, 41ca/cb, 105c ; Museu Monográfico de Conimbriga 41hg ; Museu de Mértola/Paulo Cintra 42cg ; Igreja Matriz Santiago de Cacém/José Rubio 43hg ; Museu Nacional Machado de Castro/Carlos Monteiro 44hg ; José Pessoa 45hg ; Biblioteca da Ajuda/José Pessoa 44chg ; Museu de São Roque/Abreu Nunes 47hg ; Museu Grão Vasco/José Pessoa 48bg ; Universidade de Coimbra, Gabinete de Física/José Pessoa 52hd ; Museu de Cerâmica das Caldas da Rainha/José Pessoa 54 chg ; Museu do Chiado 55hg ; Col. Jorge de Brito/José Pessoa 62/3hc ; Col. António Chainho/José Pessoa 66b ; Arnaldo Soares 66hd, 67hg ; Museu Nacional do Teatro/Arnaldo Soares 66cg ; Luísa Oliveira 67hd ; Museu de Évora/José Pessoa 303 chd ; TONY ARRUZA : 282–283, 38c, 44bg, *Portrait de Fernando Pessoa* par Almada Negreiros © DACS 1997 : 56hd ; 57bd, 62/3c, 145ch.

JORGE BARROS S.P.A.: 226cd ; INSTITUTO DA BIBLIOTECA NACIONAL DO LIVRO, Lisbonne : 37b, 46bca/b, 47cbd, 50cb, 51bd, 53bd, 165bg, 183b ; 283 (encart) ; GABRIELE BOISELLE : 144bg ; BOUTINOT PRINCE WINE SHIPPERS, Stockport : 228bd ; THE BRIDGEMAN ART LIBRARY, avec l'aimable autorisation de Michael Chase : *Paysage près de Lagos, Algarve, Portugal* par Sir Cedric Morris (1889–1982), Bonhams, Londres : 8–9 ; avec l'autorisation de THE BRITISH LIBRARY, Londres : *Dom João I*er *traité du Portugal traité par Jean de Gand* (d), extrait de la *Chronique d'Angleterre* de Wavrin (Roy 14E IV 244v) 46/47c ; © Trustees of THE BRITISH MUSEUM, Londres : 43chg, 48bd, 54bg.

CÂMARA MUNICIPAL DE LISBOA : 51cbd, António Rafael 62cg ; CÂMARA MUNICIPAL DE OEIRAS : 52cbg ; CENTRO EUROPEU JEAN MONNET : 57hd ; CEPHAS : Mick Rock 28cbd, 29c ; CERAMICARTE : 24bg ; COCKBURN SMITHES & CIA, S.A. (an Allied Domecq Company) : 228cbd ; COMPANHIA CARRIS DE FERRO DE LISBOA : 448 cd ; CTT, CORREIOS : 434 cd, 435 cd, 435 ed.

D & F WINESHIPPERS, Londres : 29bc ; DIÁRIO DE NOTÍCIAS : 55cg ; MICHAEL DIGGIN : 334t/b, 359t/b, 360b, 361h, 365h, 369h.

EMPICS : Steve Etherington 32c ; ESPAÇO TALASSA : Gerard Soury 368b ; ET ARCHIVE : Musée maritime, Genoa 357b ; Wellington Museum 193b ; EUROPEAN COMISSIONS : 434 cg ; GREG EVANS INTERNATIONAL : Greg Balfour Evans 287bd ; MARY EVANS PICTURE LIBRARY : 51bg, 63hd, 161b, 210b ; EXPO '98 : 57chd.

FOTOTECA INTERNACIONAL, Lisbonne : Luís Elvas 33cg, 44tl/hd/cd ; César Soares 27h, 38bg ; LUÍZ O FRANQUINHO/ANTÓNIO DA COSTA : 337bla ;

Fundação da Casa de Bragança : 298t/c/b, 299bg ;
Fundação Calouste Gulbenkian : 65h ; Fundação
da Casa de Mateus : Nicholas Sapieha 254b ;
Fundação Ricardo do Espírito Santo Silva, Museu-
Escola de Artes Decorativas Portuguesas 72c.

Jorge Galvão : 57cbg ; Giraudon : 48c.
Robert Harding Picture Library : 13b ;
Kit Houghton : 32b ; 145cb.

The Image Bank : Maurício Abreu 30bg ; Moura
Machado 19h, 361b, 371b ; João Paulo 31cb,
227cg, 363h ; Images Colour Library : 226b.

Marion Kaplan : 144cg, 227t/cd.

Lusa : António Cotrim 67c ; André Kosters 93h ;
Manuel Moura 56bc, 357h ; Luís Vasconcelos 92b.

José Manuel : 63bd ; António Marques : 296c,
297b ; Arxiu Mas : 50hg ; Metropolitano de
Lisboa : 448 cd ; Metropolitano de Lisboa, Paulo
Sintra : *Quatre azulejos du métro de Lisbonne*
(Cidade Universitária), Maria Helena Vieira da
Silva © ADAGP, Paris and DACS, Londres 1997,
56hg ; John Miller : 21b ; Museu Cerralbo,
Madrid : 42hg ; Museu Calouste Gulbenkian,
Lisboa : *Ornement de corsage de René Lalique*
© ADAGP, Paris et DACS, Londres 1997, 116ch ;
116t/ch/cb/b, 117t/ch/cb/b, 118c/b/h, 119b/h/c ;
Museu da Cidade, Lisbonne : António Rafael
62tl/bg/bd ; 63c/bg ; Museu da Marinha,
Lisbonne : 38bd, 56cg, 108b.

National Maritime Museum, Londres : 50ch ;
Nationalmuseet, Copenhague : 48hd ; Nature
Photographers : Brinsley Burbidge 336bd, 337bd ;
Andrew Cleave 336clb/bg, 337bg ; Peter Craig-
Cooper 329cbd ; Geoff du Feu 329b ; Jean Hall
336bcd ; Tony Schilling 336bcg ; Paul Sterry 319c,
337bra/blc ; Naturpress : Juan Hidalgo-Candy
Lopesino 32hg, 33bd ; Jaime Villanueva 24h ; NHPA :
Michael Leach 369cbd ; Jean-Louis le Moigne 329chd.

Archivo Fotográfico Oronoz : 38bc, 42/3c, 43b,
46lb, 179bd.

Fotografia cedida y autorizada por el Patrimonio
Nacional : 42cb ; The Pierpont Morgan Library/
Art Resource, New York : 37h ; Popperfoto : 55b ;
Pousadas de Portugal : 378t/chg.

Quinta do Bomfim : 29cg, 229t/chg/chd ; Claúdio
Capone 229bc.

Norman Renouf : 374b, 379b ; RCG, Parede : Rui
Cunha 30h, 31cg, 32hd, 64b, 332–333, 336chd,
337chd, 339hd, 365c, 366t/b, 377 ; Rex Features :
Sipa Press, Michel Ginies 57bg ; Manuel Ribeiro :
22h ; Radio Televisão Portuguesa (RTP) : 54h,
55cbg, 56cd.

Harry Smith Horticultural Photographic
Collection : 337chg ; Solar do Vinho do Porto :
252b ; Tony Stone Images : Tony Arruza 30ch ;
Shaun Egan 286b ; Graham Finlayson 41cbd ;
Simeone Huber 284b ; John Lawrence 31b ; Ulli
Seer 317h ; 426b ; Symington Port and Madeira
Shippers : 28cla/chd.

Nigel Tisdall : 339tl, 362, 363b, 364h, 370c/b, 447t ;
Topham Picture Source : 57ch ; Arquivos
Nacionais/Torre do Tombo : 36, 44bla, 267b ; Tomas
Tranafus 422 b ; Turihab : Roger Day 376hg ; 376b.

Nik Wheeler : 314 ; Peter Wilson : 30bd, 31hd,
56bg, 93b, 226tl/r/cg ; Woodfall Wild Images :
Mike Lane 169b ; World Pictures : 287tc/bg.

Couverture : Photos de commande, sauf The
Image Bank : João Paulo FC cg.

Page de garde (début) : Photos de commande
sauf Maurício Abreu hg ; Nik Wheeler bd ;
Peter Wilson blc.

Lexique

EN CAS D'URGENCE

Au secours !	Socorro!	sou-**kôh**-rou
Arrêtez !	Páre!	**peuhr**
Appelez un médecin !	Chame um médico!	**cheum** ou mê-di-kou
Appelez une ambulance !	Chame uma ambulância!	**cheum** oumeu amm-bou-**lin**-ssieu
Appelez la police !	Chame a polícia!	**cheum** a pou-**li**-cieu
Appelez les pompiers !	Chame os bombeiros!	**cheum** ouj bom-**béî**-rouj
Où est le téléphone le plus proche ?	Há um telefone aqui perto?	a oû teu-leu-**fon'** eu-**ki** pè-rtou
Où est l'hôpital le plus proche ?	Onde é o hospital mais próximo?	ond è ou **oush**-pi-tal maïch **pro**-si-mou

L'ESSENTIEL

Oui	Sim	si
Non	Não	neun^ou
S'il vous plaît	Por favor/ Faz favor	pour feu-**vôr** feuj feu-**vôr**
Merci	Obrigado/da	oub-ri-**geu**-dou/deu
Excusez-moi	Desculpe	dich-**koul**-peu
Bonjour	Olá	o-**la**
Au revoir	Adeus	eu-**dé**^ou-ch
Bonjour	Bom-dia	boñ **di**-eu
Bonsoir	Boa-tarde	bo-eu **tardeu**
Bonne nuit	Boa-noite	bo-eu noî-teu'
Hier	Ontem	onn-**teun**^y
Aujourd'hui	Hoje	ô-jeu
Demain	Amanhã	a-meu-**gneun**
Ici	Aqui	eu-**ki**
Là	Ali	eu-**li**
Quoi ?	O quê?	**ou** ké
Lequel ?	Qual?	k^ou**al**
Quand ?	Quando?	k^ou**eunn**-dou
Pourquoi ?	Porquê?	pour-ké
Où ?	Onde?	onn-deu

QUELQUES PHRASES UTILES

Comment allez-vous ?	Como está?	kô-mou **ichteu**
Très bien, merci.	Bem, obrigado/da.	beun^y ou-bri-**geu**-dou/deu
Enchanté(e)	Encantado/a.	ẽng-keunn-**teu**-dou/deu
À bientôt.	Até logo.	eu-**té** lo-gou
C'est parfait.	Está bem.	ichta beun^y
Où est/sont… ?	Onde está/estão … ?	ond **ichta**/ **ichteun**^ou
À quelle distance se trouve… ?	A que distância fica … ?	eu ke dich-**teun** syeu fi-keu
Comment aller à… ?	Como se vai para … ?	kou-mou se **vaï** peu-reu
Parlez-vous français ?	Fala francês?	fa-leu freun-**séch**
Je ne comprends pas.	Não compreendo.	neun^ou konm-pryẽn-dou
Pourriez-vous parler plus lentement, SVP ?	Pode falar mais devagar	pod feu-**lar** maïch d'-veu-**gar**
Excusez-moi.	Desculpe.	pour feu-**vôr**? dich-**koul**-peu

QUELQUES MOTS UTILES

grand	grande	ghreunn-deu
petit	pequeno	peu-**ké**-nou
chaud	quente	kẽn-teu
froid	frio	fri^ou
bon	bom	bonm
mauvais	mau	ma^ou
assez	bastante	beuch-**teunn**-teu
bien	bem	beun^y
ouvert	aberto	eu-**bèr**-tou
fermé	fechado	fi-**cha**-dou
gauche	esquerda	ich-**kér**-deu
droite	direita	di-**réî**-teu
tout droit	em frente	eun^y frẽn-teu
près	perto	pè-rtoo
loin	longe	lon-jeu
en haut	para cima	pur-ruh **see**-muh
en bas	para baixa	pur-ruh **buv**-shoo
tôt	cedo	sé-dou
tard	tarde	**tardeu**
entrée	entrada	ẽn-**tra**-deu
sortie	saída	seu-**i**-deu
toilettes	casa de banho	ka-zeu d' **beu**-gnou
plus	mais	maïch
moins	menos	**mé**-nouch

AU TÉLÉPHONE

Je voudrais téléphoner à l'étranger.	Queria fazer uma chamada internacional.	keu-rieu feu-**zér** oû-meu cheu-ma-deh ĩn-teur-neun-**s**you-**nal**
un appel local	uma chamada local	oû-meu cheu-ma-deu lou-**kal**
Puis-je laisser un message ?	Posso deixar uma mensagem?	pó-sou déî-char oû mẽ-**sa**-jeun^y

LE SHOPPING

Combien cela coûte-t-il ?	Quanto custa isto?	k^ou**eunn**-tou - **kouch**teu ich-tou
Je voudrais…	Queria …	keuri-ou…
Je ne fais que regarder.	Estou só a ver obrigado/a.	ichtô so eu **vér** oub-ri-**ga**-dou/eu
Acceptez-vous les cartes de crédit ?	Aceita cartões de crédito?	eu-**séî**-teu kar-**taonj** de **krè**-di-tou
À quelle heure ouvrez-vous ?	A que horas abre?	eu **keu** o-raj a-breu
À quelle heure fermez-vous ?	A que horas fecha?	eu keu o-raj fe-cheu
ceci	Este	**éch**-teu
cela	Esse	é-seu
cher	caro	**ka**-rou
bon marché	barato	beu-**ra**-tou
la taille (vêtements)	número	nou-meu-rou
blanc	branco	**breun**-kou
noir	preto	**pré**-tou
rouge	vermelho	ver-**mehl**-voo
jaune	amarelo	eu-ma-rè-lou
vert	verde	**vér**-deu
bleu	azul	eu-**zoul**
antiquaire	loja de antiguidades	**lo**-jeu de eunn-ti-g^oui-**da-deuj**
boulangerie	padaria	**peu**-deu-**ri**-eu
banque	banco	**beun**-kou
librairie	livraria	li-vreu-**ri**-eu
boucherie	talho	**ta**-l'ou
pâtisserie	pastelaria	peuch-teu-leu-**ri**-eu
pharmacie	farmácia	feur-**ma**-syeu
poissonnerie	peixaria	péî-cheu-**ri**-eu
coiffeur	cabeleireiro	keu-bé-léï-**réî**-rou
marché	mercado	meur-**ka**-dou
marchand de journaux	kiosque	k^y**ochkeu**
poste	correios	kou-**rréî**-ouj
marchand de chaussures	sapataria	seu-peu-teu-**ri**-eu
supermarché	supermercado	sou-**pèr**-meur-**ka**-dou
tabac	tabacaria	teu-beu-keu-**ria**-eu
agence de voyages	agência de viagens	eu-jẽ-**sy**eu de vya-jeunch

LE TOURISME

cathédrale	sé	**sè**
église	igreja	i-**gré**-jeu
jardin	jardim	jeur-**dĩ**
bibliothèque	biblioteca	bi-blyou-**tè**-keu
musée	museu	**mou**-z^è^ou
office du tourisme	posto de turismo	**pôch-tou** deu tou-rij-mou
fermé les jours fériés	fechado para férias	fe-**sha**-doo puh-ruh **fè**-ryeuch
arrêt de bus	estação de autocarros	ich-teu-**seun**^ou deu-aou-tou-**ka**-rrouj
gare	estação de comboios	ich-teu-**seun**^ou deu konm-**boî**-ouj

À L'HÔTEL

Avez-vous une chambre ?	Tem um quarto livre?	teunn oũ k^ou**ar**-tou **livreu**
une chambre avec bain	um quarto com casa de banho	oũ k^ou**ar**-tou kon **ka**-zeu deu beu-**gnou**
douche	duche	**dou**-cheu
une chambre pour une personne	quarto individual	k^ou**ar**-tou ĩn-deu-vi-**doual**
une chambre pour deux personnes	quarto de casal	k^ou**ar**-tou deu - keu-**zal**
une chambre à deux lits	quarto com duas camas	k^ou**ar**-tou kon - douach keu-meuch
le portier	porteiro	pour-**téî**-rou
la clef	chave	**cheuveu**
J'ai réservé une chambre.	Tenho um quarto reservado.	**tẽgnou** oũ k^ou**ar**-tou-rreu-zer-**va**-dou

AU RESTAURANT

Avez-vous une table pour… ?	Tem uma mesa **para . . . ?**	**té** oumeu **mé**-zeu peu-reu
Je voudrais réserver une table.	**Quero reservar uma mesa.**	**kè**-rou rreu-zèr-**var** oumeu **mé**-zeu
L'addition, s'il vous plaît.	A conta **por favor/ faz favor.**	eu **konn**-teu pour fuh-**vor**/ **fash** feu-**vôr**
Je suis végétarien/ne.	Sou **vegetariano/a.**	Sô veu-jeu-teu-ry-**eu**-nou/eu
S'il vous plaît [serveur/serveuse] !	**Por favor!/ Faz favor!**	pour feu-**vôr feuch** feu-**vôr**
la carte	a **lista**	uh **leesh**-tuh
menu	a **ementa**	eu i-**mēn**-teu
à prix fixe	**turística**	tou-**rích**-ti-keu
carte des vins	a **lista de vinhos**	eu **lich**-teu de **vi**-gnouch
verre	um **copo**	oū **ko**-pou
bouteille	uma **garrafa**	oumeu gheu-**rra**-feu
demi-bouteille	**meia-garrafa**	**mēi**-eu gheu-**rra**-feu
couteau	uma **faca**	ou-meu **fa**-keu
fourchette	um **garfo**	oū **ghar**-fou
cuillère	uma **colher**	ou-meu koulʸ**ér**
assiette	um **prato**	oū **pra**-tou
serviette	um **guardanapo**	oū gou-ar-deu-**na**-pou
petit déjeuner	**pequeno-almoço**	peu-**ké**-nou-al-**mô**-sou
déjeuner	**almoço**	al-**mô**-sou
dîner	**jantar**	jeunn-**tar**
couvert	**couvert**	kou-**vèr**
entrée	**entrada**	ēn-**tra**-deu
plat	**prato principal**	**pra**-tou prī-si-**pal**
plat du jour	**prato do dia**	**pra**-tou dou **di**-eu
plat à prix fixe	**combinado**	konm-bi-**na**-dou
demi-portion	**meia-dose**	mēi-eu **do**-zeu
dessert	**sobremesa**	sô-breu-**mé**-zeu
saignant	**mal passado**	**mal** peu-**sa**-dou
à point	**médio**	**mè**-dyou
bien cuit	**bem passado**	beunʸ peu-**sa**-dou

LIRE LE MENU

abacate	eu-beu-**kateu**	avocat
açorda	eu-**çor**-deu	panade (souvent aux fruits de mer)
açúcar	eu-sou-**kar**	sucre
água mineral	a-gᵒᵘeu mi-neu-**ral**	eau minérale
(com gás)	kon **ghach**	pétillante
(sem gás)	sañ **ghach**	plate
alho	**al**-yoo	ail
alperche	al-**pèr**-cheu	abricot
amêijoas	eu-mēi-jᵒᵘ-ach	palourdes
ananás	eu-neu-**nach**	ananas
arroz	eu-**rrôch**	riz
assado	eu-**sa**-dou	cuit au four
atum	eu-**toū**	thon
aves	**a**-veuch	volaille
azeite	eu-**zéi**-teu	huile d'olive
azeitonas	eu-zēi-**tô**-nach	olives
bacalhau	beu-keu-lʸ**aou**	morue séchée
banana	beu-**neu**-neu	banane
batatas	beu-**ta**-teuch	pommes de terre
batatas fritas	beu-**ta**-teuch **fri**-teuch	frites
batido	beu-**ti**-dou	milk-shake
bica	**bi**-keu	express
bife	**bi**-feu	steak
bolacha	bou-**la**-cheu	biscuit
bolo	**bô**-lou	gâteau
borrego	bou-**rré**-gou	agneau
caça	**ka**-seu	gibier
café	keu-**fè**	café
camarões	keu-meu-**roïch**	bouquets
caracóis	keu-reu-**koïch**	escargots
caranguejo	keu-reun-**ghé**-jou	crabe
carne	**karneu**	viande
cataplana	keu-teu-**pla**-neu	à l'étuvée
cebola	seu-**bô**-leu	oignon
cerveja	seur-**vé**-jeu	bière
chá	**cha**	thé
cherne	**cherneu**	bar
chocolate	chou-kou-**la**-teu	chocolat
chocos	**chou**-kouch	seiche
chouriço	chou-**ri**-sou	chorizo
churrasco	chou-**rrach**-cou	cuit à la broche
cogumelos	kou-gou-**mè**-louch	champignons
cozido	kou-**zi**-dou	bouilli
enguias	ēng-**ghi**-euch	anguilles
fiambre	fiam-breu	jambon
fígado	**fi**-geu-dou	foie
frango	freun-**ghou**	poulet
frito	**fri**-tou	frit
fruta	**frou**-teu	fruit

gambas	**gheunm**-beuch	gambas
gelado	jeu-**la**-dou	crème glacée
gelo	jé-**lou**	glace
goraz	gou-**raj**	dorade
grelhado	ghri-lʸ**a**-dou	grillé
iscas	**ich**-keuch	marinade de foie
lagosta	leu-**gôch**-teu	homard
laranja	leu-**reun**-jeu	orange
leite	**léi**teu	lait
limão	li-**meun**ᵒᵘ	citron
limonada	li-mou-**na**-deu	limonade
linguado	lī-**ghᵒᵘa**-dou	sole
lulas	**lou**-leuch	calmar
maçã	meu-**seun**	pomme
manteiga	meunn-**tēi**-geu	beurre
mariscos	meu-**rich**-kouch	fruits de mer
meia-de-leite	**mēi**-eu-de **léi**-teu	café au lait
ostras	**ôch**-treuch	huîtres
ovos	**o**-vouch	œufs
pão	**peun**ᵒᵘ	pain
pastel	peuch-**tel**	gâteau
pato	**pa**-tou	canard
peixe	**péi**-cheu	poisson
peixe-espada	**péi**-cheu-**ichpa**-deu	espadon
pimenta	pi-**mēn**-teu	poivre
polvo	**pôl**-vou	poulpe
porco	**pôr**-kou	porc
queijo	**kéi**-jou	fromage
sal	**sal**	sel
salada	seu-**la**-deu	salade
salsichas	sal-**si**-cheuch	saucisses
sandes	**seunn**-dech	sandwich
santola	seunn-**to**-leu	tourteau
sopa	**sô**-peu	soupe
sumo	**sou**-mou	jus
tamboril	teunm-bou-**ril**	lotte
tarte	**tarteu**	tarte
tomate	tou-**ma**-teu	tomate
torrada	tou-**rra**-deu	pain grillé
tosta	**toch**-teu	sandwich grillé
vinagre	vi-**na**-greu	vinaigre
vinho branco	**vi**-gnou **breun**-kou	vin blanc
vinho tinto	**vi**-gnou **tīn**-tou	vin rouge
vitela	vi-**tè**-leu	veau

LES NOMBRES

0	**zero**	**zè**-rou
1	**um**	**oū**
2	**dois**	**doïch**
3	**três**	**tréch**
4	**quatro**	kᵒᵘa-trou
5	**cinco**	**sīn**-kou
6	**seis**	**séïch**
7	**sete**	**sè**-teu
8	**oito**	**oï**-tou
9	**nove**	no-veu
10	**dez**	**dèch**
11	**onze**	**on**-zeu
12	**doze**	**dô**-zeu
13	**treze**	**tré**-zeu
14	**catorze**	keu-**tôr**-zeu
15	**quinze**	**kī**-zeu
16	**dezasseis**	deu-zeu-**séïch**
17	**dezassete**	deu-zeu-**sèteu**
18	**dezoito**	deu-**zoï**-tou
19	**dezanove**	deu-zeu-**noveu**
20	**vinte**	**vīn**-teu
21	**vinte e um**	**vīnt**ʼ-i oū
30	**trinta**	**trīn**-teu
40	**quarenta**	koueu-**rēn**-teu
50	**cinquenta**	s~i-kᵒᵘ**ēn**-teu
60	**sessenta**	seu-**sēn**-teu
70	**setenta**	seu-**tēn**-teu
80	**oitenta**	oï-**tēn**-teu
90	**noventa**	nou-**vēn**-teu
100	**cem**	**seun**ʸ
101	**cento e um**	**sēn**-tou-i-oū
102	**cento e dois**	**sēn**-tou-i-**doïch**
200	**duzentos**	dou-**zēn**-touch
300	**trezentos**	tre-**zēn**-touch
400	**quatrocentos**	kᵒᵘa-trous**ēn**touch
500	**quinhentos**	ki-**gnē**-touch
700	**setecentos**	sèteu-**sēn**-touch
900	**novecentos**	noveu-**sēm**-touch
1 000	**mil**	**mil**

LE JOUR ET L'HEURE

une minute	**um minuto**	oū mi-**nou**-tou
une heure	**uma hora**	ou-meu o-reu
une demi-heure	**meia-hora**	**mēi**-eu-o-reu
lundi	**segunda-feira**	seugoïn-deu-**féi**
mardi	**terça-feira**	térseu-**féi**-reu
mercredi	**quarta-feira**	kᵒᵘarta-**féi**-reu
jeudi	**quinta-feira**	**kīn**ta-**féi**-reu
vendredi	**sexta-feira**	**séï**chta-**féi**-reu
samedi	**sábado**	**sa**-ba-dou
dimanche	**domingo**	dou-**min**-gou

GUIDES VOIR

PAYS
AFRIQUE DU SUD • ALLEMAGNE • AUSTRALIE • CANADA
CUBA • ÉGYPTE • ESPAGNE • FRANCE • GRANDE-BRETAGNE
IRLANDE • ITALIE • JAPON • MAROC • MEXIQUE
NOUVELLE-ZÉLANDE • PORTUGAL, MADÈRE ET AÇORES
SINGAPOUR • THAÏLANDE • TURQUIE

RÉGIONS
BALI ET LOMBOCK • BARCELONE ET LA CATALOGNE
BRETAGNE • CALIFORNIE
CHÂTEAUX DE LA LOIRE ET VALLÉE DE LA LOIRE
ÉCOSSE • FLORENCE ET LA TOSCANE • FLORIDE
GRÈCE CONTINENTALE • GUADELOUPE • HAWAII
ÎLES GRECQUES • JÉRUSALEM ET LA TERRE SAINTE
MARTINIQUE • NAPLES, POMPÉI ET LA CÔTE AMALFITAINE
NOUVELLE-ANGLETERRE • PROVENCE ET CÔTE D'AZUR
SARDAIGNE • SÉVILLE ET L'ANDALOUSIE • SICILE
VENISE ET LA VÉNÉTIE

VILLES
AMSTERDAM • BERLIN • BRUXELLES, BRUGES, GAND ET ANVERS
BUDAPEST • DELHI, AGRA ET JAIPUR • ISTANBUL
LONDRES • MADRID • MOSCOU • NEW YORK
NOUVELLE-ORLÉANS • PARIS • PRAGUE • ROME
SAINT-PÉTERSBOURG • STOCKHOLM • VIENNE • WASHINGTON

Carte routière

LÉGENDE

✈ Aéroport
— Autoroute
— Route principale
= Route secondaire

0   50 km